D0411210

De bandiet

Vito Bruschini

De bandiet

Karakter Uitgevers B.V.

Oorspronkelijke titel: *Vallanzasca. Il romanzo non autorizzato del nemico pubblico numero uno.*

Vertaling: Esther Schiphorst

Opmaak binnenwerk: ZetSpiegel, Best
Omslagontwerp en artwork: Mark Hesseling, Wageningen

ISBN 978 90 452 0063 7
NUR 332

Voor vice-hoofdcommissaris Giuseppe Peri,
onbekend, maar een briljante overheidsfunctionaris
en voor al die politieagenten, carabinieri,
magistraten, journalisten en gewone mensen
die hun leven opgeofferd hebben
en geloofden in een ideaal van gerechtigheid en vrijheid.

Deze roman is gebaseerd op gebeurtenissen die werkelijk hebben plaatsgevonden in Italië in de jaren zeventig. De auteur heeft een persoonlijke geromantiseerde werkelijkheid geschapen die absoluut niet de pretentie heeft een historische reconstructie van feiten te zijn. Hij heeft gebruikgemaakt van enkele tijdstegenstrijdigheden om bepaalde passages van de roman te vereenvoudigen. Naast puur fictionele personages, om het gevoel van overeenstemming met de realiteit te versterken, handelen personages die daadwerkelijk hebben bestaan, die echter alleen ingezet zijn voor een narratief doeleinde. Het doel is de sfeer van die jaren te doen herleven om aan de jongere generaties, die de beschreven gebeurtenissen niet hebben meegemaakt, duidelijk te maken hoe belangrijk het is dat het eerlijke deel van de bevolking het geweld en de onderdrukking van een paar criminelen en politici afwijst, opdat de grondwettelijke garanties, aan de basis van onze democratie, worden onttrokken aan onwaarschijnlijke demagogische avonturen.

Proloog

Het lot stuurt geen boodschappers of voortekens, daar is het te wreed voor. Daarbij was Angela niet bijgelovig en zou ze haar vertrek zeker niet uitstellen vanwege die tegenslag. Ze moest begin van de middag het vliegtuig naar Palermo pakken en had zich gehaast om het artikel voor de *Paese Sera* af te krijgen. Maar de hoofdredacteur had haar gevraagd de dag erna te vertrekken en de redactie nog even te helpen met de afronding van het binnenlands nieuws, omdat degene die de leiding had over de reportages in het ziekenhuis lag met een ontwrichte schouder door een banaal brommerongeluk.

Angela had net haar stage van achttien maanden afgerond en zou binnenkort Staatsexamen gaan doen om beroepsjournalist te worden. Kortom, ze was de jongste bediende en als er iemand op de redactie zich moest opofferen, was zij altijd de eerste.

Ze belde Alitalia om haar vlucht om te boeken naar de laatst mogelijke vlucht van diezelfde dag. Ze kon niet vierentwintig uur later vliegen, omdat ze de dag erna in Palermo een belangrijke afspraak had met Giovanni Spampinato, een journalist van de *Ora*, die haar een aantal weken geleden alarmerende brieven had gestuurd over de mysterieuze activiteiten van fascistische groeperingen die de laatste maanden op Sicilië waren waargenomen. De journalist had haar ook geschreven dat in Ragusa het hoofd van de Nationale Avantgarde-beweging Stefano delle Chiaie, en Vittorio Quintavalle waren gezien. Deze laatste had connecties met Junio Valerio Borghese, ex-aanvoerder van de Decima Mas. ‘Er broeit iets. We houden het in de gaten maar proberen te voorkomen dat we de doos van Pandora openen,’ besloot Spampinato zijn brief, op zijn typerende ironische wijze.

Franco Indovina was een jonge filmregisseur. Zijn internationale faam had hij echter niet te danken aan zijn films, maar aan zijn verschijning in de roddelbladen, die voortdurend berichtten over zijn affaire met prinses Soraya. Er ging geen week voorbij zonder dat de sensatietijdschriften één of meer pagina's aan de ex-vrouw van de sjah van Perzië wijdden, de man die haar had verstoten omdat ze hem geen troonopvolger kon schenken.

De mooie prinses vreesde de eenzaamheid en besloot daarom, dezelfde ochtend waarop haar geliefde regisseur haar had verteld dat hij naar Palermo moest om te stemmen, ook weg te gaan en haar moeder in Monte Carlo op te zoeken. 'Een leeg huis maakt me bang,' had ze tegen hem gezegd, terwijl ze hem met een droevige glimlach omhelsde. 'Ik gebruik deze gelegenheid om maman op te zoeken. We zien elkaar maandag weer.' Ze bezegelden die belofte met een innige kus. Ze hadden besloten voor het einde van de zomer te trouwen.

Ignazio Alcamo zou die avond dezelfde vlucht nemen als Indovina. Alcamo was rechter. Hij zat in de Hoge Raad, was voorzitter van de eerste afdeling van de rechtbank van Palermo en van de speciale afdeling Voorzorgsmaatregelen. Een paar dagen geleden had hij, als voorzitter van die afdeling, getekend voor het verzoek tot internering van aannemer Francesco Vassallo en Antonietta Bagarella, de zus van Leoluca Bagarella en vrouw van Totò Riina, twee bekende maffiabazen.

Antonio Fontanelli kwam uit Livorno en was onlangs bevorderd tot luitenant-kolonel van de Italiaanse FIOD. Hij vloog naar Palermo om daar het team aan te voeren waarmee hij de gedragspatronen van de nieuwe maffia moest onderzoeken om zo greep te krijgen op de aanbestedingen van de openbare werken. Ook hij had de vlucht van 20.50 uur geboekt.

Renate Heichlinger, een prachtige Duitse uit Hamburg, zou eind volgende week in Palermo gaan trouwen en had besloten er al eerder heen te gaan omdat ze het organisatietalent van de Italianen niet vertrouwde: ze wilde persoonlijk ieder detail van de ceremonie controleren. Haar bruiloft was nogal ongewoon, aangezien deze in de Ucciardonegevangenis zou plaatsvinden. Haar toekomstige man heette Giusto Sciarrabba, die werd beschouwd als een van de nieuwe bazen van de Siciliaanse maffia.

Naast hen dromden die vrijdagavond nog 103 andere passagiers samen aan de voet van de trap van de DC-8 om vlucht Alitalia AZ112 te nemen. Het vliegtuig steeg op van Fiumicino met vijfentwintig minuten vertraging. Het zat bijna vol, maar van de gewoonlijke drukte was geen sprake. Het late uur, de vermoeidheid na een werkweek die inmiddels voorbij was en de gedimde lichten, leidden tot gefluister. Het verlichte paneel gaf aan dat ze hun stoelriem mochten losmaken. De passagiers gaven daar gehoor aan en maakten het zichzelf gemakkelijk door de rugleuningen achterover te doen, om zich vervolgens mee te laten voeren door het gegons van de motoren.

Commandant Roberto Bartoli stelde de landing uit om een ander vliegtuig, dat uit Catania kwam, voor te laten gaan. Toen hij om 21.21 uur de lichten van de landingsbaan zag, deelde hij aan de verkeerstoren mee: 'We bevinden ons drieduizend voet boven Punta Raisi, we draaien naar rechts en komen binnen op linkerbaan 25.' Dat waren de laatste woorden van vlucht AZ112 die werden geregistreerd door de grondapparatuur.

Een paar seconden later zagen twee politieagenten die op de snelweg tussen Palermo en Punta Raisi patrouilleerden een vliegtuig over hun hoofd scheren. Het kabaal dat de motoren maakten klonk abnormaal; het leek wel het gekreun van een stervende draak. Ze zagen dat één kant van het toestel in vlammen was gehuld. Vanaf het balkon van een huis in het dorpje Torre Pozzillo zag een huisvrouw de kolos achter de berg verdwijnen. Later getuigde zij dat ze ook een oorverdovend lawaai had gehoord en vlammen in een van de motoren had gezien. Een lijnvluchtpiloot die een paar uur eerder op Punta Raisi was geland, hoorde vanuit een café in Cinisi het geluid van de defecte motoren, haastte zich naar buiten en zag de DC-8, als een komeet met een vuurstaart, achter de berg neerstorten. Ook sergeant Roberto Terrano, werkzaam in de buurt van de verkeerstoren van het vliegveld van Palermo, zag dat er vlammen uit de romp lekten. Vervolgens hoorde hij een harde klap en zag hij een schijnsel achter de bergrug, dat voor een ogenblik het duistere hemelgewelf op die heldere lenteavond verlichtte.

Het was 5 mei 1972 en de DC-8 van Alitalia AZ112 had zijn vlucht beëindigd door op de Montagna Longa te crashen, het gesteente dat de bergketen Conca d'Oro vormt, die boven het vliegveld van Punta Raisi uittorent, dat tegenwoordig bekendstaat als Aeroporto Falcone-Borsellino.

Om achter de oorzaken van de ramp te komen, benoemde de minister van Verkeer, Oscar Luigi Scalfaro, een onderzoekscommissie. De commissie, geleid door kolonel Francesco Lino, had er slechts twaalf dagen voor nodig om te kunnen vaststellen dat het ging om menselijk falen met een rampzalig ongeluk tot gevolg. Hij concludeerde dat de piloten gedrogeerd en dronken waren. Die belastende veronderstelling werd hard onderuitgehaald door de resultaten van de autopsie die een paar dagen later op de resten van de twee arme piloten werd gedaan.

De magistratuur bleef het geval onderzoeken. Ook de adviseurs die door de rechter-commissaris van Catania, Sebastiano Cacciatore, waren aangesteld kwamen tot de conclusie dat het ging om een inschattingsfout van de piloot. Volgens professoren Principe Vannutelli en Antonino La Rosa en de commandant van de ENAV, Francesco Barchitta, had commandant Roberto Bartoli, die belast was met de bakens, in de veronderstelling verkeerd dat hij zich loodrecht boven Punta Raisi bevond, terwijl hij in werkelijkheid nog vijftien mijl van het vliegveld verwijderd was, boven Monte Gradara, waar kortgeleden het radiobaken naartoe was verplaatst.

Roberto Bartoli was commandant met een lange staat van dienst, met meer dan achtduizend vlieguren op zijn naam, waarvan vele met de DC-8, en het was niet de eerste keer dat hij in Palermo landde. Hij was dus perfect op de hoogte van de verplaatsing van het radiobaken.

Iemand opperde de mogelijkheid van een explosie aan boord. De gerechtsartsen hadden vastgesteld dat de lichamen van sommige passagiers uiteengespat waren. Het lichaam van regisseur Francesco Indovina was nooit meer gevonden. Amalia, zijn ex-vrouw, herkende hem slechts aan zijn tandprothese en aan zijn identiteitskaart. Veel passagiers waren zonder schoenen aangetroffen, wat gebruikelijk is tijdens de voorbereiding op een noodlanding. Wat was er gebeurd aan boord van de DC-8 in die korte onstuimige periode tussen het moment waarop de commandant met de toren van Punta Raisi communiceerde en het moment van de crash?

Na drie processen en een verzoek voor een nieuw onderzoek, dat in oktober 2001 verworpen werd door de rechter van Catania, Peroni Ronchet, is ook vandaag de dag de dood van de 108 passagiers en de zeven leden van de bemanning nog in nevelen gehuld. Het is een van de vele mysteries die Italië in die jaren van terreur teisterden. Ook dit bloedbad moet worden toegevoegd aan de lange lijst krankzinnige misdaden, begaan door een generatie jongeren die verstrikt raakte in onzinnige utopieën. Dit is hun verhaal. Het verhaal van een afdaling naar de onderwereld.

1

1980 – Tijd om een lucifer aan te steken

In de lente van 1980 waren de cellen van San Vittore afgeladen met belangrijke figuren uit de Milanese onderwereld en uit Italiaanse terreurbewegingen. Een groot deel van Renatino's bende wachtte er op het proces dat tegen hen was aangespannen voor de ontvoering van Alessia Terracina: Antonio Caporale, bijgenaamd Napo, Roberto Sorbello, beter bekend als Mazzinga, Tonino Rossi, Osvaldo Monopoli, de Stomme, Molotov en Tonino Merlo. Op de extra beveiligde afdeling bevonden zich de rechtse terrorist Pierluigi Dalmasso en Corrado Alunni van de Rode Brigades. Zij trokken op met de extreemlinkse terroristen Emanuele Attimonelli en Alfio Zanetti. De Frontlijn werd vertegenwoordigd door Antonio Marocco, Paolo Klun, Fausto Bocedi en Daniele Bonato. Kortom, alle belangrijke representanten van een generatie die alleen dood, wanhoop en ongeluk had gezaaid, bevonden zich daar.

In de gevangenis deden zich, zelfs in ernstigere vorm, dezelfde dynamiek, tegenstrijdigheid en frictie voor als aan de andere kant van de tralies. In die tijd waren de contrasten bijzonder scherp.

De jongens van de roversbendes, de zogenoemde 'batterijen', droomden bijvoorbeeld voortdurend over hun toekomstige vrijheid. Renatino, baas van de Comasinabende, een van de beroemdste batterijen van die tijd, discussieerde vaak met Corrado Alunni, stichter van de links terroristische Frontlijn, die heftig protesteerde tegen zijn ontsnappingszucht.

'Jullie zijn te veel beïnvloed door de consumptie-ideologie van de burgerij om onze problemen te kunnen begrijpen,' stelde Alunni. 'Jullie zijn te individualistisch en niet in staat een zware discipline als de onze te aanvaarden.'

'Hou toch op met die onzin. Je spreekt in clichés,' antwoordde Renatino. 'Het is algemeen bekend dat jullie ervan dromen de gevangenis in te nemen om er zowel jullie zaak als jullie huis van te maken. Jullie willen die zelfs besturen. Jullie redeneren als smerissen. Snap je wat ik bedoel? Wij daarentegen lopen ver voor. Omdat wij voornamelijk denken aan hoe we hier weg komen! In plaats van er ons huis van te maken!'

'Maar voor velen van ons maakt de gevangenis deel uit van onze geschiedenis. Neem nou Giuliani.' Hij wees naar een van zijn kameraden. 'Voor hem is de gevangenis bekend terrein. Zijn vader heeft gezeten, zijn moeder is er terechtgekomen, hij heeft bijna al zijn donderdagmiddagen hier doorgebracht, op bezoek bij zijn ouders. Hetzelfde geldt voor mij.'

'Dat is ook het probleem van jou en je maten. Jullie hele wereld draait om de gevangenis, en hoewel wij er ook een groot deel van ons leven doorbrengen, is het voor ons een kwaad dat we spoedig achter ons zullen laten. Dat is waarom we zo op ontsnappen gefixeerd zijn.'

En inderdaad, vanaf de dag waarop Renatino voet zette in de gevangenis, dacht hij voortdurend aan hoe hij er weer weg kon komen.

Hij was pas dertig jaar en had de helderste blauwe ogen die meisjes deden zwijmelen. Hij kon verleidelijk en betoverend zijn, maar had tegelijkertijd ook een enorm wrede en vastberaden kant waar zelfs zijn vrienden versteld van stonden. Wie goed op hem lette had wel door dat hij te maken had met een zware crimineel. Met zijn persoonlijkheid en zelfverzekerde uitstraling kwam hij over als een manager. Als hij had gewild, had hij elk beroep kunnen kiezen dat er maar bestond: van Fiat-directeur tot coach van een beroemd voetbalelftal. In plaats daarvan was hij een van de voornaamste Milanese bandieten en had hij op dat moment al een kwart van zijn leven achter de tralies gezeten. Maar deze acht lange jaren hadden hem allesbehalve getemd.

Hij was nu in San Vittore om het proces rond de ontvoering van Alessia Terracina te kunnen volgen. Hij kampte al twee jaar met de gevolgen van het afsterven van zijn rechterbilspier en uiteindelijk had zijn advocaat voor elkaar gekregen dat hij geopereerd kon worden in klinisch centrum de 'Twee', het beste waar een gevangene op kon hopen.

Tussen het proces en de operatie, inclusief de herstelperiode erna, kon hij rekenen op een verblijf in een Milanese gevangenis van ten minste drie maanden. Hij had dus alle tijd om een ontsnapping te plannen. Bovendien kon hij in Milaan eenvoudig logistieke ondersteuning krijgen.

Het grootste probleem bij zijn ontsnappingsplan was het binnensmokkelen van de wapens. Vuurwapens kwamen alleen binnen met hulp van een van de cipiers, die een ellendig leven leidden: lage lonen, stressvolle diensten en dagelijkse confrontaties met criminelen van de ergste soort, die in staat waren je kreupel te laten slaan door vrienden buiten de gevangenis, alleen maar om een verkeerd geïnterpreteerd woord. Het was onvermijdelijk dat een van hen zou bezwijken voor de verleiding van een dikke fooi, in ruil voor een gunst.

Renatino had zijn oog laten vallen op een jonge cipier die, zodra hij de kans kreeg, om hem heen fladderde. De bewaker bewonderde hem en sprak dat ook uit of liet het op andere wijze merken. Het lag daarom voor de hand dat híj vroeg of laat het 'paard van Troje' zou worden dat de wapens naar binnen zou smokkelen.

Op een dag nam Renatino de proef op de som en vroeg hem stiekem of hij bereid was een oogje dicht te knijpen bij wat 'zware' handel. Hij antwoordde dat daar wel over te praten viel. Renatino had een goede intuïtie; ook deze keer zat hij goed.

Op een avond, voordat de cellen werden gesloten, riep hij de cipier bij zich en drukte hem een envelop in handen. 'Dit is alvast vijf miljoen. De andere helft krijg je als je me drie pistolen levert.'

De bewaker keek in de envelop en gooide deze, zodra hij het stapeltje bankbiljetten zag, beledigd op het bed. 'Hé, wie denk je wel niet dat ik ben? Wie heeft het over geld gehad?'

Renatino was stomverbaasd. Voor de eerste keer in zijn leven wist hij niet wat hij moest zeggen. 'Ik wilde je echt niet beledigen...'

'Stop dat weg. Als ik het doe, doe ik het omdat ik het niet juist vind dat iemand zoals jij wegrot in de gevangenis terwijl er schurken in pak en stropdas op tv verschijnen.'

'Als dat is wat je denkt, bewonder ik je.'

'Nu doen we in ieder geval niets, want er zijn te veel belangrijke gevangenen in aantocht. Daarom is de controle verdrievoudigd. We hebben het erover zodra het weer een beetje rustig is.'

Renatino was verbijsterd. Hij verbaasde zich nooit over mensen. Er bestonden dus ook goede smerissen, dacht hij. Dit was werkelijk een goede kerel. Hij zou hem de dag dat hij uit San Vittore zou ontsnappen, uitnodigen om zich bij zijn batterij aan te sluiten.

In de weken die volgden, kwamen nieuwe gevangenen in de Milanese gevangenis aan voor hun proces. Er kwamen gewone criminelen voorbij, maar ook leden van de Rode Brigades en rechtse terroristen, bekend als prima donna's. De bewakers letten erop dat de verschillende facties elkaar niet ontmoetten. In die korte periode was het erg lastig om over de afdelingen te lopen.

Vervolgens liepen de afdelingen leeg. De gedetineerden die er tijdelijk zaten keerden terug naar de gevangenis waar ze vandaan kwamen en, zoals beloofd, kwam de jonge cipier op een avond bij Renatino's cel, met twee pistolen. Het was etenstijd en het scheelde weinig of Napo, die de cel met het hoofd van zijn bende deelde, verslikte zich in zijn soep, door de nonchalance waarmee de jonge cipier hun de twee pistolen aanreikte: hij had niet eens de moeite genomen ze in een stuk stof te wikkelen. Een paar dagen later bracht hij hun het derde pistool. Ook dat was een P38.

Renatino zorgde ervoor dat een van de pistolen bij Mazzinga terechtkwam, een van de bendeleden die zich op dezelfde afdeling bevond. Nu ze de wapens hadden, konden ze de dag voor de ontsnapping prikken.

Die dag brak aan. Het was een maandag, eind april, en Renatino besloot rond 13.20 uur in actie te komen, tijdens het luchten. Hij waarschuwde alle jongens van zijn batterij dat ze tennisschoenen moesten aantrekken en zich moesten kleden alsof ze een belangrijke afspraak hadden. Hijzelf droeg een overhemd met overjas en had een sjaaltje om zijn nek gebonden. Opgedirkt als hij was, zag hij er zeker niet uit als een gevangene. Hij waarschuwde Corrado Alunni dat hij zich bij de groep mocht voegen en dat hij ook een paar maten mee mocht nemen.

Na het middageten opende het afdelingshoofd de cellen om de gevangenen naar buiten te laten voor het luchtuur. 'Kom op. Allemaal naar buiten,' zei hij terwijl hij, zoals gewoonlijk, met zijn sleutels tegen de tralies sloeg.

De gevangenen dromden samen en liepen in de richting van de trap die uitkwam op de binnenplaats. Renatino en Napo zeiden dat ze iets later zouden komen, omdat ze nog koffie aan het zetten waren. Toen ze echt zeker wisten dat alle andere gevangenen buiten waren, schreeuwde Renatino naar de cipier dat hij de cel open moest maken. Ze stapten de cel uit en sloten achteraan in de rij gedetineerden. Voor hem en Napo liepen hun afdelingsgenoten en achter hen zes cipiers, die de opdracht hadden hen tot op de binnenplaats te begeleiden. Mazzinga was nergens te bekennen. Mazzinga moest, volgens Renatino's plan, op een of andere wijze na hen naar buiten zien te komen, zodat hij zich achter de groep bewakers zou bevinden.

De lange stoet gevangenen en bewakers daalde de brede trap af die uitkwam op de binnenplaats, voor hun middagwandeling. Zodra hij onder aan de trap was, kwam Renatino in actie. Hij haalde zijn pistool uit zijn onderbroek en zette dit tegen de slaap van de brigadier. Napo deed hetzelfde. Toen Mazzinga, die zich achter de stoet bevond, zag dat Renatino zijn pistool getrokken had, haalde hij het zijne uit zijn broek tevoorschijn en riep om alle aandacht op zich te vestigen en de bewakers duidelijk te maken dat ze zich tussen twee vuren bevonden: 'Geen beweging!' De cipiers waren volkomen verrast en verroerden zich niet, ook omdat geen van hen gewapend was.

'Rotzakken, één keer ademhalen en jullie zijn er geweest,' brulde Renatino. 'En jij bent de eerste die tussen zes plankjes eindigt, brigadier.'

'Renatino, doe geen stomme dingen,' smeekte de brigadier goedmoedig.

Een Romein, corpulent, een familieman die nog niet eens in staat zou zijn met zijn neefje ruzie te maken.

'Klep dicht en adem in. Dit doen we op mijn manier,' daverde Renato.

'Maar waar denk je heen te gaan? Voordat je bij de grote deur naar het Filangeriplein bent, moet je eerst langs een hele reeks hekken. Dat red je nooit. Luister naar me. Stop hier.' De toon van een vader die zijn te impulsieve zoon bij zinnen probeert te brengen.

Maar Renatino sloeg hem in zijn nek, hard genoeg om hem helder te krijgen. 'Ophouden, opa! Als ik een preek wil horen ga ik wel naar de kerk.' Hij gaf een ruk aan zijn jas en leidde hem naar de deur die uitkwam op de binnenplaats. 'Maak open. Het is tijd voor een toneelstukje. Ik doe alsof ik me niet goed voel en jij roept de wachtpost, begrepen?'

De brigadier knikte instemmend, onderwijl zijn nek masserend. Napo en Mazzinga hielden de andere bewakers onder schot, maar geen van de agenten leek zin te hebben zich op te offeren om de ontsnapping te verijdelen.

De brigadier opende de deur en de twee liepen de buitenlucht in. 'Hé, jij daar!' riep de brigadier naar de bewaker die achter de geblindeerde ruit van het wachthuisje zat. 'Kom eens een handje helpen! Zie je niet dat deze zich niet goed voelt?'

Renatino had zijn pistool in de zak van zijn jack verstopt en deed alsof hij op de schouder van de brigadier leunde, die hem op zijn beurt met een arm om zijn middel ondersteunde.

De bewaker kwam het huisje uit en liep op de twee af. Toen hij zich naast Renatino bevond, zette deze zijn pistool tegen zijn kin. Hij hoefde niets te zeggen, het hek werd geopend en alle gevangenen verdrongen zich in de gang die naar de vrijheid zou leiden. Maar de weg die ze moesten gaan was nog lang en vol hindernissen. Voordat ze bij de laatste deur waren, moesten ze nog minstens vijf andere hekken voorbij zien te komen.

'Trek de uniformen van de bewakers aan,' zei hij tegen zijn kameraden. Ze dwongen de cipiers hun jassen en broeken uit te trekken. In de tussentijd zou Renatino alvast met Napo en de Romeinse brigadier verder lopen om de weg voor de anderen vrij te maken. Zijn charisma was onomstreden. Zelfs de beruchtste terroristen deden een stap opzij en gaven hem vrij spel als hij de leiding op zich nam. Opnieuw was het Renatino die van hen allemaal het meest riskeerde. Napo, zijn onafscheidelijke rechterhand, deed niet voor hem onder. Hij was tot de moedigste uitbraken in staat en in de tijd van de Comasinabende was hij degene die de strategieën bedacht voor de overvallen.

De twee vrienden passeerden de eerste gang die door de hele eerste afdeling liep. De doorgang was afgezet met twee hekken, die de brigadier opende en Renato op een kier liet staan, zodat de anderen er ook zonder problemen doorheen konden. Ze moesten nog door de lange gang van de advocaten. Op dat uur zou hij verlaten moeten zijn. Er stonden echter nog advocaten en aanklagers in groepjes bijeen, om even na te praten. Hij liep een advocaat tegemoet die hij kende, en die op dat moment met een rechter stond te praten. De advocaat herkende hem en begreep aan de onderworpen houding van de brigadier dat er sprake was van een ontsnappingspoging. Renatino wierp hem een veelzeggende blik toe, waarmee hij hem duidelijk maakte dat hij in de hand onder zijn jack een pistool had. De man begreep het onmiddellijk, wendde zijn blik af en concentreerde zich op de woorden van zijn gesprekspartner.

De drie liepen de grote advocatenzaal uit. De deuren werden niet op slot gedaan. Nu restte hun alleen nog het dubbele hek en het laatste, namelijk dat van de hoofdingang, dat uitkwam op het Filangeriplein. Nu moesten ze bedenken hoe ze voorbij het dubbele hek konden komen. Zoals meestal het geval was, was dat deel van de gevangenis tijdens etenstijd bezaaid met agenten die zich naar buiten haastten, of in de richting van de kantine. Niemand schonk aandacht aan hen, ook omdat het bij niemand in zijn hoofd opkwam dat gevangenen tot daar zouden kunnen uitbreken. Renatino maakte van de gelegenheid gebruik toen hij zag dat een agent naar buiten kwam. Hij duwde de brigadier voor zich uit en deze hield nonchalant het hek tegen, voordat zijn collega hem weer sloot. Hij liet eerst Renatino en toen Napo passeren. Napo dacht eraan de ijzeren pen van het slot buiten het blokje te laten, zodat hij niet in het slot zou vallen. Alles liep op rolletjes, boven alle verwachtingen. Renatino hoopte dat de anderen net zoveel geluk zouden hebben, hoewel een groep van zo'n twaalf mensen lastig onopgemerkt voorbij zou kunnen lopen.

De bewaker van het laatste hek keurde ze zelfs geen blik waardig en deed uit automatisme het hek open. Maar deze bewaker moest uitgeschakeld worden. Nadat Renatino met de brigadier de drempel over was gestapt, sloeg Napo de wacht met de kolf van zijn wapen tegen zijn schouder. De wacht viel op de grond en Napo sleepte hem vlug in een van de ruimtes die aan de gang grensden. Daarna liep hij terug naar het hek en liet het op een kier staan. Nu was alleen de laatste deur nog over. Achter die laatste hindernis wachtte de vrijheid!

Renatino liep stilletjes dichter naar de cipier toe, greep hem bij zijn kraag, sleurde hem over de grond en gaf hem een knietje in zijn buik. Hij was dik en onhandig en gaf zich aan zijn tegenstander over zonder zelfs maar een poging te doen zich te verdedigen. Renatino wilde hem zijn dienstwapen afhandig maken en keek in de holster. Maar de holster was leeg. De bewaker herkende Renatino meteen. Wie kende staatsvijand nummer één niet? Hij begon direct te jammeren, met zijn typisch Napolitaanse tongval: 'Rena, alsjeblieft, ik ben niet gewapend. Ik heb een gezin. Doe me geen pijn, ik smeek je. Ik heb thuis twee kinderen, mooi als de zon...' De man gooide alle uitspraken uit het Napolitaanse theater in de strijd, in de hoop de verschrikkelijke bandiet voor zich te winnen. Renatino moest er haast om lachen. Hij had echter gerekend op het pistool van de bewaker en nu was de holster leeg.

'Waar heb je je pistool gelaten?' vroeg hij op dreigende toon terwijl hij opstond.

De ander hief zijn armen in de lucht ten teken dat hij zich overgaf en probeerde tevergeefs overeind te komen. Hij knielde hijgend neer en boog zijn hoofd en vervolgens zijn armen. 'Dat draag ik niet bij me. Ik laat het altijd thuis. Het is maar ballast. Wat moet ik nou met een pistool?'

'Niets. Ik wel daarentegen.'

'Jullie hadden het me ook kunnen zeggen, dan had ik het vanmorgen meegenomen.'

Renatino begreep niet of hij hem nu in de maling zat te nemen of dat hij zo stom was dat hij niet wist wat hij zei.

Hij dwong hem zich naar de muur te draaien terwijl hij hem beval op zijn knieën te blijven zitten. Hij dwong de Romeinse brigadier hetzelfde te doen. 'Eén beweging en er zullen vandaag nog twee weduwen getroost moeten worden.'

'Ik blijf stil zitten, Rena. Jullie kunnen gerust zijn, ik heb twee werkloze kinderen, ik ben de enige kostwinner van de familie...' De Napolitaan bleef maar praten en Renatino moest hem wel een schop onder zijn kont geven om hem de mond te snoeren.

'Kop dicht! En je muil niet opentrekken voordat ik het zeg!'

Napo keek in de richting van de dubbele deur. Wat waren de anderen aan het doen? Ze hadden vlak achter hen aan moeten komen. 'Renatino, zal ik even gaan kijken?'

'Ga maar, Napo, en zeg dat ze opschieten. We kunnen niet aanklooien zoals in de Galleria.'

Napo, één stap verwijderd van de vrijheid, liep terug. Hij zag dat de groep zich nog in de buurt van het portiershokje bevond. Sommigen hadden een bewakersuniform aangetrokken en anderen waren in burgerkleding. Het moesten er meer dan vijftien zijn. Daniele Lattanzio, Enrico Merlo, Antonio Rossi en Osvaldo Monopoli waren bendeleden, verder waren er mannen van de Frontlijn, namelijk Corrado Alunni, Antonio Marocco, Paolo Klun, Daniele Bonato en Fausto Bocedi. De N.A.P. werd vertegenwoordigd door Emanuele Attimonelli en Alfio Zanetti. Daniele Lattanzio was echter een ex-lid van de Rode Brigades. De enige 'gewone' was een zekere Roberto Sganzerla, nauwelijks drieëntwintig jaar oud. Kortom, in die heterogene groep waren zo'n beetje alle ideologieën belichaamd die al jaren de Italiaanse politiek vervuilden. Lange tijd hadden de verschillende groeperingen oorlog gevoerd, ook in de gevangenissen. Sinds kort hingen deze 'politici' van alle gezindten de theorie aan dat een gemeenschappelijke vijand verbroedert: bij een ontsnapping was de enige vijand die ze moesten zien te verslaan de gevangenisbewaarder.

Terwijl hij wachtte op de terugkeer van Napo, observeerde Renatino de situatie buiten de gevangenis om te zien of alles onder controle was. Hij zag twee politiewagens voor de bar op het plein geparkeerd staan. De agenten begeleidden de rechter die hij zo-even in de advocatenhal was tegengekomen. Eén was achter het stuur van een van de patrouillewagens blijven zitten, terwijl de andere drie met elkaar stonden te praten naast de opengeslagen deuren en een sigaretje rookten.

Renatino liep het plein op, stak de straat over en stond stil op de stoep, op een meter of twintig van de politieagenten.

In de tussentijd was de portiersloge veranderd in een slagveld. De groep ontsnapte gevangenen bleef maar groeien en rukte op naar de uitgang. Een aantal bewakers had dit in de gaten gekregen en geprobeerd hen tegen te houden. Mazzinga was gedwongen te schieten. Ze waren een tegen een op leven en dood in gevechr geraakt. Sommige gevangenen waren teruggekomen om hun vrienden te helpen. Anderen hadden een paar bewakers gegijzeld, maar die bleken lastig te bedwingen. Ondertussen was het de groep die het verst gekomen was, ongeveer twaalf gevangenen, gelukt om de grote deur te bereiken.

Renatino, die op het punt stond het plein over te steken, overwoog om weer naar binnen te gaan en te gaan kijken wat er in de gevangenis aan de hand was, toen hij een schot hoorde. Instinctief keek hij naar de agenten in het café, maar slechts één keek op. Het kabaal van het verkeer was behoorlijk overheersend en hij concentreerde zich weer op de discussie met zijn collega's. Renatino wilde net naar de grote deur lopen, toen hij snel achter elkaar nog drie schoten hoorde.

Deze keer grepen de agenten in de bar naar hun wapens.

De eerste gevangenen kwamen de deur uit en het tumult barstte los. Een van de agenten uit het café schreeuwde hem toe dekking te zoeken. Met zijn elegante overjas en zijn foulard om zijn nek had hij hem voor een voorbijganger aangezien. Renatino wist een ogenblik lang niet wat hij moest doen. Hij had heel goed die chaos achter zich kunnen laten en de via Giovan Battista Vico in kunnen rennen. Niemand had aandacht aan hem besteed.

Maar in die jaren was het gevoel van saamhorigheid onder de jongens van de batterijen zeer sterk. Hun ongedwongen solidariteit en broederschap verbonden hen tot in de dood, evenals de niet onbelangrijke stimulans die uitging van hun gedeelde weerzin tegen de samenleving, die hen altijd had geïsoleerd. In de gevangenis had deze band mettertijd ook vat gekregen op de jonge 'politici', die echter andere doelen en idealen nastreefden. Onderworpen aan lange gevangenisstraffen gaven veel van de jonge 'politici' zich over en accepteerden ze uiteindelijk toch het waanidee dat ze gezamenlijk vochten tegen dezelfde vijand: ze wilden koste wat kost ontsnappen uit de gevangenis, maar dan wel allemaal tegelijk.

Renatino's aanvechting om weg te rennen was van korte duur. Algauw kreeg zijn solildariteitsgevoel de overhand en rende hij terug de gevangenis in, al schreeuwend: 'Neem gijzelaars mee! Buiten staan smerissen!'

Hij zag dat Corrado Alunni naar buiten ging en het op een lopen zette in de richting van via Olivetani. Andere voortvluchtigen volgden hem, en verspreidden zich even later over het plein, maar renden de vuurlinie van de vier politieagenten uit de bar tegemoet en waren genoodzaakt dekking te zoeken achter geparkeerde auto's.

Renatino liep terug naar de gang waarin hij de Romeinse brigadier en de Napoletaanse wachtcommandant had achtergelaten. Hij trof de dikkerd op zijn knieën aan; hij had zich niet verroerd, terwijl de Romeinse brigadier was verdwenen. Hij trok de bewaker omhoog. 'Laten we een wandelingetje maken,' zei hij tegen hem.

De ander jankte als een hondje: 'Wat een klotedag. Maar Rena, moest je nou precies vandaag uitkiezen voor je toneelstukje, nu ik dienst heb?'

'Bek dicht! Meekomen!' Hij sleepte hem naar buiten, de straat op, zich verschuilend achter zijn indrukwekkende gestalte. Zodra ze buiten waren, schreeuwde hij naar de politieagenten: 'Niet schieten! Of willen jullie onschuldige mensen doden?'

Ze hielden meteen op met schieten. Renatino maakte er direct gebruik van en liep verder, de dikzak achter zich aan sleurend. Maar na een meter of honderd stond de man op punt van instorten. Hij zakte als een dood gewicht boven op Renatino en beiden vielen op de grond. Zodra ze vrij zicht hadden, begonnen de agenten weer te schieten. De schootslijn werd gekruist, want nu werd er ook met een mitrailleur geschoten vanaf de muur van de gevangenis. Antonio Rossi was de eerste die neerging, ernstig gewond. Ze hadden hem geraakt toen hij naast een heg van de tuintjes voor de gevangenis stond. Paolo Klun werd in de buurt van de grote deur van het instituut neergeschoten. Ondertussen zwol het geluid van de sirenes van de politiewagens die op het Filangeriplein samenkwamen aan.

Renatino, die de hijgende dikkerd op de grond had achtergelaten, begaf zich strompelend, omdat de wond aan zijn bilspier hem steeds meer pijn bezorgde, naar via degli Olivetani. Terwijl hij rende, zag hij aan de andere kant van de straat Corrado Alunni met een mes in zijn hand, waar hij erg weinig mee kon uitrichten. Hij riep hem naar zijn kant te komen, want daar zou hij hem tenminste een beetje kunnen beschermen. Alunni hoorde zijn geroep en maakte aanstalten om over te steken. Hij moest tussen twee geparkeerde auto's door en aarzelde toen even, wat hem fataal werd. Hij werd in zijn maag geraakt. Hij viel op de grond terwijl hij zijn buik dichtdrukte om het bloed dat eruit gulpte te stelpen. Renatino schoot hem te hulp. Hij probeerde hem overeind te hijsen, maar de pijn was te schrijnend. 'Laat me maar. Ik red het niet. Vlucht, en veel geluk.'

Renatino begreep dat het voor zijn vriend afgelopen was. Hij draaide zich om om zijn vlucht te vervolgen, maar een van de politieagenten uit het café was hem genaderd. Met zijn benen gespreid en zijn pistool in beide handen, nam hij hem rustig in het vizier en schoot. Renatino had de tijd gehad om deze hele actie te registreren, als een film in slow motion. Hij wachtte op de zweepslag en stipt op tijd was hij daar, op zijn haargrens, als een harde klap met een hamer. Hij vloog tegen de muur. Hij bleef staan, maar zijn hoofd was gloeiend heet en zijn oogzenuw zette maximaal uit, tot het diafragma van zijn pupil. Hij probeerde te lopen, steunend tegen de muur, maar het licht verblindde hem. Hij probeerde zichzelf moed in te spreken en met onbeschrijflijke wilskracht dwong hij zichzelf zijn benen zo snel mogelijk te bewegen, maar geen enkel lichaamsdeel deed meer wat hij wilde. Een bewaker loste vanaf de muur een mitrailleursalvo, maar miste doel en schoot dwars door de muur. Het ongeluk bleef hem die dag achtervolgen, want een van de kogels ketste af op de pleisterkalk en drong het bovenste deel van zijn nek binnen. Op dat moment viel hij tegen de grond en bleef hij roerloos op het asfalt liggen. Hij was als verlamd, kon alleen zijn ogen bewegen, en toch was hij nog bij bewustzijn, want iets later voelde hij een harde klap in zijn rug. Iemand stond tegen hem aan te schoppen en schreeuwde: 'Het is die klootzak van een Renatino. Eindelijk hebben we hem koud gemaakt! Nu kan hij ons niet meer lastigvallen!' En hij zette die zin kracht bij met nog een schop, alsof hij zijn onderdrukte woede de vrije loop liet.

Maar een andere stem kwam dichterbij: 'Stop! Wat doen jullie?'

'Deze klootzak,' zei de eerste stem, 'heeft ik weet niet hoeveel collega's van ons vermoord en ook een paar van jou!'

Een andere politieagent kwam tussenbeide: 'Hij heeft het einde gekregen dat hij verdiende. Hij moest worden vermoord, smerig onderkruipsel dat hij is!'

Maar de agent die als tweede gearriveerd was, bukte en draaide Renatino's hoofd om. Vervolgens trok hij zijn ooglid omhoog om zijn oogbol te bekijken. 'Maar hij is niet dood! Bel een ambulance!'

'Een ambulance voor deze klootzak?' vroeg de stem vijandig. 'Ik lap hem wel even op...' Hij hoorde hem de kogel in de loop van zijn geweer laden.

Maar een nieuwe stem donderde: 'Waar zijn jullie in hemelsnaam mee bezig? Jij! Stop dat pistool weg!'

'Maar commissaris, het is Renatino...'

Vicecommissaris Moncada boog zich over de stervende en zocht met twee vingers de aorta aan de zijkant van zijn hals. Hij stelde vast dat hij nog leefde. 'Het kan me niet schelen wie hij is. Ik weet dat hij nog leeft en zolang dat zo is krenkt niemand hem een haar.'

De vicecommissaris richtte zich op en floot op zijn vingers naar een naderende ambulance. Hij zwaaide met zijn armen om de aandacht van de bestuurder te trekken, gaf toen de agenten een zetje, waardoor ze terugdeinsden en gedwongen waren ruimte te maken. 'Nu zetten jullie een stap naar achteren en laten jullie de ambulancebroeders passeren.'

Moncada kwam uit Palermo, woonde sinds tien jaar in Milaan, maar was zijn Siciliaanse accent nog niet kwijt. Na te hebben rondgezworven van het hoofdbureau van Taranto, naar Bari en vervolgens naar Ancona, was hij begin jaren zestig bij de politie van Milaan aangeland, waar ze nu ogenschijnlijk niet meer zonder hem konden.

Hij had in die heftige periode deelgenomen aan alle manifestaties en daarmee het respect van zijn superieuren gewonnen en zelfs van de jongens van de Beweging, omdat hij altijd had geprobeerd de motieven van zijn tegenstanders te begrijpen. Daarna waren de pleinmanifestaties veranderd in een gewapende strijd. Moncada zag de lijken van journalist Walter Tobagi, vervangend officier van justitie Emilio Alessandrini en van vele andere martelaars die door de extreemlinkse en -rechtse terroristen waren vermoord. En vanaf toen begon hij een groot aantal documenten, foto's, getuigenissen en veel vertrouwelijke informatie te verzamelen en te inventariseren, om een poging te wagen de ingewikkelde logica van die slachtingen te doorgronden.

Voor Renatino en zijn kameraden was de ontsnapping uit de gevangenis van San Vittore een halve mislukking. Van de groep van zestien gevangenen die had geprobeerd te ontsnappen, waren slechts vijf erin geslaagd hun sporen uit te wissen, vier waren gewond geraakt en de rest gaf zich dezelfde dag nog over omdat ze niet konden rekenen op logistieke steun buiten de gevangenis.

Renatino bleef enkele uren tussen leven en dood zweven. Hij werd naar de polikliniek in via Francesco Sforza gebracht, kaal geschoren en aan zijn hoofd geopereerd. De kogelfragmenten werden verwijderd. In die dagen werd geschreven dat hij na de operatie zichzelf niet meer zou zijn, dat lobotomie zou zijn toegepast, en dat hij Italië niet meer zou terroriseren, maar dat pakte anders uit. Renato was al snel weer topfit en had al vlug zijn subversieve kracht terug en daarom besloten de gezagsdragers van de gevangenis hem naar de 'bijzondere' gevangenis van Novara te sturen.

2

De dodencellen

Tussen eind jaren zeventig en begin jaren tachtig besloot het ministerie van Justitie, vanwege de toename van het aantal terroristische aanslagen en ontsnappingspogingen en het groeiende aantal bendes zoals die van Turatello en Vallanzasca in Milaan en van de Marseillanen in Rome, het gevangenissysteem in tweeën te splitsen, zodat gewone gevangenen werden gescheiden van de probleemgevallen. De gevangenen die hadden geprobeerd te ontsnappen, zich te verzetten, in opstand waren gekomen, contact met de onderwereld bleven houden, en natuurlijk degenen die waren opgesloten vanwege terrorisme en lidmaatschap van een gewapende bende, werden als probleemgevallen beschouwd. Renatino werd, na zijn ontsnappingspoging, tot een van hen gerekend. Daarom werd hij op een ochtend, om vier uur, nog herstellende van zijn operatie en met verbonden hoofd, gewekt en, zonder zelfs maar de tijd te krijgen om zijn persoonlijke spullen te verzamelen, uit zijn cel gehaald. Ze zetten hem in de troepentransporttrein en plaatsten hem over naar de extra beveiligde gevangenis van Novara.

De speciale gevangenissen, waar uitsluitend probleemgevallen verbleven, waren geen modelconstructies of architectonische hoogstandjes, maar speciaal gebouwd om plaats te bieden aan het soort crimineel dat extra beveiliging nodig heeft. Het ministerie had tijdens de hervorming verouderde strafinrichtingen, die inmiddels al jaren niet meer in gebruik waren, aangewezen als geschikte onderkomens voor deze nieuwe categorie criminelen. Na geïnventariseerd te hebben welke instituten niet langer in gebruik waren en na te hebben vastgesteld welke konden worden opgeknapt, werden metselwerken uitgevoerd om de ommuring te verhogen, werden hekwerken neergezet om de speciale afdelingen van de andere delen van de gevangenis te scheiden en werden de cellen geblindeerd door toevoeging van een extra deur. Een likje verf en klaar was de Italiaanse extra beveiligde gevangenis.

De situatie van deze gedetineerden verslechterde nog meer toen het gevangenisbeleid wreder werd, terwijl het al wreed was. De gevangenen in de speciale afdelingen, die meteen 'dodencelafdelingen' werden genoemd, werden onderworpen aan stelselmatige dwangmaatregelen en vernederingen, tot aan de perversie van de zogenoemde 'gevoelsontzegging' toe. In deze hel werden de volhouders opgesloten die geen berouw toonden, maar ook degenen die bleven verkondigen niet schuldig te zijn aan de delicten waarvan ze werden beschuldigd.

Renatino, die zijn daden nooit ontkend had, werd van de ene op de andere dag in een gek makende omgeving gegooid. Drieëntwintig uur per dag zat hij opgesloten in een cel van negen vierkante meter, met een veldbedje, een tafel, een stoel en een lamp die altijd aanstond, omdat het licht dat uit het lichtgaatje sijpelde, niet genoeg was om de hele cel te verlichten. Vanaf het moment waarop hij voet zette in die gevangenis, werd het hem verboden pakketjes te ontvangen, wat dan ook: geen etenswaren, geen kranten, geen boeken, alleen pakketjes met ondergoed waren toegestaan. Er stond slechts één keer per maand een gesprek met zijn familieleden ingepland. En als ze hem kwamen opzoeken, was hij van hen gescheiden door een glazen wand van vijf centimeter dik en kon hij alleen met hen praten via een telefoon. Ook de omgang met zijn medegevangenen werd drastisch ingeperkt, want iedere vorm van contact tussen hen was verboden. Hij mocht maar één uur per dag naar buiten en werd dan steevast gefouilleerd. De binnenplaats was niet veel groter dan zijn cel en de ommuring was aan de bovenkant afgezet met gaas om te beletten dat de gevangenen eroverheen klommen naar de binnenplaats ernaast. De dodencelafdelingen waren erop gericht de gevangenen hun 'gevoel' te leven af te nemen. Een wettelijke maatregel die hen moest ontmoedigen een ontsnappingspoging te ondernemen, maar die voornamelijk diende voor de ondermijning van de moraal van de gevangenen, zodat ze berouw zouden tonen, of zich los zouden maken van de anderen en misschien mee zouden werken met de onderzoekers.

Dit was het begin van de 'spijtoptantperiode'. Veel gevangenen, misschien de zwakste, misschien de sluwste, besloten om de civiele doodstraf van de dodencel te ontvluchten, mee te werken met justitie, berouw te tonen en namen van medeplichtigen te onthullen.

Renatino was laaiend op die gevangenen. Hij vond ze opportunisten en verraders, het ergste uitschot op deze aardbol. Zijn makkers en hij, trouw aan een duidelijke erecode, konden zich niet voorstellen dat iemand die gisteren nog moordde en overvallen pleegde, opeens het verlossende licht had gezien en voor- en achternamen van vrienden en bendegenoten begon te spuien, om vervolgens zo vrij als een vogel de gevangenis te verlaten. Het was één grote schertsvertoning. Deze mensen moesten zich volgens de ethiek van de batterijen geen spijtoptanten, maar eerder matennaaiers noemen en ook als zodanig behandeld worden.

Dit idee sloop zijn hoofd binnen als een Chinese waterdruppel. Uiteindelijk lukte het Renatino ook de meest kneedbare gevangenen, mensen als Vincenzo Fares, die bestemd waren om de meest meedogenloze moordenaars van de gevangenis te worden, ervan te overtuigen dat de wet voor spijtoptanten hoe dan ook geboycot moest worden, zelfs als daarvoor terreur nodig was.

'Als mensen als wij, die niets meer te verliezen hebben, de taak op zich nemen deze misbaksels te terroriseren, kunnen we deze plaag een halt toe roepen,' predikte hij tegen zijn kameraden.

Op de vraag 'Wat kunnen we doen?' reageerde hij kort maar krachtig: 'Degenen die berouw tonen afslachten als varkens!'

Die woorden, gesproken door een gevreesd en charismatisch figuur als hij, vormden voor veel criminelen een evangelie. In de jaren die volgden werden de gevangenismuren getuige van standrechtelijke executies, die wat geweld betreft veel leken op tonijnenslachtingen. Minstens de helft van de afgeslachte gevangenen had nooit iemand verlinkt. Vaak werden ze geofferd vanwege een simpele belediging of omdat ze bij een vijandige factie hoorden. Er ontstond een angstige en paranoïde sfeer in de gevangenissen. Niemand vertrouwde zijn vrienden nog, iedereen keek wantrouwend om zich heen, bang om vanwege een onbenulligheid te worden verlinkt. In deze atmosfeer floreerden de gluiperds, de vleiers, de luistervinken en onbeduidende figuren, zij die zich altijd achter de sterkste scharen. Zij waren de nieuwe helden en wandelden vaak tijdens het luchtuur arm in arm met de charismatische leiders, die er vroeger niet aan moesten denken dat soort onderkruipsels in vertrouwen te nemen.

Tijdens een opstand in de maximaal beveiligde gevangenis van Novara, verwierf Renatino de bijnaam 'Beul der gevangenissen'.

Het brein achter de opstand was Vincenzo Fares, een man die meerdere malen tot levenslang was veroordeeld en door iedereen werd gevreesd vanwege de gruwelijke wijze waarop hij doodde. De reden achter het oproer was alles bij elkaar genomen gegrond. De gevangenen wilden verplaatst worden naar de gevangenis in de stad waar ze vandaan kwamen, om dichter bij hun families te kunnen zijn. Het verzoek werd verworpen, omdat de directie het onacceptabel achtte en de hel brak los.

Fares bevond zich met een groep andere gedetineerden in de tafelvoetbalzaal voor een toernooitje. Toen de bewakers kwamen om hen weer naar hun cel te brengen, trokken ze de messen tevoorschijn die ze van de metalen spijlen van hun veldbed hadden gefabriceerd en na een kort handgemeen lukte het hun de bewakers van hun wapens te ontdoen en de sleutels van de cellen van hun afdeling te bemachtigen. Ze probeerden de andere afdelingen van hun vleugel binnen te dringen maar werden tegengehouden door andere cipiers, die de hekken op tijd wisten te sluiten. De opstandelingen waren dan wel tegengehouden op hun afdeling, maar daar waren ze tenminste heer en meester.

Toentertijd was Fares zevenentwintig. Ongeveer acht jaar eerder had een jongen hem overvallen die zich Buffalo Bill liet noemen. Een Calabrees, arrogant, klein, maar sterk als een beer. Hij werd zo genoemd vanwege zijn grote snor en zijn lange geblondeerde haar dat hij los op zijn schouders droeg. Hij zocht altijd ruzie met de zwakste en de meest weerloze. Op een nacht drong hij Fares' cel binnen – in die tijd was de Sardijn net achttien – en beroofde hij hem van zijn kettinkje, een cadeau van zijn moeder, van zijn horloge en van zijn gouden ring, ook een cadeau van zijn familie. Fares probeerde zich te verzetten, maar Buffalo Bill stak hem met een mes in zijn zij en liet een flinke jaap achter. Vincenzo onderging de aanval daarna lijdzaam, hechtte de wond zelf om de cipiers erbuiten te houden, maar zwoor die nacht bij zichzelf dat hij hem vroeg of laat betaald zou zetten voor wat hij hem had aangedaan.

Na acht jaar was daar dan eindelijk de gelegenheid. Samen met twee andere criminelen ging hij op zoek naar degene die hem acht jaar eerder had vernederd. Toen hij voor de deur stond, haalde hij de grendel omlaag en gooide het hek open. Buffalo Bill leek hem, te midden van zijn cel, met alleen een pyjamabroek aan, al op te wachten. In die broek zag hij er zelfs wat komisch uit. 'Buffalo Bill, er is een opstand gaande, ik weet niet of je dat gemerkt hebt? Wat wil je doen? Kom je met ons mee of blijf je hier deurmatje spelen?'

De Calabrees, die op het ergste was voorbereid, was verbijsterd. Hij liep naar Fares toe, stomverbaasd over zoveel grootmoedigheid. Hij keek hem aan en omhelsde hem. 'Vince, ik weet dat ik fout ben geweest toen met jou. Ik zal je echt altijd dankbaar blijven voor dit gebaar.'

Vincenzo Fares liet zich de overwinning smaken. Hij sloeg zijn linkerarm om zijn schouder, om zijn omhelzing te beantwoorden. 'Ik vergeef je, vriend,' antwoordde hij, en vervolgens stak hij met kille vastberadenheid één, twee, drie keer het lemmet van zijn mes in de onderbuik van de rotzak. Hij hield hem met één hand aan zijn haren overeind en met de andere bleef hij hem genadeloos steken: vier, vijf, zes, zeven keer. Toen liet hij hem los en gleed Buffalo Bill op de grond als een vallende pop, met zijn mond open, snakkend naar adem. Hij had moeite met ademhalen omdat er bloed in zijn longen liep. Hij schreeuwde niet en had zijn ogen wijd open van verbazing. Uit zijn mond sijpelde bloed en er klonk een dierlijk gekreun. Het overhemd en de broek van de moordenaar waren doordrenkt van Buffalo Bills bloed. Fares boog zich over de stervende, tilde de hand waar zijn gouden ring aan zat op, greep met zijn vlezige handen de ringvinger en boog deze met beestachtige kracht naar achter, om hem van zijn hand te rukken. Het gekraak van het bot was hoorbaar, maar de huid hield de vinger aan de hand vast. Toen zette Fares dubbel zoveel kracht en wrikte hij hem meerdere keren naar voren en naar achter. Uiteindelijk lukt het hem, met behulp van het mes, de vinger los te maken van Buffalo Bills lichaam. Hij trok het gouden ringetje van het wijsvingerstompje en deed hem plechtig om zijn eigen pink. Op dat moment hief Fares zijn handen ten hemel en slaakte een huiveringwekkende kreet van bevrijding, waar de gevangenen van de extra beveiligde inrichting van Novara nog steeds de nieuwkomers over vertellen, omdat ze het leuk vinden hen te imponeren.

Om hem maximaal te onteren pakten de twee gevangenen die met Fares waren meegekomen, ook opgewonden door het zien van al het bloed, het lichaam, gooiden het in het hurktoilet van de cel en trokken vervolgens door. Niemand weet wanneer Buffalo Bill zijn laatste adem uitblies. Op het hoogtepunt van de extase, na de subtiele grens tussen menselijkheid en beestachtigheid te hebben overschreden, zei een van hen: 'Laten we naar de Sardijn gaan. Dat is een schoft. Die heeft commissaris Moncada laten schaduwen. Laten we hem een lesje leren.'

'Nee, die niet,' schreeuwde Vincenzo Fares, 'die is van Renatino.' De drie verlieten brullend als oermensen Buffalo Bills cel. Fares maakte, met behulp van zijn twee makkers, de cellen op de afdeling open. De bevrijde gevangenen zwermden uit over de gangen en begonnen alles te vernielen en in brand te steken wat maar te vernielen en te verbranden viel. Vincenzo Fares liet iedereen zijn met bloed besmeurde overhemd zien, alsof het een trofee betrof. De drie barbaren zetten koers naar de cel van het hoofd van de Comasinabende, op de bovenste verdieping.

Toen Fares de cel binnenstapte, had Renato zijn kaartspel met zijn vriend Turatello al onderbroken.

'Renato, ik heb Buffalo Bill omgelegd. De afdeling is van ons. We hebben nog wat rekeningen te vereffenen… of wil je liever eerst je spelletje briscola met Francis afmaken?' vroeg hij met een vleugje sarcasme.

Renato was bezig de veters van zijn gympen te strikken. Hij had de schreeuw in de gang gehoord en wilde persoonlijk polshoogte gaan nemen. 'Waar denk je aan, Fares?' vroeg hij.

'Ik heb de sleutels van de cel van de Sardijn,' antwoordde hij, terwijl hij de sleutelbos die hij van de bewaker had afgepakt voor zijn neus hield.

'Je leest mijn gedachten, Fares. Met hem heb ik nog een rekening te vereffenen.' Onder een van de tussenruimtes van de wastafel haalde hij twee dolken van een centimeter of dertig tevoorschijn: twee geslepen pannenstelen. Hij liep zijn cel uit, gevolgd door Vincenzo Fares en de andere twee vechtjassen.

3

De nacht van de lange messen

De Sardijn was niemand anders dan Matteo Pirotta, beter bekend als Teo, een oude vriend van Renatino. Hij had een paar keer meegedaan aan verschillende roofovervallen van de batterij, maar had altijd geprobeerd zich te onttrekken aan de bende, omdat hij diep vanbinnen een goede jongen was. Hij had slechts de pech gehad in Comasina te wonen, dat was alles. Hij was getrouwd en had een zoontje gekregen en was vooral daardoor voortdurend platzak. Renatino mocht hem graag, omdat Teo hem tijdens zijn ontsnapping uit Bassi met de auto had opgewacht buiten het ziekenhuis, om hem te helpen snel weg te komen. Er was echter een misverstand geweest over het afgesproken tijdstip, waardoor ze elkaar niet hadden gezien. Maar het gebaar was genoeg geweest om Renatino's respect en waardering af te dwingen. Vanaf die dag had hij hem beschouwd als een soort jongere broer.

Maar Teo wist deze waardevolle vriendschap niet te beantwoorden, sterker nog, hij maakte er misbruik van door een aantal onvergeeflijke fouten te maken. Hij vroeg een keer aan de directeur van een grote autoshowroom in Milaan een Maserati Ghibli te leen in naam van Renatino, om hem te gebruiken als vluchtauto tijdens een overval; een andere keer kocht hij een kilo heroïne bij twee vrienden van Renatino zonder te betalen en vervolgens waren de twee het geld bij Renatino gaan halen; weer een andere keer assisteerde hij samen met twee leden van de batterij bij de ontvoering van Maria Luisa Calatrò, de dochter van een ondergoedgigant, en zorgde hij voor veel problemen; verder nam hij, samen met Napo en Angelo Cifoni, deel aan de afrekening van een zigeuner, een oplichter, voor een partij slechte drugs. Teo werd onder druk gezet door de politie en noemde om strafvermindering te krijgen de namen van zijn medeplichtigen, waardoor zij in de cel belandden. Maar de dag waarop hij met een aantal criminelen naar het huis van Renato's vader ging, was de druppel die de emmer deed overlopen. Hij had Renato eens telefonisch aan zijn vader horen vragen of hij honderd miljoen voor hem wilde verbergen. Met zijn stomme hoofd had hij toen gedacht dat die in het huis van de oude man zouden liggen en dat het een eitje zou zijn het geld te bemachtigen. De drie schurken gingen naar Renatino's vader en vroegen hem hun de honderd miljoen te overhandigen. De oude man zei nergens vanaf te weten. Vervolgens sloegen en stompten ze hem en takelden hem zelfs toe met de kolf van hun pistool, maar hij zei niets, omdat hij inderdaad niet wist waar al dat geld verborgen lag. Toen Renato van de aanval hoorde, voelde hij zich dubbel verraden. Hij was woest op Teo en zwoer hem met gelijke munt terug te betalen.

Teo had te laat begrepen dat hij de grootste fout van zijn leven had gemaakt. Hij had de spot gedreven met Renatino en wist maar al te goed hoe meedogenloos hij soms kon zijn. Toen hij door vicecommissaris Moncada gearresteerd was, was hij er, na een verhoor dat de hele nacht geduurd had, van overtuigd dat het beter was over te stappen naar de andere kant en zijn vrienden te laten vallen.

'Je zult moeten boeten voor wat je gedaan hebt,' had Moncada gezegd, 'maar de rechter zal er rekening mee houden dat je berouw hebt getoond en hebt meegewerkt. Je zult zien dat je er goed van afkomt. Als je weer vrij bent, moeten jij en je gezin echter weg uit Comasina. Je kunt overal in Italië een nieuw leven opbouwen met je vrouw en je kind, maar niet daar.'

Het waren overtuigende woorden, ook omdat Teo geen verstokte crimineel was. Hij was slechts een zwakkeling die zich aangetrokken voelde tot mensen met een sinister voorkomen, zoals Renato.

Moncada was oprecht, maar kon niet weten dat zich op het hoofdbureau een mol bevond. De spion briefde het verraad van Teo door aan Renatino en tekende hiermee het doodvonnis van de arme jongen, die toentertijd niet veel ouder dan twintig jaar was, maar bedroog bovenal ook commissaris Moncada, die voor het eerst in zijn leven zijn belofte niet waar kon maken aan een vertrouweling die naar zijn kant was overgelopen.

De vicecommissaris verzekerde zich ervan dat de jongen, in afwachting van zijn proces, overgebracht werd naar de rustige gevangenis van Pavia, ver weg bij zijn ex-maten. Maar iemand leverde hem een tragische streek, waarvan Renatino steeds bleef ontkennen de bedenker ervan te zijn.

Op een dag werd er een doos met schoenen bij de gevangenis van Pavia bezorgd. Hij was aan Teo persoonlijk geadresseerd. De doos werd, net als alle andere pakjes van buiten de gevangenis, geïnspecteerd. De agent wiens taak het was de doos te inspecteren, zag dat er een paar mannenlaarzen in zaten. Hij stond net op het punt de doos weer dicht te doen toen hij bemerkte dat aan de binnenkant van een van de schoenen een Beretta zat verstopt. Zijn logische conclusie was dat Teo bezig was een ontsnappingspoging op touw te zetten. Volgens het nieuwe gevangenisreglement moest hij daarom direct worden overgeplaatst naar een extra beveiligde gevangenis. Zo gebeurde het dat de jonge Teo, van het ene op het andere moment, veranderde van gewone gevangene in probleemgeval. Hij werd snel 'ingepakt' en overgeleverd aan de zwaar beveiligde inrichting van Novara. Het was duidelijk dat hij erin was geluisd. Geen enkele gevangene zou een pistool in een doos met laarzen naar zich laten sturen. Zou niet een van de bestuurders van de gevangenis van Pavia hebben gedacht dat het hier om een val ging? Niemand. Teo smeekte de politieagenten hem niet naar Novara te sturen, omdat Renatino, Fares en een groot deel van de batterij daar zat. Daar zou hij nooit levend uit komen. Maar er was niets aan te doen. Binnen twaalf uur was zijn overplaatsing een feit.

* * *

Renatino liep de trap op naar de afdeling waar de gewone gevangenen zich bevonden, gevolgd door Fares en de andere twee beulen. Teo hoorde vanuit zijn cel een hels kabaal op de trap en begon te trillen. 'Bereid je maar vast voor Teo, je tijd is gekomen.' De honingzoete stem van Renato boezemde hem nog meer angst in. Even later zwaaide de deur van zijn cel open. Het was een hels spektakel: Renato, stevig op zijn benen, zwaaide met een lang mes. Rechts van hem stond Fares, zijn overhemd, armen en gezicht met bloed besmeurd. Zijn gezicht stond strak van opwinding. Ook hij had een lang mes in zijn hand. Achter hen stonden twee van de meest onbehouwen gedetineerden van de gevangenis, bezaaid met tatoeages.

De hele afdeling was stilgevallen. Alle gevangenen hielden hun adem van spanning in.

'Teo, Teo, je bent een misbaksel, maar toch moet ik je dankbaar zijn,' begon Renatino op verwijtende toon. 'Dankzij jou weet ik dat ik mijn vrienden nooit meer kan vertrouwen.'

Teo boog zijn hoofd. 'Renatino, het is allemaal een misverstand. Ik zweer het, ik wilde niet dat het zo uit de hand zou lopen. Ik zweer het... Ik wilde hem geen pijn doen, maar die twee luisterden niet naar me.'

'Jij geeft altijd iemand anders de schuld, hè? Je bent zo schofterig dat je andere schoften nog doet verbleken!' siste hij met alle haat die hij in zich had.

'Het is waar. Alles is mijn schuld.' Teo probeerde de kaart van de bekentenis te spelen. 'Renato, je moet me begrijpen, ik zat in zak en as. Ik had geld nodig. Die bloedzuigers van Lorenteggio zochten me en ik had ook nog eens drie miljoen met kaarten verloren. Ik was wanhopig, je moet me geloven. Ik draaide door. Ik zag de ondergang van mijn familie voor me, mijn verlaten zoon...'

'Jij verschuilt je altijd achter iemand, nietwaar Teo?' onderbrak Renato hem, terwijl hij zijn mes tussen zijn voeten gooide.

'Heb medelijden,' fluisterde Teo.

'Je krijgt net zoveel medelijden als jij met mijn vader hebt gehad,' antwoordde Renato. 'Kom op, verdedig jezelf!' Hij haalde nog een mes uit zijn broekriem tevoorschijn en hield hem in zijn linkerhand.

Teo, die tegen de muur van zijn cel aangedrukt stond, begon te huilen en te smeken. 'Ik smeek je... Vermoord me niet... Ik heb een zoon... Heb medelijden...'

Renato luisterde niet naar zijn geklaag, maar barstte in woede uit en kon niet helder meer denken. 'Verdedig jezelf, klootzak! Pak het mes!' schreeuwde hij.

Maar Teo wierp zich aan zijn voeten en omarmde zijn knieën. 'Nee, Renato, doe me dat niet aan. Ik wil blijven leven... Ik wil blijven leven...'

'Laat me los en pak dat mes.' Hij gaf hem een klap in zijn gezicht. 'Wees één keer in je leven een vent. Wat ben jij voor iemand? Pak dat mes en verdedig jezelf, zie je niet dat ik op het punt sta je te vermoorden?' Hij gaf hem nog een mep in zijn gezicht.

Teo huilde nu tranen met tuiten. Renatino bleef op hem inslaan, hopend op een reactie. Hij schopte tegen hem aan, zodat hij zijn knieën losliet, maar iedere keer als Teo hem losliet, greep hij zich vast aan zijn kleren. 'Je hebt gelijk, ik ben een smeerlap, een stuk vreten, maar dood me niet, ik smeek het je... Ik ben te jong om te sterven... Alsjeblieft, Renatino...'

Met een laatste harde klap lukte het Renato zich van hem te bevrijden en viel Teo achterover. 'Laat me los, verdomme! Ik word misselijk van je!' Misschien dacht hij zelfs wel even dat het niet nodig was zich rot te voelen bij de moord op zo'n onbelangrijk wezen. 'Teo, je bent minder waard dan een stuk stront. Ik heb medelijden met je zoon, omdat hij een vader heeft zoals jij.'

Het leek alsof Teo, wiens ogen vol tranen stonden en die doodsangsten uitstond, getroffen werd door een elektrische schok. Die woorden schudden hem wakker uit zijn lethargische toestand. Hij voelde het koude metaal van het mes tegen zijn hand. Hij greep het vast en sprong op met een buitenaardse kreet. Hij wierp zich op Renatino, die niet anders verwacht had. Renato ontweek eenvoudig Teo's blinde houw en stak zijn mes in zijn buik. Hij haalde het primitieve mes eruit en stak het nu in zijn zij, ter hoogte van zijn lever. De verbazing was van het gezicht van de jongen af te lezen, maar hij bleek niet voor één gat te vangen. Hij gleed onder Renato's benen door in een wanhopige poging zichzelf in veiligheid te brengen. Hij stuitte echter op Fares, die hem vastgreep met zijn enorme handen. Renato, die genoeg had van het bloed en de wraakactie, verliet de cel, terwijl de andere twee heethoofden juist naar binnen gingen, op zoek naar voldoening. Ze hielpen Fares door zijn armen en benen vast te houden. Toen hief Vincenzo Fares het lange mes in de lucht en stak het midden in Teo's borst. Het mes raakte zijn ribbenkast en boog om. Fares boog hem recht met behulp van de muur en haalde toen uit naar zijn hart. Deze keer gleed het hele lemmet zijn borstkas in. Teo bewoog niet meer. Fares was in extase, maar had nog niet genoeg gehad. Met de hulp van een van de twee andere criminelen trok hij een stuk staalplaat van een geblindeerde deur af en begon daarmee op de keel van de arme jongen in te slaan, net zo lang tot zijn hoofd loskwam van zijn nek. Het hoofd rolde naar het midden van de cel. Fares greep het bij het haar en hield het in de lucht als een oorlogstrofee. De andere twee geestelijk gestoorden slaakten een kreet. Renato stond in stilte naar hen te kijken. Ze hadden nog steeds niet genoeg van de vernedering en liepen de cel uit, waarna een van hen Teo's hoofd met een moker begon te bewerken en uit Fares' handen sloeg. Het hoofd rolde door de gang, waar de andere gevangenen stonden te schreeuwen. Toen begonnen ze een potje te voetballen met Teo's hoofd als bal. Ook dit spelletje werden ze zat, dus schopte een van hen het hoofd naar het smerige hokje waar de wc stond en rolde het hurktoilet in.

Er lagen nu twee lichamen op de afdeling van de opstandelingen en een stuk of tien gegijzelde cipiers, die echter, op bevel van Renatino, met geen vinger werden aangeraakt. Na een paar uur onderhandelen werd de opstandelingen beloofd dat ze niet gestraft zouden worden voor hun opstand. Natuurlijk zouden de gevangenen die verantwoordelijk waren voor de twee moorden wel berecht worden.

Zo werd Renatino voor de vierde keer tot levenslang veroordeeld.

Het oproer in Novara betekende voor veel opstandelingen een scheidslijn. Renatino werd naar Asinara overgeplaatst, de hel voor de levenden.

Hij werd vanaf Porto Torres naar het eiland gevaren en vervolgens met een jeep naar de bunker van de Centrale gebracht, het registratiekantoor. Daar werd hij voor het eerst gescheiden van de andere gevangenen en werd hij uitgekleed, vernederd, beledigd en uiteindelijk in een grote ruimte achtergelaten. Na een paar uur dwong men hem zich aan te kleden en werd hij naar een van de cellen gebracht. Een paar dagen later arriveerde de directeur van de gevangenis, een fervent liefhebber van poëzie, en in staat een tegen de wind in vliegende meeuw urenlang te bewonderen. De keerzijde van de medaille was echter dat de man ook vaak bruut geweld gebruikte bij de bizarre en sadistische straffen die hij uitdeelde. Hij liet de gevangene bij zich brengen en gaf hem een korte preek: 'Hier moet je gehoorzamen, zonder tegen te sputteren. Hier regeren de meeuwen en ik. Jij hebt geen mening en stelt geen vragen. Als je dat toch doet, zal ik je laten omleggen.'

Op een nacht liet de directeur Renatino halen die met boeien en al, die in zijn polsen sneden, op een jeep moest klimmen. Hij bracht hem naar een nabije klif en dwong hem op de rand te gaan staan. Hij zei hem dat hij, als hij wilde, een einde aan zijn lijden kon maken door van de rots af te duiken. Die nacht ging hij zichtbaar aangedaan terug naar zijn cel, omdat de verleiding om te springen groot was geweest.

Een aantal dagen later werd hij naar de gevangenis in Fornelli gebracht, die berucht was omdat ze nog gruwelijker was dan waar hij eerst zat. Daar moest hij zich weer uitkleden en werd hij opnieuw vernederd. De cipiers gaven niemand een voorkeursbehandeling. Uiteindelijk werd hem een cel toegewezen, een donker hok van twee bij twee. Een geblindeerde ruimte met alleen een krukje, een tafeltje en een hok om in te slapen, alles goed aan de grond vastgemetseld. De enige luchtkoker was een spleet in het plafond, waar hij op een meter afstand een bakstenen muur doorheen zag. Een lamp, die een zwak licht verspreidde, stond dag en nacht aan. Hij mocht geen bezittingen hebben. Iedere gevangene was op zichzelf aangewezen, vierentwintig uur per dag. 's Winters rilde hij van de kou omdat het vocht dat de muren vasthielden ijzig koud werd en 's zomers werd de cel heet als een oven. Per dag mocht hij één uur naar buiten, naar een binnenplaats die 'kippenhok' werd genoemd. Niet zozeer vanwege de afmetingen, maar omdat hij aan alle kanten was afgezet met tralies.

Alleen gevangenen met een grote zelfbeheersing en een ijzeren wil konden aan deze extreme omstandigheden weerstand bieden. De uitdaging was geen oplossing proberen te bedenken, je niet over te geven aan degene die voor deze erbarmelijke omstandigheden had gezorgd, maar vooral aan jezelf en aan je meerderen te tonen dat je nooit je menselijke waardigheid zou inruilen voor tien extra minuten frisse lucht.

In de loop der maanden en jaren zorgde de gevangenis ervoor dat Renatino ten slechte veranderde. Hij werd gemener en steeds kwaadaardiger omdat het hem frustreerde opgesloten te zitten, zonder uitweg, zonder mogelijkheden. Schuldgevoelens knaagden aan hem. Hij had spijt van de moord op Teo. Niemand zou een jongen van twintig moeten willen vermoorden... Hoe kwam het dat hij een beul was geworden? Het bloedbad en de verminking zouden hem nooit hebben veranderd. Hij had een duivels mechanisme in werking gezet, dat hem ertoe aanzette vele goede jongens te doden, maar wat hem nog meer pijn deed, was te zien dat veel van de wraakengelen die zijn verlangen om wraak te nemen hadden gevolgd, deden alsof ze tot inkeer waren gekomen om voordeel te trekken uit de wet. Toen hij begreep hoe groot de fout was die hij had gemaakt, was het al te laat. Hij, die zich altijd aan een erecode hield, was nu gereduceerd tot een menselijke larve. Hoe had hij zo naïef kunnen zijn? Moest hij er misschien van uitgaan dat zijn hele leven een vergissing was? In de leegte van de tijd reconstrueerde hij langzaam het traject dat hij doorlopen had om de gevreesde crimineel te worden die iedereen dood wilde hebben.

Om zijn leven weer op orde te krijgen moest hij de spoken uit zijn verleden het hoofd bieden. Wat had hem getransformeerd in het monster dat hij geworden was en dat door iedereen gehaat werd?

4

1970 – Tien jaar eerder

Het was niet nodig de deur in te trappen, want de barak was alleen afgesloten met een houten plaat en kon met de hand opengebroken worden. De zwerver die er, opgerold in stukken karton en vodden die hem nauwelijks bedekten, sliep, werd wakker en schold de indringers uit die hij niet goed kon zien omdat het licht in de spiegel op de deur weerkaatste. Gaspare, de man die de houten plaat had weggehaald en als eerste naar binnen was gegaan, trok hem overeind en smeet hem naar buiten.

'Ga maar een blokje om,' brulde hij, op een toon die geen tegenspraak duldde. De arme man, die gewend was aan allerlei soorten machtsmisbruik, sloeg zijn lompen om zich heen en liep weg, scheldend op de drie tirannen.

Duccio liep als tweede naar binnen. Hij liep regelrecht naar de hoek van de barak tegenover de deur en zette met een mesje een kruis op de grond, die nog vochtig was van de nacht. 'Hier is het.' Hij wees de jongen die met zijn handen in zijn zakken het varkenskot binnenliep, het teken aan.

Gaspare en Duccio braken om de beurt een stuk van de vloer open. De twee ex-republikeinen hadden in '46 geweigerd hun pistolen aan de Clnaanhangers af te geven, omdat ze dachten dat ze ze ooit nog eens zouden kunnen gebruiken. Ze hadden besloten ze in de la van een nachtkastje te verstoppen en hadden deze la vervolgens begraven in een weiland in via Tre Castelli al Giambellino, in een buitenwijk van Milaan. In die tijd was het weiland een heuveltje waar schapen graasden. Na de oorlog was het ontruimd en veranderd in een dorpje met varkenskotten. Precies boven op de plek waar de wapens verborgen lagen, was jaren later één zo'n barak gebouwd.

Eindelijk raakte de schop een stuk hout. 'Daar is het,' zei Gaspare, terwijl hij verderging met graven, maar nu voorzichtig langs de omtrek van de la. Toen legde hij de schop neer en ging hij op zijn hurken zitten om de houten la uit de grond te halen. Er zat een juten lap omheen. Hij tilde de la uit de aarde en wikkelde met behulp van Duccio de lap los. Als bij toverslag verschenen daar een 38mm-kaliber *double action*, een Starfire van 9mm-kaliber kort, een 7,65mm en uiteindelijk een Luger 9mm-kaliber, die Duccio, de oudste van het stel, cadeau had gekregen van een soldaat van de Wehrmacht.

De twee vrienden glimlachten bij de gedachte aan vroeger, en pakten ieder hun eigen wapen: Duccio de Luger en de 7,65mm en Gaspare de andere twee pistolen. Ze wogen ze op hun hand, namen een denkbeeldige vijand in het vizier en lieten ze toen aan de jongen zien.

'We hebben hier heel wat communisten mee afgemaakt!' riep Duccio, zonder enige vorm van spijt.

'Maar wij zijn inmiddels uitgespeeld,' zei Gaspare, terwijl hij naar de jongen toe liep, die niet veel ouder dan twintig was. 'Onze tijd is voorbij.'

'Maar die van jou moet nog beginnen. Ik heb gezien hoe je beweegt. Gebruik dat,' kwam Duccio tussenbeide, terwijl hij zijn wapens aan de jongen gaf.

De jongen pakte de 38mm en de Starfire met beide handen aan en spreidde zijn benen als een cowboy. Daarna glimlachte hij en schudde zijn hoofd. De situatie was te lachwekkend om er serieus op in te gaan en daarom zei hij: 'Bedankt, mannen. Hiermee kom ik wel in de hemel.'

In zijn buurt, Giambellino, noemden ze hem Renatino. Hij stond bekend om zijn gratie en charme. Hij was amper twintig en wilde de grote sprong maken. Hij had zich altijd op invallen en inbraken in appartementen en villa's in Milaan gericht. Hij was mager, snel en bijdehand en de oude garde van de dieven van Lambrate en Comasina vochten om hem. Iedereen riep zijn hulp in bij de nachtelijke strooptochten langs de appartementen in het centrum, langs die van San Siro en langs de villa's aan de meren. Ze namen hem ook vaak mee op sleeptouw, naar Parma en Modena, waar ze pakhuizen plunderden en hammen en kazen buitmaakten. Het vervoer van de waar was slecht voor hun benen en rug. 'Is het wel de moeite om al dat groente en fruit van de markten te stelen als we ons te pletter moeten werken om het te vervoeren?' vroeg Renatino iedere keer aan zijn vrienden als hij weer een stuk kaas van dertig kilo op zijn rug moest tillen. Ook omdat hij, tenger als hij was, niet de lichaamsbouw had van een bootwerker.

Naast sjouwen hield hij er ook niet van om lang op de uitkijk te staan.

Buiten in de kou één of twee uur staan wachten tot de bestuurders bij een grote vrachtwagen wegliepen die ze wilden leeghalen, of tot de bewoners van een dure villa het mondaine nachtleven in stapten, vond hij geen goede werkwijze. Het kostte een stuk minder moeite om ze een pistool onder hun kin te duwen en ze te dwingen hun te geven wat ze wilden. Goedschiks of kwaadschiks.

De oude dieven reageerden gechoqueerd bij het horen van zijn ideeën. 'Ben je gek of zo? Wil je dat we die paar jaar die we nog te leven hebben, wegrotten in de bak? Als we doen zoals jij zegt, verandert een inbraak in een overval en moeten we minimaal vijf jaar zitten. Wat heb je liever, vier maanden of tien jaar? Je bent niet erg snugger, jongen. Je moet nog veel leren. In dit vak is geduld een schone zaak.'

Dat was nu juist wat Renatino ontbeerde. Daarin was hij niet anders dan zijn leeftijdgenoten, die meteen op hun doel afgingen en alles direct achteroverdrukten. Ze zeurden bij hun ouders om de luxeartikelen die in die tijd slechts het voorrecht van de elite leken, zoals een wasmachine, een ijskast en een auto, en dwongen hun ouders te leven als uitmelkers.

Renatino ging ook een tijdlang om met de jongens van de studentenbeweging, omdat hij hun pogingen om de samenleving te verbeteren wel kon waarderen. Ze vroegen om meer aandacht voor onderwijs, gezondheidszorg, betere huisvesting en passend werk. Het waren allemaal mooie voorstellen van de jonge baardman, Mario Capanna, kracht bijgezet door subtiele, logische argumenten, waarvan een groot deel van zijn vrienden echter weinig tot niets begreep.

Uiteindelijk zetten al die zinderende voorstellen, plannen en zijn drang om zich te verzetten onze held er op een dag toe aan om het roer om te gooien en zijn dievenbestaan in te ruilen voor dat van een ware overvaller.

Niet dat de zaken niet goed gingen toen hij nog dief was, integendeel, iedere strooftocht leverde hem miljoenen op. Neem bijvoorbeeld de kopieermachines die hij gestolen had toen ze net op de markt waren; die hadden hem alleen al zeventig miljoen lire opgebracht.

Hij was amper twintig en schepte op dat hij zijn zwarte geld in een kapperswinkel, twee boutiques, een showroom annex garage met vierhonderd parkeerplaatsen en een benzinepomp had geïnvesteerd. Kortom, het was waar dat zijn betaalde werk als dief hem dagenlang deed stinken naar kaas en zwoerd, maar hij werd goed betaald voor het gevaar dat hij liep. En als er iemand was die niet geloofde dat misdaad loonde, liet hij zijn fonkelnieuwe Alfa Romeo 2000 zien, waar hij apetrots op was.

In diezelfde periode werden alle gokgelegenheden bezocht door een wrede vent, die iedereen bij zijn bijnaam noemde, Engelengezicht, maar die eigenlijk Francesco Turatello heette. Francis had een indrukwekkende lichaamsbouw, was één meter negentig lang en straalde macht en autoriteit uit. Zijn eerste bijnaam, die hij had toen zijn vrienden van het werk hem leerden kennen, was 'Cicciobanana', vanwege zijn krullende kuif, die hij, toen hij nog jong was, op minutieuze wijze in model wist te brengen, zodat hij op de overzeese teddyboys leek. Mettertijd was die naam echter veranderd in een soort scheldnaam en toen Turatello begon te merken dat er grapjassen waren die sarcastisch om hem grinnikten, besloot hij de meer vleiende naam Engelengezicht aan te nemen. En wie hem Cicciobanana bleef noemen had meteen een blauw oog te pakken, aangezien hij als kind ook op boksen had gezeten.

Hoewel Francis zes jaar ouder was dan Renatino, zagen de twee elkaar regelmatig toen de toekomstige leider van de Comasinabende nog een betaalde dief was, omdat ze dezelfde speelhallen van Lambrate bezochten. De spelletjes tafelvoetbal, waarin Renato zijn rivaal meestal versloeg, waren legendarisch. Net zo legendarisch was hun inbraak in Brianza, in de villa van een rijke ondernemer in Amerikaanse keukens. Turatello kende duizend-en-een trucjes om een villa leeg te halen. Die had hij van zijn meester, Otello Onofri, geleerd, een grootheid in de Milanese onderwereld.

De piepjonge Renato luisterde naar de woorden van Francis alsof ze van een orakel afkomstig waren. 'Het is een voorrecht om zo iemand te leren kennen. Net zoals het voor mij een voorrecht is om jou te hebben ontmoet, Francis,' bekende hij in een zwak moment.

Deze woorden grepen de gevoelige Francis aan, die zich er op zijn beurt over verheugde iemands voorbeeld te zijn. In die tijd, toen Renato nog kruimeldief was, organiseerde Francis al overvallen en begon hij in de omgeving naam te maken. Ook werd gezegd dat de Siciliaanse maffiafamilies in Milaan respect voor hem hadden. Genoeg redenen om hem met gepaste eerbied te behandelen. Renatino bleef hem vragen hem bij zijn klussen te betrekken. Hij bleef zo lang aan zijn hoofd zeuren dat Francis op een dag toegaf.

'Oké, als je het zo graag wilt, heb ik een werkje voor je. Niets lastigs. We moeten alleen even langs een hufter van een ondernemer, die het weigert mij vijf procent van de opbrengst van zijn keukenfabriek te geven,' legde hij op een goede dag uit.

'Wat moeten we doen?'

'We gaan zijn villa in Brianza binnen, waar hij ieder weekend met zijn minnares heen gaat. We gaan hem geen pijn doen. Ik herhaal: we moeten hem alleen even ergens op wijzen. Ik wil hem duidelijk maken dat ik toe kan slaan, hoe en waar ik maar wil. Jij kiest het voorwerp dat je het mooist vindt, en dat is dan jouw beloning. Hij heeft een mooie collectie oude wapens en dure schilderijen, maar die zijn moeilijker te verhandelen. Misschien heeft zijn liefje wel wat moois om. Als je wilt mag je ook zijn horloge hebben. Hij draagt een Rolex Daytona met diamanten, die op zichzelf al evenveel als een villa waard is, een beetje patserig, maar niet slecht. Kies jij maar.'

'En jij?'

'Ik kom met je mee, maar kan me niet laten zien. De overval doe je alleen. Dan zullen we zien wat je in huis hebt.'

'Alleen? Geen probleem,' zei Renatino dapper. 'Hoe moeilijk kan het zijn een ouwe vent en een hoer te overvallen? Dat wordt een fluitje van een cent.'

'Er is echter één obstakel, of eigenlijk twee. Zijn dobermanns.'

'Die leg ik om,' antwoordde Renato resoluut.

'Kijk wel uit, want het is een goed beveiligde buurt. Als je schiet wordt de oude baas wakker en waarschuwt hij het dichtstbijzijnde politiebureau. Maar er is een oplossing.'

'Namelijk?' vroeg Renato kortaf.

'Die vertel ik je als we gaan.'

De zaterdag daarop gingen ze op weg naar Monza, met de stijlvolle rode Opel GT van Turatello.

'We hebben niet eens een Zwitsers zakmes bij ons,' grapte Renatino, 'zoals toen ik provolonekazen ging stelen.'

'Je hebt geen wapen nodig. Als je binnenkomt pak je een mooie golfclub, de tas staat bij de ingang. Van een ondernemer mag je dat verwachten.'

'Maar je hebt me niet meer over de dobermanns verteld. Hoe zorg ik dat ze luisteren? Met een giftige gehaktbal?'

'Ze eten niets wat niet in hun etensbak ligt. Nee, het is simpel en bewezen. Je moet poedelnaakt over de muur klimmen. De honden zullen je niet aanvallen. Dan moet je op handen en voeten gaan staan en met je handen onder je oksels en langs je ballen gaan, zodat ze aan je geur wennen. Daarna wrijf je over hun neus en nemen ze je op in hun roedel. Misschien moet je wel oppassen dat het mannetje je niet bespringt.' Turatello barstte in lachen uit.

Renato was in de war. 'Zit je me in de zeik te nemen?'

'Ik maak nooit grapjes over werk,' antwoordde Francis, nu weer serieus. 'Je kunt hier goed mee laten zien wat je waard bent. Ik ben benieuwd hoe je je eruit redt.'

Ze kwamen aan bij de villa van de ondernemer, in een buitenwijk van Monza. Hij werd omgeven door een muur, die op sommige plekken bedekt was met klimplanten. Turatello zette zijn Opel uit het zicht, naast de ommuring.

'Kom op, nu is het jouw beurt,' spoorde Francis hem aan.

'Ik zou liever een kogel in de kop van die dobermanns hebben gejast.'

'Kleed je uit,' gebood Francis.

Renatino trok zijn shirt, broek en onderbroek uit. Hij was zo naakt als op de dag dat zijn moeder hem baarde. Instinctief bedekte hij zijn edele delen. Niet uit schaamte maar ter bescherming. 'Weet je echt zeker dat het wetenschappelijk bewezen is? Ik wil namelijk mijn ballen niet kwijtraken in de bloei van mijn leven.'

'Rustig maar. Ik heb je toch gezegd dat het onderzocht is. Geloof me maar.'

'Francis, dit is een akte van geloof.'

Hij klom met behulp van zijn vriend de muur op, terwijl hij zich vastklampte aan de klimop. Vanaf de rand van de ommuring bestudeerde hij in het donker het stijlvolle gebouw van twee verdiepingen en probeerde te ontdekken waar de twee honden zich bevonden. Hij zag ze niet, dus liet hij zich aan de andere kant van de omheining naar beneden vallen. Hij viel op het zachte gazon en liep verder de tuin in, op zijn hoede als een kat.

Alle ramen van het huis waren dicht. Zijn zintuigen stonden op scherp en zijn oren pikten een hees gegrom op dat vlak voor hem was. Dit was het moment van de waarheid. Hij ging op handen en voeten zitten en deed wat Turatello hem gezegd had. Hij baadde in het zweet en gleed met zijn handen over zijn vochtige huid, onder zijn oksels en ook tussen zijn dijbenen, zoals zijn vriend hem had opgedragen. Uit het niets verschenen, op een paar meter afstand, de dobermanns. Renato vertrok geen spier en wachtte tot zij de eerste stap zetten. De twee honden kwamen inderdaad, na een moment van verwondering, nieuwsgierig op het poedelnaakte wezen af. Ze besnuffelden hem overal. Renato liet hen hun gang gaan. Binnen een paar seconden zaten zijn handen al onder het slijm van de twee grote honden, die zijn nieuwe vrienden voor het leven wilden worden. Hij haalde weer adem. Hij stond op en liep naar de deur, die hij opende met een loper, terwijl de honden achter hem aan dribbelden. De twee honden bleven buiten staan, afgericht als ware SS'ers. Renato gebood hen te komen door op zijn been te slaan en de twee vergaten wat hun geleerd was en gingen naar binnen.

Toen de ondernemer zijn ogen opendeed, zag hij aan het voeteneinde van zijn bed een spiernaakte man staan, met een van zijn golfclubs in zijn hand. Hij dacht dat hij te maken had met een gek die ontsnapt was uit een gekkenhuis en schrok zich wezenloos. Hierdoor werd Sofia wakker. De geblondeerde vrouw begon meteen, zodra ze haar ogen opende en de indringer zag, te gillen van angst en greep haar man vast op zoek naar bescherming.

'Mijn portemonnee ligt op de ladekast,' zei hij direct. Het was duidelijk dat hij gewend was leiding te geven. Hij maakte zich los uit de omhelzing van de vrouw en stond op uit bed.

'Wees niet bang. Ik doe u geen kwaad. Ik ben slechts de boodschapper. Ik ben hier om u eraan te herinneren dat u morgen een afspraak heeft met de heer Francis, in zijn kantoor, om het contractje te ondertekenen, weet u wel? Dat is alles. Ik moest u ook helpen herinneren dat, als u niet op tijd bent, hij de volgende keer niet zo aardig is om iemand te sturen om u te waarschuwen.'

De man was geschokt door de inbraak. Toen hij een stap opzijzette, zag hij de twee dobermanns aan Renato's voeten liggen. Onmiddellijk schreeuwde hij: 'Grijp hem, Dick!' Maar het mannetje stond op, rekte zich uit en ging naast Renato zitten, terwijl hij zijn handpalm likte.

'Dat zou ik niet nog eens proberen als ik u was, anders stuur ik ze op u af en sla ik het hoofd in van uw mooie geliefde,' riep Renato boos.

De man trok wit weg: die twee honden luisterden alleen naar hem! Die man was een demon. 'Goed. Zeg maar tegen je baas dat ik op tijd zal zijn.'

'Oké. Nog één ding. Ik heb toestemming een herinnering mee te nemen aan de overlast die ik u bezorgd heb.' Hij liep naar de ladekast en pakte de met diamanten ingelegde Daytona. 'Kom, jongens,' zei hij tegen de dobermanns, die vervolgens opstonden en achter hem aan trippelden. Turatello stond hem voor de villa met draaiende motor op te wachten. Renato kleedde zich weer aan en stapte in de auto. Toen de spanning wat gezakt was, barstte hij in een harde en lange, bevrijdende schaterlach uit.

De samenwerking tussen Francis en Renato duurde echter niet lang. Turatello had zijn batterij en Renato was een te grote prima donna om voor lange tijd de tweede man te zijn. Francis verliet in die periode bovendien

Milaan, om in Europa zijn geluk te beproeven. Hij debuteerde kort daarna op internationaal terrein met een overval in Brussel.

Renato was het zat een knecht te zijn en besloot voor zichzelf te beginnen en overvaller te worden, net als Turatello.

5

Eenzaam in Giambellino

Hij gebruikte zijn 38mm-kaliber, het wapen dat de twee ex-republikeinen hem gegeven hadden tijdens zijn eerste solo-operatie.

Hij had zijn oog laten vallen op een geldloper die vaak naar de bar naast de benzinepomp in viale delle Rimembranze di Lambrate ging. Het was een man van een jaar of zestig, misschien een gepensioneerde carabiniere. Hij was corpulent en had duidelijk last van zijn voeten, omdat hij ze over de grond sleepte. Het tweede dat hij 's morgens deed, na het kopen van de *Gazzetta*, was het volgooien van zijn Fiat 128. Om tijd te besparen ontbeet hij in de bar naast de benzinepomp, terwijl de pompbediende zich over zijn auto ontfermde. Daarna begaf hij zich naar de bank om geld te storten of op te nemen. Als hij geld opnam, ging hij vervolgens meteen naar drukkerij Galimberti die in de loods van Sesto San Giovanni zat, om het af te geven.

Ons groentje koos hem als eerste slachtoffer, om zichzelf in te wijden in de Milanese onderwereld. Hij verwachtte dat het kinderspel zou zijn om hem uit te schakelen met zijn 38mm. En dus kwam hij in actie op de dag dat de lonen uitbetaald werden. Die zevenentwintigste viel op een vrijdag. Zoals op alle loondagen liet de geldloper zijn auto en zijn sleutels bij de pompbediende achter, ging de bar in, waar hij een cappuccino en een zoet croissantje bestelde en wierp hij snel een blik op de koppen van de voorpagina van de *Gazzetta*. Hij maakte nog even een grapje met de barman en liep naar buiten om zijn auto te gaan halen. Renatino reed achter hem aan met een amarantkleurige Fiat 124, die hij de avond ervoor had gestolen. De man stopte langer bij de bank dan gewoonlijk. Uiteindelijk kwam hij naar buiten en stapte achter het stuur van zijn 128.

Hij zou hem enteren na een klassieke botsing. Renatino moest in actie komen in een straat met weinig verkeer, maar waar vind je op vrijdag, aan het eind van de maand, in Milaan zo'n straat? Hij besloot te vertrouwen op het lot. Hij volgde zijn prooi als een haai, klaar om zijn tanden erin te zetten bij de eerste de beste gelegenheid. Af en toe liet hij de afstand tussen hen wat groter worden, daarna reed hij weer naar de 128 toe en kleefde hij aan de bumper. Bij een stoplicht ging hij zelfs nonchalant naast hem staan en kruisten hun blikken elkaar even. De geldloper reed door naar viale Monza, maar sloeg links af ter hoogte van via Fiume. De loods van de drukkerij was inmiddels bijna in zicht. Na de spoorwegovergang wist de jongen dat hij bijna geen tijd meer had om toe te slaan: binnen een aantal minuten zou de geldloper zijn bestemming bereikt hebben. Bovendien zag hij aan zijn linkerhand het spoor van de trein, wat wilde zeggen dat hij tijdens een eventuele vluchtpoging maar één weg tot zijn beschikking had: de via Sesto San Giovanni. Te weinig. Hij dacht snel na en vroeg zich af of het niet beter was om de overval uit te stellen, toen hij voorbij het viaduct zag dat de hele straat leeg was. Hij gaf instinctief meer gas en botste tegen de Fiat 128, maar niet hard, omdat hij niet wilde dat de man slipte en misschien naar de andere rijbaan gleed, met als gevolg dat hij op andere automobilisten af reed. De auto schoot naar voren, maar het lukte de geldloper de auto op de goede baan te houden. Renatino zette de 124 aan de kant, stapte uit, met zijn gezicht verborgen en liep op de man af die zat bij te komen van de klap. Renatino trok de deur open, greep de geldloper bij zijn arm en trok hem hard naar de grond. Hij hield hem tegen met een voet op zijn borst en nam hem onder schot. 'Als je niet de held uit gaat hangen, overkomt je niets.'

De man deed automatisch zijn handen omhoog. Hij was niet bang, alleen overdonderd door de snelheid van de handeling.

Renatino dacht hem uitgeschakeld te hebben. Hij schoot de auto in, naar de achterbank, waar hij de man eerder een bruin koffertje had zien verstoppen. Hij pakte het koffertje en maakte aanstalten om naar zijn auto terug te keren toen de man plotseling op hem af dook en zijn been vastgreep, terwijl hij 'Help! Help!' riep.

De jongen sloeg hem met de kolf van zijn pistool in zijn nek. De vlassige haren van de oude man kleurden rood. Zijn greep verslapte iets, maar hij wilde niet opgeven. Hij bleef maar schreeuwen: 'Help! Houd de dief!'

De overvaller wist niet of hij hem moest neerschieten of niet. Hij zag enkele arbeiders aan de andere kant van de straat het fabriekscomplex uit komen. Hij besloot te vluchten en stapte in zijn auto, met in de ene hand de koffer en in de andere hand zijn Beretta, terwijl een van de arbeiders naar zijn collega's in de loods schreeuwde dat ze de politie moesten bellen.

Renatino schoot weg en veroorzaakte een grote stofwolk. Hij ontweek de man die op de grond lag met zijn hand op zijn achterhoofd. Vanuit zijn achteruitkijkspiegel zag hij dat een paar arbeiders naar de geldloper toesnelden om hem te helpen opstaan.

Even later liet Renatino de 124 achter, in de buurt van een metrohalte in Lambrate. Hij pakte de bus en stapte een paar haltes verderop uit, in via Monte Nero, waar hij de Alfetta had geparkeerd. Hiermee reed hij terug naar Comasina. Hij was tevreden over zichzelf, maar teleurgesteld in de doeltreffendheid van de 38mm. Misschien had de Luger meer indruk gemaakt. Nu was hij nieuwsgierig naar de hoeveelheid miljoenen die hij met deze solo-overval had verdiend. Deze keer hoefde hij de buit met niemand te delen: netto winst honderd procent.

6

Cicciobanana naar de top

Francesco had besloten toe te treden tot de top van de Milanese maffia en te debuteren met een spectaculaire overval. Hij wist dat hij zich alleen met de nodige vrijheid zou kunnen bewegen als zijn rug goed gedekt werd en had daarom niemand minder dan de beroemde Italo-Amerikaanse gangster Frank Coppola, alias Frank Drie Vingers, familielid van Vito Genovese, ingeschakeld. Frank was in de jaren zestig door de Amerikaanse rechtbank naar Italië teruggestuurd, samen met zeshonderd 'ongewenste' goede jongens. De moeder van Turatello, een van de vele Siciliaanse vrouwen die naar Amerika waren geëmigreerd om hun geluk te beproeven, had een affaire met hem gehad. Het was een korte affaire, want ook de vrouw werd door de Amerikaanse autoriteiten naar Italië teruggestuurd. Toen ze eenmaal in het land van de zon en de mandoline terug was, merkte ze dat ze zwanger was.

De erecode van Cosa Nostra verbiedt leden om er buitenechtelijke relaties op na te houden en daaruit volgt dat ook het krijgen van buitenechtelijke kinderen verboden is. Hierom kon Frank Drie Vingers zijn zoon Francesco niet erkennen. Toch hield hij hem gedurende de jaren liefdevol in de gaten, omdat zijn vrouw hem alleen dochters had geschonken en hij het jongetje dus als zijn morele erfgenaam beschouwde.

Turatello was zijn carrière begonnen zoals alle andere grote criminelen: hij begon met inbraken in appartementen en daarna in juwelierswinkels, waarna hij de onweerstaanbare overstap maakte naar overvallen om smokkelwaar te bemachtigen, en naar afpersingen en ontvoeringen. Hoewel hij les had gehad van een weergaloze leraar, had hij laten zien van nature een groot leider te zijn en over een onbetwistbare charismatische kracht te beschikken.

Het werd tijd om uit zijn schulp te kruipen en zijn ware talent aan de

Milanese maffiabazen te laten zien. Op een maandag in maart begon hij met zijn complete batterij aan de overval. Met zes auto's en een busje gingen ze op weg naar een buitenwijk ten zuidoosten van Milaan, in de buurt van metrostation Fabio Massimo. Dit was de zone die, dankzij de vele rotsspleten, de verlaten kelders, de roosters op de binnenplaatsen en de huizen met balustrades die het makkelijker maakten om te vluchten als de madam kwaad was, de prostituees hadden gekozen om hun oeroude beroep uit te oefenen. De jongens van Turatello speurden het hele gebied af en ontvoerden alle prostituees die ze te pakken konden krijgen. Ze dwongen ze in het busje en de auto's. De vrouwen waren overrompeld en gaven geen kik. Degenen die zich wel voorzichtig probeerden te verzetten werden geslagen en bloedend en beurs, half buiten bewustzijn, de wagens in gedreven.

Hoewel alles bliksemsnel gegaan was, waren er toch nog een paar pooiers naar via Vincenzo Toffetti gekomen die hen probeerden tegen te houden. Eén in het bijzonder, een forse Calabrees, bijgenaamd de Gek, wierp zich op Turatello die, naast zijn auto, de operatie 'de Sabijnse maagdenroof' stond te leiden als een dirigent van een orkest. De pooier stond op een halve meter afstand van Turatello en hield een lang knipmes bij zijn hart.

'Wat moet je van mijn vrouwen? Wie ben jij in hemelsnaam?' schreeuwde hij, zwaaiend met zijn mes.

'Herken je me niet?' vroeg Turatello uitdagend, terwijl hij in het licht van een lantaarnpaal ging staan.

'Ik weet wie je bent,' antwoordde de Gek ontzet.

Francis Turatello was meer een amoreel dan een crimineel persoon. Hij kende niet het verschil tussen goed en kwaad, en wist ook niet wat de ethiek van de onderwereld inhield, die tot de jaren zestig als leidraad diende voor criminele bendes.

In die tijd was er in het spel tussen bewakers en dieven sprake van een soort respect. Het zou bij geen van beide partijen in het hoofd opkomen om wapens te gebruiken alleen om gangster of sheriff te spelen, zoals wel in Amerika gebeurde. Er bestond ook een soort respect tussen criminelen en slachtoffers. Turatello was de eerste die deze regels brak.

Hij haalde zijn Colt 1911 uit zijn broekriem en schoot de man zonder na te denken een 9mm kogel in zijn buik. De Gek viel schreeuwend op zijn knieën en liet zijn mes vallen, waar hij inmiddels niets meer aan had. Alleen iemand die ooit in zijn maag is geschoten begrijpt hoeveel pijn een kogel kan doen waar een X in is gekerfd. De wond begon te bloeden, terwijl de Gek bleef schreeuwen van de pijn. Alle bendeleden stonden verstijfd van angst. De rest van de hoertjes volgden hun ontvoerders als makke lammetjes.

Toen het laatste meisje in de auto was gestapt kroop Engelengezicht achter het stuur van zijn rode Opel GT. 'En nu de rest van de operatie,' zei hij, terwijl hij optrok in de richting van de meren.

Ze kwamen aan bij een boerenhoeve, midden in de bossen van Brunate, vlak bij Como. Engelengezicht zette zijn GT op het pleintje tegenover de villa. De andere vijf auto's en het busje waren er al en de meisjes waren het gebouw in geleid, een soort van elegant ingerichte studio met antieke meubels, zijden tapijten en twee muren bedekt met oude boeken. Francis liep de centrale ontvangstkamer binnen, geflankeerd door twee van zijn vertrouwelingen: Angelo Infanti en Natale Piscopo. Davino, bijgenaamd Stalin, streek door zijn snor en wees naar de deur van de studio ten teken dat de hoeren op hem wachtten. Turatello gebaarde hem te volgen. 'Neem die maar.' Hij wees naar een stel speren, zwaarden, schilden en Afrikaanse zwepen dat aan de muur hing. Stalin, die wist wat zijn baas bedoelde, pakte een zweep en volgde hem. Engelengezicht liep de studio in, gevolgd door Angelo en Natale. Het gegil van de vrouwen stopte zodra hij de deur opendeed. Turatello ging, stijlvol als altijd, met zijn op maat gemaakte jas en zijn overhemd dat openstond tot op zijn borst waarop zijn overdreven gouden met diamanten bezaaide hakenkruis bungelde, in het midden van de zaal staan. De achttien meisjes kropen instinctief tegen de muur. Hij nam ze een voor een op. Een enkeling was heel mooi, anderen zouden zijn moeder kunnen zijn, weer anderen hadden een afgeleefd gezicht dat wanhoop uitstraalde. Hij begreep nog steeds niet hoe mannen met vrouwen als zij konden neuken.

Een brunette maakte zich los van de anderen en riep schaamteloos en vol trots: 'We zijn geen beesten! We eisen respect!'

Turatello wendde zich tot Stalin en gaf hem een knikje. De laatste liep op de vrouw af en sloeg haar vol in het gezicht met de zweep. 'Je houdt je mond, tot hij zegt dat je mag praten!'

De vrouw wankelde. Ze hield haar hand tegen haar wang en huilde van pijn. De anderen zouden het liefst in de muur verdwijnen, als ze konden.

'Kleed jullie uit!' gebood Turatello. 'Uit die kleren!' schreeuwde hij, om ze wakker te schudden, omdat ze zich niet verroerden. 'Alles uit, kleren en ondergoed!'

Stalin sloeg de vrouwen die het dichtst bij hem stonden met de zweep. 'Hebben jullie het gehoord? Uit die kleren! Ik wil het jullie niet nog een keer zeggen!' Hij bleef lukraak tegen de armen en benen van de arme vrouwen binnen zijn bereik slaan.

De vrouwen kleedden zich haastig uit. Sommigen stonden nog als aan de grond genageld, en op hen botvierde Stalin zijn woede. Iemand als Davino had geen betere bijnaam kunnen krijgen, en dat was niet alleen vanwege zijn snor, of zijn gedrongen lichaam dat deed denken aan dat van de Sovjetdictator, maar vooral door de hardvochtige wijze waarop hij orders uitvoerde.

Alle achttien hoertjes waren nu helemaal naakt. Sommige keken schaamteloos naar Turatello, met hun handen in hun zij, andere bedekten preuts hun borsten, weer andere keken naar beneden om geen blikken van anderen te hoeven opvangen, veel jammerden en dreinden omdat ze geslagen waren. De vrouw die met de zweep op haar wang was geslagen, stond in een hoekje, nog steeds met haar hand tegen haar bloedende gezicht.

Turatello voelde dat hij ze, nu hij ze had gedwongen zich uit te kleden en ontdaan had van iedere vorm van eerbiedwaardigheid, in zijn macht had. 'Vanaf vandaag werken jullie voor mij. En met jullie ook alle andere hoeren van Porto di Mare. Jullie hoeven je geen zorgen te maken over jullie pooiers, laat die maar aan mij over. Ik reken met hen af zoals ik met de Gek afgerekend heb.'

Toen dwong hij hen, met uiterste minachting, op het zachte tapijt te gaan liggen. 'Roep de anderen,' gebood hij Stalin. 'Nu gaan we ons een beetje vermaken. Maar maak het tapijt niet vies, want deze villa heeft me een flinke duit gekost.'

Wat er de volgende twee uren gebeurde, zou geen enkel mens zich voor kunnen stellen. Zelfs de ongebreidelde orgieën uit de Romeinse Oudheid vielen in het niet bij het geweld dat deze mannen loslieten op de lichamen van deze arme vrouwen.

Die maandagavond begon Turatello aan zijn weg naar de top van Milaan. De jongen uit Lambrate met de vooruitziende blik had een ambitieuze strategie bedacht, omdat hij naast de prostitutie ook een vinger in de pap wilde in de drugs- en gokwereld. Wat het uitbuiten van prostituees betrof konden de maffiabazen wel een oogje dichtknijpen, hoewel ze het niet beschouwden als een activiteit die een peetvader waardig was. Voor de andere twee branches had hij toestemming nodig van de top van de maffia, als hij geen oorlog wilde ontketenen die hij zeker zou verliezen.

Een vriend van zijn biologische vader Frank Drie Vingers, een zekere Giuseppe Doto, die in het systeem van Interpol beter bekendstond als Joe Adonis, een van de oprichters van de vereniging van de Amerikaanse misdaad, hielp hem bescherming te verkrijgen van de leiders van Cosa Nostra. Dankzij 'oom Joe' kon Turatello rekenen op de steun van de Italiaanse top van de maffia, die in die jaren vertegenwoordigd werd door Salvatore Greco, Gaetano Badalamenti, Gerlando Alberti en Pippo Bono. Allemaal namen die angst inboezemden. In ruil voor flink wat smeergeld dat hij aan vrienden van vrienden zou hebben gegeven, had Engelengezicht groen licht om zich een deel van het drugsverkeer en van de Milanese casino's toe te eigenen. Hij werd de theoreticus van de optimalisering. Hij gebruikte de prostitutie om een vleugje illegaliteit aan de goktenten te geven. De prostituees moesten het drugsgebruik bij hun klanten bevorderen door drugs in het begin gratis uit te delen, zodat de domkoppen die stijf stonden van de heroïne en de amfetamine maar door bleven spelen, verloren en uiteindelijk afgemat raakten.

7

De vierde aas

Renatino liep de binnenplaats van een klein, druk flatgebouw in via Calizzano op, aan de noordkant van de wijk Comasina, met het koffertje onder zijn arm. Hij liep de trap af naar het souterrain, waar zijn uitvalsbasis was. Hier had hij het bescheiden arsenaal dat hij van de twee ex-republikeinen had geërfd verstopt en kwamen hij en zijn vrienden samen als ze een overval moesten voorbereiden. Deze keer was hij echter alleen. Hij had ernaar verlangd de opwinding te voelen van een solo-overval en was erg tevreden over het resultaat.

Hij zette het koffertje op tafel en moest het slot met een schroevendraaier forceren om het open te krijgen: het was een combinatieslot. Hij deed de koffer langzaam open, alsof hij op het punt stond de vierde aas te krijgen bij poker. Zijn verbazing was groot toen hij zag dat het koffertje geen stapeltjes van tienduizend lire bevatte, maar een hoop paperassen. Hij had al die moeite gedaan om vervolgens een tas te stelen vol waardeloze documenten! Die eikel liet zich bijna vermoorden voor die rommel. Hij wierp er een blik op, in de hoop misschien een paar interessante documenten te vinden. Maar het waren facturen, rapporten en orders. Oud papier. Hij plofte teleurgesteld en moedeloos op de bank. Hij begreep dat een carrière als solo-overvaller er voor hem niet in zat. Hij had zijn batterij nodig, zijn vrienden. Iedereen heeft behoefte aan vrienden, dacht hij. En hij wist waar hij ze kon vinden.

Vrijdagavond waren ze altijd in de kroeg van de Basso-broers te vinden, in via Gerolamo Forni, vlak bij het knooppunt Milaan-Brescia.

De wijk Comasina was eind jaren vijftig gebouwd voor werknemers van Alfa Romeo. Het was een modelwijk, met bomen, hagen en tuinen die de gebouwen van elkaar scheidden. Zelfstandigheid vormde de basis van de wooneenheden, en die was zo ver doorgevoerd dat in een van de belangrijkste gebouwen een centraal geregelde installatie was gezet voor de productie van warm water en elektriciteit, een primeur voor de sociale woningbouw van die tijd, niet alleen in Italië, maar ook in Europa. Andere Milanese buitenwijken met de kenmerken van een slaapstad waren niets vergeleken met Comasina. Zij hadden een dichte bebouwing, geen vormen van dienstverlening en geen groen. Aanvankelijk was het een privilege om in Comasina te wonen, maar stukje bij beetje, als een infectie die ook op gezonde oppervlakken toeslaat, arriveerde ook tussen deze hagen en tuinen uiteindelijk de plaag van de criminaliteit, met name de drugs, overgebracht door pushers die altijd op zoek waren naar nieuwe klanten.

De kroeg van de Basso-broers was mettertijd het trefpunt geworden van deze eerste buitenwijkcriminelen. De Basso-broers waren eerst met zijn tweeën, totdat de jongste werd opgesloten in San Vittore voor het bezit van een beetje wiet en een paar zakjes heroïne. Toen was er nog maar één. Iedereen zat binnen: Napo, Mazzinga, Cambogia, Bradipo, de Beverrat en Franca, de enige vrouw in de groep. Zij wist iedere lastpak van zich af te slaan. Iedereen was met zijn of haar meisje. Er waren ook andere vrienden, die geen lid waren van de batterij en meisjes uit de buurt, die zich aangetrokken voelden tot de duistere charme van de jongens. Eén meisje in het bijzonder trok Renatino's aandacht. Ze had een flesje cola in haar hand en nam steeds kleine slokjes, zoals meisjes doen die het flesje niet op de binnenkant van hun lip leggen, maar geheel in hun mond stoppen en daarmee schalkse jongens het hoofd op hol brengen. Renatino was zo'n jongen. Hun ogen ontmoetten elkaar even, maar zij bleef verder praten met de jongen voor haar. Onder de brede randen van haar hoed waren twee grote groene ogen en een kattengezicht te onderscheiden. Maar Renatino kon zijn ogen niet afhouden van haar benen, onrustig en gespierd als die van een renpaard. Haar korte rokje, dat dat jaar in de mode was, liet weinig aan de fantasie over en ook haar laarzen, die tot haar knie reikten, waren een lust voor het oog.

Maar ze waren niet allemaal zo. Sommigen waren hardvochtig, zoals Franca, een meisje uit Puglia, eveneens met haar familie naar Milaan verhuisd in de jaren van de economische boom, die echter het leven van een crimineel prefereerde boven dat van een fabrieksarbeider. Ze was naast prachtig, slim en aardig, een harde tante. Zo reed ze inmiddels op een Agostini motor en kon ze met een pistool overweg als een gunman uit het wilde Westen. Haar dienstpistool was een Magnum 44, waarvan ze, sinds ze inspecteur Callaghan in de bioscoop had gezien, haar handelsmerk wilde maken.

Het was moeilijk voor een vrouw om geaccepteerd te worden in een batterij. Maar als ze liet zien dat ze ballen had, werd ze opgenomen binnen de groep en werd er niet meer gekeken naar sekseverschillen. Hierin waren de batterijleden minder bevooroordeeld dan hun leeftijdgenoten die bij de zogenaamde goede burgerij hoorden, of dan de gewone criminelen. Dit verschil was, wat Franca betreft, ook zichtbaar in de seksuele sfeer. Franca had namelijk een relatie met een meisje dat rondhing bij de groep, Ernestina, en het feit dat ze lesbisch waren was voor geen van de mannen een probleem. Ze zagen hen als hun gelijken. Toch weerhield hun relatie beiden er niet van ook om te gaan met mannen, die werden gezien als gebruiksvoorwerpen, een seksuele variant om bepaalde behoeftes te bevredigen. Ook dit accepteerden de jongens van de batterij. Alles was gebaseerd op vertrouwen. Vertrouwen betekende voor de jongens vriendschap, broederschap, 'allen voor één, één voor allen'. Een band die niet zomaar met iedereen gedeeld mocht worden. Mensen werden niet als vanzelfsprekend gelijk behandeld. Waardering moest met daden verdiend worden in het veld. Niemand haalde het in zijn hoofd om met de relatie van Franca en Ernestina te spotten of er smakeloze grappen over te maken, iets wat gewone criminelen wel regelmatig deden. Op een dag zag een patserige Romein, uitgerekend in de kroeg van de Basso-broers, hen dicht bij elkaar staan kletsen over hun zaken en hij flapte er wat uit dat niet alleen beledigend voor hen was, maar voor de hele batterij. Het kwam hierop neer: 'Daar zul je de batterij van de poezenlikkers hebben. Aan de andere kant, als jullie het niet met mannen doen, hebben jullie geen andere keus dan het met elkaar te doen.' Toen pakte hij een flesje Coca-Cola en zette het bij hen op tafel. 'Kijk eens, dit kan jullie helpen.'

De Beverrat, Bradipo en Mazzinga zaten er ook. Mazzinga wilde opspringen, maar Franca was sneller dan hij en hield hem met haar hand tegen. Ze stond op en liep op de man af die haar uitdagend aankeek. Franca haalde bliksemsnel haar Magnum van haar broekriem en ramde de loop in de mond van de grapjas. Toen greep ze hem bij zijn oor en trok ze hem naar voren, zodat hij op zijn knieën voor haar zat. Ze haalde de loop van het pistool uit zijn mond en zette hem tegen zijn hoofd, precies tussen zijn ogen. 'Nu ga je aan iedereen laten zien hoe goed je kunt pijpen.' Ze stopte opnieuw het pistool in zijn mond. 'En nu zuigen! Zuigen!' schreeuwde ze terwijl ze haar vinger op de trekker hield. De man had geen andere keus dan op de loop van het pistool te zuigen, terwijl het publiek hem sarde. Het spektakel duurde al een tijdje, toen Franca hem losliet en een trap gaf met haar Camperos, waardoor hij op de grond rolde. 'En nu uit mijn ogen!' De Romeinse patser liet zich niet meer zien in die buurt en niemand had meer kritiek op de seksuele relatie tussen Franca en Ernestina.

Toen Renatino de grote zaal in liep, kwamen Napo en Cambogia op hem af. De drie waren de steunpilaren van de groep, vrienden voor het leven. Renatino zou zijn leven voor hen geven en zij hun leven voor hem. In het bijzonder Napo, de vriend die hij het langst kende.

'Renatino, waar was je?' vroeg Napo, die in het bevolkingsregister geregistreerd stond als Antonio Carporale, maar in de beruchte buitenwijken van Milaan bekendstond als Napoleone. Dat was een bijnaam die hem op het lijf was geschreven, zowel vanwege zijn lichaamsbouw als vanwege zijn organisatiekwaliteiten.

'Ik durf te wedden dat je iets beraamd hebt en ons erbuiten hebt gehouden,' ging Napo verder, terwijl hij zijn lange hoefijzervormige snor gladstreek, die tot zijn kin kwam.

'Wat zijn jullie aan het doen?' vroeg Renatino, om de vraag te ontwijken.

'We eten eerst een pizza en gaan dan naar Paip's, zoals altijd,' kwam Cambogia, alias Mario Cantarella, tussenbeide.

'Wil je ons nou zeggen waar je geweest bent?' hield Napo aan, omdat hij hem beter kende dan de rest.

Voor de tweede keer gaf Renatino geen antwoord, maar wees naar 'groene ogen' en vroeg: 'Stel je me niet voor aan de nieuwe aanwinsten?'

Napo begreep meteen op wie hij doelde. 'Die heeft een harder pantser dan Jeeg Robot. Ze is in niemand geïnteresseerd. Ze komt uit Puglia en heet Veronica, meer weet ik niet. Ik heb het al bij haar geprobeerd.'

'Maar je hebt een blauwtje gelopen,' concludeerde Renatino met zijn gewoonlijke ondeugende grijns. 'Toe, stel me aan haar voor, dan laat ik je zien hoe je met types als zij om moet gaan.'

Napo liep naar Veronica toe, gevolgd door zijn vriend en zei, terwijl hij de toenaderingspoging van de zoveelste gegadigde onderbrak door tussen hem en het meisje in te gaan staan: 'Veronica, dit is Renatino. Renatino, dit is Veronica. Zo, ik heb je aan haar voorgesteld.' Toen nam hij de ongelukkige gegadigde bij de arm en leidde hem naar de bar, om Renatino ruim baan te geven.

'Zijn jullie hier allemaal zo onbeschoft?' vroeg het mooie meisje aan Renatino, die voor haar was gaan staan, terwijl ze haar benen een beetje uit elkaar deed. Hij keek haar, zonder iets te zeggen, een paar seconden aan, pakte toen zijn peuk tussen zijn lippen vandaan en blies de rook in haar gezicht, zoals hij Paul Belmondo had zien doen.

Ze was prachtig. Ze had het gezicht van een actrice van wie hij de naam niet meer wist en ogen die helderder groen waren dan hij ooit had gezien. Zij haalde, totaal niet geïntimideerd door zijn pantomime, een pakje Marlboro uit haar tas, hield dit voor haar mond en nam er een sigaret uit door deze wat nat te maken met het puntje van haar tong. Renatino vond het gebaar zo sensueel dat hij begon te trillen. Vervolgens omsloot ze de sigaret met haar lippen en stak hem aan met een lucifer. Ze blies haar eerste haal direct in het gezicht van haar gesprekspartner, die terugdeinsde om niet in hoesten uit te barsten.

'Nou? Heb je niets te zeggen?' vroeg ze provocerend, terwijl ze haar sigaret uit haar mond haalde om nog een slokje Coca-Cola te nemen.

Haar langzame en bestudeerde gebaren maakten hem gek van verlangen. Hij was helemaal weg van haar. 'Ik heb hier weinig te vertellen, maar ik zou veel kunnen doen, met jouw hulp. Volg me.' Hij wenkte haar en liep naar de deur van de bergruimte van de kroeg.

Twintig paar ogen wachtten op de reactie van het meisje. Veronica gooide haar net aangestoken Marlboro-sigaret op de grond, trapte hem uit met een van haar mooie laarzen, greep het flesje cola en volgde hem naar de berging van het café.

De ruimte achter in de kroeg was niets anders dan een berghok met kasten vol pakken koffie, suiker, snoepjes, schoonmaakmiddelen en lappen. Verder stond er nog een bank van een ondefinieerbare kleur, die de eigenaren van de kroeg gebruikten voor vluggertjes met de caissières. Wat eerlijk gezegd weinig gebeurde. Uit een raampje met spijlen ervoor, kwam wat frisse lucht.

Renatino plofte op de bank neer en legde één been op de armleuning. Terwijl hij bleef roken, gebaarde hij haar naar binnen te komen en de deur dicht te doen. Veronica gehoorzaamde. Ze bleef naast de deur staan en keek vol afschuw om zich heen.

'Is dit nou je garçonniere?' vroeg ze spottend.

'Het is de Ovomaltine-kamer,' antwoordde hij, beledigd door de subtiele ironische ondertoon van het meisje. 'Dat kan ik ook.'

'Heel romantisch,' vervolgde ze ironisch. 'Alleen de salami's aan het plafond ontbreken nog. Of liggen die op de bank?'

Dat was de druppel. Nooit eerder had hij zich zo door iemand laten beledigen. Hij stond op en gaf haar een klap. 'Kleed je uit,' gebood hij.

Veronica incasseerde de mep zonder blikken of blozen: ze wilde zich niet gewonnen geven aan die lomperik, maar haar ogen vulden zich met tranen van woede.

'Ik ken iemand die jou wel zou laten gehoorzamen.'

'En wie mag dat wel niet zijn? Nembo Kid?'

'Nee. Mijn vader!'

Renatino moest lachen. Het meisje was nogal koppig. En hoe meer ze zich verzette, hoe meer ze hem opwond. 'Ik heb gezegd dat je je moet uitkleden.' Veronica ging tegen de muur staan en pakte met gekruiste armen de onderkant van de korte katoenen trui vast die ze over haar naakte lichaam droeg. Renatino liep naar haar toe en zette haar hoed af. Een volle kastanjekleurige haardos viel warrig over haar schouders, waardoor ze in al haar wilde schoonheid zichtbaar was.

'Ik kan er maar niet opkomen op wie je lijkt,' zei hij tegen haar.

'Misschien op Laura Antonelli?'

'Dat is het, op Antonelli.'

'Dat zegt iedereen.'

Hij pakte haar bij de schouders en smeet haar op de bank. Daarna zette hij haar schrijlings neer en probeerde door kracht op de knoopjes te zetten haar trui open te maken. Ze verzette zich een beetje, maar gaf zich algauw over. 'Oké, het is al goed. Stop maar. Je hoeft m'n trui niet kapot te scheuren,' zei ze, terwijl ze ondertussen de vele knoopjes los begon te maken. Stukje bij beetje kwamen twee geweldige borsten tevoorschijn, ondersteund door een beugelbeha.

Deze plotselinge beslissing versterkte de erotische spanning tussen hen nog meer. Renatino stond op en ging naast haar zitten. Hij legde zijn hoofd op de rugleuning.

Intussen trok Veronica haar pullover volkomen ongedwongen uit en had toen alleen nog haar beha aan. Daarna trok ze met een sierlijke en kuise beweging haar slipje uit, om dit vervolgens in haar hand te klemmen en tussen de kussens van de bank te verstoppen.

'Zo, ga je gang. En als je klaar bent, vergeet dan niet het geld op het kastje achter te laten.' Die zin had het effect van een zweepslag. Renatino was woedend op zichzelf. Hij had niets van het meisje begrepen. Hij had gedacht met een van die meisjes te maken te hebben die hij met een vingerknip kon krijgen. Hij had nog nooit een vrouw betaald voor haar diensten. Ook omdat vrouwen zich, dankzij zijn charme, al na een paar zinnen gewonnen gaven. Maar Veronica was anders.

'Weet je wat? Laat maar zitten. Kleed je aan, we gaan hier weg. Ik heb geen zin meer.' Renatino stond op en liep naar de deur. Hij maakte zich vooral zorgen om het commentaar van zijn vrienden. Het was duidelijk dat Veronica hem had afgewezen.

Het meisje greep hem echter bij zijn arm. Ze bleef hem verbazen.

'Hé, vriend. Zo kun je niet weggaan. Eerst zit je me uit te dagen en dan laat je me zitten?'

'We zijn verkeerd begonnen. Dat gebeurt wel eens. Laten we vrienden zijn zoals eerst, oké?' antwoordde hij.

'Wacht,' zei het meisje, terwijl ze haar pullover en slipje weer met verrassende onverschilligheid aantrok. De hoed zette ze op haar losse haar, dat over haar schouders viel. Ze pakte hem bij de arm en samen liepen ze de kamer uit. Iedereen vroeg zich af wat ze gedaan hadden, zodra ze hen zagen. Veronica was opnieuw degene die hen allemaal uit de ongemakkelijke situatie redde.

'Oké, vrienden, mijn prins op het witte paard en ik gaan weg. Hier is het ons te druk. Dag allemaal, tot ziens.' Ze liepen de kroeg uit, tot grote opluchting van Renatino die op deze wijze de pijnlijke vragen van zijn vrienden had ontweken.

'Je blijft me verbazen. Je had me terug kunnen pakken bij mijn vrienden, voor wat ik je heb aangedaan,' zei hij zodra ze buiten waren.

'Dat interesseert me geen biet. Ik hoef me niet zo nodig voor hen op te tutten, dat heb ik je al gezegd, zij betekenen niets voor mij. Jij boeit me wel, al vanaf het moment dat je de kroeg binnenkwam. Ik moet wel zeggen dat je me aan het begin een beetje teleurgesteld hebt. Maar gelukkig ben je op tijd bijgedraaid. Zoals je ziet heb ik me niet in je vergist. Je zult zien dat we dikke vrienden worden. Wij zijn hetzelfde. Twee kanten van dezelfde medaille.'

Zoveel zelfverzekerdheid en vastberadenheid brachten hem van zijn stuk en betoverden hem. Op dat moment besloot hij dat Veronica zijn vrouw zou worden.

8

De goktent van Dino Buzzati

Turatello's strategie leverde bakken met geld op voor de kluis van de Milanese maffiabazen. De prostitutie, drugshandel en goktenten in Milaan waren inmiddels bijna allemaal geheel in handen van zijn bende. Het 'bijna' was uit respect voor de godfathers, die inmiddels de Lombardijnse metropool bevolkten en sinds 1965 ook de omgeving daarvan, toen er vanwege een absurde verbanningsmaatregel van kortzichtige rechters een grote uittocht van maffiabazen van de zuidelijke provincies naar Lombardije was. Het was de Siciliaanse Amerikanen die naar Milaan waren verhuisd binnen een paar jaar gelukt hun macht over alle illegale handel die via de Italiaanse economische hoofdstad kwam uit te breiden. Door hun Siciliaanse manier van zakendoen, hadden ze niet in de gaten dat de tijden veranderden. Het protest in '68, van de jongeren tegen de gevestigde orde, het 'wij willen alles en wel meteen', was niet alleen een oproep aan de jongeren van het proletariaat, maar had ook de zogenaamde illegale wereld beïnvloed. Bendeleiders, zoals Engelengezicht, wilden onder de voorschriften uit die jarenlang de maffiawetten hadden bepaald. Turatello bijvoorbeeld, beschouwde de bazen als zijn gelijken, omdat hij ze aanzienlijke sommen smeergeld gaf. Hij had geen enkel ontzag voor hen. Hij wist hoe gevaarlijk ze waren, maar deed wat dat betreft niet voor hen onder. Hij streefde ernaar een eigen beslissingsbevoegdheid te bereiken. Hij wilde niet voor elke scheet toestemming hoeven vragen. Op een dag kreeg hij de gelegenheid zijn kracht, maar bovenal zijn drieste zelfstandigheid te tonen, bij een Milanese edelvrouw.

Gravin Aurora – zo liet ze zich noemen, hoewel er niets adelijks aan haar was, behalve haar deftige r – had haar adellijke titel gekocht door zich in te schrijven bij een van de vele ridderlijke ordes die valse onderscheidingen en niet-bestaande rijken verkocht en inspeelde op de zwakte van de kleinburgerlijke klasse. Iedereen was ervan op de hoogte, maar speelde het spelletje mee omdat gravin Aurora van haar arme man een groot aantal appartementen geërfd had. Deze leverden haar een flinke maandelijkse rente op, en omdat ze niet wist hoe ze haar makkelijk verdiende geld anders moest besteden, besloot ze een soort congrescentrum als het Circolo della Stampa op te richten, ter ere van Dino Buzzati, een journalist met wie ze vroeger een liefdesrelatie had gehad, zoals ze beweerde. De Circolo della Stampa organiseerde geen congressen, of culturele rondetafelconferenties, maar stond juist open voor een kring trouwe spelers die iedere avond bijeenkwamen om te gokken om enkele duizenden lires bij een spelletje canasta of een potje hartenjagen. Net een familiebingo. Engelengezicht had van een van zijn meisjes van het bestaan van deze huisvrouwengoktent gehoord en aangezien die zich in de buurt van het kasteel bevond, precies in via Giuseppe Sacchi, in het centrum van de stad, en hij nog geen casino in die zone had, besloot hij op een middag gravin Aurora eens op te zoeken.

Francis wist alles van haar valse titel, hoeveel hij haar had gekost en van het heraldische instituut dat hem haar had gegeven. 'Ik zal mijn mond houden,' concludeerde hij, terwijl hij de föhn dichter bij het water in de badkuip hield, waar de doodsbange gravin in zat, vastgehouden bij haar nek door de gedrongen Stalin, 'en niemand zal u meer lastigvallen, zoals ik nu doe met mijn maat hier. Verder zult u vijf procent krijgen van de opbrengsten van iedere avond. Wat vindt u daarvan? Is dat niet genereus?'

De gravin knikte heftig. Ze was zo bang dat haar stem in haar keel stokte, en met kleren aan in bad gezet worden, wilde ze nooit meer.

'Moet ik dat als een "ja" beschouwen?' vroeg Turatello. 'Stalin, doe de kraan dicht. Zie je niet dat je de hele vloer natmaakt?'

De gravin bleef jaknikken.

'Oké, ik heb het begrepen. Dat is dan afgesproken. Hier zult u geen spijt van krijgen, gravin.' Hij deed de föhn uit en trok hem uit het stopcontact. 'Morgen brengen we nieuwe tafels. U hoeft zich geen zorgen te maken, de kosten zijn allemaal voor mijn rekening. En over een paar dagen heb ik een verrassing voor u. Vraag me nu niet wat het is, want dat kan ik echt nog niet zeggen. Maar u zult zien dat we erdoor binnen gaan lopen. Vandaag is uw geluksdag, mijn lieve gravin Aurora.' En terwijl hij dit zei, verliet hij met Stalin de badkamer, en liet hij de vrouw in het water achter.

Het nieuwe casino van Turatello werd het pronkstuk van de Milanese chic. De gravin had veel kennissen in hoge kringen: officiers van het leger en van de marine, magistraten, vrijmetselaars en een paar staatssecretarissen. De enige concurrentie kwam van een andere speelhal in de buurt, in via Formentini, de Brera Bridge. In die tijd ging het erom welke tent het meest exclusief was in Milaan. Goktenten waren niet Turatello's specialiteit, maar hij was er gek op en stond niet toe dat anderen in zijn vaarwater zwommen. Op een zondagavond kwam hij in actie, samen met Angelino Epaminonda, Angelo Infanti, Natale Piscopo, Stalin en de Sardijnse bandiet Graziano Mesina, de beroemdste, tot levenslang veroordeelde bandiet in Italië. Ze namen een willekeurige speler met een betalingsachterstand en dwongen hem, na gedreigd te hebben zijn familie verschrikkelijk te martelen, een toneelstukje op te voeren voor het kijkgaatje van de geblindeerde deur, zodat de portier de deur zou openen. Ze verstopten zich achter hem en zodra de portier de dienstingang ontsloot, gaf Angelo Infanti, breed als een klerenkast met twee deuren, de portier zo'n harde schouderduw, dat hij omviel. De zes mannen, gewapend als een heel leger, drongen de grote zaal binnen waar de speeltafels stonden. Sommige spelers raakten in paniek, maar de meeste wisten hun kalmte te bewaren. Ze wisten dat het een rustig casino was, dat geen last had van de conflicten tussen de bendes die ongestoord in de stad rondzwierven. In de Brera Bridge was de vrede gegarandeerd door bepaalde Sicilianen met wie niet te spotten viel. Wie daarin geloofde, moest zijn mening bijstellen. Die avond veranderde vrede in oorlog.

Turatello liet alle gasten en dames opstaan van hun tafels en beval hen zich langs de muur op te stellen. Het waren zo'n veertig mensen in totaal. Infanti en Piscopo haalden de zakken van de croupiers en die van de banken leeg, terwijl Engelengezicht de spelers dreigend toesprak: 'Ik laat nu deze zak langsgaan en jullie stoppen daar al jullie kostbare bezittingen in: portemonnees, kettingen, horloges en ringen. Trouwringen mogen jullie houden. Maar probeer me niet te slim af te zijn.' Toen wendde hij zich tot Epaminonda en zei met luide stem, zodat iedereen het hoorde: 'Jij houdt alles in de gaten. Als er iemand is die me belazert, kom je me dat zeggen en reken ik met hem af.' Zijn toon was hard en beslist en hij zou zeker, zonder na te denken, zijn woord houden, mocht dat nodig zijn. In de tussentijd rende Mesina, alsof hij gek geworden was bij het zien van al die rijkdom, van de ene dame naar de andere en ontdeed hij hen hardhandig van hun bontjassen en nertsstola's. Engelengezicht hield hem echter tegen. 'Vriend, rustig aan! Dat is niets voor jou. Jij bent gewend aan geitenleer.' Vervolgens richtte hij zich weer tot de gasten en bracht met verleidelijke stem de boodschap over die hij voor zijn vijanden had. 'Wij zijn straatrovers. De dames mogen hun bontjassen houden, maar als jullie niet meer overvallen willen worden, raad ik jullie aan om bij de Circolo della Stampa te gaan spelen, bij gravin Aurora in via Giuseppe Sacchi. Ik verzeker jullie dat daar nooit iemand zal worden lastiggevallen, zoals hier vanavond. Jullie hebben mijn woord.'

Terwijl zijn baas bezig was met zijn reclamepraatje, zag Epaminonda dat een van de spelers, na het zakje met de gestolen waar aan zijn buurman te hebben doorgegeven, zijn hand in zijn jaszak stopte. Hij liep naar hem toe, hield hem onder schot met zijn Beretta en graaide in zijn zak. Hij haalde er een gouden Rolex uit. Hij boorde zijn ogen in die van de man, die met een angstige grijns antwoordde en geschrokken zijn blik afwendde. Epaminonda draaide zich naar Engelengezicht en liep, omdat hij zag dat hij nog niet klaar was met zijn preek en niets had gezien, bij de man weg, om het horloge in de zak te gooien, die inmiddels bijna bij de laatste gast was aanbeland.

De inval was bijna ten einde. Het zestal begaf zich, met twee zakken vol geld en juwelen, naar de deur. Epaminonda kwam langs de portier en zei: 'Hé vriend, kijk maar goed naar me. Als de politie komt en je moet me beschrijven, wat zeg je dan?'

De portier nam de kleine Catanees met zijn pikzwarte kroeshaar op en antwoordde: 'Dat je lang bent en blond, met blauwe ogen en een onmiskenbaar noordelijk accent.'

'Goed zo, zo mag ik het horen,' antwoordde Epaminonda terwijl hij achter de anderen aan liep.

9

De straatrovers van Lambrate hebben altijd gelijk

Luigi Ricci, de geldloper van drukkerij Galimberti, was uitgenodigd om die ochtend op het hoofdbureau de lijst met gezochte criminelen te bekijken, in de hoop dat hij de overvaller zou kunnen identificeren die hem, zonder hulp, had belaagd. Na meer dan twee uur door de signalementfoto's te hebben gebladerd, was de gepensioneerde man bekaf. Vicecommissaris Moncada stond toe dat hij even pauze nam en zei tegen de archivaris: 'Laten we hem de foto's van de dieven voorleggen. Ik heb de indruk dat onze vriend de solo-overvaller tot gisteren een kruimeldief was en nu de grote sprong wilde wagen.'

Hij liet de stapel signalementfoto's brengen van degenen die verantwoordelijk waren voor de diefstallen in de stad. Luigi Ricci werd moedeloos bij het zien van de mappen met de nieuwe foto's; deze waren namelijk vier keer zo dik als die van de overvallers. Geduldig begon hij de foto's een voor een te bekijken.

Een politieloopbaan is alleen weggelegd voor geduldige mensen en Moncada was het geduld zelve. Hij had geen privéleven en daarom kon hij tot diep in de nacht op het bureau blijven om de dossiers van alle onderzoeken uit te pluizen. Zijn vrouw had hem na een huwelijk van krap drie jaar, vanwege zijn toewijding aan het werk, verlaten. Moncada kende maar één manier om zijn werk te doen en dat was door zich volledig op een onderzoek te storten, gedreven door de misschien wat romantische, onwankelbare overtuiging dat regels altijd gerespecteerd dienen te worden. Als iemand ze breekt is het niet meer dan terecht dat het recht zegeviert en de verantwoordelijken gestraft worden, uit respect voor de fatsoenlijke mensen. Hoe kon hij dit aan zijn vrouw uitleggen? Het was hem niet gelukt en daarom was zij, een mooi meisje uit Brescia, ervandoor gegaan met haar oude jeugdliefde.

* * *

Na de fatale ontmoeting in de kroeg van de gebroeders Basso, waren Renatino en Veronica praktisch onafscheidelijk. Niet dat er meer tussen hen was voorgevallen dan een handdruk of een kus op de wang. Hun vrienden behandelden hen als geliefden, maar zij gedroegen zich en respecteerden elkaar als broer en zus. Renatino behandelde Veronica als een koningin. Hij nam haar mee naar de hipste discotheken, zoals de Wanted Saloon, die op dat moment een van de beroemdste en duurste dansgelegenheden was van Milaan. Het entreekaartje kostte wel twintigduizend lire en dit zorgde op zichzelf al voor een soort sociale selectie. De centrale dansvloer werd omringd door tafeltjes en boven, op twee balkons, bevonden zich de tafels die gereserveerd waren voor de vips, die een beetje privacy verlangden en tegelijkertijd naar de jongeren wilden kijken die dansten op de muziek die op dat moment populair was.

Van alle meisjes was Veronica degene die het meest uitzinnig op rhytm-and-blues kon dansen. Renatino keek graag naar haar. Ze was heel sexy en hij moest voortdurend opletten dat er geen knappe jongens waren die zich aan haar opdrongen. Zodra dat het geval was, moest hij tussenbeide komen en de versierder duidelijk maken dat ze geen partij voor hem was. Renatino hield ook van dansen, maar zijn uithoudingsvermogen deed onder voor dat van het meisje, waardoor hij het na een tijdje zat werd en weer aan het tafeltje ging zitten om bij te komen met een glas whisky.

In die tijd, maar misschien werkt het tegenwoordig ook nog wel zo, hadden de commissarissen van Milaan een pact gesloten met de eigenaren van de danstenten en discotheken. Ze knepen graag een oogje dicht als ze regels overtraden, zoals het schenken van alcohol aan minderjarigen of hun club 's nachts langer open hielden, in ruil voor informatie. Het is algemeen bekend dat dit soort gelegenheden vaak door mensen uit de onderwereld wordt bezocht. De managers hoefden alleen hun oren open te houden om aanwijzingen op te kunnen vangen die nuttig konden zijn voor de politie. Natuurlijk ging het hier om ware afpersing van de kant van de politieagenten, omdat geen enkele eigenaar ooit uit zichzelf een vaste klant zou bespieden. Als hij het deed, was het omdat de politie zulke overtuigende bewijzen tegen hem had dat, als hij zijn tent niet wilde sluiten, of erger, net als zijn klanten uit de onderwereld de bak niet in wilde draaien, hij gedwongen was de uitwisseling van gunsten te accepteren. Dankzij een van deze afspraken, tussen vicecommissaris Moncada en de eigenaar van de Wanted Saloon, werd Renatino in die discotheek in de kraag gegrepen. Luigi Ricci had zijn foto herkend in de map met signalementfoto's van dieven en de commissaris had de foto meteen rondgestuurd naar alle hoofdbureaus en eigenaars van kroegen en discotheken die samenwerkten met de politie. Uitgerekend de Wanted was hier één van.

Renatino zat onderuitgezakt in een kleine rode fauteuil, niet wetend wat hem zou overkomen, te wachten tot Veronica terugkwam van het toilet. Twee agenten in burger kwamen naast hem zitten. De derde, vicecommissaris Moncada, nam voor hem plaats. Renatino begreep meteen dat hij het haasje was en ondernam niet eens een poging om te vluchten.

'Renatino, als je meekomt zonder een scène te schoppen, heeft niemand iets in de gaten. Ik ben vicecommissaris Moncada en ik moet je een aantal vragen stellen, op het hoofdbureau.' Hij schreeuwde bijna naar hem, om de harde muziek te overstemmen.

'Commissaris, kunnen we dat niet verplaatsen naar morgenochtend? Ik ben hier met mijn vriendin,' antwoordde hij terwijl hij van zijn whisky nipte.

'Nu!' gebood Moncada.

Renatino stond op, nadat hij zijn lot vervloekt had, liet twee briefjes van tienduizend lire achter en volgde zonder iets te zeggen de drie agenten.

Toen Veronica terug was bij de tafel was haar Renatino weg, maar dat verbaasde haar niet echt, want hij deed wel vaker iets onverwachts. Soms werd hij geroepen door een paar vrienden en namen ze hem mee om pas twee of drie uur later terug te keren, met verwarde haren en badend in het zweet. Andere keren verdween hij om achter een mooi meisje van twijfelachtige moraal aan te gaan. Ze wist wel van zijn slippertjes. Soms deed hij niet eens zijn best het voor haar te verbergen, maar ze vergaf het hem en begreep hem. Ze kon niet meer van een vriend vragen die, los van wat er gebeurd was in het berghok van de kroeg van de gebroeders Basso, haar nooit met één vinger had aangeraakt en haar respecteerde als een Siciliaanse echtgenote. Renatino had haar beloofd pas met haar te vrijen als zij daar zelf om vroeg. En vanwege deze belofte was ze bereid hem te vergeven als hij weer eens plotseling verdween.

Maar deze verdwijning van Renatino duurde langer dan de gewoonlijke twee uur die hij nodig had voor een vluggertje. Op het hoofdbureau herkende de geldloper van drukkerij Galimberti hem meteen. Luigi Ricci legde aan de commissaris uit dat hij de 27e eerst het geld, meer dan tien miljoen lire, naar de bank had gebracht en toen een aantal zakelijke stukken had meegenomen om te laten drukken. Hij had zijn normale routine omgedraaid.

Renatino moest boeten voor zijn jeugdige naïviteit. Zijn straatrovervrienden uit Lambrate hadden gelijk dat het beter was om de wapens thuis te laten. Na een simpele diefstal had hij het er met een paar maanden in San Vittore afgebracht, nu had het wapen zijn stomme actie veranderd in een overval... van zakelijke documenten. Ze konden hem tien jaar celstraf geven. Hij trof echter een rechter die nog geloofde in de rehabilitatie van gevangenen, die hem een tweede kans wilde geven om zijn leven te beteren, en kreeg de minimale straf: één jaar en tien maanden.

Renatino verliet San Vittore precies tien maanden later, omdat de rest van het jaar hem werd kwijtgescholden door een onverwachte gratieregeling. Die tien maanden aan de universiteit van de misdaad waren genoeg om hem volwassen te maken en hem te doen inzien hoe hij zich in de onderwereld diende te bewegen. Nu was hij er helemaal klaar voor om Milaan te gaan veroveren.

Buiten de Twee wachtten al zijn vrienden en ook Veronica hem op, die hem om zijn nek vloog, haar benen om hem heen sloeg en hem toefluisterde: 'Nu wil ik met je vrijen.'

10

De eerste steentjes van het mozaïek

In die tijd ging Italië zijn roerigste periode tegemoet sinds zijn korte democratische bestaan. Het land had vele mislukkingen van centrumlinkse regeringen achter de rug, die er niet in geslaagd waren te voldoen aan de behoeftes van een Italië dat snel aan het veranderen was. Na de gebeurtenissen van mei '68 en door de onrust veroorzaakt door de maatschappelijke verworvenheden van de meest progressieve machten van het land, werkten hun liberale opvolgers een serie misdaden in de hand. Deze misdaden werden begaan om de aspiratie van het oude regime in de kiem te smoren.

Vicecommissaris Moncada was een van de eersten die een verband legde tussen de misdaden en het politieke terrorisme in het noorden en zuiden van het schiereiland.

Moncada werkte elk uur van de dag. Ook als hij sliep, want dan droomde hij over nieuwe strategieën die hij kon gebruiken om criminelen in de val te lokken. Zijn uithoudingsvermogen was legendarisch en samen met zijn Einsteinachtige intuïtie maakte dit hem op een leeftijd van amper tweeëndertig jaar tot een van de briljantste vicecommissarissen van de Milanese politie. Moncada was niet bijzonder lang en ook niet erg knap. Hij had een schraal gezicht, een subtiele snor en een paar zwarte, beweeglijke ogen die zijn uitzonderlijke intelligentie benadrukten. Zijn ongelooflijke talent om aanwijzingen aan elkaar te koppelen, die op het eerste gezicht niets met elkaar te maken leken te hebben, fascineerde bepaalde vrouwen die op zoek waren naar mysterie en avontuur, vooral nadat hij gescheiden was van zijn vrouw.

Aan het eind van de dag analyseerde Moncada een aantal misdaadrapporten van de laatste maanden, opgesloten in zijn kantoor op de derde verdieping in via Fatebenefratelli. De rapporten gingen over de bom die op 25 april 1968 ontploft was in de Fiat-stand op de beurs van Milaan, waarbij zes mensen gewond waren geraakt. Hij was na sluitingstijd tot ontploffing gebracht, uitsluitend om demonstratieve redenen. Maar een tweede bom, die dezelfde dag op het Centraal Station gevonden was voordat hij was ontploft, diende duidelijk een ander doel. Ongeveer een maand later kwam een rapport van een Griekse geheim agent op het hoofdbureau binnen, verstuurd door Scotland Yard, dat verwees naar de bommen van 25 april. Het document, dat *top secret* was en gericht aan de Griekse premier Georgios Papadopoulos, verantwoordelijk voor de staatsgreep van twee jaar eerder waardoor het zogenoemde 'Kolonelsregime' aan de macht kwam, was onderschept door enkele leden van de Griekse verzetsbeweging. Zij hadden het aan een Engelse journalist van *The Observer* gegeven met het verzoek het onder de Italiaanse persbureaus te verspreiden. Maar de journalist besliste anders en stuurde het door naar een vriend van hem, een detective bij Scotland Yard, die het op zijn beurt weer naar de politie van Milaan had gestuurd. In het document stond dat er contact was tussen het militaire Griekse regime en een aantal officieren van het Italiaanse leger. Verder behandelde het de stappen die door de Italiaanse autoriteiten ondernomen konden worden tegen de verspreiding van het communisme. Dit waren de laatste woorden van het document: 'De aanslagen konden niet eerder plaatsvinden dan 20 april, zoals afgesproken was. De wijziging van onze plannen was nodig vanwege het feit dat de Fiat-hal door een tegenslag lastig bereikbaar was geworden. Niettemin hebben de twee aanslagen toch een aanzienlijk effect gehad.'

Moncada opende een andere blauwe brief, waarop met balpen was geschreven: 'Landbouwbank'. Hij bestudeerde het schrijven. De vermelde datum was 12 december 1969. Deze bom had zeker een aanzienlijk effect gehad, dacht hij, terwijl hij de foto's en de lijken van de slachtoffers voor zich zag die zwartgeblakerd waren door de explosie. Hij sloeg ook dit rapport dicht en opende een ander dossier. Op de voorkant stond de naam van een stad geschreven: 'Reggio Calabria'. Daaronder stonden een datum en een naam tussen aanhalingstekens: '14 juli 1970', 'Ciccio Franco'.

Ciccio Franco was lid van de vakbond en had de volksopstand van Reggio geleid onder het motto 'Wie opgeeft is een beul'. De aanleiding hiervoor was het uitblijven van de toestemming om de nieuwe provinciale regering naar de stad te verplaatsen. De definitieve keuze, gemaakt in Rome door afgevaardigden van de provincie, was gevallen op Catanzaro. Reggio was een van de armste steden van Italië en het zou voor veel werkgelegenheid zorgen als daar het bestuur van de provincie zou zetelen. Het volk toonde zijn ontevredenheid door middel van stakingen en manifestaties die werden geleid door fascistische groepen van Ciccio Franco. De opstandelingen barricadeerden de stad, stookten vuren en vernielden alles wat vernield kon worden. De politie had er moeite mee hen in bedwang te houden, omdat ze op traangasbommen reageerden door de agenten met stenen te bekogelen. Nooit eerder had een voltallige bevolking zoveel geweld gebruikt. Aan het eind van het rapport volgde een lijst met persoonlijke gegevens van de zes doden die na de demonstraties op de grond waren achtergebleven.

Er lagen nog twee dossiers op tafel die hij moest analyseren. Vicecommissaris Moncada pakte de een na laatste. Op de omslag stonden 'Gioia Tauro' en een datum: '22 juli 1970'. Slechts enkele dagen na het begin van de opstand ontspoorde de 'Zonnetrein', de directe trein van Palermo naar Torino, vlak voor het station Gioia Tauro, waardoor zes mensen om het leven kwamen en ongeveer zeventig gewond raakten, van wie sommige zeer ernstig. De trein, die uit Villa San Giovanni kwam, reed het station binnen met een snelheid van zo'n honderd kilometer per uur, toen de locomotief begon te schokken en de twee machinisten gedwongen waren aan de noodrem te trekken. Het plotselinge remmen zorgde ervoor dat de trein in elkaar gedrukt werd. De stootkussens van de wagons vingen een deel van de klap op. Dit ging goed bij de eerste vijf wagons, maar een van de stellen van de zesde wagon schoot uit het spoor. De wielaandrijving raakte vernield en alle wagons die volgden ontspoorden op de vijfhonderd meter lange remweg, waarbij de trein in drie stukken brak. Enkele wagons in het midden rolden over de kop, andere vlogen dwars door de voorliggende wagons heen. Het geschreeuw van de gewonden en de andere passagiers vulde de lucht van die warme zomerdag. Het was een waar bloedbad.

In het rapport stonden enkele getuigenverklaringen, die meteen ter plekke waren opgenomen. Moncada las die van stationschef Teodoro Mazzù. De man had verklaard 'een afschuwelijke klap te hebben gehoord en een rookwolk te hebben gezien die direct boven de ontspoorde trein uitsteeg. Een apocalyptisch tafereel. Complete chaos. De passagiers sprongen uit de wagons en probeerden verbeten hun dierbaren te redden. Vele hadden zwartgeblakerde gezichten door de rook en waren verminkt door staalplaten.' De vooronderzoeken sloten de hypothese dat de ontsporing veroorzaakt was door een explosie volledig uit. De onderzoekers stelden echter dat de oorzaak structureel loszittend materiaal was. De conclusie van het rapport was schokkend: '... men is van oordeel dat de oorzaak van de ramp een mankement van technische aard is geweest, te zoeken in het rollend materieel of in de rails zelf.'

'Klootzakken,' oordeelde de commissaris hardop over degenen die het rapport ondertekend hadden.

Nu moest hij alleen nog het laatste dossier bekijken, waarna hij naar huis kon om uit te rusten. Op de laatste blauwe map stond geschreven: 'Auto-ongeluk. Botsing Frosinone, 26 september 1970'. Moncada opende de map. Inspecteur Vittorio Perrone had hem, terwijl hij de dossiers bracht, gevraagd wat dat verkeersongeval met de andere gebeurtenissen te maken had.

'Niets, hoop ik,' had hij raadselachtig geantwoord.

Hij las het rapport aandachtig. Het eerste deel beschreef de toedracht van het verkeersongeluk op de A1 van Milaan naar Napels. Een Morris Mini, waar vijf jongeren uit Reggio Calabria in zaten, was geramd door een vrachtwagen met aanhanger, vlak na het tolhuisje van Frosinone. In het rapport stonden de positie van de auto, de namen van de vijf jongeren en die van de twee vrachtwagenchauffeurs. Moncada had datzelfde ongeluk al eerder onderzocht en was bijvoorbeeld te weten gekomen dat de functionarissen van de politieke politie van Rome die nacht als eerste ter plaatse waren. Dat was absoluut ongebruikelijk voor een afdeling die zich nooit met verkeersongelukken bezighield. Maar er zaten nog meer valse noten in deze tragedie. De chauffeur van de vrachtwagen bleek na uitgebreider onderzoek te werken voor een bedrijf waarvan Junio Valerio Borghese de eigenaar was, pleger van de mislukte staatsgreep van december van datzelfde jaar. Moncada had genoteerd wat Borghese de natie had zullen voorlezen als de revolutie geslaagd was geweest. Voor de zoveelste keer concentreerde hij zich op de inhoud van het bericht: 'Italianen, de politieke ommekeer waar we op hoopten, de langverwachte staatsgreep heeft plaatsgevonden. De politieke formule die zo'n vijfentwintig jaar heeft overheerst en die Italië aan de rand van de economische en morele ondergang heeft gebracht, bestaat niet meer. De krijgsmacht, de politie, de meest gezaghebbende en verantwoordelijke mensen van het land staan achter ons; terwijl we jullie anderzijds kunnen verzekeren dat de gevaarlijkste tegenstanders, degenen die van plan waren ons vaderland aan de buitenlanders uit te leveren, onschadelijk zijn gemaakt. De Rai-studio's zijn bezet, alsook de kamer en de senaat! Nu wij jullie de glorieuze driekleur teruggeven, nodigen wij jullie uit dit hartverwarmende liefdeslied mee te roepen: Italië, Italië, leve Italië!'

De vijf jongeren uit Reggio Calabria moesten een dossier inleveren dat ze na de opstand in Reggio zelf hadden samengesteld, waarin ze aangaven dat er in bepaalde anarchistische kringen sprake was van extreemrechtse infiltraties. Het doel van deze infiltranten was de onderzoeken te dwarsbomen en de gerechtelijk onderzoekers ertoe aan te zetten de sporen van de anarchisten te volgen bij alles wat in Italië met bloed besmeurd raakte, inclusief de laatste bom, waardoor de Zonnetrein in Gioia Tauro uiteengereten werd. Ze moesten het dossier naar de eerzame Eduardo Di Giovanni brengen, een oud afgevaardigde die beloofd had hen te helpen. Moncada wist hier alles van, omdat hij dezelfde eerzame man aan de telefoon had gehad. Het ongeluk was dus geen ongeluk, maar in scène gezet om de vijf jongens te doden. De ontmoeting had inderdaad niet plaatsgevonden en het dossier was nooit meer gevonden. Iemand had het meegenomen uit de verongelukte auto. Zeer waarschijnlijk een van de functionarissen van de politieke politie uit Rome.

Moncada sloot ook het laatste dossier en stopte het bij de andere vier. Hij opende de vijf als een waaier, als een enorme hand met kaarten. Die rapporten leken verbonden door een draad die iemand geduldig, vakkundig en met grote institutionele steun aan het weven was. Maar was dat slechts één persoon? Het hoofd van de politieke politie, zoals verondersteld werd? Of meerdere hoofden? En wat was het doel van dit vernietigende spel? Chaos creëren in Italië? Het volk zo opfokken dat het nogmaals een dictatuur wenste? Het was de Griekse kolonels twee jaar eerder gelukt. Was Italië nu aan de beurt?

Vicecommissaris Moncada schrok van zijn eigen hypotheses. Hij hoopte met heel zijn hart dat hij ernaast zat, maar voelde zich tegelijkertijd verplicht dieper in dit persoonlijke onderzoek te duiken. Zijn intuïtie had hem nog nooit in de steek gelaten. Hij borg de vijf dossiers op in de la van zijn bureau en deed het licht uit.

11

Generale repetities

De dag dat Renatino vrijkwam uit San Vittore, brachten Veronica en zijn vrienden hem rechtstreeks naar Cernobbio, aan het Comomeer, naar het romantische hotel Miralago dat uitkeek op een pleintje voor een kleine jachthaven. Zijn vrienden hadden geld ingezameld om een tweepersoonskamer voor een hele week te kunnen reserveren. Dat was hun manier om hun beste vriend welkom te heten in de wereld van de levenden. Na te hebben geproost op de vrijheid, groetten Napo, Bradipo, Franca, de Beverrat, Mazzinga en Cambogia hun leider, keerden ze terug naar Milaan en lieten ze de twee geliefden samen achter. Renato was geroerd door zoveel genegenheid en tegelijkertijd blij om zijn herwonnen vrijheid. Maar deze gevoelens waren niets vergeleken met de opwinding die hij in zich voelde opkomen in Veronica's nabijheid. Ze stond voor de glazen deur van het kleine balkon. Renatino had de deur achter zijn vrienden dichtgedaan en zich naar haar omgedraaid. Ze droeg een bonte lange blouse tot aan de grond. Hij was oranje met blauwe bloemetjes en plooien onder de borst, volgens de laatste hippiemode. Ze voelde Renatino's blik op haar gericht en draaide zich om. Ze stond nog steeds in het kader van het raam. Door het tegenlicht scheen haar jurk door en werd haar perfecte lichaam zichtbaar: ronde heupen, atletische bovenbenen en een wespentaille. Renatino kleedde haar uit met zijn ogen en zijn verlangen werd steeds groter. 'Wat heb ik vaak van dit moment gedroomd in de gevangenis,' fluisterde hij.

'Ik moet je vragen om me te vergeven,' antwoordde Veronica ontroerd. 'Ik ben stom geweest door me te gedragen als een verdomd prinsesje.'

Renatino glimlachte. Hij had haar nog nooit horen schelden.

Veronica bewoog en kwam naar hem toe. 'We hebben heel wat tijd verloren. Toen ze je mee hadden genomen naar het bureau voelde ik me alsof ik in de hel werd gestort...'

'Kom op, nu zijn we hier.'

Eindelijk omhelsde ze hem. 'Je bent een bijzonder mens, Renato.' Ze kuste hem en probeerde al haar passie en liefde aan hem over te brengen. Renatino beantwoordde haar kus met dezelfde hartstocht. Daarna tilde hij haar op, zonder te stoppen met zoenen, en droeg haar naar het tweepersoonsbed. Tien maanden van celibaat, opgesloten in een cel tjokvol lelijke snuiters, gedwongen zich te verdedigen tegen oude patsers die tot alles bereid waren, zelfs tot het bevredigen van elkaars seksuele verlangens, waren voor Renato een onuitwisbare kwelling geweest. In tegenstelling tot wat je zou denken, lijdt iemand die dit soort extreme situaties overleefd heeft, onbewust onder seksuele remmingen, waardoor de geslachtsdaad behoorlijk problematisch kan zijn.

Voor de eerste keer in zijn leven lukte het Renatino niet om zijn vrouw te bevredigen. Hij voelde zich vernederd en kon zijn falen niet verklaren. Veronica was heel discreet en maakte zich, zodra ze begreep dat al haar liefkozingen en kussen geen effect hadden, ook niet op zijn meest intieme plekken, los uit zijn armen, met het excuus dat ze even een sigaretje ging roken. De eerste gaf ze aan Renatino en de tweede stak ze zelf op. Ze blies een wolkje rook uit en wierp een vluchtige blik op hem. Hij rookte en staarde naar het plafond. 'Maak je geen zorgen. Dat gebeurt wel eens. Dat noemen ze prestatiestress. Daar heb jij last van, maar ik ook,' zei ze zo lief als ze kon. 'We willen elkaar te graag. Ik ben niet lelijk en jij ook niet impotent. Dit gebeurt wel eens,' legde ze geduldig uit.

'Maar het moet mij niet gebeuren en zeker niet vandaag,' antwoordde hij geërgerd.

'Daar is geen bepaald moment voor. Het gebeurt en daarmee klaar.' Een pauze. Toen legde ze haar hand op de zijne. 'En bovendien zijn er heel veel manieren om te vrijen,' zei ze terwijl ze Renatino's hand op haar buik legde.

Hij inhaleerde nog een keer en keek haar toen aan. Ze was oogverblindend mooi. Door het rode lintje dat ze op haar voorhoofd droeg leek ze net een Griekse godin.

Met een lieve glimlach begeleidde Veronica zijn hand naar haar vagina. Even verstijfde hij. 'Heb je nooit van het Kinsey-rapport gehoord?' vroeg ze. Hij schudde zijn hoofd. 'Ik heb het gelezen. Het is van een Amerikaanse seksuoloog. In Amerika vonden ze het aanstootgevend en hier bij ons ook.'

'En wat staat er in dat rapport?'

'Bijvoorbeeld dat mannen en vrouwen zeer regelmatig masturberen, zonder daarna blind te worden.' Haar glimlach werkte aanstekelijk op Renato.

'En hoe is Kinsey dit te weten gekomen?'

'Hij heeft duizenden mannen en vrouwen van verschillende leeftijden een enquête in laten vullen.' In de tussentijd had ze hem een vingertop op haar clitoris laten leggen en langzame ronde bewegingen laten maken. 'Hij heeft ontdekt dat seks voor het huwelijk en buitenechtelijke seks veel voorkomen en dat een derde van de mannen minstens één homoseksuele relatie heeft gehad.' Ze zuchtte en kromde haar rug omdat ze genoot van Renato's verwennerij.

'Ik zweer je dat ik bij de andere twee derde hoor,' glimlachte hij, terwijl hij haar zachtjes bleef masseren. Hij hoorde Veronica steeds zwaarder ademen en zag dat ze haar bekken samentrok en zich aan hem overgaf. Ze was kletsnat, klaar om gepenetreerd te worden. Hij kuste haar vol overgave. Hij bleef haar masseren, zonder het ritme te versnellen, om haar de tijd te geven van deze intense handeling te genieten. Hij ging met twee vingers bij haar naar binnen. Veronica antwoordde door te kreunen. Ze stond op het punt een heftig orgasme te krijgen toen ze het stijve lid van Renatino tegen haar dij voelde. Op dat moment gleed ze snel onder hem en leidde ze bedreven zijn penis bij haar naar binnen...

De volgende twee uur spraken ze geen woord, maar nooit eerder hadden ze zo goed begrepen hoe heftig hun liefde was.

* * *

Via Amoretti in Quarto Oggiaro is een lange laan met vier banen die de automobilisten de mogelijkheid biedt hard te rijden en via al net zulke brede wegen te vluchten, om verkeersopstoppingen te vermijden. Die zaterdag, 15 januari, had Renatino besloten de nieuwe weg die de batterij had ingeslagen in te wijden door de Esselunga tegen sluitingstijd te overvallen.

Het was 20.35 uur toen hij de Alfa niet ver van de supermarkt parkeerde. Op dat moment stond de manager te wachten tot de laatste klanten naar buiten gingen. Om de tijd te doden was hij het gebouw uit gelopen om een sigaretje te roken. Hij stond bij de deur toen hij vijf zwarte figuren met bivakmutsen uit de mist zag opduiken. Renatino, de leider van het groepje, beval hem weer naar binnen te gaan en duwde hem met de loop van zijn pistool hardhandig de winkel in. Franca bleef naast de deur staan en Renatino en de andere drie drongen de supermarkt binnen. Renatino schreeuwde tegen de aanwezigen: 'Allemaal liggen! Dit is een overval!' Mazzinga, die bij overvallen graag zijn mitrailleur meenam, loste een salvo tegen het plafond, terwijl Cambogia met zijn shotgun een neonlamp liet springen. De doodsbange klanten gingen op de grond liggen, een oud vrouwtje bleef staan, alsof ze verlamd was, de verkopers verstopten zich achter de schappen. De meeste mensen waren geschrokken en verbijsterd bij het zien van zoveel agressie, maar schreeuwden niet.

'Maak de kluis open, en snel!' riep Renatino naar de manager, die stokstijf naast de deur was blijven staan. Een van de bandieten, de kleinste van het stel, greep hem bij zijn kraag en sleepte hem naar het kantoor waar de kluis stond. Renatino volgde hem, terwijl Mazzinga en Cambogia de klanten in bedwang hielden.

'Schiet op, ik heb niet de hele dag de tijd.' Renatino bleef hem aansporen, met het pistool tussen zijn ribben.

'Ik maak hem open... rustig maar.' De arme man voerde snel de cijfercombinatie in en trok het deurtje open, waardoor de inhoud van de kluis zichtbaar werd. Zodra Renatino de bergen netjes geordende geldstapels op de planken zag liggen, gaf hij de manager een klap in zijn nek met de kolf van zijn pistool, zodat de man ineenzakte. Napo, de kleine, haalde onder zijn regenjas een plastic zak tevoorschijn en begon deze te vullen met geld. Hij wierp een blik op Renatino en onder zijn bivakmuts schitterden zijn ogen van vreugde. 'Het is onze geluksdag,' zei Napo.

De paar seconden die een overval duurt, of de bruuske beweging waarmee je uit de kassa van een supermarkt een stapeltje bankbiljetten grist, of de sprong naar de plek waar de bankkassier staat, die paar seconden ontketenen zo'n hevige golf van opwinding, dat ze nergens mee te vergelijken zijn in een mensenleven. De adrenaline komt met heftige stoten vrij in de hersenen, en wie het een keer geprobeerd heeft, verklaart nooit meer anders te willen. Het zijn momenten vervuld van zo'n intense emotie die zelfs in de verste verte niet te vergelijken zijn met wat je voelt tijdens een wip met de pornoster van de eeuw. De vlucht daarna is het moment waarop de emotie van de actie zich verenigt met het euforische gevoel dat veroorzaakt wordt doordat tot je doordringt dat het je wederom gelukt is. En precies in die fractie van een seconde veroorzaken de hersenen een soort orgasme dat voor criminelen al het slechte, al het bloed en alle slachtoffers die ze vaak maken, rechtvaardigt. En juist om die reden zal bijna niemand die deze roes heeft meegemaakt de criminaliteit achter zich laten en een brave jongen worden. Als hij het al doet is dat omdat hij een zekere leeftijd heeft bereikt, of omdat hij niet meer snel en sterk genoeg is om over die verdraaide toonbank heen te springen. Pas op dat moment begint een crimineel aan zijn rehabilitatie. Maar zolang zijn hersenen en benen nog enigszins in staat zijn hem die adrenalinestoot te bezorgen, zal hij niet verlost worden.

Toen Napo alles tot aan de laatste cent bijeen had gegraaid, liep hij terug de winkel in, in de richting van de uitgang, terwijl Renatino hem rugdekking gaf. De andere twee gingen ook naar buiten. Maar Renatino wilde nog wat langer van dit moment genieten en richtte zich op sarcastische toon tot de aanwezigen: 'Bedankt allemaal en nog een fijne zondag. Wat dat betreft, probeer de politie maar niet te bellen de komende tien minuten, anders weet ik jullie te vinden.' Terwijl hij dit zei loste hij een paar salvo's om te laten zien dat hij geen grapje maakte. Daarna verliet hij de supermarkt en voegde zich bij zijn vrienden, die al hadden plaatsgenomen in de Alfa.

Napo zat achter het stuur en had de motor al gestart. Zodra Renatino in de auto stapte trok de Alfa op, waardoor Renatino in de stoel werd gedrukt. 'Verdomme, Napo, het is nergens voor nodig om zo hard te rijden. We worden niet gevolgd. Rem eens af.'

De anderen hadden hun bivakmutsen afgedaan. Mazzinga, Franca en Cambogia stopten hun wapens terug in een sporttas. Mazzinga had de zak met geld op schoot. Hij opende hem en keek erin.

'Dat is flink wat geld,' constateerde hij terwijl hij een paar stapeltjes bankbiljetten op zijn hand woog.

'Hoeveel heeft de Esselunga vandaag gedraaid?' vroeg Cambogia.

'Ik denk meer dan vijfentwintig miljoen,' schatte Mazzinga.

'Niet slecht,' oordeelde Franca.

'Dat zijn vijf miljoentjes per persoon,' rekende Napo.

'Renatino, wat zeg je ervan als we het volgende week zaterdag nog eens dunnetjes overdoen?' vroeg Franca. 'Alleen het stelen van mijn moeders geld uit de ladekast was makkelijker dan dit.'

'Ik weet iets beters,' antwoordde Renatino raadselachtig.

'Wil je zeggen dat als we de tijd en de plaats optimaliseren,' vroeg Franca, 'dat we er dan twee op één avond zouden kunnen overvallen?'

'Het idee is ze allemaal op hetzelfde moment te overvallen.' Renatino draaide zich naar de drie op de achterbank. Hij glimlachte, omdat het plan in zijn hoofd steeds meer vorm begon te krijgen.

'Nemen we Uri Geller mee of zo?' grapte Napo, refererend aan de Israëliër die met zijn magische krachten en spektakels op tv, die in heel Europa werden uitgezonden, mensen het hoofd op hol bracht.

'Het idee is een stuk eenvoudiger,' begon Renatino uit te leggen. 'Ik weet dat op maandagochtend de geldlopers van de Esselunga langs alle filialen gaan om de opbrengst van zaterdag op te halen. Wij zullen de auto van de geldloper bij de laatste stop opwachten en dan in actie komen. Dan maken we praktisch in één handeling al het verdiende geld van de supermarkten buit.'

Napo streek langs zijn lange snor, die rond zijn mond hing, en riep uit: 'Dit betekent dat we het hier hebben over minstens honderdvijftig, tweehonderd per persoon.'

'Als we van iedere supermarkt een gemiddelde van vijftien à twintig miljoen binnenhalen, komt het daarop neer,' antwoordde Renatino doortrapt.

Van vreugde begonnen ze allemaal luidkeels te schreeuwen. De vijf vrienden sloegen elkaar op de schouders. Hun toekomst zag er rooskleurig uit.

De volgende dagen achtervolgden ze de auto van de geldlopers van het Italiaanse bankinstituut. Om het makkelijker te maken om het geld van de Esselunga-supermarkten te innen, hadden de verantwoordelijken de stad in drie zones verdeeld. Renatino koos de ronde in het centrum, die uit ongeveer twaalf supermarkten bestond. De laatste was die in via Monte Rosa, vlak voor piazza Giovanni Amendola, in de buurt van de beurs. De supermarkt was vier jaar eerder ook leeggeroofd en Renatino's collega's hadden het geluk gehad tientallen miljoenen te bemachtigen. Dat was al een goed voorteken. Ze bestudeerden het plan tot in detail. Ze klokten de tijdstippen van de stops en hoe lang ze duurden. De geldlopers reden in een Fiat 500, waarin op de achterbank een kist was vastgesoldeerd, die fungeerde als kluis.

'We moeten drie auto's jatten,' stelde Napo voor, de strateeg van de groep. 'Met de eerste botsen we tegen de Fiat 500 en dan laten we hem achter. De tweede gebruiken we om te vluchten en de derde om in over te stappen.'

'Waar parkeren we de laatste?' vroeg Renatino.

'Hier in via Civitali.' Napo wees naar de straat op de kaart. 'We laten drie grote tassen in de auto achter, twee om de kleren in te stoppen en één voor het geld.'

'Oké, ga door,' zei Renatino goedkeurend.

'Na de botsing met de 500 stappen vier van ons uit met hun wapens in de hand en dwingen de twee geldlopers de kist te openen waar het geld in zit. Dan stoppen we het geld in de tas, terwijl de tweede auto aan de andere kant van de straat wacht, op de hoek van via Monte Leone, in tegengestelde richting. Met zijn neus naar piazzale Lotto, snap je? Met een volle tas stappen we allemaal in de tweede auto en rijden weg, naar de derde auto voor de laatste stap. Dan kleden we ons om in de auto, bergen de kleren die we aanhadden tijdens de overval in de andere tassen en klaar. De hele actie hoeft niet meer dan drie minuten te duren. Als we de tijd in de gaten houden en snel zijn, hoeven we niet eens te schieten.'

'Appeltje, eitje,' concludeerde Mazzinga.

Zoals gewoonlijk was Napo's plan voor de overval perfect. Renatino verdeelde echter de rollen. Mazzinga, Cambogia en Bradipo zouden in de eerste auto plaatsnemen, die hij zelf zou besturen. De bestuurder van de tweede auto zou Napo zijn. 'En ik?' vroeg Franca rancuneus omdat zij niet mee mocht doen.

'We passen niet met zijn zessen in de auto,' zei Napo.

'Dus ben ik reserve en bellen jullie me alleen wanneer het jullie uitkomt!' verdedigde de vrouw zich. 'Zien jullie mij als een verdomde huisvrouw?'

'Kom op, Franca, je weet dat je een van ons bent,' zei Mazzinga troostend.

'Om de beurt, Franca. Ik was er niet bij de Esselunga, jij wel,' hielp Bradipo haar herinneren.

'Omdat je met de Beverrat geldlopertje aan het spelen was,' antwoordde ze ad rem.

'We kunnen gewoon niet met een hele stoet auto's gaan, zoals op een bruiloft, dat snap je toch wel?' vroeg Napo kortaf.

'Flikker op! Flikker allemaal maar op!' schold ze, terwijl ze een gefrustreerd gebaar maakte.

De vijf bleven zwijgend achter, alsof ze zich gekwetst voelden. Ze keken elkaar ondeugend aan en toen barstte Mazzinga in lachen uit, waarna de anderen volgden. Ze deden alsof ze bikkelhard waren, maar ze waren vanbinnen maar jongetjes.

Ze besloten de maandag erop tot actie over te gaan. Olivetta, de bekendste wapenhandelaar van Milaan, was al gewaarschuwd. De avond ervoor hadden ze de auto's gestolen en ze voorzien van andere kentekens.

Eindelijk brak de maandag aan, Valentijnsdag. Een dag die gekenmerkt werd door een heldere kobaltblauwe hemel, zoals je ze weinig zag 's winters in Milaan. Voor de overval deelde Renatino de bivakmutsen uit: ze waren wit.

'Een vleugje originaliteit kan geen kwaad,' zei hij. 'Zo geven we de journalisten de mogelijkheid een beetje te fantaseren. Dat doen ze graag.'

Toen ze vlak bij de supermarkt gingen posten was het net halftien geweest. Renatino zette de witte Alfa 1750 op twintig meter afstand van de supermarkt neer. Aan de andere kant van de straat zagen ze dat Napo de zwarte Alfa 2000 dubbel parkeerde, dicht bij het kruispunt met via Monte Leone. Precies op tijd, om vijf over halftien, arriveerde de 500 van de geldlopers. Ze parkeerden diagonaal voor de supermarkt, met de neus tegen de stoep. Het waren drie jonge geldlopers deze keer, ongeveer even oud als zij: twee jongens en een meisje. Renatino en de anderen voelden al de adrenalinestoot die hun hersens bedwelmde.

'Kom, kom, laten we gaan!' riep Mazzinga.

Maar Renatino kalmeerde hem. 'Jezus, doe eens rustig, Mazzinga! Wil je de laatste stop opofferen? Geef hem wat tijd. Doe rustig!'

De bewaker die de Fiat bestuurde, liep de supermarkt binnen om het geld te halen terwijl de andere twee, het meisje en degene die achterin zat, uit de kleine, goedkope auto stapten om te controleren of alles in orde was. De spanning in de Alfa was om te snijden. De adrenaline gierde door hun lijven en de vier stonden te trappelen om aan het werk te gaan.

Een paar minuten later kwam de geldloper eindelijk met een zakje in zijn handen de winkel uit, die op dat tijdstip, op maandag, zo goed als leeg was. Renatino draaide de autosleutel om en zette zijn witte bivakmuts op. De andere drie volgden zijn voorbeeld.

Ze zagen het meisje en de man met het zakje vol geld achter in de 500 stappen.

'Nu!' riep Renatino tegen zichzelf. Hij trapte het gaspedaal in. De Alfa schoot naar voren en ramde een paar seconden later de 500. Mazzinga, Cambogia en Bradipo sprongen onmiddellijk naar buiten met hun pistolen en mitrailleur, op de voet gevolgd door Renatino, terwijl de geldlopers in de 500 hun evenwicht verloren en op de bank rolden. Voordat de derde de hinderlaag bemerkte, had Renatino zijn dubbelloopsgeweer al tegen de buik van de jongen gezet. De geldloper deed instinctief zijn handen omhoog.

'Allemaal eruit! Eruit! Met jullie handen omhoog!' schreeuwde Renatino. Het meisje en haar collega stapten uit de 500. 'Geef me de sleutels van de kluis. Snel!' De twee verroerden geen vin, ze stonden als verstijfd. 'Verdomme! Wie heeft de sleutels?' Deze keer deed de toon waarop Renatino sprak de aanwezigen huiveren.

De jongen wees naar het meisje. 'Zij heeft ze.'

'Ik heb ze laten vallen.' Het meisje liet haar lege handen zien, alsof ze wilde bewijzen dat ze ze daadwerkelijk niet meer bij zich had. 'Ze zijn in de auto gevallen.'

Renatino gaf Bradipo een teken dat hij in de auto moest gaan zoeken. De cabine van een 500 is bepaald niet die van een vliegdekschip, dus ze moesten snel te vinden zijn. Maar Bradipo zag ze nergens. Ze verspilden kostbare minuten. Ieders aandacht was op Bradipo's zoekactie gericht. Renatino liep weg bij de man en boog ook voorover om de sleutelbos te zoeken. De geldloper die Renatino onder schot had gehouden maakte gebruik van de situatie en vluchtte de supermarkt in, waar hij tegen de manager schreeuwde dat hij de politie moest bellen.

Eindelijk vond Renatino ze: ze lagen tussen de bestuurdersstoel en de versnellingspook. Hij pakte ze en klapte vervolgens de achterbank naar voren. Hij opende de deur van de kist-kluis en zag eindelijk de buit. Renatino en Bradipo waren stomverbaasd.

'Wat? Is dat alles?' riep Bradipo uit.

Renatino haalde slechts drie zakjes uit de geblindeerde kist tevoorschijn, in plaats van de twaalf of meer die hij verwacht had. Intussen hoorden ze in de verte al de eerste sirenes van de politieauto's.

Cambogia zwaaide met zijn shotgun en schreeuwde: 'De juten komen eraan!'

Renatino gooide de drie zakken naar Mazzinga, die ze vervolgens in de tas liet verdwijnen.

De eerste politiewagen stopte op een meter of dertig van de supermarkt. Een van de agenten stapte uit en schoot op de witte Alfa. Cambogia schoot terug. Renatino schoot, om chaos te creëren, met zijn dubbelloopsgeweer tegen het bovenste deel van de grote winkelruit van de supermarkt. Meer dan tien vierkante meter glas rinkelde op de stoep, na een knal die veel leek op die van een bom. Glasscherven vlogen in het rond, waardoor paniek ontstond en mensen alle kanten op stoven. Door deze afleidingsmanoeuvre wonnen de vier mannen de paar seconden die ze nodig hadden om weg te komen en naar de zwarte Alfa van Napo te rennen. Een auto die uit tegengestelde richting kwam, probeerde Renatino aan te rijden, maar hij ging koelbloedig midden op de rijbaan staan en richtte zijn geweer op de bestuurder, die op het laatste moment afzag van zijn dwaze plan. Hij ontweek Renatino en ramde met de zijkant van zijn wagen een geparkeerde auto. Hij reed door, om zich te ontrekken aan de wurggreep van de schietpartij. Ondertussen naderde achter hen een Renault, die hen ook leek te willen aanrijden. Mazzinga draaide zich automatisch om en loste een mitrailleursalvo op de bestuurder, waardoor de voorruit sprong. De auto reed langs de zwarte Alfa, maar crashte een paar meter verder op een andere dubbelgeparkeerde auto.

Er waren inmiddels meer politieauto's ter plaatse. Het verkeer was één grote chaos en stond vast rondom het gebied van de schietpartij. Zodra het alle overvallers gelukt was in de Alfa te stappen, slaagde Napo erin, zoals alleen hij kon, auto's en angstige voetgangers te ontwijken en volgens plan op volle snelheid naar piazzale Lotto te razen.

De politiewagens probeerden hen te volgen, maar tevergeefs. Hun poging liep meteen op niets uit omdat de chaos onbeschrijflijk was. De wirwar van auto's was oncontroleerbaar en de automobilisten ergerden zich groen en geel. Automobilisten die niet in de buurt waren van de plek waar de overval had plaatsgevonden, begrepen niet wat er aan de hand was en toeterden voortdurend, waardoor er een hopeloze chaos ontstond.

Na de melding van de overval, gevolgd door een vuurgevecht, was dezelfde hoofdcommissaris van politie erbij gehaald als eerder: Alfonso Caruso. Vlak nadat hij op de plaats van de schietpartij was aangekomen, liep Moncada naar hem toe om te vragen wat er gebeurd was. 'Meneer de commissaris, ik begrijp er niets van,' begon hij. 'Geen van de bendes die wij kennen is in staat een overval als deze te plegen. Zelfs niet die in Chicago.'

De hoofdcommissaris was werkelijk laaiend: 'Een schietpartij, midden op de dag, dat gebeurde niet in de tijd van Cavallero! Wat is er verdomme aan de hand?'

'Gelukkig zijn er geen doden gevallen,' merkte Moncada op. 'Slechts één gewonde. Een automobilist, die op het punt stond de vluchtauto te rammen, is gewond geraakt door de scherven van zijn voorruit. Een van de bandieten heeft hem beschoten met zijn mitrailleur, maar heeft hem wonder boven wonder niet geraakt. Ze droegen allemaal een witte bivakmuts, zoals de leden van de Ku-Klux-Klan.'

Napo parkeerde de Alfa in een rustige straat, waar iedereen zijn bivakmuts afzette en zich omkleedde, zoals was afgesproken. Ze legden hun kleren op de achterbank. Daarna gingen Mazzinga en Cambogia te voet verder, op zoek naar een taxi. Napo ging op weg naar de derde auto, in via Civitali.

De rit door de stad verliep voorspoedig, er klonken geen alarmerende politiesirenes en er klonk ook geen geïrriteerd getoeter van automobilisten. Ze kwamen aan bij de Fiat Multipla. Renatino moest nog een tegenslag verwerken: Mazzinga had hem niet alleen vergeten de sleutels van de Multipla te geven, maar had de auto ook op slot gedaan!

'Was hij soms bang dat iemand hem zou stelen?' bulderde Renatino.

Het duurde even voordat het slot geforceerd was, maar uiteindelijk lukte het Napo de deur open te maken. Ze hevelden alle kleren, truien, bivakmutsen, wapens en de tas met geld over. Maar opnieuw stond hun een verrassing te wachten. Renatino zag dat er maar één tas stond. Hoe kon hij alle spullen daarin krijgen?

'Het is hem naar het hoofd gestegen, door al die rotzooi die hij in zijn aderen spuit.' Hij was echt boos op Mazzinga. 'Ik zweer je dat dit het laatste is wat hij me flikt. We moesten hier twee tassen vinden, verdomme! En wat is dit in hemelsnaam voor auto? Hoe kunnen we vluchten met zo'n barrel? Ik schaam me alleen al om erin te stappen. Hij heeft zelfs een lichtblauwe gejat!'

Napo probeerde het goed te praten. 'Dat heb ik hem ook gezegd. Maar hij was laat en heeft de eerste de beste auto genomen die hij tegenkwam. Hoe dan ook, als het je een troost is, de Multipla is makkelijker open te breken en makkelijker aan de praat te krijgen.'

'Het is een lul, dat is hij.'

'En waar laten we dit nu allemaal?' vroeg Bradipo.

'Dat moeten we laten verdwijnen, als we willen dat de forensisch onderzoekers ons niet binnen drie seconden identificeren.'

'Aan het werk.' Renatino stopte hardhandig de kleding, de zakken met geld en de wapens in de enige tas. Daarna rolde hij de rest van de kleren op en klemde deze onder zijn arm. 'We zien elkaar op de gebruikelijke plaats,' zei hij tegen Napo en Bradipo.

'Wat ga je doen?' vroeg Napo.

'Ik ga een plek zoeken waar ik dit kan dumpen.' Hij wees naar de kleren. 'Maak je geen zorgen om mij. Ga maar.' Terwijl hij dit zei liep hij al weg.

Napo startte de motor en even later verdween de 600 Multipla, de handige stationcar uit die tijd, in het ochtendverkeer.

Renatino sloeg af naar via Ciardi en liep bij de eerste flat die openstond naar binnen, ging de trap af naar de kelder, hopend dat niemand hem zag. Hij gooide de kleren in een vuilnisemmer en haalde om ruimte te winnen het geld uit de zakjes. Hij stopte zo goed en kwaad als dat ging de wapens en de stapeltjes geld in de tas en verliet het gebouw. Hij ging op in de menigte die iedere dag genoodzaakt was van de ene naar de andere kant van de metropool te reizen omdat er brood op de plank moest komen.

12

De stad op de knieën

De dag van de overval in San Valentino was een lange, zowel voor Milaan als voor de mannen van de politie. 's Avonds regelde hoofdcommissaris Alfonso Caruso een ontmoeting tussen de hoofden van de afdeling Overvallen en Ontvoeringen om de stand van zaken te bespreken.

'We zullen een groot rood kruis op de kalender moeten zetten bij de dag van vandaag,' begon de commissaris. 'Vanmorgen om halftien is de Esselunga beroofd, gevolgd door een schietpartij die wonderbaarlijk genoeg geen dodelijke slachtoffers heeft geëist. De criminelen hebben 53 miljoen meegenomen. Twee uur later is in viale Ortles de eigenaar van een keramiekwinkel overvallen. Die buit bedroeg slechts één miljoen. Om halfvijf is de bank in viale Certosa overvallen en hebben de bandieten vijf miljoen gestolen. Milaan is in handen van criminelen. We kunnen er niets tegen beginnen.' Hij was eerder moedeloos dan woedend.

'We zijn gebonden aan het nieuwe wetboek van strafrecht.' Een van de vicecommissarissen van de afdeling Overvallen en Ontvoeringen, Attilio Grasso zocht een pathetisch excuus.

'De straffen zijn niet gegarandeerd. Mensen denken dat de rechters aan de kant staan van de delinquenten. De ouders van de Menegazzo-broers zijn hier gisteren naartoe gekomen om hun boosheid te uiten over het feit dat de moordenaars van hun zonen binnen een paar dagen vrijkomen vanwege een procedurele fout. Het is een schande!' meende een andere commissaris.

'In Abano hebben de inwoners besloten wapens te dragen om zelf weerstand te kunnen bieden aan de criminaliteit,' zei Orlando, een van de commissarissen van de afdeling Overvallen en Ontvoeringen.

'Vorig jaar is er voor de mooie som van een miljard lire aan anonieme overvallen gepleegd. Dit jaar zitten we, al na twee maanden, op 370 miljoen.' Inspecteur Vittorio Perrone las de statistieken voor uit een rapport van het ministerie.

'De toestand is kritiek, ik weet het. Daarom moeten we onmiddellijk een oplossing zoeken. Voor jullie betekent dat helaas dubbele diensten en uitgestelde vakanties. Verder moeten we onze families en kinderen even vergeten. Laten we hopen dat zij ons tenminste begrijpen. Ik voorspel nu al dat de quaestor me hard op mijn donder gaat geven,' concludeerde Alfonso Caruso terwijl zijn collega's droefgeestig glimlachten.

* * *

'De onderwereld slaat toe in Milaan. Vijf criminelen, hun gezichten bedekt met witte bivakmutsen als de beulen van de Ku-Klux-Klan, hebben vanmorgen drie geldlopers van het Italiaanse Bankinstituut tegengehouden terwijl zij de zaterdagopbrengst van de supermarkt in via Monte Rosa aan het innen waren. De geldlopers waren net aan hun ronde langs de Esselunga-supermarkten begonnen, toen een Alfa 1750, die de criminelen eerder gestolen hadden, hard tegen hun auto botste. De buit bedraagt 53 miljoen en 355 duizend lire. De misdadigers, die in de richting van piazzale Lotto zijn gevlucht, hebben hun sporen uitgewist. De politie...'

'Hoeveel zei hij dat we hebben buitgemaakt?' vroeg Renatino aan Cambogia die voor de televisie stond die zwart-witbeelden toonde van de straat waar de supermarkt was en de verkeerschaos op het nabije piazza Giovanni Amendola.

'Hij had het over 53 miljoen en nog wat,' antwoordde Cambogia, terwijl hij aan de knop van de televisie draaide om hem uit te zetten.

'Laten we het geld tellen,' stelde Mazzinga voor.

Cambogia pakte een ruitjespapier en een balpen en ging zitten. Mazzinga en Napo scheurden de stapeltjes geld op tafel open en begonnen te tellen. Iedere keer als ze een stapeltje gedaan hadden vertelden ze Cambogia hoeveel het was, waarna hij het getal nauwkeurig aan het rijtje toevoegde. Uiteindelijk telde hij de lange rij getallen bij elkaar op: '41 miljoen en zevenhonderdvijftig duizend lire.'

Napo mengde zich erin en zei: 'Dan missen we meer dan elf miljoen.'

'Om precies te zijn elf miljoen en zeshonderdduizend lire,' zei Cambogia toen hij de aftreksom had uitgerekend.

'Waar zijn die gebleven?' deze keer richtte Napo zich direct tot Renatino.

'Je denkt toch zeker niet dat ík die heb gejat?' riep Renatino uit, die Napo's wantrouwende toon had opgemerkt.

'Ik denk niets.'

'Het zou ook een truc van de beheerders van de Esselunga kunnen zijn, om de verzekering een loer draaien.' Bradipo ging op bed zitten terwijl hij door bleef gaan met het schillen van een appel.

Renatino had een lumineus idee: 'Wil je zien dat ik ze samen met de truien en de andere kleren in de vuilnisemmer heb gegooid?'

'Goeie reactie,' antwoordde Mazzinga.

'Jij kunt beter je mond houden. Je hebt er een zootje van gemaakt,' zei Renatino verwijtend. 'Als ik je nog eens dat gore spul in je aderen zie spuiten, vermoord ik je!'

'Niets aan te doen. Deze keer hebben we ons voor niets uit de naad gewerkt. Die zakken hadden hun ronde bij Monte Rosa moeten eindigen en precies vandaag hebben ze het rondje andersom gereden.' Napo was zoals gewoonlijk de meest praktische van het stel.

'Niets aan te doen, m'n reet.' Renatino gaf zich nooit over. 'Ik probeer tenminste terug te krijgen wat ik verloren heb.'

Hij belde Veronica en zei dat ze zich moest klaarmaken. Hij moest haar ergens heen brengen. Hij trok een van zijn maatpakken met krijtstreep aan en ging haar halen. Sinds een paar weken woonden ze samen in een mooi appartement in Baggio, een buitenwijk in het westen van Milaan, rijk aan groen en vijvers. Veronica verwachtte een kindje en Renatino wilde dat zijn zoon opgroeide in een omgeving waar hij gezonde lucht kon inademen, niet de smog van Milaan. Haar zwangerschap was nog niet zichtbaar en Veronica bleef adembenemende minirokjes dragen. Ze droeg een bontjas en een paar hoge laarzen, alsof ze op weg was naar een modeshow en ging met Renatino mee toen hij de rest van de buit ging ophalen.

Ze namen een taxi, die hen afzette voor de flat in via Ciardi. Renatino hoopte dat hij er onopgemerkt naartoe kon lopen, maar het was niet zijn geluksdag. Hij gebood Veronica in de auto te wachten en liep snel door het hek van het flatgebouw. Hij stond echter op tijd stil toen hij een groepje mensen precies voor de deur van de kelders zag staan, druk discussiërend over de kleren en de stapeltjes bankbiljetten die in de truien waren gewikkeld.

Renatino draaide zich vlug om en liep terug naar de taxi, kwaad omdat hij die elf miljoen voor altijd kwijt was.

Zijn bezoek was echter niet onopgemerkt gebleven. Guido Rossi, de portier van het gebouw, wist de politie later een gedetailleerde beschrijving van hem en het meisje te geven, van wie hij onthouden had dat ze 'benen als die van Kessler' had.

* * *

In grootstedelijke batterijen was er geen officiële leider. Wie een idee had deelde dit mee en als dit bij de andere leden in de smaak viel werd er tot actie overgegaan. De buit zou altijd gelijk verdeeld worden over degenen die hadden meegedaan aan de overval. De vijf vrienden staken ieder negen miljoen in hun zak en namen afscheid van elkaar, tot de volgende actie.

Een paar dagen later kwam Bradipo de speelzaal van de kroeg van de gebroeders Basso binnen met een sensationeel nieuwtje.

'Het is een maat van me, Renatino, eentje met veel connecties.'

'En wat wilde hij van je?' vroeg Renatino terwijl hij zijn keu hard tegen de bal stootte.

'Hij wil met ons praten. Ze weten dat onze batterij iets met de overval op de supermarkt in via Monte Rosa te maken heeft. Hij kan zich wel vinden in onze werkwijze.'

'Verdomme, Bradipo! En wat heb jij toen tegen hem gezegd?' Renatino maakte zich zorgen en legde zijn keu op het groene doek.

'Dat ik het jullie zou vragen.'

'Je hebt toch niet lopen opscheppen over de overval, hè?' bulderde Renatino.

'Bradipo, als je die muil van je hebt opengetrokken, zweer ik dat ik je je tong in laat slikken!' barstte Napo los, vanaf de andere kant van de tafel.

'Natuurlijk niet. Waar zien jullie me voor aan? Ik ben geen idioot. Ik heb niets gezegd, alleen dat ik het jullie zou laten weten. Dat is alles, ik zweer het.'

'Dat hoop ik voor je,' zei Renatino, terwijl hij zijn spel hervatte.

'Maar wie is deze maat van je?' vroeg Napo.

'Hij heet Pierluigi Dalmasso. Het is een Siciliaan. Iemand die gestudeerd heeft. Hij is van de nieuwe Orde. Hij zei dat hij mensen als wij goed kan beschermen, in ruil voor een paar klusjes.'

'Wat doen we, gaan we erheen?' vroeg Mazzinga.

'Wat vind jij?' vroeg Renatino aan Cambogia, die meestal zijn mond hield en beslissingen aan de anderen overliet. Hij wilde alleen maar schieten met zijn shotgun.

'Is hij te vertrouwen?' vroeg Cambogia. 'Als iemand over bescherming begint is het meestal óf een grote kletskous die je in de problemen brengt, óf hij is betrouwbaar en dan hebben de flikken ermee te maken. Ik zou hem in beide gevallen niet vertrouwen.'

'Nu is het jouw beurt, Mazzinga,' spoorde Renatino hem aan.

'Ik vind dat we in ieder geval met hem moeten gaan praten. Wat hebben we te verliezen? We kunnen met zijn allen gaan. Als het dan een val is, zullen ze het bezuren.'

'Mazzinga heeft gelijk,' concludeerde Renatino. 'Bradipo en ik gaan erheen en jullie staan klaar om in actie te komen. Wij kiezen de plek. Oké?'

Iedereen knikte instemmend. De batterij was de kern van de democratie.

Ze ontmoetten elkaar een paar dagen later in Sesto San Giovanni, in de buurt van de noordelijke rondweg van Milaan, tussen de overblijfselen van een stel verlaten loodsen.

Mazzinga, Cambogia en Napo gingen, nadat ze een van hun auto's in viale Italia geparkeerd hadden, op de loer liggen achter een paar stapels stenen. Bradipo en Renatino wachtten midden op een open plek, waar ooit vrachtwagens heen en weer reden, op Dalmasso. De vriend liet niet lang op zich wachten. Hij had twee bodyguards bij zich. Alle drie waren geheel in het zwart gestoken. De rechter leek een karikatuur van Edward G. Robinson in de film *Piccolo Cesare*, en de ander kon zo uit een strip van Diaboli zijn gelopen.

Renatino draaide zich naar Bradipo, om niet in lachen uit te barsten. Dalmasso stelde zich voor en stak meteen van wal met een ideologisch relaas waar Renatino gek van werd.

'Luister, vriend, ik ben hier niet om te vergaderen. Wat wil je van ons?' onderbrak Renatino hem.

'Ik mag jou wel, kameraad, jij bent iemand die meteen ter zake komt, hè? Je moet dit eerste gesprek maar beschouwen als een kennismaking. We praten even en daarna neemt ieder zijn beslissing. Ik hoef nu geen antwoord van jullie. Zoals ik al eerder tegen onze wederzijdse vriend heb gezegd, bevalt het me hoe jullie in via Monte Rosa te werk zijn gegaan.'

Renatino onderbrak hem opnieuw. 'Ten eerste ben ik niemands kameraad. Ten tweede, wie heeft je verteld dat wij in Monte Rosa waren? Ik heb je nooit zoiets verteld en ik hoop onze wederzijdse vriend ook niet.'

'Ik beschik over de nodige connecties en kan jullie goed ondersteunen, in alle betekenissen van het woord.' Dalmasso deed alsof hij niets gehoord had en ging verder met zijn uiteenzetting. 'Ik geef jullie wat lonende adviezen en jullie voeren daarvoor wat opdrachtjes voor mij uit. Maar ik wil niet delen in jullie batterijbestaan. Jullie blijven gewoon doen wat jullie altijd doen, alleen wordt alles vanaf nu rozengeur en maneschijn omdat ik jullie praktisch onder mijn vleugels neem en jullie niets meer kan gebeuren. Jullie hoeven je geen zorgen meer over de politie te maken. Verder garandeer ik jullie geld, paspoorten en wapens op elk moment dat jullie daar behoefte aan hebben.'

'En wat houden die opdrachten in?' vroeg Renatino.

'Het gaat om nogal bijzondere opdrachten. Af en toe moet ergens een bom geplaatst worden. We werken aan een beter Italië. Het is natuurlijk allemaal slechts demonstratief... maar uiterst explosief.' Hij lachte naar zijn kameraden, die antwoordden met een grijns die voor een glimlach moest doorgaan.

'Heb je het nu over terroristische aanslagen?' raasde Renatino.

'Natuurlijk niet, dat heb ik toch gezegd. Het zijn demonstratieve acties. Als we willen dat onze zaak zegeviert moeten we de huidige politieke situatie uit balans brengen. Ik zal het uitleggen. Als ik je vraag om een bom in een vliegtuig te plaatsen, moet die bom op de grond pas ontploffen, wanneer er niemand meer aan boord is. Het dient alleen maar als waarschuwing, om te laten zien dat we toe kunnen slaan waar en wanneer we maar willen. We zijn geen moordenaars. Maar hiervoor hebben we mensen met ballen nodig. En ik denk dat jullie die hebben, jij in het bijzonder.'

'Het is niet aan mij om voor iedereen te beslissen,' zei Renatino.

'Natuurlijk niet. Ik heb je toch ook gezegd dat deze eerste ontmoeting uitsluitend ter kennismaking is? Denk er in ieder geval over na. Maar weet dat jij en je batterij zonder mijn bescherming niet ver komen.'

'Is dat een dreigement?' vroeg Renatino.

'Dat kan ik me niet veroorloven. Bovendien heb ik respect voor je maten, omdat die goed kunnen richten.' Hij doelde op de bendeleden die verborgen lagen achter de stapels stenen. De drie kwamen uit hun schuilplaats tevoorschijn toen ze hoorden dat ze gesnapt waren.

'Nog één ding,' vervolgde Dalmasso. 'Als jullie op een dag gedwongen zijn Italië te verlaten of besluiten van jullie opgepotte geld te gaan genieten, kan ik een vrijgeleide voor Zuid-Afrika regelen, waar jullie het staatsburgerschap kunnen krijgen en een rijk leven kunnen leiden. Denk erover na. Jullie hebben er alles bij te winnen.' Nadat hij dit gezegd had draaide hij zich om en liep weg, gevolgd door zijn twee gorilla's.

Bradipo was gegrepen door de woorden van Dalmasso, maar Renatino maakte zich veel zorgen. Hij vertrouwde de fascistische terrorist niet. Hij zei dat het net was alsof hij zich overgaf aan de smerissen.

'Ze vragen ons om de zwaksten aan te pakken. We moeten hier en daar bommen leggen zodat vervolgens de anarchisten of de linkse parlementariërs de schuld krijgen,' legde hij uit toen ze terug waren in de kroeg van de Basso-broers.

'Dat zou niet erg zijn,' mompelde Mazzinga.

'Maar ze vragen ons dingen te doen die tegen onze principes ingaan,' ging Renatino verder.

'Onze principes zijn gebaseerd op geld,' verklaarde Napo.

'Geld ook, maar vooral op banken en het verdomde systeem naaien,' specificeerde Renatino.

'Ik heb nog nooit onder een vlag of baas gestreden,' kwam Mazzinga tussenbeide. 'De politiek is één grote farce en wie dit niet heeft begrepen is een stommeling. Beter alleen dan samen met de flikken.'

Toen sprak Bradipo: 'Ik kan onder alle vlaggen vechten, maar absoluut niet onder die van die matennaaiers en hufters.'

'Met hen samenwerken betekent ons overgeven aan de juten. En verder is het nu niet echt mijn droom om mijn laatste dagen in een land vol negers door te brengen.' Zoals gewoonlijk was Cambogia's bijdrage bondig en doorslaggevend.

Dalmasso had gedaan alsof hij veel af wist van hun geldzaken. Hoe kon hij zo zeker weten dat de overval op de Esselunga hun naam droeg?

Renatino stelde voor om een paar dagen niet naar hun woningen terug te keren en te schuilen in hun nesten.

Een van de eerste investeringen die ze gedaan hadden met het geld dat ze verdiend hadden met de overvallen, was het huren van een flink aantal appartementen in verschillende delen van de stad. Die moesten dienen als onderduikadres na een overval of in periodes waarin de politie naar hen op zoek was.

Dit was het moment om ze te gebruiken.

13

De jacht is geopend

Aldo De Gregorio was vice-inspecteur op het hoofdbureau van Milaan en een van de vijf experts op het gebied van compositietekeningen, een specialisme dat pas sinds een paar jaar serieus werd genomen door de Italiaanse gerechtelijk onderzoekers.

Volgens De Gregorio kon je alleen tot grafische identificatie van een gezicht komen als hij een vertrouwelijke band had met de getuige. Die ochtend moest hij werken met de herinnering van Guido Rossi, de portier die Renatino en de mooie Veronica had zien rondlopen bij het flatgebouw in via Ciardi.

Vicecommissaris Moncada was degene geweest die om de compositietekening had gevraagd. De getuigenis van de bewaker was slechts een kleine, twijfelachtige aanwijzing, maar niets werd onbeproefd gelaten.

De Gregorio bezat een aangeboren talent om het vertrouwen van mensen te winnen en Guido Rossi, die in het begin wat zenuwachtig was door zo'n enorme verantwoordelijkheid, werd stukje bij beetje rustiger en wist de tekenaar zoveel details te vertellen dat De Gregorio na tien uur geduldig werken twee tekeningen aan de vicecommissaris kon laten zien die sprekend op Renatino en Veronica leken.

Met deze compositietekeningen begonnen de eerste onderzoeken. Moncada had zijn agenten opgedragen alle speelhallen en autoshowrooms in de stad te inspecteren. Hij wist uit ervaring dat criminelen met veel geld meteen gaan gokken en een dikke auto kopen.

Moncada ging samen met zijn rechterhand, inspecteur Perrone, alle autoshowrooms aan de westkant van de stad langs waar ze alle managers en verkopers de tekeningen lieten zien.

'Het lijkt wel net als vijf jaar geleden, de tijd van de Cavallerobende,' zei Perrone tegen vicecommissaris Moncada, terwijl hij in de auto stapte na de zoveelste inspectie die niets opgeleverd had. 'Ik was er toen bij,' herinnerde Perrone zich. 'Een van onze agenten, die de auto van Cavallero volgde, is toen gewond geraakt. De stad was een hele ochtend lam gelegd.'

'De Esselunga-bandieten gingen even meedogenloos te werk,' zei Moncada.

'De mensen waren woedend toen een van de leden van de Cavallerobende gepakt was. Het scheelde weinig of de menigte had hem gelyncht,' herinnerde Perrone zich.

'We moeten hen achterna blijven zitten, anders eindigen we net als sommige Zuid-Amerikaanse landen.' Moncada startte de auto en reed naar de volgende showroom.

* * *

Die meedogenloze overvallen, die de traditionele regels van de onderwereld met voeten traden, hadden de waakzaamheid van de autoriteiten aangescherpt. Het wemelde van de politieagenten en carabinieri in de stad, die op zoek waren naar voortvluchtigen, overvallers en terroristen. Ze namen opnieuw alle illegale activiteiten onder de loep, in het bijzonder die van Turatello. De gokhallen waren half leeg omdat de klanten bang waren 's nachts op pad te gaan en de voortdurende invallen van de politie, die op zoek waren naar criminelen, vreesden. Ook de prostitutie en de drugshandel namen af. Het lijkt misschien vreemd, maar illegale zaken lijden als eerste onder sociale onzekerheid. Turatello moest het hoofd bieden aan een crisis in zijn criminele carrière. Hij was erachter gekomen dat zijn peetvaders zijn buitensporige onafhankelijkheid niet langer tolereerden, maar bovenal zijn beledigende inval in de Brera Bridge niet pikten, die onder bescherming stond van een van de maffiabazen. Kortom, hij had genoeg redenen om 's nachts geen oog dicht te doen. Daarom besloot Engelengezicht nieuwe banden aan te gaan. Hij was haast genoodzaakt deze buiten de maffia te zoeken en kwam uit bij de zogeheten 'Professor'.

Hoewel hij opgesloten zat in de gevangenis van Poggioreale, voor een moord die hij jaren eerder gepleegd had om de eer van zijn zus te verdedigen, was het de Professor gelukt om van achter deze muren zijn Nieuwe Camorra op te zetten. Met zeldzaam ondernemerstalent had hij een flink aantal ruziezoekers aangetrokken. Een waar leger dat binnen een paar jaar kon rekenen op de inbreng van vijfduizend onverlaten die tot alles bereid waren. De zus van de Professor, Mariella, was een van zijn drie plaatsvervangers.

Zij was zelf degene die de deur voor Turatello opendeed.

Toen haar broer werd opgesloten in Poggioreale, had ze het huis van Ottaviano, waar ze waren geboren, verlaten en was ze verhuisd naar een klein appartement in Milaan, een van de vele voorsteden van Napels. Haar appartement bevond zich hemelsbreed op vijf kilometer afstand van de gevangenis en er ging geen week voorbij zonder dat ze haar broer ging opzoeken om hem schoon ondergoed en de heerlijkheden van het seizoen te brengen.

Mariella had een morele schuld bij haar broer die haar leven verwoest had door haar eer te verdedigen tegenover een jongen die haar niet met respect behandelde. De reactie van haar broer was overdreven, maar de Professor achtte eer belangrijker dan het leven zelf, omdat iemand zonder eer niet gerespecteerd wordt, zo dacht hij. Mariella had na deze gebeurtenis alle mannen op afstand gehouden, of beter gezegd, geen enkele man had meer het lef gehad haar mee uit te vragen, uit angst voor de reactie van haar broer. Vanaf toen leefde ze als een gevangene die geen enkele aandacht aan haar lichaam en schoonheid besteedde. Mariella had een stralend gezicht, een lichte huid en lichtblauwe ogen, die verborgen bleven achter een zwarte schildpaddenbril. Ze droeg haar lange asblonde haren in een dunne vlecht die haar hoofd omkranste. Ze leek meer een meisje uit het noorden dan een Zuid-Italiaanse. Maar al vele jaren lichtte haar gezicht niet meer op door een glimlach of gevoelens van liefde.

Een groot deel van haar dag bracht ze gebogen over haar borduurraam door, waarmee ze haar jonge lichaam afmatte. Wat haar het meest bevredigde was de toewijding waarmee mensen bij haar om een gunst kwamen vragen en de angst in de ogen van degenen die vreesden voor wraak omdat ze iets gedaan hadden wat de Professor niet kon waarderen. Op die momenten begreep ze hoe sterk macht kon zijn en genoot ze van het feit dat de redding of de vernedering van een persoon in haar handen lag.

Zodra ze Turatello voor zich zag staan wist ze wie hij was en wat hij haar kwam vragen. Haar broer had haar al gewaarschuwd. Hij had haar aangeraden naar hem te luisteren en hem vervolgens weg te sturen zonder een direct antwoord. Ze hadden er lang over nagedacht of ze zijn bondgenootschap zouden accepteren of hem aan zijn lot zouden overlaten.

'Ik ben Turatello. De Professor heeft met u over mij gesproken,' zei Engelengezicht.

'Ik weet wie u bent. Ga zitten.' Mariella liep naar de eetkamer en liet haar gast bij de deur achter.

Turatello volgde haar en ging op de stoel zitten die zij aanwees. Mariella had in de tussentijd een fles Marsala en twee glazen uit haar servieskast gepakt.

'Ik weet dat ik met u kan praten alsof u de Professor bent,' begon Engelengezicht, terwijl de vrouw de likeur inschonk. 'Mevrouw Mariella, ik wil graag meteen ter zake komen, zonder omhaal van woorden.' Hij legde zijn hand op die van de vrouw, om zowel haar aandacht te trekken als haar hulp te vragen. Maar Mariella trok haar hand terug.

'U kunt vrij spreken,' spoorde ze hem aan en keek in haar glaasje.

Mariella wist hoe ze haar macht kon uitoefenen door deze achter een façade van nederigheid te verstoppen. Dat was haar manier om haar tegenstanders in een kwetsbare positie te manoeuvreren. Als ze dachten haar op hun hand te hebben deden ze compromitterende onthullingen.

'Ik heb een grote organisatie in Milaan, die wijdvertakt en zeer machtig is,' begon hij haar kalm uit te leggen. 'Tot voor kort beschermden onze Siciliaanse vrienden mij goed. Daarna, u weet hoe dat gaat... Geld is de vijand van de vriendschap. Het komt erop neer dat er jaloezie in het spel was en daardoor is het vertrouwen eerlijk gezegd minder geworden.'

'En wat wilt u van mijn broer?' Mariella nam een slokje Marsala. Turatello volgde haar voorbeeld.

'Ik weet dat de Professor aan het hoofd staat van een van de machtigste organisaties van Italië. Ik bied hem Milaan op een presenteerblaadje aan. Hij hoeft alleen de Siciliaanse vrienden te vervangen.'

'Alleen?' onderbrak de vrouw hem, alsof ze de enorme omvang van de taak wilde benadrukken.

'Ja, mevrouw Mariella. De Professor heeft de macht en de capaciteit om die mensen uit het veld te ruimen. Daar zal hij geschiedenis mee schrijven. Uw broer en ik zullen het wel redden, daar ben ik van overtuigd.'

'Het is niet genoeg om alleen maar te luisteren, meneer Turatello. Bent u zich ervan bewust dat u heel veel mensen moet opofferen? Dat wordt oorlog. Ik denk niet dat de Sicilianen zo makkelijk opgeven.'

'De prijs is zeer hoog. Ik leid de belangrijkste casino's in de stad, bezit een leger vrouwen van lichte zeden, beheers een deel van de drugshandel en heb een distributienetwerk om de waar te verkopen die van de vrachtwagen gevallen is. Ik ben ervan overtuigd dat ik met de Professor aan mijn zijde mijn huidige inkomsten verdubbel.'

Er viel een stilte in de kamer. Mariella staarde nadenkend in het glaasje, dat inmiddels leeg was, en draaide het rond tussen haar vingers. Engelengezicht had even het gevoel dat niet haar broer maar deze kwetsbare en bescheiden vrouw zelf het brein achter de organisatie was. Maar vrouwen tellen niet mee in hun wereld. Het was maar een bizar idee, dat hij weer snel uit zijn hoofd zette.

Mariella keek op en staarde hem recht in de ogen, alsof ze hem uitdaagde. 'Wij behoren tot twee verschillende werelden, beste Turatello, die te ver uit elkaar liggen. Ik geloof niet dat het ooit zou werken tussen ons.'

De intens blauwe ogen van Mariella intrigeerden Turatello. De doortastendheid en vrouwelijkheid die in deze vrouw verborgen zaten fascineerden hem.

'Mevrouw Mariella... Maria... Ik denk juist dat het heel goed tussen ons zou werken... Ik ben een man van eer.' Turatello gooide al zijn charme in de strijd. 'Milaan ligt aan onze voeten.' Hij pakte moedwillig haar hand die met het glaasje speelde. 'Je hoeft nu nog geen antwoord te geven. Neem eerst de tijd om me wat beter te leren kennen. En luister niet naar wat mensen over me zeggen...'

De vrouw maakte zich los uit zijn greep en stond op, alsof ze beledigd was. 'Meneer Turatello, als iemand u antwoord geeft, is dat mijn broer. Verder kan ik zelf nadenken en laat ik me door niets of niemand beïnvloeden. Ik zal mijn broer in ieder geval vertellen over uw voorstel. U hoort zo snel mogelijk van mij.' En daarmee was de ontmoeting ten einde. Turatello groette haar met een glimlach en verliet de kamer.

* * *

Renatino had besloten zich een paar weken terug te trekken en had zijn maten op het hart gedrukt geen publieke gelegenheden te bezoeken, vooral niet waar mensen zoals zij rondhingen. Hij doelde op verschillende uitgaansgelegenheden, discotheken en gokhallen, plekken waar de politie voortdurend opdook. Alle leden van de batterij bleven zo goed en kwaad als dat ging binnen. Alleen Bradipo, met zijn rebelse karakter, gehoorzaamde niet en bleef uitgaan alsof er niets aan de hand was. Om eerlijk te zijn was het een zekere Caccoletta die hem meenam op zijn nachtelijke uitstapjes. Caccoletta was een Romein die was neergestreken in het noorden omdat hij in de hoofdstad te veel streken had uitgehaald die zijn dood zouden betekenen als hij er weer naar terug was gegaan. Maar ook in Milaan had hij een aantal lijken in de kast. Sinds hij was vrijgekomen uit San Vittore, bezocht hij de vrouwen van zijn maten uit de gevangenis, met de smoes dat hij ze een boodschap van hun man of minnaar kwam brengen, maar die hij vervolgens neukte. Kortom, een echte matennaaier. Het gerucht werd verspreid onder de arbeiders en Caccoletta werd door iedereen gemeden als de pest.

Op een avond raakten Bradipo en hij verzeild in een van de tenten van Engelengezicht, de Roxy a go go. Ze hadden nauwelijks hun drankjes bij de barman besteld of Turatello verscheen achter hen, samen met een andere figuur, die ontsnapt leek te zijn uit een bodybuildwedstrijd.

'Zit jij niet in Renatino's batterij?' vroeg Engelengezicht aan Bradipo. Hij knikte bevestigend.

'Vriend,' ging Engelengezicht verder, 'ik ben niet kwaad op jou, dus je kunt je hier beter buiten houden. Ik ben kwaad op dit stuk vreten.' Hij richtte zich tot Caccoletta en greep hem in zijn kraag. Hij sleepte hem naar de keukendeur. Het gebeurde allemaal zo snel dat Bradipo noch Caccoletta tijd hadden om te reageren. De Romein liet zich tot achter de deur slepen zonder zich te verzetten. Bradipo volgde hen, om uit te zoeken wat de reden was van zoveel haat.

Turatello liep de vriezer in en trok de deur achter zich dicht. Ook de gorilla die hem assisteerde bleef buiten staan en sloeg de scène van achter het glazen raampje gade, samen met Bradipo.

In de vriezer trok Engelengezicht een van de scherpste slagersmessen uit het karkas van een koe en met een bruuske beweging, alsof het de gewoonste zaak van de wereld was, sneed hij de halsslagader van de matennaaier open. De schreeuw van Caccoletta drong niet door de gepantserde deur heen, maar zijn pijn en angst waren van zijn gezicht af te lezen, dat spastisch samentrok. Het bloed stroomde uit de wond, die Turatello dichtstopte met drie vingers in Caccoletta's keel. De stumper verkeerde in ademnood omdat zijn luchtpijp werd dichtgehouden door de vingers van Engelengezicht. Turatello blies condenswolkjes. Hij zei iets tegen hem, maar Bradipo en de gorilla konden het beiden niet verstaan.

'Wat heeft hij gedaan?' vroeg Bradipo voorzichtig.

'Hij neukt de vrouwen van vrienden die in de bak zitten.'

In de tussentijd had Turatello zijn vingers uit de keel van de Romein gehaald, die weer begon te ademen. Zonder de steun van Turatello viel Caccoletto op zijn knieën, terwijl hij zijn wond bedekte. Engelengezicht pakte een doek en veegde zijn hand die onder het bloed zat schoon.

Bradipo riep instinctief: 'Klootzak!' Natuurlijk refereerde hij aan Caccoletta, maar de bewaker begreep hem verkeerd en zei, omdat hij dacht dat hij het op zijn baas voorzien had: 'Wat zeg je nou, verdomme!' Hij trok een mes uit zijn zak en haalde uit. Bradipo kon de stoot deels ontwijken, waardoor het lemmet zijn zij binnengleed, zonder ernstige verwondingen te veroorzaken, mede dankzij Bradipo's speklaag. Hij trok koeltjes het mes uit zijn vlees en zei met een geforceerde glimlach, terwijl hij achteruitliep: 'Iedereen weet dat ik van rubber ben. Dit kietelt alleen maar.' Hij draaide zich om en verliet de club zonder achterom te kijken.

Zodra hij buiten was, zocht hij een telefooncel en belde hij Vito Mannino, een ander lid van de batterij, bijgenaamd de Beverrat, vanwege zijn scherpe profiel, dat leek op dat van een muis. Hij zei dat hij naar de Roxy a go go moest komen en wapens mee moest nemen. Dat liet de Beverrat zich geen twee keer zeggen en in een oogwenk was hij er, gewapend met machinegeweren en een paar pistolen. Het was Bradipo op de een of andere manier gelukt de wond dicht te drukken, maar toch druppelde er bloed langs zijn benen. De twee wachtten totdat Turatello's gorilla de bar uit kwam. Zodra ze hem zagen losten ze een mitrailleursalvo. Maar Bradipo had zijn nacht niet. Hij had de pech dat precies op dat moment ook Turatello en Natale Piscopo, een van zijn betrouwbaarste bodyguards, naar buiten kwamen. Bradipo en de Beverrat bleven schieten op alles wat bewoog. Ze schoten de ruiten van de bar kapot en raakten Piscopo in zijn dijbeen. De ambulancebroeders waren genoodzaakt hem naar het ziekenhuis te brengen, omdat zijn slagader geraakt was en het bloed eruit gulpte. De artsen konden de bloeding stelpen, maar nadat hem de gebruikelijke medicijnen waren toegediend, werd hij herkend en regelrecht naar San Vittore gestuurd voor een paar uitstaande straffen. Francis zwoer dat dit Bradipo en alle andere leden van Renatino's batterij duur zou komen te staan.

Door deze gebeurtenis ontstond er oorlog tussen de twee bendes.

Turatello liet, om zijn tegenstander uit zijn schuilplaats te jagen, het bericht verspreiden dat hij hem zocht omdat hij met hem wilde onderhandelen. Niemand wist echter waar de Comasinaleden zich bevonden.

14

De cirkel sluit zich

De politie en Turatello waren niet de enige vijanden voor wie Renatino en zijn maten uit moesten kijken. Er verscheen nog een ander reizend gezelschap ten tonele dat ze écht moesten vrezen, omdat hun macht praktisch ongelimiteerd was.

In Milaan staat, vlak voor piazza di Porta Romana, aan de corso met dezelfde naam, een sober gebouw van grijze stenen met een grote deur, geflankeerd door twee zuilen die een driehoekige timpaan ondersteunen. Op de vierde verdieping van dit gebouw bevond zich een van de appartementen van een niet duidelijk geïdentificeerde afdeling van de SISMI, de geheime militaire dienst, aangevoerd door een zekere majoor Guetta.

Die ochtend voerde Guetta een telefoongesprek. Het beviel hem niet waar Pierluigi Dalmasso over sprak en van de zenuwen brak hij de punt van zijn potlood waarmee hij een papiertje had vol geklad.

'Heb je nog meer te vertellen?' vroeg hij aan zijn informant. Het antwoord was negatief en de majoor gooide de hoorn erop.

Hij dacht even na, om zijn woede te laten bekoelen. Daarna pakte hij opnieuw de hoorn, draaide een nummer van vijf cijfers en zei kort tegen degene die opnam: 'Je mag plan B in werking stellen. Onze vriend, Renatino, wil niet meewerken. Met hem rekenen we later wel af.'

* * *

Vicecommissaris Moncada had een lijst gemaakt van auto's met een grote cilinderinhoud die in de buurt van de gemeente Milaan in de dagen na de overval op de supermarkt waren gekocht. Een van deze auto's zou hij moeten kunnen verbinden met de man die hij zocht. Hij vertrouwde op het feit dat criminelen meestal liefhebbers van luxe-auto's zijn. Maar het was niet gezegd dat ze zich altijd op dezelfde manier gedroegen. Misschien kochten ze ze wel om ze vervolgens op hun moeders naam te laten zetten, maar het was in ieder geval een poging waard. Hij liet het publieke automobilistenregister nalopen om achter de namen te komen van mensen die pasgeleden een zeer luxueuze auto hadden aangeschaft. Toen hij de lijst voor zich had, streepte hij degenen zonder strafblad weg en concentreerde zich alleen op de namen die al bekend waren bij de politie. Uiteindelijk hield hij nog zeven over die hij moest controleren.

Die ochtend verzocht vice-inspecteur Aldo De Gregorio om een afspraak met Moncada omdat hij een grote verrassing voor hem had. Zodra hij in het kantoor was, liet hij foto's van Renatino zien, die een paar jaar eerder van hem gemaakt waren na een arrestatie. Het was dezelfde persoon als op de compositietekening!

Moncada was een aardige man, redelijk beleefd en niet gewend te vloeken. Bij deze onthulling sprong hij echter op uit zijn stoel en riep Perrone zo hard dat ze het tot op de bovenste verdieping van het pand hoorden. Weinig mensen konden zeggen dat ze hem in de loop van zijn carrière ooit een lelijk woord hadden horen zeggen. Nu vuurde hij echter een stortvloed aan scheldwoorden op de arme Perrone af.

'Perrone! Heb je de compositietekening niet naar het archief gestuurd?' vroeg hij uiteindelijk, toen hij gekalmeerd was.

Perrone, een omvangrijke man, liep rood aan. 'Echt... Weet u nog, commissaris,' de arme man zocht naar een geloofwaardig excuus. Hij kon zich wel voor zijn kop slaan omdat hij was vergeten de tekeningen naar het archief te sturen. 'Meteen nadat we de compositietekeningen hadden gekregen, zijn we langs de autoshowrooms gegaan... Daarna is het me ontschoten. Het spijt me.'

Perrone werd gered door de telefoon. Moncada nam op, en aan zijn gezichtsuitdrukking te zien was het goed nieuws, sterker nog, geweldig nieuws. Nadat hij had opgehangen wendde hij zich tot Perrone en deze keer was zijn toon milder. De woede-uitbarstingen van Moncada waren meestal maar kort. 'We hebben geluk, Perrone,' zei hij, terwijl hij hem een klap op zijn schouder gaf. 'Twee van onze collega's hebben een BMW en een Porsche gevonden die precies op de dag na de overval gekocht zijn. Eén staat geparkeerd in Maggiolina en de ander aan de andere kant van de stad, in Conchetta... Kom op, Perrone, kijk niet zo. Lach eens. Deze keer hebben we ze te pakken.'

* * *

Vanaf het moment waarop Renatino had besloten zich een paar weken met Veronica terug te trekken had ieder bendelid het eigen adres in Baggio verlaten en zich met vrouw en al in een van de appartementen verstopt die juist voor dit doel bestemd waren. Renatino, die met de inmiddels vijf maanden zwangere Veronica was, had voor het appartementje in via della Conchetta gekozen, waar de vrienden van de batterij meestal samenkwamen. Het was een oud flatgebouw van vier verdiepingen, bestaande uit een bijenkorf van appartementen waarin je je heel goed kon verbergen en waar iedereen zich met zijn eigen zaken bemoeide. Aan de andere kant van de straat bevond zich de Osteria della Conchetta, een van de oudste taveernes, waar de oude moeder van de eigenaar nog in de keuken stond. Renatino en Veronica, die niet hield van koken, gingen bijna elke dag naar de Conchetta en hier, in afwachting van hun risotto, vergaten zij de wereld om hen heen en verloren zij zichzelf in onmogelijke dromen.

Nadat ze de auto's gevonden hadden, had Perrone geregeld wie er om de beurt bij zou posten, om de eigenaren van de BMW en de Porsche te verrassen. Ongeveer halverwege via della Conchetta bevond zich een wegverbreding met een grote parkeerplaats. Hier had Renatino zijn Porsche achtergelaten. Hij was echter te alert om zich te laten verrassen als een groentje. Hij zag meteen dat de Fiat 124 sedan, die aan de andere kant van de weg stond met twee mensen erin, een overvalwagen van de politie was. Ze stonden een heel eind van zijn Porsche af, maar konden hem vanaf daar wel in de gaten houden zonder te worden opgemerkt. Ze wachtten tot er iemand instapte, zodat ze hem konden grijpen, dacht Renatino. Hij wandelde langs de stoep, precies waar de auto van de smerissen geparkeerd stond. Hij bleef voortdurend in hetzelfde tempo lopen, maar toen hij ter hoogte van hen was, draaide hij zich om, alsof hij moest hoesten en liep voorbij de twee agenten, die zo zijn gezicht niet konden zien. Rustig liep hij tot aan het Navigliokanaal. Uiteindelijk draaide hij zich om en rende naar een telefooncel. Hij draaide het nummer van thuis. 'Hoi Veronica. Niet schrikken. Er is nog niets gebeurd. Maar we worden door twee smerissen in de gaten gehouden. Ze weten niet waar we zijn, anders waren ze wel het huis binnengekomen... Wacht, laat me uitpraten. Wind je niet zo op. Over een uur ga je naar buiten, alsof je een wandeling gaat maken. Neem niets mee. We kopen later wel nieuwe kleren. Denk eraan, niet met grote tassen of zo gaan lopen. Begrepen? We gaan terug naar Baggio. Dat lijkt me nu de rustigste plek. Ik ga op eigen houtje. Jij neemt een taxi. Heb je het goed begrepen? Daarna waarschuw ik Napo. Ik hoop dat hij het niet in zijn hoofd haalt rond te gaan rijden in zijn BMW. Als ze mijn auto gevonden hebben, zullen ze die van hem vast ook observeren.'

15

De clan van Marseillanen

In die jaren hielden niet alleen de kleine Romeinse of Milanese batterijen de ordehandhavers bezig. Geheime machten deden hun best om de bevolking uit evenwicht te brengen en te terroriseren. Ze hadden meerdere doelen: het gevaar terugdringen dat ze onder de invloedssfeer van het Sovjetblok geraakten en tegelijkertijd de heerschappij over het land voeren met een sterke regering, misschien wel met een president. Ze wilden het meerpartijenstelsel uit de weg ruimen, ten gunste van een soort tweepartijenstelsel, politieke lobby's creëren en informatievoorzieningen controleren. Het stond van a tot z in een manifest met de titel *Plan voor democratische wedergeboorte*, uitgewerkt door een ambitieuze vrijmetselaar met heldere, weinig democratische ideeën, die iedereen commandeur of Eerwaarde noemde, met adviezen van zijn rechterhand Ubaldo Mariani.

Het was de commandeur in de loop der jaren gelukt om meer dan tweeduizend mensen bij zijn loge aan te trekken, onder wie vierenveertig parlementariërs, drie ministers, een partijsecretaris, twaalf generaals van de carabinieri, vijf generaals van de financiële politie, eenentwintig generaals van het Italiaanse leger, vier van de luchtmacht, acht admiraals, verscheidene magistraten, vele Bojaren, journalisten en functionarissen van verschillende geheime diensten. Deze geheime organisatie, Propaganda 2, was een beschermde vrijmetselaarsloge, wat inhield dat de leden anoniem bleven. Hun uitvalsbasis bevond zich in een elegant appartement in een klein en net flatgebouw in Rome, in via Condotti, precies boven juwelier Bulgari. Aan de grote deur hing een bord met de mededeling dat zich op de tweede verdieping een Centrum voor hedendaagse Geschiedenis bevond. Er werd daar echter weinig geschiedenis bestudeerd, eerder geschreven.

Hier riepen de Eerwaarde en zijn vriend Mariani op een lentemorgen generaal Mario Martinelli, de secretaris van de loge, een minister van de Republiek, die zei dicht bij het Vaticaan te staan, Mason Marvel, bewindvoerder bij de CIA en majoor Guetta van de SISMI, die de avond ervoor speciaal uit Milaan was gekomen, bijeen.

De Eerwaarde kwam meteen ter zake. 'Beste broeders, vergeef me dat ik jullie zo overhaast bijeen heb geroepen, maar de kwestie die zich heeft aangediend is van zeer groot belang.' De Meester Eerwaarde zette een en ander rustig uiteen. Hij had net zo goed op zachte toon de ontploffing van een atoombom op de Sint Pieter bekend kunnen maken. 'Onze broeder de President,' hij wees de man aan, 'heeft ons gevraagd de marxistische beweging in ballingschap, die onder leiding staat van de ex-vicepresident van de Cile di Allende, Bernardo Leighton, tegen te houden. De man is bezig hier in Rome een verzetsbeweging op touw te zetten tegen de regering van generaal Pinochet, met de economische hulp van buitenlandse machten uit het oosten. Meneer de President vraagt ons, via een tussenpersoon, deze beweging een halt toe te roepen.'

Majoor Guetta onderbrak hem: 'Bernardo Leighton is een politieke vluchteling en we weten op welke plek in Rome hij woont. We moeten in ieder geval elk soort diplomatiek gedoe vermijden.'

'Wij kunnen jullie alle steun leveren op het gebied van logistiek en *intelligence*,' zei kapitein Marvel. 'Maar we moeten op de achtergrond blijven. We hebben nu al alle ogen van de wereld op ons gericht omdat we generaal Pinochet helpen.'

'Daar zal ik me persoonlijk mee bezighouden, Eerwaarde,' concludeerde Guetta beslissend. 'Beschouw het als gedaan. Ik zal elementen in werking stellen die niets met jullie of onze entourage te maken hebben.'

'Inderdaad majoor, precies daar wil ik het over hebben,' ging de Eerwaarde verder. 'We zijn binnen de organisatie op het punt gekomen waarop we kunnen beginnen aan de "Campagne van wedergeboorte", waar we het al over hadden en waar iedereen in deze ruimte van op de hoogte is.'

De vrijmetselaarsmeester glimlachte dubbelzinnig en wierp een blik op de President.

De President had nog geen spier vertrokken sinds het begin van de bijeenkomst. Hij staarde onafgebroken naar het behang voor zich.

De Eerwaarde nam opnieuw het woord: 'Natuurlijk is dit een grote gunst die onze loge aan onze Amerikaanse vrienden verleent, kapitein Marvel, ik zou willen dat u de verantwoordelijken daarop wijst.'

'De nederlaag van de marxisten gaat ons bijzonder aan het hart. U weet hoe erg onze directeur zich dit onderwerp aantrekt. Maakt u zich geen zorgen. Op het juiste moment zullen wij aan uw zijde staan.'

'Goed, goed,' besloot de Eerwaarde, terwijl hij zich tot de Amerikaan wendde. 'Kapitein, u stemt met onze majoor Guetta alles af en kunt bij mij persoonlijk verslag uitbrengen of bij doctor Mariani.' Hij wees naar de nummer twee van de loge.

'Komt voor elkaar.'

'Goed. En nu, zoals onze illustere voorganger zei, "de teerling is geworpen". Er rest ons niets anders dan elkaar veel geluk te wensen en onze ziel aan te bevelen aan God,' eindigde de Meester Eerwaarde.

Voor de eerste keer die ochtend trok het parlementslid met zijn dunne lippen zijn beroemde sarcastische grijns en fluisterde: 'Nou, ik heb tijdens het Oude en tijdens het Nieuwe Testament geleefd, dus ik zou jullie kunnen aanbevelen.'

De aanwezigen glimlachten om zijn grap. De Eerwaarde en de man stonden op en trokken zich terug in een hoek van de zaal. De Meester pakte hem familiair bij de arm. 'President, alles verloopt volgens plan, zoals u ziet.'

'Meester, u weet precies wat u te doen staat. Ik weet dat u dit snel en goed zult doen, zoals onze juffrouw vroeger zei.' Hij was een ster in *calembour*.

De Eerwaarde glimlachte om zijn woordspeling. 'U zult het, hopelijk zeer spoedig, in de krant lezen.' En toen op andere toon: 'Genoeg hierover, President, heeft u eraan gedacht om met de generaal te praten?'

'Hoe kon ik dat vergeten. Ik heb hem gisteren gesproken. Hij heeft bevestigd dat zijn begroting naar de commissie is verzonden. Rustig maar, de komende maanden zullen de militairen van de NAVO op de veertigduizend matrassen van uw fabriek slapen. Liggen ze wel comfortabel? U laat me toch geen slecht figuur slaan, hè?' grapte de President met zijn gebruikelijke smalle glimlachje.

'Ze liggen heerlijk, ik zal er een naar u en uw vrouw sturen,' antwoordde de Meester Eerwaarde met een genoeglijke lach.

* * *

De volgende dagen maakte majoor Guetta een begin met de zogenoemde 'Campagne van de wedergeboorte'. Zijn operationele kracht was een van de beruchtste bandieten van Europa: Albert Bergamelli. Hij werd voor meerdere delicten door de politie in Europa gezocht en werd daarom door de journalisten de Ongrijpbare genoemd. Hij was een oud-lid van de OAS, de extreemrechtse Franse organisatie die tijdens de Algerijnse onafhankelijkheidsoorlog bommen had gegooid en terroristische aanslagen had gepleegd om de wil van het Algerijnse volk te breken. Toen De Gaulle besloot het land politieke autonomie te verlenen, keerde een deel van het geheime leger terug in het burgerleven, werden sommigen huurlingen die vertrokken naar het hete front van het Verre Oosten of van Afrika en dook een klein deel onder die echte gangs begonnen te vormen. Albert Bergamelli was daar één van. Hij had een groot aantal aanslagen en overvallen door heel Europa op zijn geweten. Hij werd gezocht door de politie van Frankrijk, België, Duitsland en Engeland. Het was zelfs zo erg dat zijn agressieve gang bekendstond als de bende van Mec, een afkorting voor het Italiaanse Mercato Europeo Comune.

Na banken en juweliers te hebben overvallen en in Frankrijk in cocaïne en heroïne te hebben gedeald, had Bergamelli besloten naar Rome te gaan en daar zijn nieuwe hoofdkwartier op te richten. In Rome was ook zijn goede vriend Jo le Maire, die hem voorstelde aan een andere grote Marseillaanse crimineel: René Berenguer, bijgenaamd Jacki. Zo ontstond de legende van de clan van de Marseillanen.

De Romeinse onderwereld stelde in die tijd nog weinig voor. Criminelen gebruikten als wapen slechts een mes en af en toe wat pistolen uit de oorlog. De batterijen waren nog niet zo omvangrijk en ze stelden zich tevreden met kleine misdaden, met een buit waar ze nauwelijks van rond konden komen. Berenguer en Bergamelli vormden samen de universiteit van de misdaad. Zij waren degenen die de nieuwe lichting van de Romeinse onderwereld vormgaven, die vooral goed tot uitdrukking zou komen in de bende van Magliana.

Majoor Guetta had het tweetal goed uitgekozen. Hij had mensen nodig met een bepaalde mentaliteit, die tot alles bereid waren, orders niet in twijfel trokken, kortom, militairen. Hun cv, in het bijzonder dat van Bergamelli, voldeed perfect aan zijn plaatje voor zijn 'Campagne van wedergeboorte'.

Guetta hield het nest van de Marseillanen al een flink aantal weken in de gaten. Nu moest hij alleen nog het juiste moment vinden om contact met hen te leggen. Hij mocht niets verkeerd doen, anders zou al zijn werk voor niets geweest zijn.

Hij richtte zich nogmaals tot Pierluigi Dalmasso, zodat hij zelf op de achtergrond kon blijven.

De zwakke plek in de bende was een vrouw. Ze heette Maria Rossi, maar Bergamelli noemde haar gewoonweg Mara. De vrouw kwam uit

Zuid-Italië. Ondanks haar leeftijd mocht ze er nog best zijn. Ze had begeerlijke heupen, grote borsten en lang golvend haar dat tot over haar schouders viel. Mara bracht de bende eten en drinken, deed de boodschappen, hield het nest schoon en opgeruimd en zorgde als haar dit gevraagd werd voor prostituees om de mannen rustig te houden. Ze werd goed betaald voor dit werk, dat ze discreet en zonder vragen te stellen uitvoerde.

Die ochtend was Mara de elektriciteitsrekeningen van het nest gaan betalen. De Marseillanen woonden in een appartement in een grote volksflat van acht verdiepingen in viale Eritrea die gebouwd was door de regering. Zodra ze het postkantoor verliet, kwam er een man naast haar lopen. Hij had lang haar en droeg een veelkleurig strak T-shirt. Hij sprak met een Siciliaans accent. 'Mevrouw, neem me niet kwalijk,' zei Dalmasso, 'maar ik wil u graag om een gunst vragen. Zou u dit briefje aan meneer Albert kunnen geven? Ik vraag het alleen omdat ik een vriend ben.'

Toen de vrouw van de schrik was bekomen, trok ze een bars gezicht. 'Wie bent u? Ik ken niemand die zo heet.'

Dalmasso zei op wat zachtere toon: 'Houd op met aandacht trekken, Mara. Het gaat hier om een wat netelige kwestie.'

'Hoe weet u hoe ik heet? Wie bent u? Een smeris? Een carabiniere?'

'Zie ik eruit als carabiniere?' glimlachte Dalmasso. 'Ik sta aan jullie kant en moet dringend met onze wederzijdse vriend praten. Ik heb groot nieuws voor hem.' Toen hij zag dat de vrouw hem nog steeds niet vertrouwde, zei hij: 'Mara, denk eens na. Als ik een smeris was, was ik allang jullie nest in viale Eritrea binnengevallen.'

De vrouw schrok. 'Ik weet niet waar u het over heeft,' antwoordde ze niet erg overtuigd.

'Geef hem het briefje en vraag daarna of hij contact met me opneemt.' Zijn toon was inmiddels familiair geworden. 'Kijk niet naar mij, ik ben niemand. Daarboven,' hij wees naar de hemel, 'bevinden zich echter mensen die zeer invloedrijk en machtig zijn. Zij hebben hem nodig. Meer kan ik je niet vertellen... Ik vraag het je.' Hij drukte haar het briefje in de hand en liep weg, zonder zich om te draaien.

Op het briefje stond: 'Ik ben Pierluigi Dalmasso. We strijden aan hetzelfde front. We hebben je nodig. Bel me op het onderstaande nummer. Ik neem zelf op. Stel jij maar voor waar en hoe we elkaar ontmoeten.'

Bergamelli gaf het briefje aan Berenguer en deze gaf het, nadat hij het had gelezen, weer door aan Bellicini, de derde partner.

'Denk je dat het een val is?' vroeg hij aan Berenguer.

'Hij weet waar ons nest is. Hier zijn we niet meer veilig. Ik zou wel willen weten wie hij vertegenwoordigt,' antwoordde Jacki.

'Zijn het kameraden?' vroeg Lino Bellicini terwijl hij het briefje teruggaf aan Bergamelli.

'"We hebben je nodig",' las de Marseillaan voor de zoveelste keer.

'Er zit niets anders op dan hen hun kaarten op tafel te laten leggen.'

* * *

Terwijl Bergamelli zich klaarmaakte om Dalmasso te treffen, benaderde een enigmatisch persoon, die zich Generaal liet noemen, Turatello in de Roxy a go go in Milaan.

Engelengezicht was twee nieuwe stripteasedanseressen aan het selecteren en zat in het midden van de danszaal, toen Stalin naar hem toe kwam en hem in zijn oor fluisterde: 'Francis, er is daar iemand die je wil spreken, hij zei dat het heel dringend is.'

'Wie is het?'

'Hij vroeg me aan je door te geven dat hij de Generaal is.'

Turatello was nieuwsgierig geworden, stond op en liep in de richting van de man die hem bij de deur van de club stond op te wachten. Hij was minstens zo groot als hij, één meter negentig, met opgeschoren gemillimeterd haar dat inmiddels bijna helemaal grijs was en een baritonstem. Hij stelde zich voor: 'Meneer Turatello, aangenaam. Ik heb veel over u gehoord.' Hij stak zijn grote, ruwe hand uit, die Turatello vervolgens zonder aarzelen schudde.

'En u bent...?'

'Omdat iedereen me altijd Generaal heeft genoemd, weet ik zelfs mijn naam niet meer. Maar ik ben hier niet om over mij te praten. Ik heb zeer invloedrijke vrienden nodig... Kunnen we ergens rustig praten?'

'Hier is prima. Ik heb geen geheimen voor mijn mensen.'

'Goed. Dan kom ik meteen ter zake. U moet dit als een eerste kennismakingsgesprek beschouwen. Als u later besluit zich bij ons aan te sluiten, kunt u direct met de vrienden spreken over wie ik u verteld heb. Meneer Turatello, het gaat om het volgende... We maken een kritieke periode door. Eén verkeerde stap en we storten in de kloof van de communistische gekte. Onze groep wil een onverwoestbare barrière opwerpen tegen deze invasie van flikkers, prostituees en linkse intellectuelen. Zoals u merkt spreek ik er in alle eerlijkheid over. Onze broeders houden zich al bezig met de politieke en institutionele top. Nu moeten we nog invloed uitoefenen op het gewone volk.'

'Luister eens, vriend, ik heb geen tijd om naar deze onzin te luisteren,' onderbrak Turatello hem bruusk.

De Generaal was niet gewend zo uit de hoogte te worden toegesproken. 'Meneer Turatello, maakt u niet de fout om mijn vrienden en mij te onderschatten. Ik probeer u duidelijk te maken dat wij ons op de bovenste verdiepingen bevinden. In kamers waarvan mensen zich niet eens voor kunnen stellen dat ze bestaan. Waar wij wonen ademt de wet, want wij maken de wet. Ik weet niet of ik het voldoende heb uitgelegd. Als wij u toe laten treden tot deze kamers, zal uw leven radicaal anders worden.'

'Ik begrijp het nog steeds niet.' Engelengezicht leek nu echter meer geïnteresseerd en betrokken.

'Ik zal het u haarfijn uitleggen. We willen u van een paraplu voorzien die u beschermt tegen rechters en politieagenten die u onprettige jaren in de gevangenis zouden kunnen bezorgen. Wij kunnen hen manipuleren en sturen waarheen we maar willen. Velen van hen staan aan onze kant. U kunt dus blijven doen wat u doet, maar zonder bang te zijn dat u op een dag verantwoording voor uw acties moet afleggen voor justitie.'

'Maar ik doe niets verkeerd. Waarom zouden jullie me moeten beschermen tegen politieagenten en rechters?' Turatello bleef zich defensief opstellen.

'Meneer Turatello, u wilt het duidelijk niet begrijpen. We weten alles van u. We zijn geen amateurs. We hebben vijf ordners vol met uw heldendaden. We zijn geen politieagenten, begrijpt u dat nu eindelijk? We staan boven de wet. Dit gezegd hebbende, kom ik tot de reden van mijn bezoek. Op dit moment praat een gelijkgezinde van me met Albert Bergamelli. U en Bergamelli hebben de belangrijkste... laten we zeggen ongebruikelijke structuren van het land. Jullie zullen vanwege de gestelde doelen in harmonie met elkaar moeten kunnen werken.'

'Wij met de Marseillanen?'

'Precies. U hier in Milaan en Bergamelli in Rome. De komende maanden zullen jullie een zeker aantal opzienbarende opdrachten uit moeten voeren.'

Turatello was stomverbaasd toen hij het antwoord van de Generaal hoorde. 'Laten we naar mijn kantoor gaan,' zei hij, terwijl hij de man voorging.

Ze namen plaats in de kleine leunstoelen aan het bureau. 'Opzienbarende opdrachten? Wat bedoelt u daar precies mee?'

'Bijvoorbeeld een ontvoering.'

'Een ontvoering?' herhaalde Turatello. 'Maar we zijn geen Sardijnse herders. Voor een ontvoering heb je schuilplaatsen nodig, en mensen die zich bezighouden met de logistiek, dat doe je niet zomaar. En bovendien, wie moeten we ontvoeren?'

'Wij hebben alles wat je nodig hebt: wapens, appartementen, garageboxen en kelders. Jullie twee houden je bezig met jullie eigen mensen en organisaties en wij dekken jullie. Ik herhaal, het is totaal niet gevaarlijk. We kunnen in een vingerknip een commissaris misleiden of valse getuigen regelen.'

'En dan met de Fransen… Maar die hebben allemaal banden met de flikken. Dat zijn schoften. Die zijn in staat om je aan de eerste de beste sergeant te verkopen als het hun uitkomt. Ze kennen geen vriendschap of broederschap zoals wij. Wij, leden van de batterij, zijn van een ander soort.'

'Het is waar wat u zegt over de Fransen, maar dit geldt niet voor de clan van de Marseillanen. Bergamelli en Berenguer zijn anders. Die kun je vertrouwen. En het is tenslotte niet zo dat jullie jullie batterijen moeten samenvoegen, dat zou te absurd zijn om te eisen. Jullie moeten echter ook niet met elkaar in conflict komen, maar elkaar helpen als jullie gedwongen zijn de stad die door de ander overheerst wordt te betreden, omdat jullie onder dezelfde vlag strijden. Wat betreft de namen van de mensen die jullie moeten ontvoeren, die delen we jullie per keer mee, samen met alle bijzonderheden. Weet wel dat het allemaal belangrijke namen uit de industrie en politiek zijn.'

Het was niet eenvoudig om Turatello van zijn stuk te brengen, maar het was de Generaal gelukt. Hij zat met zijn mond vol tanden.

De militair vervolgde zijn verhaal. 'Ten slotte praten we ook over de economische kant van het verhaal. Het organisatorische aspect van een ontvoering is zeer complex. Er zal een groep zijn die de gijzelaar op moet gaan halen, wapens moet regelen, een auto en eventueel een eerste schuilplaats. Deze groep krijgt dertig procent van de buit. Een tweede groep leidt de onderhandelingen en neemt het losgeld aan. Bij deze groep zit ook degene die de actie tot in detail uitwerkt. De leden van deze groep ontvangen eveneens dertig procent van de buit. Een derde groep moet zich bezighouden met de bewaking van de gijzelaar. Dit kan een week zijn, of zes maanden, dat maakt niet uit. Ook deze krijgt dertig procent van de buit. De resterende tien procent gaat naar de organisatie, naar ons. Beschouw jullie samenwerking met ons als een extraatje bij jullie eigen acties: banken, drugs, afpersingen. Jullie worden vanaf vandaag zo goed beschermd als jullie je niet eens in je stoutste dromen hadden kunnen voorstellen.' Turatello bleef zwijgen. Hij had nooit gedacht te moeten samenwerken met ordehandhavers… maar van welke 'orde'? 'Mag ik vragen waarom?'

'We doen dit allemaal voor het volk. Ons land wordt uitgeleverd aan de Sovjets en niemand weet wat ons te wachten staat. We willen voorkomen dat ons land ook te maken krijgt met de goelag. Deze politieke en sociale destabilisatie, dit gevoel van onzekerheid en gebrek aan vertrouwen in de toekomst dat iedereen tegenwoordig ervaart, zal ertoe moeten leiden dat we ons verzetten tegen Sovjet- – of erger nog – Chinese praktijken. Het is onze taak het volk en zijn vertegenwoordigers de juiste weg te wijzen.'

'Generaal, het volk kan me gestolen worden. Turatello moet bovenal aan zichzelf denken, omdat er nog nooit iemand is geweest die een hand naar hem uitgestoken heeft toen hij dat nodig had, dat verzeker ik u.'

'Waarom vertelt u mij dit?'

'Omdat ik wil dat u goed begrijpt dat ik slechts om één reden zal doen wat u van me vraagt.'

'Om het geld!'

'Precies.'

'Turatello, u bent niet de enige die dit wil. Macht, idealen, het volk, allemaal onzin! Hier heeft iedereen maar één doel. U zult zien dat u zich in goed gezelschap bevindt,' antwoordde hij met een triomfantelijke glimlach. 'Dus?'

Turatello draalde nog even, maar stak toen zijn hand uit. De twee sloten een sterk pact dat een paar jaar lang het rampzalige lot van het Italiaanse volk zou tekenen.

'Ik zal u waarschuwen als u contact op moet nemen met de Marseillanen,' zei de Generaal toen hij afscheid nam.

16

Sicilianen in Milaan

In het begin van de jaren zestig ontstond er ook vijandschap tussen twee groepen binnen de Siciliaanse maffia, die later uit zou lopen op een conflict en een waar bloedbad. De Corleonesen, vertegenwoordigd door Luciano Liggio, Totò Riina en Bernardo Provenzano konden de oude regels van de maffiacode niet verdragen. De Corleonesen, die door hun tegenstanders minachtend boeren genoemd werden, waren jong, meedogenloos en wreed en gebruikten bloeddorstige methoden om hun doelen te bereiken. Hun hoofddoel was absolute controle krijgen over de handel in verdovende middelen. Aan het andere front stonden de aanhangers van Bontade, Badalamenti en Buscetta die daarentegen gematigd te werk gingen en zich richtten op instellingen, op een ordelijk corruptief systeem, met als hoofddoelen: aanbestedingen van de publieke werken, het beheer van smeergeld, naast natuurlijk de traditionele gokhandel, prostitutie, weddenschappen en smokkelarij. In dit scenario was volgens Bontade de drugshandel niet essentieel en had geen prioriteit. Bovendien was Stefano Bontade juist in die periode bezig, samen met de eervolle Salvo Lima, een netwerk van bondgenootschappen op te zetten dat kort daarna voor de geboorte en het succes van de Andreottische stroming in Sicilië zorgde. Verder wilde hij dat er niets veranderde aan de traditionele manier waarop ze hun illegale handel dreven.

Sicilië was nog niet klaar voor de meedogenloze aanpak van de Corleonesen, daarom besloten ze hun hoofdkantoor naar Milaan te verhuizen. Luciano Liggio was het erkende hoofd van de maffia in Milaan en degene aan wie de criminelen moesten vragen of ze daar mochten werken en bescherming van de maffia mochten genieten.

Liggio had Turatello de leiding gegeven over de goktenten en over een aantal nevenactiviteiten zoals de prostitutie en de smokkelpraktijken.

Engelengezicht moest zich echter, hoewel hij de bescherming genoot van zijn vriend Frank Coppola, toch aan de regels houden en een deel van zijn opbrengsten in de grote hoed van de *boss* van Corleone stoppen.

Maar na een tijdje snakte de jonge telg van Frank Drie Vingers naar meer autonomie. Dit beviel Liggio niets, daarom besloot hij hem een lesje te leren, om hem te laten zien hoeveel zijn bescherming betekende. Omdat de maffia nooit direct opereert, en zijn pionnen zeer langzaam en schijnbaar toevallig verplaatst, besloot Liggio Francis Turatello te treffen via een rivaal. Hij bedacht een zeer ingewikkeld plan om de gewenste resultaten te bereiken.

Hij liet door twee van zijn meest betrouwbare mannen de auto van Turatello, een rode Opel GT, stelen. De twee vertrouwelingen van Liggio heetten Giacomo Zerilli en Nico Occhipinti, die allebei oorspronkelijk uit Terracina kwamen. Zerilli was een expert op het gebied van auto's, terwijl de ander met mitrailleurs en explosieven om kon gaan als iemand van de explosievenopruimingsdienst van het leger. Renatino was hun doelwit. Uit betrouwbare bronnen had Liggio vernomen dat Renatino door de flikken werd gezocht voor de overval op de Esselunga en dat hij zich schuilhield in via della Conchetta. Hij moest zich echter verplaatst hebben, want zijn gebruikelijke bronnen hadden hem niet meer gezien bij het eethuis waar hij vaak at. Ook de waard van de Conchetta had bevestigd dat hij en zijn vriendin al een paar dagen niet meer waren komen dineren.

Liggio zette, om achter zijn nieuwe schuilplaats te komen, zijn gehele leger handlangers en informanten in. En omdat een gunst verlenen aan Liggio gelijkstond aan het verkrijgen van een hogere rang, gingen alle Milanese criminelen aan het werk. Door over koetjes en kalfjes te praten ontfutselde uiteindelijk een van hen aan Mazzinga dat Renatino zich in Baggio schuilhield.

In die tijd was Baggio een soort enclave in de Italiaanse staat. Mensen zeiden: 'Ga niet naar Baggio als je niet durft.' Het was een kleine buitenwijk van Milaan, ooit een autonome buurt, maar door het fascisme opgenomen door de grote metropool. Sindsdien was het een soort Tortuga geworden. Wie uit de buurt wilde blijven van de politie ging daar wonen, omdat deze liever wegbleef uit Baggio, de 'wilde buurt'.

Renatino had een klein huis in via Angelo Bisi, dat grensde aan andere woningen van twee of drie verdiepingen, op enkele tientallen meters afstand van het Parco delle Cave, dat bestond uit meertjes die samen met de uitgestrekte weilanden en dichte bebossing een natuurlijke groene long vormden voor de hele stad. Het kleine huis was aan vier kanten omringd door een tuin, die omsloten werd door een hek. De straat was verlaten, er reden weinig auto's en er was weinig beweging: er waren geen winkels die de straat wat hadden kunnen verlevendigen.

Renatino en Veronica maakten spannende tijden door. Renatino probeerde haar te kalmeren door te zeggen dat niemand hen daar zou kunnen vinden. Maar vanwege haar zwangerschap was ze onzeker, bang voor elk klein geluid. Door deze spanning maakten ze ieder uur van de dag en om iedere onbenulligheid ruzie. Renatino had geduld met haar, maar om haar karakter had hij haar allang de laan uit gestuurd.

'Zo kunnen we niet doorgaan,' zei ze terwijl ze haar tranen droogde. 'Iedere keer als ik naar buiten ga lijkt het alsof ik bespied word.'

'Je hoeft je geen zorgen te maken, heb ik al gezegd. Hier zijn we veilig.'

Als hij eens wist hoe ver hij ernaast zat!

Aan het eind van de straat werd de stilte verbroken door een motor die op volle toeren draaide. Precies voor het huis klonk het gepiep van de remmen.

Renatino verstijfde. Hij hoorde het portier van een auto hard open- en dichtgaan en een stem schreeuwen: 'Renatino, deze is van Francis.'

De luiken en de ramen explodeerden in duizend stukjes. Een aantal seconden die een eeuwigheid leken te duren schoot iemand met een mitrailleur van de deur naar de ramen en weer terug. Renatino greep Veronica en gooide haar op de grond. Hij beschermde haar met zijn lichaam. De jonge vrouw gilde van angst. Hij duwde haar achter de bank, terwijl stukken kalk en glasscherven in het rond vlogen. Hij rende naar een vitrinekastje, haalde zijn revolver eruit en liep voorzichtig naar het raam. In de tussentijd was het mitrailleurvuur verstomd, was de killer weer in de auto gestapt en op volle snelheid weggescheurd. Renatino keek uit het raam en zag nog net de rode Opel via Briggini in rijden.

Dat was de GT van Turatello, geen twijfel over mogelijk. Renatino was woest op de man die zijn familie in gevaar had gebracht. Hij wist dat Turatello geen enkele regel van de code van de onderwereld respecteerde, waaronder de regel dat vrouwen en kinderen niet bij de zaken werden betrokken. Engelengezicht was tot in zijn huis gekomen. Dat moest hij hem betaald zetten!

Hij hielp Veronica met opstaan. Het meisje was van streek en stond op het punt een paniekaanval te krijgen. Hij probeerde haar bij zinnen te brengen, haar te kalmeren. In werkelijkheid wist hij niet wat hij moest beginnen. In de bioscoop had hij de filmheld dit soort gevallen op zien lossen door zijn vriendin een paar klappen te geven. Hij probeerde het ook, maar Veronica begon te stuiptrekken. Hij maakte een handdoek nat en legde die op haar gezicht, daarna tilde hij haar op en droeg haar naar een andere kamer, waar hij haar op bed legde. Hij dekte haar toe en pas op dat moment werd het meisje rustiger en begon ze te huilen.

Renatino vroeg zich af hoe ze achter zijn schuilplaats konden zijn gekomen. Weinig mensen wisten waar hij zat, alleen zijn batterij. Hij besloot tot de aanval over te gaan. Hij pakte de telefoon en belde zijn trouwe vriend Napo.

Het plan van Luciano Liggio was buitengewoon voorspelbaar: een actie vraagt altijd om een reactie, die vaak niet in verhouding staat tot de actie zelf. Zo ook de reactie van Renatino, die gedreven werd door wraak. Maar dat was precies wat Liggio van hem verwachtte.

Renatino riep zijn batterij op. Napo, Mazzinga, Bradipo, Vito Mannino bijgenaamd de Beverrat en de jonge Matteo Pirotta, alias Teo, haastten zich naar het huisje in Baggio. De door het geweld aangerichte ravage maakte indruk op hen. De woonkamer lag bezaaid met kalkgruis, schilderijen en spiegelscherven en de meubels waren doorzeefd met kogels. Het was puur geluk dat Renatino en Veronica er nog geen schrammetje aan hadden overgehouden. De bewoners van de huizen ernaast bemoeiden zich met hun eigen zaken en dachten er zelfs niet aan om de politie te waarschuwen.

'Als ik ontdek dat een van jullie zijn mond over dit huis voorbij heeft gepraat,' begon hij streng, terwijl hij iedereen een voor een opnam, 'zweer ik dat ik hem zijn hart op zal laten eten.'

Iedereen was kwaad om wat er was gebeurd. Dit betekende oorlog met Turatello en zijn bende. De ellende was dat Engelengezicht werd beschermd door de peetvader en tegen de Sicilianen was weinig te beginnen.

'Sicilianen zijn erger dan olifanten,' zei Napo. 'Als we een fout maken die een van hen raakt, onthouden ze dat voor eeuwig en koesteren ze tot in lengte van jaren wrok jegens ons. Dan moeten we de rest van ons leven achterom blijven kijken.'

'Je vergeet iets,' reageerde Renatino. 'Turatello is iemand die zich niet aan de regels houdt, terwijl de maffiabazen dat wel doen. Als ze erachter komen dat Turatello bij mijn huis is geweest en mijn vrouw heeft belaagd, zetten ze hem uit de familie.'

'Maar dat zijn geen eervolle Sicilianen,' corrigeerde Napo hem. 'Dat zijn Corleonesen. Luciano Liggio moest Sicilië verlaten omdat zijn werkwijze daar werd afgekeurd.'

'Die werkwijze heeft hij wel meegenomen naar Milaan,' kwam Bradipo tussenbeide. 'Liggio is erger dan Turatello. Die zou zijn moeder niet eens recht aankijken, als hij belangen te verdedigen had.'

'Wat moeten we nu doen?' vroeg Cambogia, die al dat geklets zat was.

'We kunnen niet doen alsof er niets gebeurd is,' zei Mazzinga.

'Laten we onze wapens pakken en aan die Turatello laten zien dat we niet bang zijn, niet voor hem en niet voor zijn Siciliaanse vrienden.' Om zijn beslissing kracht bij te zetten sloeg Renatino met zijn vuist op tafel.

De anderen slaakten oorlogskreten bij wijze van instemming.

* * *

In een privézaaltje van Hotel Plaza in Rome vond in april de historische ontmoeting plaats tussen Francis Turatello en de complete clan van de Marseillanen: Bergamelli, Berenguer en Bellicini, de zeer gevreesde bende van de drie B's.

Tijdens die ontmoeting zouden de strategieën uitgestippeld worden die de acties van de georganiseerde criminaliteit van de volgende jaren zouden bepalen. Bergamelli was hier zeer duidelijk over: 'Wij werken in Rome en jij in Milaan. Zo hebben we geen last van elkaar. Er komt een tijd van ontvoeringen aan, waarbij jij moet helpen, vooral op logistiek gebied. Je moet een aantal schuilplaatsen regelen waar we onze gevangenen kunnen verbergen.'

'Wat schuift dat?'

'Wij openen ondertussen voor jou de deuren naar het Turkse en Boliviaanse drugsverkeer. We hebben betrouwbare contacten en die zullen we aan jou doorgeven. Verder krijg je dertig procent van de buit omdat je voor een schuilplaats zorgt en deze in de gaten houdt.'

'Wie strijkt de andere zestig op?'

'Die wordt in tweeën gedeeld. De eerste dertig procent gaat naar degene die de ontvoering uitvoert en de andere naar degene die de onderhandelingen voert. Dat zijn mensen die jij niet kent en dat is beter zo. Ze zijn in staat je te verraden en aan je lot over te laten. Maar dat weten wij en wij weten hoe we ons daartegen moeten verdedigen.'

'Je had me ook wapens beloofd,' zei Engelengezicht.

'Wapens? Dat is geen probleem. Onze vrienden hebben een heel arsenaal. De opslagplaats is in via Listz, hier in Rome. Je kunt er zo heen gaan als je wapens nodig hebt. Het zijn oorlogswapens en ze moeten teruggebracht worden als je er klaar mee bent.' Bergamelli was steeds degene die aan het woord was. Berenguer en Bellicini hielden hun mond en zaten onderuitgezakt in een grote fauteuil whisky te drinken.

'Er is iets wat ik je moet vragen,' zei Turatello.

'Vraag maar, ik luister,' zei Bergamelli bemoedigend.

'Je weet hoe lichtgeraakt en bezitterig de Sicilianen zijn. Ik wil niet dat Liggio weet van onze ontmoeting.'

'Ben je bang voor zijn reactie?'

'Hij vergeeft het me nooit. Hij zou het als verraad zien. Terwijl dit voor mij slechts zaken zijn,' legde Turatello uit.

'Wees gerust. Wij zullen zwijgen als het graf.' Hij keek om naar zijn twee vrienden en zocht hun bevestiging. De twee knikten.

Bergamelli stond op en liep met uitgestoken hand op Turatello af. 'Geef me een hand.'

Francis gehoorzaamde. 'Italië is van ons, broeder.'

Francis verliet als laatste het gereserveerde zaaltje waar de bijeenkomst had plaatsgevonden. De ober wachtte tot hij weg was en ging toen naar binnen om de kamer weer op orde te brengen, de asbakken te legen en de gebruikte glazen te verzamelen en op het dienblad te zetten. Zodra hij er zeker van was alleen te zijn, zette hij het dienblad op tafel, liep naar de telefoon, draaide een nummer en wachtte op antwoord.

'Hallo? Met Angelo, van het Plaza… Ik heb een bericht voor de heer Liggio… Zou ik hem even kunnen spreken?… Goed… Kijk, ik wilde even zeggen dat hier net een ontmoeting tussen de heer Turatello en drie mannen heeft plaatsgevonden. Een van hen sprak Italiaans, maar was overduidelijk een Fransman. Nee, ik heb hun namen niet verstaan, maar het leek alsof er tussen de heer Turatello en die drie mannen een verbond was gesloten, ik weet niet waarom. Zegt u tegen de heer Liggio dat ik hem heb gebeld. Angelo van het Plaza… Hij kent me wel… Ja, bedankt, nogmaals bedankt. Ik kus uw handen.'

Angelo was altijd blij als hij zijn peetvader van dienst kon zijn. Liggio had hem aan dit baantje geholpen en hij zou hem daar zijn leven lang dankbaar voor blijven. Hij wist niet dat hij deel uitmaakte van het onmetelijke leger dat onder leiding stond van de Corleonees, die op de meest strategische plekken van de metropolen Rome en Milaan mannetjes had zitten.

17

Drugssommeliers

Terwijl in Hotel Plaza in Rome de ontmoeting plaatsvond tussen Engelengezicht en de clan van de Marseillanen, werkten Renatino en zijn maten een zeer geraffineerde wraakactie uit tegen de bende van Turatello. Het idee kwam van Renatino, maar de procedure werd, zoals gewoonlijk, door Napo uitgestippeld.

Turatello ontving zijn heroïne via een kanaal dat Liggio speciaal voor hem in werking had gesteld. De drugs werden met containers van een Griekse reder geleverd. Eén lading werd er in Palermo uit gezet en de rest zette koers naar Genova. Hier werd een deel naar een geheime raffinaderij gebracht die verstopt zat in een fabriek waar mineraalwater gebotteld werd, in de bergen van het Ligurische binnenland, en de rest werd door een reeks leveranciers, die deel uitmaakten van de Siciliaanse families van Cosa Nostra, verdeeld over alle noordelijke provincies. De top van de maffia had, om jaloezie en frictie tussen de verschillende metropolitaanse bendes te voorkomen, besloten af te zien van de winst die door de kleinschalige drugshandel gemaakt werd en hadden de laatste stap aan de leiders van de verschillende gebieden toevertrouwd. Feitelijk hadden de Sicilianen, door dat gedeelte over te laten aan criminelen die ze zelf aanwezen, hier op twee manieren profijt van: aan de ene kant maakten ze hun 'handen niet vies' aan heroïneverslaafden en *low profile* delinquenten en aan de andere kant werd het oude charisma van de peetvaders versterkt omdat ze de leiders van de bendes onder hun vleugels namen, die als het erop aankwam niet zouden kunnen weigeren een gunst te verlenen aan degene die hun zo'n enorm geldbedrag had gegeven.

* * *

Turatello was iemand die veel profijt had gehad van een deel van die handel. Hij had een flink deel van de Milanese drugshandel in handen, dankzij de bescherming van zijn peetvader Frank Drie Vingers. Luciano Liggio had niets aan te merken op de jonge Coppola, maar hield hem in de gaten omdat de buitensporige nonchalance waarmee hij de Sicliaanse peetvaders behandelde, namelijk als gelijken, hem niet beviel. Het geld dat zij ontvingen van zijn winst uit de drugshandel en zijn goktenten viel hun rechtelijk ten deel en was geen gunst van Engelengezicht.

De laatste tip van de ober uit Hotel Plaza in Rome was de druppel die de emmer van Liggio's geduld deed overlopen.

Turatello had voor de volgende levering om het dubbele van de gebruikelijke voorraad gevraagd: twee kilo heroïne. Tanino, de contactpersoon van Liggio en Turatello, gaf het verzoek om de verdubbeling door aan zijn baas en Luciano Liggio gaf hem instructies.

Zodra Turatello tegen zijn 'paarden' zei dat ze zich klaar moesten maken voor de aankomst van het nieuwe poeder wist Napo hier ook van, omdat Rosica, een van de pushers in de paardenstal van Engelengezicht, een vriend van de familie was en ze elkaar vaak gunsten verleenden.

Turatello en Angelo Infanti, zijn rechterhand, hadden een afspraak met Tanino, in een suite van Hotel Boscolo in San Babila. Iedere maand veranderden ze van hotel, om te voorkomen dat obers en portiers hun plannen zouden doorbrieven. Dat waren immers de grootste roddeltantes en de makkelijkst omkoopbare wezens die op deze aardbol rondliepen.

Tanino had een van de bodyguards van Liggio meegenomen naar de afspraak, Antonio Gaipa. Het was niet de eerste keer dat ze elkaar ontmoetten en tot op die dag was er geen enkel misverstand tussen hen geweest. Tanino overhandigde de kilo heroïne en Engelengezicht gaf hem een voorschot van tien miljoen. De andere twintig zou hij hem binnen een week betalen. Dit was de routine, die tot op die dag de zeer goede werkrelatie tussen de bende van Turatello en de familie van Liggio kenmerkte. Maar die dag veranderde er iets voor hen allebei.

'Ik moest je van mijn baas zeggen dat de waar deze keer voortreffelijk is en van één naar zes gaat,' begon Tanino, terwijl hij uit zijn leren tas twee blauwe plastic zakjes haalde. 'Deze twee kosten nu dus veertig in plaats van dertig.' Hij legde de zakjes op het tweepersoonsbed. 'Dat wordt in totaal dus tachtig.'

'Je baas heeft me niet voor deze prijsverhoging gewaarschuwd,' zei Turatello. Hij liet Angelo Infanti de katoenen tas met tien miljoen aan netjes opgestapelde bankbiljetten doorgeven. Hij was het niet eens met deze wijziging. 'We doen dit om iedere vorm van argwaan weg te nemen en zodat tussen ons een band van vertrouwen en waardering blijft bestaan. Ik zal nu één gram uit beide zakjes nemen en daar drie gram lactose bij doen en het daarna in vier delen verdelen. Daarna zal ik nog een gram eruit nemen en daar vier gram lactose bij doen en het in vijf doses verdelen. Dan zal ik opnieuw hetzelfde doen, maar dan met vijf gram lactose en er vervolgens zes doses van maken. Ik heb een aantal "sommeliers" tot mijn beschikking, verslaafden die in het laatste stadium verkeren. We geven hun de doses, beginnend bij de laatste die in zes zakjes is verdeeld. Als de heroïne zo'n flash oplevert dat ze voor twee of drie uur onder zeil zijn, wil dat zeggen dat het spul daadwerkelijk zo goed is als jij zegt. In dat geval geef ik je graag wat de baas vraagt. Anders bepalen we de prijs naar gelang het effect, oké?'

'Oké. Maar ik zeg je nu alvast dat de baas er niet van gediend is om te worden tegengesproken. Ik weet hoe hij is. Als hij zegt dat iets zo moet gebeuren, gebeurt het zo.' Tonino pakte de zak met geld en wierp een blik op de bankbiljetten.

'Hebben we niet altijd gezegd dat we elkaar moeten vertrouwen? Ik sta aan jullie kant. Ik ben totaal niet van plan de vriendschap met de Siciliaanse vrienden kwijt te raken. Help Luciano daar maar aan herinneren,' besloot Engelengezicht. 'Deze keer gaan wij als eerste weg. Ik heb een beetje haast. Tanino, ik bel je morgen, na de doses te hebben onderzocht. Geef ons wat tijd om het hotel te verlaten.'

Tanino wachtte tot Turatello en Angelo Infanti de deur achter zich dichtgetrokken hadden. Daarna liep hij om de tijd te doden naar de koelkast en pakte daar vier kleine flesjes whisky uit. Hij schonk er twee in een glas voor Gaipa en dronk die van hem in één teug leeg.

* * *

Vicecommissaris Moncada liep bij de reconstructie van de puzzel van de Milanese onderwereld alle criminele circuits na waar voor bandieten veel geld te halen viel. Na de goktenten en de uitbuiting van de prostitutie was het nu de beurt aan de drugshandel. De afdeling Narcotica bestond pas een paar jaar op het bureau van Milaan. Hij was opgericht in 1967, toen de fenomenen roken en drugs zich begonnen te verspreiden. Natuurlijk was dit niet onopgemerkt gebleven door de grote criminele organisaties. De Amerikaanse en de Siciliaanse maffia waren de eersten die de enorme economische potentie ervan zagen en de eersten die er beslag op legden.

Moncada begreep dat hij een nieuw front moest vormen in zijn uitgebreide puzzel: de drugshandel zou vroeg of laat de aandacht trekken van de organisaties die de democratie van het land op illegale wijze omver wilden werpen.

Inspecteur Gino Martelli, van de afdeling Narcotica, had een paar uur eerder het bericht ontvangen dat Turatello en de Sicilianen voor hun gebruikelijke maandelijkse uitwisseling samen zouden komen en dat de ontmoeting deze keer zou plaatsvinden in Hotel Boscolo. Hij had meteen vicecommissaris Moncada gebeld en hem uitgenodigd mee te gaan schaduwen, omdat hij meer inzicht wilde verkrijgen in de wereld van de drugshandel. Een gewone routineklus, zei hij.

Agent Lucio Brizzi had de witte 128 vlak bij de ingang van Hotel Boscolo geparkeerd, op een punt waar ze goed konden zien wie er naar binnen ging en naar buiten kwam, zonder echter zelf te worden gezien. Moncada zat op de achterbank.

'In de loop der jaren heb ik een klein netwerk op kunnen bouwen van betrouwbare mensen die rondhangen in buurten waar drugs gebruikt worden,' zei Martelli tegen Moncada, terwijl hij zijn zoveelste sigaret opstak. 'Zonder hen zou het een verloren strijd zijn, al voordat we hem zijn begonnen.'

'Weet je wat Napoleon ooit zei? "Niets is zo vaak beslissend geweest tijdens mijn veldslagen, als spionnen, die een vervloekt en onzichtbaar wapen vormen. Niet de moed van de infanterie, noch die van de cavalerie, noch die van de artillerie",' zei Moncada.

Ze hadden Turatello naar binnen zien gaan met een van zijn plaatsvervangers, die een tas van blauwe stof droeg, zoals atleten in de sportschool gebruiken.

'Vreemd dat Turatello zelf de uitwisseling doet. Meestal stuurt hij een van zijn mannetjes,' merkte Martelli op.

Ze bleven wachten tot er wat gebeurde. Kort daarop schrok Moncada op, omdat drie mannen van Renatino's bende het hotel betraden: Antonio Caporale, bijgenaamd Napo, Roberto Sorbello, alias Mazzinga en een derde die hij niet kende.

Die patrouille bleek onverwacht heel goed uit te pakken… Moncada verzocht de centrale een extra overvalwagen te sturen. Een paar minuten later zag hij Turatello en zijn lijfwacht het hotel uit komen, met in plaats van de blauwe sporttas, een leren tas.

'Ze hebben geruild,' fluisterde agent Brizzi naar zijn baas. 'Wij volgen Turatello,' besloot Martelli.

'Ik blijf hier. Ik wil zien wat Napo in hetzelfde hotel doet als waar Turatello en de Sicilianen zijn samengekomen,' zei Moncada, terwijl hij uit de auto stapte. Hij keek om zich heen om te zien of de overvalwagen er al was. Ondertussen reed de 128 met de twee narcotica-agenten al weg, om Turatello en zijn rechterhand Angelo Infanti niet uit het oog te verliezen.

In de tussentijd, in de suite, was Gaipa klaar met het plunderen van de minibar, toen er iemand op de deur bonsde en zei: 'Roomservice.'

Tanino liep naar de deur en schreeuwde hardvochtig: 'Wegwezen, kom later maar terug.'

'Ik heb een cadeau voor u namens de directie,' ging dezelfde stem aan de andere kant verder. 'Ik zet het voor de deur neer.'

Tanino hield zijn oor tegen de deur en hoorde hoe het geklos van de ober wegstierf. Hij werd gek van nieuwsgierigheid. Hij opende de deur op een kier om te zien waar het om ging. Hij zag een karretje met etenswaren en een emmer met daarin een fles Moët&Chandon in ijs. Gaipa had zich op het zoveelste flesje uit de minibar gestort.

Het karretje met etenswaren werd als een stormram door twee mannen, die uit het niets verschenen waren, tegen de deur geduwd. De deur raakte Tanino, waardoor hij op de grond viel. Gaipa draaide zich om. Een van de twee woestelingen rende op hem af, greep de zware fles champagne en sloeg hier zijn hoofd mee in. Het glas brak niet, het hoofd van Gaipa, dat zo groot was als een watermeloen en hard als een kokosnoot, kraakte echter huiveringwekkend. Gaipa zakte in elkaar. Ondertussen kwam de ober terug, zette een bivakmuts op, kwam de kamer binnen en sloot de deur achter zich. De andere twee woestelingen droegen ook zwarte bivakmutsen. Ze richtten hun pistool op Tanino, die nog steeds op de grond lag. Hij stak zijn armen in de lucht, om aan de drie duidelijk te maken dat hij zich overgaf.

'Francis had gelijk toen hij zei dat het een fluitje van een cent zou zijn,' zei de langste en meest forse van hen, die de schedel van Gaipa had gebroken.

'Maak er een eind aan, idioot!' schreeuwde het kleintje, die als laatste binnen was gekomen en de leider van de groep moest zijn. Hij gaf de man die op de grond lag een trap met de punt van zijn schoen. 'Nou, waar is het geld?'

De blauwe tas met bankbiljetten lag nog op het bed. De man liep erheen. 'Laat me raden... het zit vast hierin?'

Hij pakte de tas en wierp er een blik in. De bankbiljetten zaten er inderdaad nog in.

'Weten jullie wel wie jullie beroven?' vroeg Tanino.

'Vertel het ons maar,' zei de leider van het trio.
'Dat geld is van de Corleonesen. Mijn baas laat jullie levend verbranden.'
'Ik tril helemaal van angst. Sta op!'
Tanino stond op en de robuuste man keerde hem de rug toe. Hij had nog steeds de fles Moët&Chandon in zijn hand.
'Waag het niet het geld mee te nemen. Jullie zijn ten dode opgeschreven als jullie dit doen. Jullie en Francis. Ik weet het goed gemaakt. Ik doe alsof er niets gebeurd is. Jullie laten me weggaan met de tas vol geld en ik red jullie...'
Hij kon zijn zin niet meer afmaken, want het kleine mannetje gaf de forse man een teken dat hij de schedel van de maffioos in moest slaan. Deze laatste viel op zijn knieën, met zijn gezicht tegen de grond, buiten bewustzijn.
'Jezus, Mazzinga, dat mocht ook wel wat zachter. Ze hoeven niet dood,' zei Napo terwijl hij zijn bivakmuts afzette.
Mazzinga en de ander, Cambogia, volgden zijn voorbeeld. 'Wat ik bij hem heb gedaan is wat overdreven,' zei Mazzinga terwijl hij naar Gaipa wees die op de grond lag. 'Maar bij hem ben ik voorzichtig te werk gegaan. Hem heb ik amper aangeraakt.'
Napo trok het koordje van de tas met geld aan. 'Laten we gaan, voordat er iemand aan komt.'
'Napo, heb ik mijn tekst goed opgezegd?' vroeg Mazzinga toen ze de kamer verlieten.
'Het was perfect, Mazzinga. Heb je het gehoord? Onze vriend is in de zeik genomen. Ik denk dat Engelengezicht vanaf nu een probleem heeft met zijn vriend Liggio.'

Inspecteur Perrone kwam op Moncada, zijn baas, af gereden met een flessengroene Fiat 850 coupé. Moncada had zich net op de stoel naast Perrone geïnstalleerd toen hij Napo en zijn twee kameraden uit de draaideur van het hotel zag schieten. Deze keer was de blauwe sporttas, waarmee de rechterhand van Turatello naar binnen was gegaan, in handen van Sorbello, alias Mazzinga.

18

Dubbele jacht

Na de doses van een kwart, een vijfde en een zesde actief ingrediënt, zoals chemici zeggen, te hebben klaargemaakt, begaf Turatello, nog steeds geflankeerd door Angelo Infanti, zich naar de wijk Giambellino. Deze buurt was beroemd geworden door een lied van Giorgio Gaber, dat ging over een zekere Cerruti Gino, een biljartspeler, die door zijn vrienden Drago werd genoemd. In die tijd trok de wijk verschillende soorten mensen aan. Het was net een film over de periode na de oorlog, een zwarte markt, met mensen die met starre en afgestompte gezichten van het ene café naar het andere liepen. En dan te bedenken dat er een paar jaar eerder in diezelfde cafés huisvrouwenloterijen werden gehouden, waar de winnaar worsten, pakken pasta en flessen olijfolie en wijn mee naar huis nam. Nu was heroïne het enige product waar op de markt vraag naar was.

* * *

Inspecteur Martelli en agent Brizzi hadden Turatello en Angelo Infanti geen seconde uit het oog verloren sinds ze het hotel uit waren gekomen. Ze waren hen voorzichtig gevolgd. Eerst naar de plek waar de heroïne in doses werd verdeeld en daarna naar hun volgende bestemming. Deze keer had Martelli het sterke gevoel dat hij Turatello te pakken zou krijgen. Hij had de drugs bij zich en dat was al genoeg voor een aanklacht. Maar Martelli wilde nog wachten. Hij wilde hem arresteren vanwege iets groters of met iemand die belangrijk was.

* * *

Engelengezicht wist wat voor brutale apen en ruziezoekers de jongens van Casoretto waren en ging daarom voor de kwaliteitsproef van de heroïne liever naar het huis van een van zijn 'paarden', naar een appartement in een groot gebouw in via Angelo Inganni, met afgebladderde muren, uitstekende vloertegels en een onbeschrijflijke chaos. Hoewel het midden op de dag was, was de woning in halfduister gehuld.

'Hoe kunnen jullie in deze zwijnenstal leven?' vroeg Turatello, terwijl hij een katoenen zakdoek voor zijn neus hield. 'Het stinkt hier naar schimmel. Doe de ramen open.'

Paolo, de huisbaas, wees hem de kamer waar de drie verslaafden zich al bevonden. Het waren twee jongens en één meisje met ontwenningsverschijnselen. 'De wc trekt niet goed door, daarom stinkt het hier zo, Francis.' De huisbaas probeerde zich te verantwoorden. Vervolgens wees hij naar de drie jongeren en zei: 'Dat zijn onze sommeliers.'

Angelo Infanti volgde hen en haalde de drie gemerkte zakjes uit de tas tevoorschijn. Hij deelde ze uit aan de drie menselijke wrakken. Ze waren niet ouder dan twintig. 'Geniet ervan, jongens. Dit zijn cadeautjes van oom Francis,' zei hij grijnzend.

De jongens en het meisje grepen het zilverkleurige zakje zoals een dorstige zich vast kan klampen aan een veldfles, na een week rondgezworven te hebben in de Sahara. Nadat ze de heroïne hadden ingespoten, leunden alle drie uitgeput tegen de muur, in afwachting van de flash. Angelo Infanti had het meisje, degene die er het slechtst aan toe was, het zakje met nummer vier erop gegeven, het zakje met de grootste hoeveelheid heroïne. Dat zou zeer snel effect moeten hebben, maar de minuten schreden voorbij en er was geen enkele reactie zichtbaar. Het meisje begon zich niet goed te voelen. Ook de andere twee werden rusteloos en sloegen op hun arm, alsof daardoor de drug beter in hun bloed werd opgenomen. Maar de 'klap', zoals zij het noemden, bleef uit. Turatello vloekte en begon zich af te vragen of zijn maffiavrienden hem rotzooi in de maag hadden gesplitst. Hij had voor niets tien miljoen lire betaald. Hij had nooit verwacht dat ze hem zo zouden verraden... tenzij ze achter zijn band met de Marseillanen waren gekomen en hem het leven zuur wilden maken...

* * *

Napo, Mazzinga en Cambogia stapten, zodra ze het hotel hadden verlaten, in een snelle Alfa 2000 en reden weg van corso Matteotti, in de richting van Porta Volta, om vervolgens naar Comasina te gaan, waar Renatino een nieuwe schuilplaats had geregeld.

Perrone kon met de 850 coupé dicht achter de Alfa blijven, ook omdat het verkeer die middag niet erg hard reed. 'Ze gaan naar Comasina,' constateerde Moncada.

'Dat is hun buurt. Veel van hen wonen daar,' zei Perrone, die dit had uitgezocht.

Eindelijk waren de drie op hun eindbestemming. De schuilplaats was een rijtjeshuis aan de noordgrens van de wijk, in via Calizzano, een privéterrein, liggend aan een groot grasveld met een aantal kassen erop. Het was moeilijk om daar ongemerkt langs te rijden.

Moncada bracht de auto aan het begin van de straat tot stilstand, in via della Comasina en stelde vast wie wanneer zou surveilleren. Het doel was de grootste vis te vangen, Renatino, de bendeleider.

Een paar dagen later werd het geduld van de gerechtelijk onderzoekers beloond.

Op een morgen verliet Renatino het huis. Hij stapte in de Alfa 2000 en reed naar Porta Ticinese. De agenten hadden opdracht gekregen hem niet te volgen, maar uit te zoeken in welke van de rijtjeshuizen hij woonde. De twee agenten liepen de straat door en vroegen aan de eerste vrouw die ze tegenkwamen of ze de man kende die zojuist wegreed in de Alfa. Zij vertelde hun dat hij een van de nieuwe bewoners was van nummer 16.

De twee agenten waarschuwden vicecommissaris Moncada, die vervolgens kort daarna samen met zijn onafscheidelijke collega Perrone op de plek verscheen. De vier mannen klommen zo onopvallend mogelijk over het hek van nummer 16 en liepen zachtjes de trap op die naar de ingang van de woning leidde. Ze klopten aan. Even later deed een covergirl de deur open.

'Ben je wat vergeten, lieverd?' vroeg Veronica terwijl ze de deur opende. Ze droeg een doorschijnende lichtblauwe babydoll en had haar lange haar met een indianendoek bijeengebonden, volgens de hippiemode. De twee agenten konden nog net zien dat ze onder haar peignoir alleen een bloemetjesslip droeg en geen bh, maar ook dat de jonge vrouw zwanger was. Zodra Veronica de vreemdelingen zag, probeerde ze de deur dicht te doen, maar Moncada was haar te vlug af. Hij duwde haar naar binnen, terwijl Perrone met zijn handen als kolenschoppen haar mond bedekte, zodat ze niet kon schreeuwen. De twee agenten inspecteerden het huis. Al snel kwamen ze terug en zeiden: 'Er is niemand.'

'Als je belooft niet te schreeuwen, laat ik je ademhalen,' zei Perrone in haar oor. Ze schudde angstig haar hoofd en pas toen liet de inspecteur haar los.

Perrone en een van de agenten brachten het meisje naar het politiebureau en Moncada en de andere agent bleven rustig wachten tot Renatino weer terug was. Ze wachtten de hele ochtend. Rond het middaguur werd er aan de deur gebeld. De vicecommissaris deed open en stond oog in oog met Renatino. Het lukte de laatste om zijn verbijstering te bedwingen. Hij had aan één blik genoeg om te weten dat Veronica was afgevoerd. Hij probeerde niet te vluchten, maar nam de rol van verbaasde burger op zich. 'En wie zijn jullie in hemelsnaam?'

'Ik ben vicecommissaris Moncada. En jij bent Renatino, nietwaar?'

'Waar is mijn vrouw? Waar is Veronica? Waar hebben jullie haar heen gebracht?' schreeuwde hij terwijl hij als een bezetene langs alle kamers liep om te kijken of zijn vrouw daar was.

'Je moet met ons mee naar het bureau. Het is maar een formaliteit.' Moncada sprak zachtjes om de jongen niet kwaad te maken.

'Ze is zwanger, ze mag zich niet inspannen. Ze verwacht een zoon van mij! Ik begrijp niet wat jullie van me willen. En bovendien behandel je fatsoenlijke mensen niet zo.'

'Ik heb gezien dat je in een Alfa 2000 reed, maar klopt het dat je ook een spiksplinternieuwe Porsche hebt?' vroeg Moncada terwijl hij wegliep bij het raam. 'Jij boft, ik kan net een 600 kopen van mijn maandsalaris van honderdveertigduizend lire. Kun je me uitleggen hoe het komt dat je zoveel geld hebt op jouw leeftijd?'

'Commissaris, ik heb een neus voor zaken. Of eigenlijk, mijn partner.' Renatino stak een sigaret aan en blies de rook in het gezicht van de commissaris.

'Kun je me zeggen hoe die heet?'

'Natuurlijk, dat is geen geheim. Hij heet Antonio Caporale.'

'Wie, Napo?' vroeg Moncada ongelovig. 'Die heeft niet eens de brugklas afgemaakt.'

'Je hoeft niet afgestudeerd te zijn om zaken te kunnen doen tegenwoordig.'

'De zaken moeten jullie voor de wind gaan. Hij had namelijk ook op 15 februari een luxe auto, een BMW, gekocht voor drie miljoen. Is het niet?' vervolgde de detective.

'Dat gaat me niets aan, en bovendien werken we samen met een autoshowroom, dus is het niet zo vreemd dat we auto's kopen en verkopen.'

'Goed, dat zal ik dan aan hém vragen. Ik denk dat hij inmiddels wel op het bureau op me wacht. Maar weet jij wat 15 februari voor een dag was?'

'Neem me niet kwalijk, commissaris, maar wat stelt u me in godsnaam voor vragen?'

'Ik zal je vertellen wat voor een dag het was. Het was de dag na Valentijnsdag. De dag van de overval op de Esselunga in via Monte Rosa. Jullie hadden nauwelijks de buit verdeeld of jullie gingen al met contant geld een auto kopen. Tegenwoordig kun je zelfs je vrouw met een wissel kopen.' Moncada begon zijn geduld te verliezen.

'Luister, commissaris, ik heb geen idee waar u het over heeft. Ik wil mijn vrouw ophalen.'

'Ken je Mario Cantarella?'

'Nooit van gehoord.'

'Misschien zegt Cambogia je iets? Zo staat hij beter bekend.'

'Nee, sorry. Daar heb ik nog nooit van gehoord.'

'Vreemd, omdat jullie samen gezien zijn in de kroeg van de gebroeders Basso, in Comasina.'

'Dan verwarren ze me met iemand anders.'

'Ook Cambogia is verdwenen op de dag van de overval.'

'U blijft maar raaskallen, commissaris. Als u me ergens van beschuldigt, arresteer me dan en laat me anders mijn vrouw ophalen.'

'Je blijft haar maar vrouw noemen. We weten heus wel dat dat je vrouw niet is.'

'"Dat" is de moeder van mijn kind.'

'Zegt de naam Guido Rossi je iets?' Moncada besloot nog verder te gaan.

'Nee, nooit van gehoord. Is dat een nieuwe voetballer?'

'Dat is een verdediger, maar niet van een voetbalteam maar van een pand in via Ciardi.'

'Ik weet niet eens waar dat is. Is dat in Milaan?'

'Ja, bij San Siro in de buurt. Deze man en een aantal bewoners hebben jou de ochtend van de overval met Veronica rond zien hangen bij de vuilnisemmer waarin je tijdens de vlucht een deel van de buit hebt verstopt om dit bij je vrienden weg te houden.'

'Dat is een leugen. Ik zou mijn vrienden nooit bedriegen. De waarheid is dat u, commissaris, geen enkel bewijs tegen mij heeft en geen poot heeft om op te staan.'

'We hebben een compositietekening van jou en je mevrouw die zo nauwkeurig zijn dat het foto's lijken. Deze keer kom je er niet zo makkelijk van af. We gaan naar het bureau, proces-verbaal opmaken.'

Moncada wist dat Renatino over één ding gelijk had: er was geen bewijs tegen hem. De beschrijving van de ooggetuigen was te weinig om hem ergens van te beschuldigen. Hij kon hem echter in hechtenis houden in afwachting van het onderzoek, in de hoop dat er in de tussentijd overtuigend bewijs opdook.

Toen ze bij via Fatebenefratelli aankwamen wachtte hun een verschrikkelijk bericht. Veronica was naar het ziekenhuis gebracht vanwege een mogelijke miskraam. Tijdens het verhoor was ze begonnen te bloeden. De vicecommissaris wilde met Spampinato praten, de inspecteur die haar het verhoor had afgenomen, om uit te zoeken wat er precies was gebeurd. Van Spampinato was algemeen bekend dat hij losse handjes had als het op overvallers of hippies aankwam. Hij gebruikte een natte, in elkaar gedraaide doek om hen tot praten te dwingen. Die liet geen blauwe plekken achter maar was even krachtig als een hamer. De agent ontkende de doek te hebben gebruikt, maar was alleen geweest met de vrouw tijdens de ondervraging. Niemand zou ooit kunnen bevestigen of hij de waarheid sprak.

Zodra Renatino hoorde wat er gebeurd was begon hij de agenten en gerechtsdienaren uit te foeteren. Vier agenten waren niet genoeg om hem in bedwang te houden. Hij spartelde alsof hij last had van stuipen, vloekte en tierde tegen de commissarissen en tot wie het maar tegen hem opnam. Uiteindelijk zakte hij vermoeid en doodsbang ineen en ondersteunden de agenten hem naar een van de cellen op het bureau.

* * *

De forensisch onderzoekers keerden de schuilplaats in via della Conchetta en het rijtjeshuis in via Calizzano binnenstebuiten, zonder echter iets te vinden wat Renatino met de overval op de supermarkt in verband kon brengen. Toen vond een agent in de paraplubak in via della Conchetta een versnipperd stuk ruitjespapier. Hij leegde de bak op tafel en begon de stukjes papier als een puzzel in elkaar te passen. Toen hij klaar was kon hij vaststellen dat het papier gebruikt was om al het gestolen geld van de supermarkt bij elkaar op te tellen. Het totaal van de som was 41 miljoen en 755 duizend lire, precies de gestolen buit, min het gevonden geld in via Ciardi. Dit was het bewijs waar Moncada naar op zoek was. Eindelijk had hij Renatino en zijn bende in de tang.

Het Openbaar Ministerie had slechts een lijst samengesteld met aanwijzingen met betrekking tot de overval op de Esselunga. Bewijs dat het echt Renatino was geweest die de supermarkt had overvallen, was er niet, op het blaadje met de berekening van het geld na. Toch vond de rechter dit genoeg en veroordeelde hem tot zes jaar cel.

Veronica werd samen met hem gearresteerd. Haar straf was echter milder. Zij kwam er vanwege haar zwangerschap van af met een paar maanden.

19

Meerdere ijzers in het vuur

Na de gewelddadige actie in Hotel Boscolo lieten Tanino en Antonio Gaipa, beiden met een gat in hun hoofd, zich verzorgen door een bereidwillige arts. Hij omzwachtelde beide hoofden.

Toen ze zich bij Liggio meldden en hem vertelden hoe ze waren toegetakeld, maar bovenal wat ze een van hun belagers hadden horen zeggen over Engelengezicht, wist de boss zeker dat Turatello hen gestuurd had. Ze hadden niet alleen het voorschot voor de waar mee teruggenomen, maar ook twee van zijn betrouwbaarste mannen uitgeschakeld. 'De maffia heeft geen haast,' zei hij tegen de twee. 'Ik verbaas me vooral over het feit dat Renatino, na de aanslag op zijn familie, niet gereageerd heeft. Ik dacht dat het een man van eer was, iemand met ballen. Hij was degene die de rekening met Turatello moest vereffenen.' Liggio wilde zijn handen niet vuilmaken aan het petekind van Frank Drie Vingers. Hij had al genoeg problemen en was niet van plan ruzie te zoeken met een peetvader van Franky's kaliber.

Hij kon niet weten dat het niet de mannen van Turatello waren geweest die hun het drugsgeld afhandig gemaakt hadden, maar juist die van Renatino.

'Hoe moeten we Turatello aanpakken?' vroeg Tanino.

'Alles op zijn tijd. Ik zei al dat we geen haast hebben. Maar die verrader zal ons alles terugbetalen wat hij heeft gestolen, tot op de laatste lire.'

* * *

Aan de andere kant van de stad ging Stalin de biljartzaal binnen waar hij had afgesproken met Turatello's mannen. In de verte zag hij de gebogen vadsige figuur van de leider al, klaar om te stoten, en hij liep op hem af.

'Francis, we hebben eindelijk de Opel gevonden,' zei hij terwijl hij hem naderde.

'Ik wil wel graag weten wie de klootzak is die het lef heeft gehad om mijn auto te stelen,' zei Turatello en hij sloeg met zijn keu op tafel. 'Waar hebben jullie hem gevonden?'

Stalin twijfelde even voordat hij het hem vertelde. 'In via Fatebenefratelli, precies voor het politiebureau. Er zat ook een bekeuring achter je ruitenwisser.'

Turatello bleef kalm. Dat was een echte provocatie. Dat betekende dat zijn auto niet toevallig gestolen was. 'En in wat voor staat verkeert hij?'

'Er mankeert weinig aan, maar onder de stoelen hebben ze hulzen van een uzi gevonden.'

'Een dreigement?'

'Er is nog meer.'

'Moet ik het uit je trekken? Wat is er nog meer?' schreeuwde Turatello.

'Renatino's huis is beschoten. Hij was thuis, samen met zijn vrouw, of vriendin, of wat ze ook is... Ze zijn niet dood, zelfs niet gewond. Een paar vrienden hebben me verteld dat iemand er opdracht voor gegeven heeft. Ze hebben blind op de deur en ramen geschoten en daarna zijn ze in jouw Opel gevlucht.'

'Renatino barst van de vijanden. Maar waarom mijn auto?'

'Het is overduidelijk dat ze je te grazen willen nemen. Misschien kun je beter een alibi regelen voor die dag.'

'Je moet die hufter van een Renatino voor me zoeken en hem zeggen dat ik hier niets mee te maken heb. Het lijkt alsof ze ons tegen elkaar op willen zetten.'

'Dat denk ik ook,' antwoordde Stalin.

'Eerst die oplichterij en nu deze aanval op Renatino... Ik wil niet dat de maffia me onder schot heeft. De Sicilianen zitten verwrongen in hun vendetta's, ik moet met het ergste rekening houden. Ik ben bang dat ze van ons akkoord met de Marseillanen op de hoogte zijn,' eindigde Turatello bezorgd.

* * *

Aan het eind van de dramatische opstand in 1969 werd San Vittore bijna geheel verwoest door de gevangenen, die hervorming van de wet en menselijke waardigheid eisten. Ondanks de beloftes van de kant van de gevangenisdirectie, betekenden de verbeteringen slechts een aantal extra douches, meer eten en een likje witte verf voor de cellen. De behandeling van de gedetineerden bleef wezenlijk hetzelfde als daarvoor.

Toen de hekken van San Vittore zich voor de tweede keer voor Renatino openden, stond er een nieuwe opstand gepland, georganiseerd door de maffiabazen van de vijfde afdeling. Hun protest was gericht tegen de uitbuiting van de gevangenen die belast waren met klusjes in de gevangenis: van de schoonmaak van de verschillende secties tot aan de verwerking van het afval en de bediening in de kantine.

Renatino was zich ervan bewust dat deelname aan een opstand altijd schade aanrichtte. Maar alle gevangenen namen dit risico voor lief, om zich mannen te kunnen blijven voelen.

In de ogen van de gevangenisgemeenschap leverde een oproer alleen maar voordelen op. Het zorgde er vooral voor dat de gedetineerden hun gevoel voor eigenwaarde weer terugkregen. Verder dwongen ze op deze manier de directie hun kleine privileges te verlenen, maar bovenal werd het grote publiek op het gevangenisprobleem gewezen. De delinquenten hechtten de meeste waarde aan het feit dat er tijdens een opstand geen sprake meer was van afdelingen en van rivaliteit, die het leven in de gevangenis karakteriseerden. Ze streden samen tegen één vijand: het autoritarisme van het personeel en de directeur.

Toen hij aankwam in San Vittore waren de verhalen over zijn heldhaftige en onverschrokken overvallen hem voorgegaan. Voor die misdaden moest hij zes jaar in de cel zitten. Hij was inmiddels bekend bij en werd gerespecteerd door oude maffiabazen die meteen om zijn steun vroegen bij het protest dat ze besloten hadden te organiseren. Renatino stond niet te trappelen om hen op die weg te volgen, maar wilde ook niet ingaan tegen de wil van de meerderheid. Hij hoopte naar Milaan of misschien wel naar Asinara te worden overgeplaatst. Hij probeerde hen te overtuigen ervan af te zien, maar de beslissing was al genomen.

De opstand begon 's middags, toen de gevangenen na het luchtuur weigerden naar hun cel terug te keren. Na de zoveelste weigering schakelde de directeur de hulp van de politie in.

De leiders van het protest gebruikten geen geweld toen ze hun eisen duidelijk maakten. Ze wilden geen chaos veroorzaken. Ondanks de opstand van een paar jaar eerder, werd de gevangenis slechts omringd door een handjevol carabinieri met wapenstokken en helmen. Al snel voegde de Mobiele Eenheid zich bij hen.

Het nieuws van de opstand verspreidde zich als een lopend vuurtje in de stad en bliksemsnel stond er een mensenmenigte voor de muur van San Vittore, vanaf piazzale Aquilei tot op de hoek van viale di Porta Vercellina. Er waren mensen bij die simpelweg nieuwsgierig waren, maar het waren voornamelijk familieleden en vrienden, naast de gewoonlijke extreemrechtse groeperingen. Deze laatste begonnen slogans te schreeuwen: 'Laat onze vrienden vrij, sluit de directie op.' Of: 'De enige vorm van gerechtigheid is die van het proletariaat.'

Maar deze keer verviel het tumult niet van kwaad tot erger. Er vlogen een aantal stenen door de lucht en er werden een paar brandende proppen papier uit de nissen in de cellen gegooid, maar meer gebeurde er niet. 's Avonds lieten de gevangenen zich in colonnes tegen de muur zetten. Daarna werd hun bevolen terug te gaan naar hun cel en werden ze gedwongen door een tunnel te lopen, gevormd door een dubbele rij ME'ers en cipiers. Deze laatsten begonnen hen woest toe te takelen met hun wapenstok en riem, op hen in te slaan, hen te schoppen en hen zelfs met kettingen met hangsloten te geselen. Ze gingen willekeurig te werk. Ze richtten hun wrok, sadistische woede en wraakgevoelens op iedereen, zonder aanzien des persoons: jong, oud en ziek of herstellend in de ziekenboeg op de vierde afdeling. Honderdvijftig gevangenen waren weer terug in de schoolbanken. Ze werden geboeid in groepjes van vijf, in militaire vrachtwagens gezet en vervolgens naar Genua getransporteerd. Niemand werd toegestaan zijn persoonlijke eigendommen mee te nemen. Er zaten gevangenen bij die alleen een onderbroek aanhadden. Hun gezichten waren beurs, bebloed en opgezwollen. Sommige gedetineerden hadden blauwe ogen, gebroken ribben, pijnlijke testikels, barstende hoofdpijn en toch werden hun herhaaldelijke verzoeken en smeekbedes om medische hulp afgewezen door de bewaker die hen escorteerde.

Toen ze waren aangekomen in Genua, werden ze in het ruim van een veerboot geladen, die hen naar Sardinië zou brengen, naar de gevangenis die als Cayenne voor de gevangenen werd beschouwd, erger dan Asinara: Mamone.

Renatino werd echter, met nog honderdvijftig ongelukkige medegevangenen, naar drie wagons geleid die speciaal door de Italiaanse staatsspoorwegen ter beschikking waren gesteld, met als eindbestemming de gevangenis van Bari, die bij alle gevangenen beter bekendstond als 'de gevangenis van de schaamte'.

Hij was woedend, vooral op zichzelf omdat hij was ingegaan op de voorstellen van de vier schijnmaffiabazen, die zich hadden overgegeven zonder zelfs maar de tijd te hebben gehad om hun argumenten tentoon te spreiden. Nu zat hij daar, duizend kilometer verwijderd van huis, zonder de mogelijkheid zijn familie te zien. Hij dacht aan Veronica. De gevangenis was niet de ideale plek om haar zwangerschap te volbrengen.

Hij voelde zich diep schuldig dat hij haar in gevaar had gebracht. Deze keer was de politie mild geweest, vanwege haar vergevorderde zwangerschap. Hij moest ook die vicecommissaris bedanken die zulke maatregelen als eerder waren gebruikt door zijn collega, niet duldde in zijn bijzijn.

Toen de bewaker de opstandelingen van San Vittore overhevelde aan de bewaarders van de gevangenis in Bari werden ze welkom geheten door wat wel de grootste rotzak van allemaal moest zijn: 'Daar zul je de Milanese rebellen hebben. Hier zullen we jullie die streken die jullie in je kutkop halen eens afleren. Hier vegen we de vloer met jullie aan.' Zodra hij klaar was met zijn korte preek werden ze, ondanks de kou en de vochtigheid, uitgekleed en grondig onderzocht en vervolgens naar hun cel gebracht.

Renatino werd met vijf andere gevangenen in een kamertje van twaalf vierkante meter gegooid. De gevangenis maakte haar sinistere faam waar. De muren zaten onder de vochtvlekken, de pleisterkalk bladderde af, de elektrische installatie werkte op antieke geheugenkabels en de leidingen lekten ondefinieerbare soorten vocht. Het kleine hurktoilet werd door een metalen schotje dat op meerdere plekken verroest was, gescheiden van de rest. De urinestank was in de muren gedrongen, maar na een tijdje wenden de gevangenen er gelukkig aan en was het niet meer zo erg als toen ze de ruimte net betraden. Er stonden drie stapelbedden tegen de muur. Als iemand een idee wil krijgen van hoe de hel op aarde eruitziet, was deze cel een goed voorbeeld.

* * *

Francis Turatello maakte zich zorgen over zijn veiligheid. Voor hem, die altijd met de maffia te maken had gehad, was het overduidelijk wat de bedoeling was van de drugsmiskoop. Als een maffiabaas vindt dat je zijn aandacht niet meer waard bent en je bedorven waar levert, is het zaak je serieus zorgen te gaan maken over je leven.

Turatello besloot daarom dat het beter was om te verdwijnen, zodat hij de tijd had om uit te zoeken of hij zich echt niet meer kon vertonen in Milaan.

Hij had in die tijd een nieuwe vlam, een ex-stripper uit de Roxy.

'Zullen we op vakantie gaan?' vroeg hij opeens op een avond.

'Waarheen?' vroeg Carmen, een typische mediterraanse schone, met een donkere huid, donkere ogen, stevige heupen en borsten waar de klanten in de Roxy wild van werden.

'Waar jij heen wilt. Zee of bergen?'

'Zee.'

'Italië of het buitenland?'

'Italië, lieverd. En weet je waar? Naar Favignana.'

'Naar je familie?'

'Mijn familie komt uit Terracina. Misschien kunnen we daar op de terugweg wel even langswippen. In Favignana is een klein superromantisch huisje aan zee, vlak bij een haventje. Je vindt het er vast leuk,' zei ze terwijl ze Francis naar zich toe trok met haar sterke armen.

'Oké, dan gaan we naar Favignana,' antwoordde Turatello. En hij zoende haar op haar mond.

Na de smog in Milaan waren de dagen op het Siciliaanse eiland als een droom, in de vorm van een smaragdgroene zee, een kristalheldere hemel en oude landschappen. In Favignana vergaten ze al hun problemen, die ze duizend kilometer achter zich hadden gelaten.

Carmens passie deed de rest. Turatello was even van plan naar het eiland te verhuizen. Hij was rijk genoeg om de rest van zijn leven te kunnen rentenieren en had het paradijs gevonden. Dat was tenminste wat hij dacht.

Zijn aanwezigheid op het eiland bleef echter niet onopgemerkt. Turatello was niet iemand die ongemerkt kon langslopen en ditzelfde gold voor Carmen, die zo mooi was dat zelfs beelden zich omdraaiden, laat staan de oude vissers in het dorp. Hun vrouwen zagen er zelfs toen ze jong waren al uit als oude vrouwtjes, getekend door een leven vol ontberingen en opofferingen. Ze keken hun ogen uit naar haar pronte vormen, nauwelijks verhuld door haar piepkleine bikini. En niet alleen zij. Velen zouden haar voor Sophia Loren aanzien, als ze niet zulke dikke haren had die zwart waren als gefossiliseerde lava.

De fotograaf van het dorp, die naast het vastleggen van bruiloften ook artistieke ambities had, had kans gezien een paar kiekjes van de twee toeristen te schieten, toen ze elkaar knuffelden op een vissersbootje dat voor anker lag in het turkooizen water van Cala Rossa.

In de zomer was deze baai een van de drukst bezochte baaien door toeristen, vanwege zijn Caribische water, maar in de lente, buiten het seizoen, was het vissersbootje van Francis en Carmen het enige dat op de golven deinde. Omdat Carmen dacht dat ze alleen waren, begon ze Francis overal op zijn zachte huid te kussen. Ze beet hem en zoog op zijn tepels. Hij liet haar begaan, tot hij gek werd van verlangen en het niet langer uithield. Hij zette haar met haar buik tegen de rand van de boot en nam haar van achter.

Dat waren de interessantste foto's van de reportages van Federico de fotograaf, omdat daarop ondanks de afstand, en dankzij een grote telelens, duidelijk de vormen van Francis en die van zijn vrouw, die meer genoot dan ze ooit in haar leven gedaan had, zichtbaar waren, terwijl ze seks hadden op het ritme van de deinende golven.

Federico liet de foto's discreet circuleren in zijn vriendenkring en een daarvan kende Luciano Liggio. Binnen een paar dagen bereikte een van de meest expliciete foto's Milaan en viel in handen van de leider van de Corleonese maffia.

'De verrader, voor wie niets genoeg is,' zei Liggio terwijl hij naar de foto keek. 'Ik wil Toni Riccobene spreken. Breng hem bij me,' beval hij Nico Occhipinti.

Toni Riccobene was een van de betrouwbaarste moordenaars van de Corleonesen, maar maakte geen deel uit van de familie, hoewel hij wel een Siciliaan was. Riccobene wilde liever als onafhankelijk beschouwd worden, iemand van wie alleen gebruik gemaakt werd als er politieke factoren in het spel waren, wanneer het beter was niet direct de organisatie bij de wandaad te betrekken, omdat er anders onderlinge strijd zou ontstaan. Er waren weinig betrouwbare moordenaars die ook nog discreet waren. De Corleonesen, die niemand vertrouwden behalve zichzelf, waren altijd tegen het gebruik van deze onafhankelijke en ongebonden lieden. Maar omdat het Turatello betrof, was Liggio gedwongen een uitzondering te maken. De reden daarvoor zal snel duidelijk worden. Turatello was de pupil van Frank Drie Vingers, een maffiabaas van over de zeventig, die echter nog steeds iedereen de wet voorschreef, dankzij de macht die hij had verworven door de drugshandel aan de Romeinse kust. Liggio wilde Frank niet tegen zich in het harnas jagen en daarom schakelde hij een killer van buiten in.

'Doe het op zo'n manier dat het een overval lijkt met een dramatische afloop,' raadde hij Toni Riccobene aan. 'Steel iets van hem, zijn Rolex, zijn portemonnee, maar vermoord hem daarna. Het moet eruitzien als een toevallige misdaad, niet als een executie, begrepen?'

'Ja, baas. Ik heb het begrepen. Het zal moeilijk zijn om hem alleen te verrassen. Hij zit voortdurend aan die hoer vastgeplakt,' merkte Toni op.

'Het is niet anders. Dan zul je ook de hoer moeten omleggen, als het je echt niet lukt om hem alleen te krijgen,' antwoordde Liggio onverschillig.

'Als dat voor u geen verschil maakt. Ik lig zeker niet wakker van een extra lijk.' Om zijn schaamte te verbergen streek hij door zijn graankleurige haar. Deze keer was hij wat uitgeschoten met de kleur.

'Beslis maar op het moment zelf.' Vervolgens richtte hij zich tot Occhipinti: 'Help jij hem met zijn benodigdheden.'

'Ik kus uw handen, baas.' Nadat hij dit gezegd had verliet Toni Riccobene de kamer, gevolgd door Nico Occhipinti.

20

Een bijzondere vakantie

Een paar dagen na hun aankomst in de zeer gevreesde gevangenis van Bari, liet de directeur, in de aanwezigheid van de kapelaan en de boekhouder, alle rebellen van San Vittore – zo werden de gevangenen die met de drie speciale wagons waren gekomen inmiddels genoemd – bijeenroepen.

Renatino en zijn vijf celgenoten kwamen nu eindelijk oog in oog te staan met de directeur, die onder alle gevangenen in Italië berucht was om zijn wreedheden. Zijn naam alleen al, Algiso Lopez, bezorgde de gedetineerden die hem kenden rillingen.

Ze zagen hem achter zijn bureau zitten, geflankeerd door zijn twee 'beschermengelen', de kapelaan met zijn soutane, en de administrateur van het gebouw. De directeur, een pezige man met hoge slapen en van onduidelijke leeftijd, zei dat ze vrijuit konden spreken en alles op konden biechten aan de tuchtraad.

'Directeur,' begon Renatino gewaagd, 'als ik moet biechten, moet ik eerst een misdaad begaan hebben.'

'Laten we het dan zo doen,' de directeur leunde tegen de rugleuning en nam de zes gevangenen op. Daarna liet hij zijn blik op Renatino rusten, die de confrontatie aanging. 'Als jullie bekennen dat jullie een bewaker wilden gijzelen, geef ik jullie niet aan. Anders ben ik genoodzaakt jullie allemaal strafbaar te stellen.'

'Geef me maar aan. Daarna zal de rechter vaststellen wie er zijn macht misbruikt heeft,' zei Renatino provocerend.

De directeur negeerde hem en wendde zich tot de andere vijf. 'En jullie? Denken jullie er hetzelfde over?'

De anderen gaven hetzelfde antwoord als Renatino, waarop de directeur, zeer ontstemd, de bewaker het teken gaf hen terug te brengen naar hun cel.

Die middag, rond drie uur, kwam de sergeant met de brigadier hun cel binnen. 'Jij bent Renatino, nietwaar? Maak je klaar. Je gaat op vakantie,' commandeerde hij op sarcastische toon.

'Vakantie' betekende in de gevangenis van Bari dat de gevangene naar het cellenblok ging waar hij op de grond moest slapen, op zakken gevuld met maïsbladeren, zonder laken en met een vieze, stinkende lap als deken. De zakken en de deken werden 's morgens om zes uur verwijderd en 's avonds om zeven uur teruggegeven. Dit waren de enige meubels. Verder kregen de gevangenen hier maar tien minuten frisse lucht per dag, naar goeddunken van de bewakers, de helft van het voedsel dat ze eerst kregen en werden ze kaalgeschoren.

Ook Renatino moest hieraan geloven. Hij onderging de dwangmaatregelen met grote moeite, meer in geestelijk dan in fysiek opzicht, en wist geen betere vergelding dan zijn tirannen met een spottende glimlach te trotseren. Om middernacht stopten ze een andere gevangene bij hem in de cel, een zekere Sergio. Hij was nog maar een jongen en huilde onophoudelijk. In zijn gezicht en op zijn lichaam had hij talloze blauwe plekken. De sergeant had hem opgedragen de vloer te kussen en toen hij weigerde was hij door de bewakers met vuisten en schoenen bewerkt.

Dat ging ook Renatino te ver, die uit protest tegen dat ongegronde misbruik vanaf die dag zijn eten liet staan. Na twee dagen vasten kwam de dokter vragen wat de reden was voor zijn hongerstaking. Renatino legde uit dat hij het niet eens was met het onrecht dat hun allen werd aangedaan. De dokter beval degene die verantwoordelijk was voor het eten in de cellen hem minstens vijf dagen geen eten te brengen, alsof het een versterkend middel betrof. Vanaf toen begreep Renatino dat met werknemers in de gevangenis niet te praten viel. Daar gold alleen de wet van de sterkste. Hij wist nu hoe hij zich voortaan moest gedragen.

Een aantal dagen later hoorde hij dat een kameraad in een van de cellen in de buurt zijn beklag had gedaan en een glasscherf had ingeslikt. Hij schreeuwde dat hij bezoek wilde, maar de wachtcommandant antwoordde: 'Je bent een klootzak en het kan me niet schelen dat je pijn lijdt. Niemand huilt om jou.' De dokter kwam hem tien dagen na het gebeurde bezoeken en schreef hem een dieet van tien dagen rijst en één aardappel verdeeld over vijftien dagen voor.

Zo bracht Renatino tweeëndertig lange dagen door, die hem moreel en fysiek te gronde richtten, totdat hij op een avond bij de directeur geroepen werd en hem verteld werd dat hij de laatste twee maanden van zijn straf daar niet meer hoefde uit te zitten. Hij werd teruggebracht naar zijn oude afdeling. Hij was zo verzwakt dat zelfs zijn maten moeite hadden hem te herkennen.

Toen hij terug was op zijn 'normale' afdeling voelde hij zich alsof hij met één voet in het paradijs stond. Hier kon hij tenminste met zijn celgenoten praten, roken en kranten lezen. Hij las in een oude krant van een paar weken eerder een nieuwtje dat hem erg verontrustte.

Op de voorpagina van de *Corriere della Sera* las hij: 'Tragedie in de Siciliaanse hemel. Een vliegtuig van Alitalia stort neer in Palermo. 115 doden.' In de samenvatting stond kort wat er gebeurd was: 'Een DC-8 met 108 passagiers en 7 bemanningsleden aan boord is vanavond rond 22.00 uur neergestort in de bergen bij Carini, vlak voordat hij op vliegveld Punta Raisi zou landen. Het vliegtuig was om 21.46 uur vertrokken uit Rome. De brandweer en de carabinieri proberen de plek van de ramp op Montagna Longa te bereiken.' Hij dacht terug aan zijn ontmoeting met de fascistische terrorist Dalmasso, zo onbetrouwbaar en vals als Judas. 'Als ik je vraag om een bom in een vliegtuig te plaatsen, moet die bom op de grond pas ontploffen, wanneer er niemand meer aan boord is. Het dient alleen maar als waarschuwing, om te laten zien dat we toe kunnen slaan waar en wanneer we maar willen.' Hij herinnerde zich de woorden nog precies, ze stonden in zijn geheugen gegrift. Hij las het artikel aandachtig. De apotheker van het dorpje Carini was de eerste geweest die alarm had geslagen en de journalist citeerde zijn verklaring van dat moment: 'Ik heb een vliegtuig neer zien storten. Het lawaai en de vlammenzee waren enorm. Ik heb duidelijk gezien dat het in brand stond. Het is vlak na de bergen in mijn dorp gecrasht.' Dat was dus het smerige werk dat ze hem hadden gevraagd te verrichten.

Zijn woede over die manier van politieke strijd voeren nam steeds meer toe. Hij draaide door. Hij zou de wereld wel in brand willen steken, het gehele menselijk ras en helemaal opnieuw beginnen. Wat hem echter veel verdriet zou bezorgen de volgende dagen, was een telegram van Veronica. Voordat hij het opende, bekeek hij de datum waarop het verstuurd was. Het was van meer dan zes weken geleden! Hij opende hem, in de hoop dat er niets ergs in stond. Maar het was geweldig nieuws, het eerste goede nieuws sinds veel zwarte dagen, weken en maanden. Er stond: 'Hij (of zij) leeft nog en heeft het gered. Dat wil zeggen dat hij net zo koppig is als jij, lieverd van me. Ik kom je opzoeken zodra ik op kan staan uit bed. Getekend, Veronica.' Veronica had dus geen miskraam gehad. Zijn zoon leefde nog! Renatino wist niet of hij moest huilen van vreugde of moest lachen van woede omdat het telegram hem zo laat onder ogen was gekomen. Veronica had zich vast van alles in het hoofd gehaald, toen ze geen antwoord kreeg. Hij was woest. Hij begon met een aluminium beker tegen de tralies van zijn cel te slaan en schreeuwde ondertussen: 'Klootzakken! Mijn zoon leeft en ik wist van niets! Directeur, wie denk je wel niet dat je bent! Vanaf vandaag zul je achterom moeten blijven kijken! Als ik vrijkom maak ik je af! Dan gebruik ik je hoofd als voetbal en plas ik eroverheen! Jullie zijn allemaal klootzakken!'

Hij draaide echt door. Zijn celgenoten probeerden hem tegen te houden door zijn mond te bedekken, maar er kwamen al zes bewakers en een sergeant aan om hem vast te grijpen. Ze konden hem echter niet aan. Renatino gaf een van de bewakers een kopstoot, die zich vervolgens terugtrok om met een zakdoek het bloed dat uit zijn neus sijpelde te stelpen. Toen kwam er versterking en lieten de vijf bewakers hem op de grond liggen en begonnen met hun wapenstok blind op hem in te slaan, op zijn hoofd, tussen zijn benen, op zijn rug, tussen zijn ogen en op zijn neus. Renatino was inmiddels aan de regen van stokslagen overgeleverd en probeerde zijn gezicht tegen de ergste klappen te beschermen. Zijn gezicht was een masker van bloed en zijn overhemd was ermee doordrenkt. Twee woestelingen trokken hem omhoog, zodat hij moest zitten en twee andere trokken hem een dwangbuis aan. Uiteindelijk hadden ze hem in toom, sjorden hem omhoog en sleepten hem naar het immobilisatiebed.

Hij bracht de volgende zes dagen in die half bewusteloze staat door. Iedere keer als een bewaker hem eten bracht zag hij zijn kans schoon om hem een dreun te geven. Renatino had echter, gelukkig voor hem, ieder gevoel verloren. Het menselijk lichaam reageert op de meest onverwachte manieren in extreme omstandigheden. Ze wasten hem door hem met een spuit te besproeien, omdat de directeur hun had opgedragen hem in die staat niet los te maken, zelfs niet om naar de wc te gaan. Hierdoor was Renatino genoodzaakt zijn behoefte in zijn overall te doen. Om de stank te verlichten die van het bed kwam, goten ze flinke scheuten water over hem heen, waardoor hij rilde van de kou, maar tegelijkertijd voelde dat zijn pijn even weg was. Hij begon doorligplekken te krijgen. Voordat de infectie doordrong tot in zijn bloed, gaf de directeur de dokter opdracht er even een blik op te werpen. Zo kwam het dat hij na zeven dagen doodstil te hebben gelegen, verlost werd van zijn dwangbuis en zich met veel moeite op zijn zij kon draaien om de dokter de doorligplekken op zijn rug te tonen. De zweren verschenen in de vorm van brede repen levend vlees. Hij zat zo ongeveer overal onder de blauwe plekken. Hij zag eruit alsof hij nog maar één dag te leven had. Het lukte de dokter echter om de infectie de kop in te drukken en hij zei hem dat hij, als hij beloofde rustig te blijven, het dwangbuis niet meer aan hoefde. Renatino knikte.

De directeur had de scène, zonder zich te laten zien, gadegeslagen van achter de deur van de immobilisatiecel en liep weg, tevreden dat hij ook deze ezel getemd had, die anders zeer gevaarlijk had kunnen worden in de gevangenis.

Zodra de dokter de cel verlaten had, snoerde de cipier Renatino's polsen vast met de riemen van het bed, zodat hij zich niet kon bewegen.

Renatino moest een paar dagen in dezelfde cel blijven, ter observatie. Hij leek rustiger te zijn geworden, maar dacht voortdurend aan een manier om uit de gevangenis te kunnen ontsnappen. Hij was in gedachten verzonken toen hij het slot hoorde en de deur van de cel open zag gaan. Er kwam een man van in de veertig binnen, lang en met gemillimeterd zout-en-peperkleurig haar. Hij had een fiere en autoritaire tred. Hij haalde zijn neus op toen hij het stinkende kamertje binnenliep. Op zijn voorhoofd stond te lezen 'Ik ben een militair'. Renatino maakte zich zorgen toen hij hem zag, maar verschool zich zoals altijd achter zijn sarcasme. 'Vergeef me dat ik u geen stoel aan kan bieden. Mag ik misschien weten wie u in hemelsnaam bent?'

'Wie ik ben doet er niet toe,' antwoordde hij met zijn baritonstem. 'Laten we zeggen dat ik als vriend ben gekomen.'

'Ik heb hier geen vrienden,' antwoordde Renatino met een weemoedige zucht.

'Ze hebben verteld dat je een harde bent.' Hij liep op de brits af, maar hield voor de zekerheid voldoende afstand.

'Daar klopt niet veel meer van, zoals je ziet,' zei Renatino met zelfspot, wijzend naar de plek waar zijn polsen in de leren riemen zaten vastgesnoerd.

'Luister, Renatino, ik ben hier om je een voorstel te doen.'

'Meneer, als het is wat ik denk, weet dan dat ik geen homo ben,' grapte hij met de laatste kracht die hij nog bezat.

'Het spijt me, maar ik heb geen gevoel voor humor, ik kan hier niet om lachen.' Hij liep om het bed heen en stond stil bij het voeteneind. 'Hoe zie jij je toekomst voor je, jongen?'

'Op dit moment heb ik zelfs moeite om jou goed te zien, omdat je daar staat.'

'Je hebt nog zes van deze marteljaren te gaan. Je bent op de verkeerde voet begonnen. Het is moeilijk om hier binnen op de juiste weg verder te gaan. Je hebt je al tegen de directeur verzet en hij is ook een harde. Je gaat je zin hier niet krijgen. Je bent aan de verliezende hand... hier binnen.' Hij benadrukte de laatste woorden met een pauze.

'Dat zullen we nog wel zien,' antwoordde Renatino.

'Hier ben je niemand. Niemand heeft het in de gaten als jij ten onder gaat. Maar buiten de gevangenis hebben we mensen als jij nodig. Mensen die geen angst kennen. Die geen gevaar uit de weg gaan.'

'Commandant, u wilt me toch niet rekruteren, hè?'

'Ik commandeer niets, maar iedereen noemt me Generaal. Desondanks heb ik de autoriteit om je een voorstel te doen dat je niet kunt weigeren.'

'Waar heb ik dat eerder gehoord?'

'Ik geef je iets onbetaalbaars: je vrijheid.'

Renatino barstte in geforceerd gelach uit. 'Natuurlijk. Alleen de president kan me gratie verlenen.'

'Daar vergis je je in. Dat kunnen de president en ik.'

'Praat geen onzin,' zei de gevangene kortaf.

'Ik zal het je laten zien. En ik bied je niet alleen je vrijheid aan. Je zult je, laten we zeggen, ook met een zekere autonomie in de wereld kunnen bewegen. Je krijgt geld, wordt beschermd en zult een zekere toekomst tegemoet gaan, ook in het buitenland als je dat wilt.'

'Zoiets heeft iemand me al voorgesteld.'

'En jij hebt geweigerd. Maar je hebt er niet goed over nagedacht, want wat je daarna is overkomen wens ik mijn ergste vijand nog niet toe.'

Het begon geloofwaardig te worden. 'En jij zou me daadwerkelijk hieruit kunnen krijgen?'

'Stel me maar op de proef.'

'Maak me los,' zei Renatino uitdagend.

De man liep zonder blikken of blozen naar de deur van de cel die op een kier stond en knikte naar de cipier. De cipier kwam dichterbij en de man gebood hem de polsen van de gevangene te bevrijden.

De bewaker liep naar het bed. Zijn blik kruiste die van Renatino. Hij wendde zich tot de man om de bevestiging te krijgen dat het goed was de riemen om de polsen van de gedetineerde los te maken. De man gaf hem een teken dat hij moest gehoorzamen en de bewaker maakte de twee leren armbanden los. Renatino, die nog steeds languit op bed lag, masseerde zijn verstijfde polsen.

'Geloof je me nu?'

'Help me eens overeind,' vroeg hij aan de cipier. Maar de bewaker wachtte tot de man hem beval ook deze wens van de gevangene in vervulling te laten gaan. Na een bevestigend knikje sloeg hij een arm om Renatino heen en hielp hem omhoog en legde zijn benen over de rand van het bed. Nu zat Renatino, maar hij hield het nauwelijks vol, omdat ieder lichaamsdeel pijn deed. De militair kwam dichterbij met een tevreden uitdrukking op zijn gezicht. Hij had de wedstrijd gewonnen en voor de eerste keer sinds hij de cel had betreden glimlachte hij.

'Zie je wel dat jij en ik vrienden kunnen worden?'

Hij had de zin nog niet afgemaakt of Renatino wierp zich met het beetje kracht dat hij nog in zich had op hem en gaf hem een formidabele kopstoot tegen zijn mond.

'Hufter die je bent! Je hebt er geen bal van begrepen! Wij zullen nooit vrienden kunnen worden!' schreeuwde Renatino.

De Generaal hernam zich meteen na de aanval en haalde, zonder aandacht te besteden aan het bloed dat uit zijn mond sijpelde, zijn pistool uit zijn riem tevoorschijn en richtte dit op het hoofd van de gevangene, terwijl hij schreeuwde: 'Stilliggen of ik schiet! Ik maak geen grapje! Ik doe het echt, lul!'

Het was de bewaker gelukt hem vast te grijpen en in het bed te krijgen. Renatino probeerde zich los te wurmen, maar kon door de kalmeringsmiddelen en zijn pijnlijke spieren weinig uitrichten. Hij zag de loop van het pistool vlak bij zijn gezicht en schreeuwde: 'Schiet dan! Schiet dan! Je hebt er toch de ballen niet voor!'

De man grijnsde zijn tanden bloot en begon, omdat hij zich niet graag liet provoceren, druk uit te oefenen op de trekker.

'Schiet dan, klootzak! Haal die verdomde trekker dan over!' schreeuwde Renatino met zijn laatste krachten.

De Generaal veegde met zijn vrije hand het bloed van zijn lippen. Hij kneep nerveus in zijn pistool.

De bewaker begreep dat hij op het punt stond om te schieten en schreeuwde op zijn beurt: 'Generaal, niet schieten, ik smeek u! Dan raakt u mij!' Renatino stopte even met zijn pogingen zich los te worstelen, alsof hij tijdelijk was ingestort. De bewaker zag in die paar seconden zijn kans schoon en maakte opnieuw zijn polsen vast.

'Gooi hem maar in de "klok" als hij nog zo sterk is,' zei de man bestraffend, terwijl hij naar de deur van de cel liep. Ondertussen schoten drie andere cipiers naar binnen, aangetrokken door het geschreeuw.

'In de klok?' herhaalde de bewaker overbodig.

'Je hebt me goed begrepen.' De generaal haalde een zakdoek uit zijn zak en depte zo goed en kwaad als dat ging het bloed dat op zijn kin drupte en verliet de cel.

De andere toegesnelde cipiers leek het gepast dit idee kracht bij te zetten en begonnen weer op de arme jongen in te slaan, die had laten zien dat hij niet goed had begrepen dat gedetineerden in die gevangenis weinig meer waren dan onverwachte overlast die met zo groot mogelijke onverschilligheid gekleineerd diende te worden.

21

Wakker worden uit een droom is altijd een nachtmerrie

De tijd die Turatello doorbracht met Carmen op Favignana, was de mooiste tijd van zijn leven. Hij had nog nooit een vrouw gehad met wie het zo goed klikte. Van strippers wordt gedacht dat ze alleen goed zijn om verlangens aan te wakkeren en de liefde te bedrijven, maar Carmen bleek perfect gezelschap te zijn. Zij was degene die zich over de was ontfermde, de overhemden en shirts naar de wasserette bracht en vaak zelfs boodschappen deed en dinertjes voorbereidde waar de kok in het beste restaurant op het eiland nog jaloers van zou worden. Turatello was echter niet verliefd op haar, maar hield ervan verzorgd te worden als een kind. Hij kon zich niet herinneren dat zijn moeder hem ook zo goed verzorgd had. Zijn moeder, de arme vrouw, was gedwongen om soms veertien uur per dag te werken, om genoeg brood op de plank te brengen voor hem en zijn broers.

Vanuit een telefooncel belde hij één keer per dag naar Stalin, die zijn zaken regelde, om te horen of alles in orde was. Mettertijd belde hij echter minder: Stalin redde zich ook wel in zijn eentje en hij kon blind op hem vertrouwen. Turatello wilde alleen genieten van zijn rust. Als het erg warm was verstopte hij zich met Carmen bij een kreekje, waar ze spiernaakt op het lauwe zand gingen liggen.

Toni Riccobene was zeeziek en slaakte dan ook zodra de veerboot aanlegde in het haventje van Favignana, na een buitengewoon onaangename overtocht, een zucht van verlichting. Hij had zijn hele ontbijt uitgespuugd en zijn ogen staken uit hun kassen van inspanning. Zijn mond zat onder de derrie en hij kon niet wachten tot hij op een bed kon gaan liggen om bij te komen van zijn zeeziekte. Hij liet zich door een jongen naar het eerste het beste hotel brengen op het eiland en sloot zich op in zijn kamer, nadat hij duidelijk had gemaakt dat hij niet gestoord wilde worden. Toni had gerekend op een verblijf van maximaal een paar dagen op het eiland, maar na die vreselijke oversteek besloot hij zijn operatie nog even uit te stellen en de tijd te nemen om bij te komen. Hij zou die tijd gebruiken om het terrein te verkennen, te beslissen waar hij de hinderlaag zou leggen en het hoofd bieden aan eventuele onvoorziene zaken.

Hij had een hele dag nodig om te herstellen van de reis. De ochtend erna werd hij wakker met flinke trek. Hij liep naar beneden, van de eetzaal naar het terras dat uitkeek op het haventje. Het was een geweldig spektakel. De witgekleurde huisjes staken af tegen de kobaltblauwe zee en hemel. De blauw-, wit- en roodgeverfde boten op de lorries leken wel kinderspeeltjes. Een paar vissers repareerden hun netten en bespraken hun fabelachtige vangsten. Toni snoof de kleuren, de geuren en de lichte balsemende lucht gretig op, iets wat hij nog nooit eerder had gedaan. Hij woonde al van kinds af aan in Milaan, al vijftien jaar. Hij had een hele dag moeten reizen van Sicilië naar Milaan. Hij herinnerde zich alleen nog grijze boerenerven, vochtige huizen en de stank van soep. De straat was zijn school geweest en de tuchtschool zijn universiteit. Hij droomde ervan een aardige som geld bij elkaar te sparen en naar een paradijsje als de Caraïben te verhuizen om ervan te genieten. Hij had liever geen baas, zoals zijn moeder. Misschien wilde hij zich daarom ook nooit binden aan een 'familie'. Hij werkte liever alleen. Hij had altijd werk en verdiende goed. Niet geweldig, maar hij had niets te klagen.

Hij was zo in gedachten verzonken dat hij niet in de gaten had dat er een goed geklede man van in de veertig bij hem op de balustrade van het terras was komen staan. Het was een Duitser, maar hij sprak behoorlijk goed Italiaans.

'Dit uitzicht verveelt nooit,' zei hij met die typische harde Duitse tongval. 'En wat me het meest fascineert zijn de gebouwtjes met tonijnennetten,' zei hij terwijl hij naar de schoorstenen en de rij grijze loodsen wees, overschaduwd door het wapenschild van de Florio met de leeuw, die aan de oever stond te drinken.

Toni bestudeerde hem, voordat hij antwoord gaf. 'Ik ben Siciliaan en ik heb werkelijk waar nog nooit zoiets moois gezien.'

'Hebt u gezien hoe ze tonijn vangen?' vroeg de Duitser.

'Ik ben echt pas net aangekomen en heb het eiland nog niet gezien.'

'Het is wonderbaarlijk mooi. Ik ben onder de indruk geraakt van de grootte van de ankers. Er zijn opnames waarin wordt verteld over een tonijnenslacht van achttienduizend tonijnen, in één seizoen.' De Duitser kwam dichter naar Toni toe en liet hem een oude kaart zien met daarop een afbeelding van een oude tonijnenslacht. 'Kijk naar deze foto. Je ziet het drama van het laatste moment, dat van de dood.' Op de foto was het moment vastgelegd waarop de tonijnvisser met de haak de heen en weer schietende vis doorboorde en daarbij een kreet slaakte.

'Dat was een strijd van leven op dood,' reageerde Toni.

'Een tonijn kan een visser die niet voorzichtig is, voordat hij sterft, doden met zijn staart,' vertelde de Duitser. 'De visser moet goed opletten om niet in een fractie van een seconde in de andere wereld te belanden. Tonijnvissers houden bijvoorbeeld, bij het maken van de netten, rekening met de gevoelige tastzin van de bek van de tonijn en met zijn vervormde zicht. Een gevangen tonijn slaat met zijn snuit tegen de draden van het net en deinst meteen achteruit vanwege de indruk die hij krijgt. De dunne draden lijken in zijn ogen namelijk dikke touwen en daarom vernielt hij het net niet, dat hij echter met zijn driehonderd kilo makkelijk zou kunnen verscheuren.'

'Ik merk dat u goed geïnformeerd bent. U bent geen Italiaan, hè?' vroeg Toni Riccobene.

'Nee, dat klopt. Ik kom uit Wuppertal, een stadje vlak bij Essen in West-Duitsland,' vertelde de Duitser. 'Ik ben gek op jullie mooie tradities. Tradities waarvoor jullie Italianen je niet erg lijken te interesseren.'

Toni krabde aan zijn neus. Het scheelde weinig of hij begon te blozen. 'Dat is waar, ik ben een Siciliaan en ik wist dat allemaal niet...'

'Als u wilt kunnen we morgenochtend langs de tonijnvissers gaan en kan ik u werkelijk interessante geschriften laten zien.'

'Nee, dank u. Morgen heb ik al plannen. Misschien een andere dag.'

'Oké, dan doen we het een andere dag,' besloot de Duitser. En hij wuifde hem gedag.

Toni had een taak te volbrengen en had weinig tijd. Hij had van Liggio gehoord dat Francis op Favignana een huis had gehuurd voor een maand. Dat wilde echter niet zeggen dat hij daar ook de hele tijd zou verblijven. Hij kon ieder moment het eiland verlaten. Hij moest haast maken. Het eerste wat hem te doen stond was het lokaliseren van het huis.

Hij begaf zich naar Federico, de fotograaf die de gepassioneerde geliefden had vastgelegd op de gevoelige plaat. Hij wachtte tot een vrouw het winkeltje, dat ook blauw was geschilderd, zoals een aantal andere op het eiland, verliet en ging naar binnen. Hij legde de foto op de toonbank, wachtte tot de fotograaf hem bekeek en stopte hem weer terug in het zakje van zijn overhemd. 'Nou, waar hebben die twee een huis gehuurd?'

Met 'die twee' bedoelde hij Turatello en Carmen, die de liefde bedreven op de boot.

De fotograaf leek verrast. 'En wie bent u?'

Hij greep hem bij zijn hemd en trok hem over de toonbank. 'Maak me niet boos. Beantwoord mijn vraag niet met een andere vraag.' Hij liet hem los en liep langs de draaibare plank van de toonbank.

'Nou?' Hij maakte aanstalten hem weer bij zijn kraag te grijpen, maar de ander stapte angstig naar achter.

'Hoe komt u aan die foto?'

'Je wilt me echt kwaad hebben!'

'Nee, rustig maar... wat wilt u van me?'

'Waar verblijven ze?'

'Ze zitten in een huis van raìs Petru, in via Amendola, vlak bij de plek waar op tonijn gevist wordt,' antwoordde de doodsbange fotograaf in één adem.

'Daar was toch weinig voor nodig?' Toni liep opnieuw langs de draaiplank. 'Je hebt me nooit gezien. Ik besta niet, begrepen?'

De fotograaf knikte. Toni keerde om en verliet de winkel.

Nu hoefde hij alleen nog maar op onderzoek uit te gaan en zijn missie te volbrengen. Dit was Toni Riccobenes werk en dit was het enige wat hij, goedschiks, dan wel kwaadschiks, beheerste.

Om niet op te vallen, kocht hij een toeristengids en begon rond te hangen bij de tonijnvisserij, met de bedoeling dichter bij het huis van raìs Petru te komen vanaf de zeekant. Maar zijn graangele haardos zorgde ervoor dat alle inwoners zich naar hem omdraaiden en maakte het moeilijk onopgemerkt langs te lopen. Hij liep tussen de loodsen de Duitser tegen het lijf, die zodra hij hem zag breed begon te grijnzen.

'Het eiland is klein, hè? Nu komen we elkaar toch tegen,' zei hij, terwijl hij zijn hand uitstak, die Toni met een geforceerde glimlach drukte. 'We hebben ons nog niet aan elkaar voorgesteld. Ik ben Dano Olaf.'

'Aangenaam. Adriano Stella,' loog Toni.

'Maar dat is geen Siciliaanse naam, Adriano Stella.'

Toni begon zich te ergeren aan de vrijpostige Duitser. 'Daar kan ik niets aan doen,' antwoordde hij droog.

De ander haalde zijn schouders op en veranderde van onderwerp. Hij wees naar een pijler en zei: 'Kom, daar staat iets heel interessants op geschreven.'

Aangezien hij niet uit de klauwen van de Duitser kon ontsnappen, besloot Toni zich niet meer te verzetten tegen zijn opdringerigheid, maar die juist voor zijn eigen doeleinden te gebruiken. Toni nam de leiding en dwong de Duitser hem te volgen naar een nabijgelegen restaurant, precies tegenover het huis dat hij in de gaten wilde houden. 'Ik heb berehonger gekregen van die frisse lucht,' zei hij vastberaden. 'Laten we eerst een lekker gebakken visje eten en daarna naar dat verdraaide stuk steen van jou kijken, oké?'

De Duitser glimlachte en volgde hem. 'Zoals je wilt, Adriano.'

Ze gingen aan een wiebelend tafeltje zitten op een patio aan de baai, tegenover het haventje en naast de loodsen met tonijn. Toni zat precies zo dat hij de veranda van het huis van raìs Petru kon zien.

'Zeg eens eerlijk, je heet niet hoe je zegt dat je heet, hè?' vroeg de Duitser uitdrukkelijk, om te laten zien dat hij dan wel een Duitser was, maar zeker niet dom.

'Jawel, ik heet echt Adriano.'

'Het lijkt wel een naam uit de kunstwereld. Adriano Stella,' herhaalde hij krachtig.

Ze kregen gebakken vis en een witte bruisende wijn, die als priklimonade gedronken werd. De Duitser die zijn vis met zijn handen at en de olie van zijn vingers aflikte, was tipsy omdat Toni zijn glas maar bij bleef vullen.

Opeens schrok Toni op. Op de veranda verscheen een bruinharige Venus, met een lichte pareo omgeslagen, waardoorheen haar twee pinupborsten duidelijk zichtbaar waren.

Carmen liep naar de balustrade en ademde diep de zilte zeelucht in. Ze had opnieuw met Francis gevreeën, die zich vervolgens bij haar voegde en haar stevig omhelsde. Hij kuste haar in haar nek en fluisterde iets in haar oor.

Toni zag haar glimlachen, zich naar Francis omdraaien en hem met haar sensuele mond een kus op zijn wang geven.

Toni schrok weer op, maar deze keer door de Duitser, die hem smachtend zat aan te kijken en zijn hand tussen zijn dijen liet glijden.

'Wat ben je in hemelsnaam aan het doen, idioot? Ze kunnen ons zien,' zei Toni geïrriteerd.

'Noem me Dano. Sinds we samen zijn heb je me nog nooit Dano genoemd,' klaagde hij met een hoog stemmetje.

'Doe niet zo raar… Dano. Ben je nu tevreden?'

'Adriano… laten we gaan…' smeekte hij zachtjes.

'Ja, zo meteen. Alles op zijn tijd… Dano.' Hij dwong zichzelf die bizarre naam uit te spreken.

Wat hij moest zien had hij inmiddels gezien. De fotograaf had de waarheid gesproken. De twee tortelduifjes zaten precies in dat huis. Hij moest tot actie overgaan. Het plan was al tot in detail uitgestippeld, maar hij had geen rekening gehouden met Dano. De Duitser bleef hem voortdurend volgen, waarheen hij ook ging. Hij had geprobeerd hem weg te jagen door hem dreigend toe te spreken, maar er was niets aan te doen, de Duitser was op hem gefixeerd en begon scènes te schoppen en zijn stem te verheffen, ook als er vreemden in de buurt waren. Hij besloot hem zijn zin te geven. Hij beloofde hem dat ze elkaar die nacht zouden zien. Maar hij wilde niet dat iemand iets van hun relatie af wist en vroeg hem discreet te zijn.

Die nacht klom Dano over het balkonnetje op de eerste verdieping, dat uitkwam in de kamer van Toni. Hij droeg alleen een korte witte ochtendjas. Het scheelde weinig of Toni, die iemand op het balkon hoorde lopen, en gewend was met één oog open te slapen, had hem koud gemaakt met zijn Beretta. Dano wierp zich in zijn armen en Toni moest hem zijn gang laten gaan, om problemen te voorkomen. Dano wist hoe hij hem moest bevredigen en Toni genoot van zijn liefde en liet ook hem genieten, zo hevig zelfs dat hij het bijna uitschreeuwde. Om de weinige gasten die het hotel telde niet te wekken, drukte hij een kussen op zijn hoofd, totdat hij was klaargekomen. Even later viel Dano eindelijk, uitgeput en tevreden in slaap, terwijl Toni zich klaarmaakte om actie te ondernemen. Hij controleerde of hij zijn katoenen handschoenen had, haalde zijn pistool uit elkaar en zette het weer in elkaar, stopte de kogels in het magazijn en liet ze in de loop rondgaan. Daarna schroefde hij de geluidsdemper erop.

In de tussentijd werd de hemel lichter, hoewel de zon nog niet op was. Toni besloot wat te rusten. Hij ging op de bank liggen en viel in slaap, met zijn hoofd op zijn schouder en zijn Beretta in zijn handen.

Een paar uur later werd hij wakker. Hij liep naar het bed en schudde zijn Duitse vriend wakker. Hij gebood hem de kamer te verlaten, voordat de bediendes en de andere gasten van het hotel iets van hun affaire merkten. Dano stribbelde eerst tegen, maar besloot toch, omdat Toni zo aandrong, weg te gaan.

'Beloof me dat we vandaag samen ontbijten.'

'Dat is goed, maar nu moet je naar je eigen kamer. Schiet op!'

Dano stal een laatste kus en verliet toen eindelijk de kamer en Toni hoopte dat hij ook uit zijn leven zou verdwijnen.

De zon stond inmiddels hoog aan de hemel en Francis en Carmen waren, zoals bijna iedere ochtend, in hun bootje gestapt, om zich in een van de baaien van het eiland te verstoppen, in alle vrijheid te kunnen zwemmen en naakt te kunnen zonnen.

Voor Toni was het een eitje de deur van het huis open te maken en in te breken in hun liefdesnestje. Hij doorzocht de woning nauwkeurig. Die was eenvoudig en spartaans ingericht. Ze bestond uit een woonkamer, met een open keuken, die via een glazen deur uitkeek op de veranda. Verder was er een badkamer met een bad en een comfortabele slaapkamer. Ook deze kamer had een glazen deur die uitkwam op de veranda. Hij besloot zich in de badkamer te verstoppen en daar het tweetal op te wachten. Zodra ze binnenkwamen zou hij hen van achteren aanvallen en hun niet eens de tijd geven zich om te draaien en te zien wat er met hen ging gebeuren. Hij had nog ten minste twee uur de tijd, omdat ze meestal niet eerder naar het huisje terugkeerden dan drie uur 's middags, op tijd voor hun middagdutje en hun eventuele volgende vrijpartij.

22

De klepel van de klok

De 'klok' was een strafcel in de kelder van de gevangenis van Bari, zonder licht- en luchtgaten en met een gat in het midden om je behoefte in te doen. Hij werd zo genoemd omdat hij iets weg had van de binnenkant van een klok. De klepel was de gedetineerde die de hele dag niets anders te doen had dan van voren naar achteren lopen in die kleine ruimte waarbij hij onvermijdelijk tegen de muren aan liep. Het enige referentiepunt was de stank van de emmer in het midden. Renatino bracht er één lange week door en had al zijn zelfbeheersing nodig om niet door te draaien. Zijn eten werd op de grond gezet, als hondenvoer, en zijn water kreeg hij in een teiltje, als het niet in zijn geheel over hem heen werd gegooid door een of andere bewaker die zin had in een dolletje. Hij had van andere gevangenen gehoord dat mannen die daarbinnen waren opgesloten na een paar dagen de isolatie en bovenal het absolute duister niet meer konden verdragen en gek werden. Enkelen waren in het gekkenhuis voor gedetineerden beland, anderen waren zo onhandelbaar geworden dat ze bijna de hele dag een dwangbuis aan moesten.

In die eindeloze uren in de duistere cel probeerde hij zich voor te stellen hoe zijn zoon of dochter eruit zou zien. Hij wilde een zoon. Hij zwoer bij zichzelf dat hij nooit liefde, aandacht en waardering te kort zou komen. Hij zou het anders doen dan zijn ouders van wie hij zich geen enkele liefkozing kon herinneren. Ze gingen volledig op in hun werk en hadden als ze moe thuiskwamen nergens meer zin in. Ze waren dan zelfs zo uitgeput dat ze niet eens in de gaten hadden dat hij in huis was. Hij zag zichzelf voor zich toen hij nog klein was, onder zijn bed, op een versleten kleed. Hij speelde graag met soldaatjes, maar zijn ouders hadden niet genoeg geld om speelgoed voor hem te kopen en daarom moest hij zijn fantasie maar gebruiken en speelgoed verzinnen. De witte rijstkorrels waren de Romeinse soldaten, de korrels die hij met een pen zwart had gekleurd waren de Grieken. Hij vormde hele legers, die hij tegenover elkaar zette en onmogelijke veldslagen uit liet vechten. Zo bracht hij zijn dagen door, in afwachting van de thuiskomst van zijn ouders. In die eenzame jongen zag hij zijn zoon. Zijn zoon zou echter niet alleen opgroeien, maar een vader en moeder hebben die altijd voor hem zouden zorgen, omdat ze niet twaalf uur per dag hoefden te werken om eten voor hem te kunnen kopen.

Vervolgens gingen zijn gedachten uit naar zijn vrienden, naar de streken die ze uithaalden ten koste van winkeliers, bewakers van de wijk en eigenaren van krantenkiosken, van wie ze voetbalplaatjes stalen. Ze waren gespecialiseerd in het stelen van voetbalplaatjes, hij en Cicciobanana, zoals zijn beste vriend Francesco Turatello toentertijd heette.

Renatino ging huilend naar de kioskhouder en vroeg of hij zelf een magisch pakje uit de stapel mocht pakken, in de hoop dat het het plaatje was dat hij nog miste. Hij had weinig geld en kon zich maar één pakje veroorloven. Toen de kioskhouder ontroerd de hele doos met plaatjes pakte en hem deze voorhield om er eentje uit te pikken, schopte Cicciobanana, zonder te worden gezien, een bal tegen de blinde hoek van de kiosk. Op dat moment liep de kioskhouder naar buiten, scheldend op de vandalen die daar vaak in de buurt waren, om te kijken of hij schade had. Renatino maakte van de gelegenheid gebruik om de hele doos met plaatjes weg te grissen en vervolgens hard weg te rennen. Als de man daarna in de gaten had dat hij was beroofd was hij allang met zijn vriendje in het park, waar ze alle pakjes openmaakten om de plaatjes te zoeken die ze nog nodig hadden om hun album compleet te maken. Cicciobanana en hij waren de enige kinderen in de buurt die hun album compleet hadden.

Maar toen hij acht jaar was, gebeurde er iets wat zijn leven totaal op zijn kop zette. Hij dacht terug aan de tent van circus Medini, de vlaggen in de wind, de muziek van een band die via een luidspreker door de hele buurt schalde, de bontgekleurde affiches waarop jungletaferelen waren afgebeeld met apen in bomen, leeuwen met hun majestueuze manen, olifanten die met hun slurf water spoten en de woonwagens van de artiesten. Samen met zijn broertje rende hij naar de kooien met wilde dieren. Op een klein omheind stuk grond stond een groep geiten, op een ander een gevlekte pony die voer uit een emmer at en in twee kooien een slaapdronken tijger en een leeuw die zijn poten door de tralies stak en af en toe met zijn staart insecten wegjoeg. Van zijn majestueuze haardos waren nog maar vier plukken over, die hem een allesbehalve koninklijke uitstraling gaven. De dieren waren omringd door stinkende uitwerpselen, waartegen de waterpomp van de dierenoppasser weinig kon uitrichten.

Het troosteloze tafereel wekte bij de kleine Renatino een gevoel van medelijden op voor die arme gevangen dieren. Vervolgens was hij getuige van iets waarbij hij wenste dat hij volwassen was. De dompteur gaf de oppasser een uitbrander omdat hij drie lappen vlees naar de tijger gegooid had, terwijl hij er volgens hem dagelijks maar één hoorde te krijgen. De tijger was vel over been. Zijn vacht was zo vaal dat het wel een oud, stoffig vloerkleed leek. Kortom, hij was er slecht aan toe. De dompteur begon hem stokslagen te geven, zodat hij wat achteruit ging en de man minstens twee van de drie stukken vlees terug kon pakken. Het arme dier kroop in een hoekje van de kooi met een stuk vlees tussen zijn tanden en gaf de oppasser zo de kans om met een puntige stok de andere twee stukken bijeen te rapen. Dit was een traumatische gebeurtenis voor Renatino, die tegen zijn broertje zei dat ze diezelfde avond nog de arme beesten hun vrijheid terug zouden geven.

Diezelfde avond, toen ze er zeker van waren dat hun ouders sliepen, verlieten Renatino en zijn broertje Elio, gewapend met een hamer en een beitel om de sloten van de kooien open te breken, hun huis en gingen op weg naar het kamp. Terwijl Elio het hek van de geiten en dat van de pony opende, brak Renatino met een paar rake klappen het slot van de kooi van de tijger, en daarna dat van de leeuw. De geiten verspreidden zich al snel over het weiland dat vlak bij de spoorlijn lag en begonnen gretig van het verse gras te eten. Hetzelfde gold voor de pony. Renatino keek om zich heen maar zag zijn broertje nergens. Ondertussen waren de tijger en de leeuw ook hun kooi uit gekomen. Ze stonden te gapen en hun voor- en achterpoten uit te rekken, zoals katachtigen doen. Renatino riep zachtjes de naam van zijn broertje, maar kreeg geen reactie. Hij begon zich zorgen te maken en liep naar de kooi van de olifant. Hij sperde zijn ogen wijd open toen hij zijn broertje tegen de poot van het enorme beest zag duwen, dat geen stap wilde verzetten.

'Elio, weg daar!' schreeuwde hij. 'Hij is gevaarlijk!'

In de tussentijd had het geblaat van de geiten de circusknechten wakker gemaakt en kwamen ze hun caravans uit gerend. Zodra ze zagen dat de kooien leeg waren en de dieren over het weiland liepen begonnen ze te schreeuwen en alle lichten aan te doen. Renatino kon Elio net op tijd bij zijn hand grijpen en naar huis vluchten, blij dat hij die arme beesten hun vrijheid had teruggegeven.

Renatino hield zich vast aan die gedachten, en de herinneringen aan zijn jeugd voorkwamen dat hij gek werd.

* * *

Toni Riccobene wachtte, zittend op de rand van het bad, geduldig tot Turatello en zijn vrouw terugkeerden naar het huis. Toni was in staat om urenlang op zijn slachtoffer te wachten, zonder nerveus te worden of zijn concentratie kwijt te raken. Het kostte hem weinig fysieke moeite om voortdurend alert te blijven, wat een groot voordeel is voor iemand in zijn vak. Wat hij deed was voor hem inmiddels een beroep als ieder ander geworden. Hij stond net op het punt een appel te gaan eten toen hij geluid hoorde bij de voordeur, alsof iemand hem open probeerde te maken. Hij gluurde door het raam om te kijken of het Francis en Carmen waren, maar dat kon niet, want hij had de brommer die ze hadden gehuurd niet gehoord. Iemand probeerde nog steeds de deur met een sleutel open te krijgen. Toni liep op zijn tenen naar de deur, met zijn Beretta met geluiddemper in de aanslag. Hij keek door het kijkgaatje en... herkende de Duitser! De man had zijn pogingen opgegeven en schreeuwde, met zijn mond vlak bij de deurpost: 'Adriano, doe open. Ik weet toch al dat je daarbinnen bent.'

Toni kon niets anders doen dan de deur open te doen.

'Wat doe je hier?' vroeg Dano, op de toon van een jaloerse vrouw die haar man met een ander in bed betrapt. 'Je hebt al iemand anders, hè?' Hij duwde hem opzij en liep het huis binnen om diegene te zoeken.

'Ben je gek geworden? Je moet hier meteen weg. Je kunt hier niet blijven.'

'Nou? Waar is hij?' vroeg de Duitser nogmaals onverstoorbaar, na alle kamers doorzocht te hebben.

'Je mag me niet schaduwen. Hoor je me?'

'Ik dacht dat het serieus was wat wij hadden. Je mag mensen niet zo voor de gek houden.'

'Wat heb je je allemaal in je hoofd gehaald? Dano... of hoe je ook mag heten! Ik verbied je mij te volgen en vooral om dit soort scènes te trappen.' Toni sprak zachtjes, bang als hij was dat een voorbijganger hen misschien zou kunnen horen.

'Gisteravond zei je wat anders. Ben je dat alweer vergeten? Al die mooie dingen...' Dano maakte zich geen zorgen over het feit dat mensen hen konden horen en begon steeds harder te praten.

Toni sloeg een hand voor Dano's mond, om hem te doen ophouden. 'Niet schreeuwen! Straks horen ze ons nog...'

'Denk je dat me dat wat kan schelen? Al zouden ze ons horen!' kon hij uitbrengen, terwijl hij Toni op zijn borst timmerde. Hij raakte met zijn hand de loop van het pistool, die verborgen zat onder zijn jas. De Duitser haalde het tevoorschijn, draaide het rond tussen zijn vingers en vroeg aan Toni: 'Waar heb je dit voor nodig?'

Toni pakte het uit zijn handen. 'Wat ben jij een lastpak, zeg.' Hij stopte met praten omdat hij een Vespa het huis hoorde naderen.

'Ga je me geen antwoord geven?' Door zijn naïviteit begreep hij niet dat hij in groot gevaar verkeerde. Toni liep naar het badkamerraampje en zag een Vespa aankomen, met daarop Francis en zijn vrouw.

'Nu moet je je bek houden!' fluisterde hij bits tegen de Duitser, die echter niet van plan was te stoppen met praten. Daarom pakte Toni zijn pistool, richtte het op zijn slaap en schoot één keer. Dano sperde zijn ogen en viel in zijn armen. Hij wierp hem snel in de badkuip. Net op tijd, want hij hoorde de sleutel al in het slot van de voordeur ronddraaien.

Toni verstopte zich achter het douchegordijn, wachtend tot Francis het huis binnenstapte, maar hij had pech, want Carmen kwam als eerste binnen. Ze zong: 'Ik moet zo nodig plassen...' opende de deur van de badkamer en verstijfde toen ze de bloedende man in de badkuip zag liggen. Toni zette de situatie echter snel naar zijn hand en vuurde van achter het plastic gordijn snel achter elkaar twee kogels af, die haar in haar hart en in haar keel troffen. Carmen had zelfs niet de tijd om te kreunen van de pijn en viel met haar hoofd op de rand van het bad.

Turatello stond nog in het midden van de gang toen hij de twee gedempte schoten hoorde en snelde naar de slaapkamer om zijn pistool te pakken, dat in het nachtkastje lag.

Toni kwam uit zijn schuilplaats tevoorschijn. Hij had niet meer het voordeel van de verrassingsaanval. Hij rende op zijn tenen naar de slaapkamer, die dichtbij was, ging bij de deur staan en schoot twee keer zonder te kijken. Turatello wierp zich tegen het raam, dat daardoor uiteenbarstte en rolde naar buiten, het zand op. Hij stond op en rende weg, op zoek naar een schuilplaats.

Toni Riccobene schoot in het wilde weg door het raam. Turatello had zich echter met onverwachte snelheid verplaatst en verschool zich om de hoek van het huis. Op dit moment besloot Toni zijn missie te beëindigen en het huis te verlaten. Hij sprong op de Vespa, startte en reed in de richting van de steegjes van de vissersbuurt.

Francis hoorde de motor van de Vespa en kwam uit zijn schuilplaats tevoorschijn. Hij zag de moordenaar hard wegrijden naar de bebouwde kom, probeerde met zijn pistool op die kanariegele ragebol te richten en te schieten, maar was te kwaad en te uitgeput om hem te raken. Hij zag de kogels op de grond achter de Vespa ketsen en de blonde man een paar seconden later met zijn brommer in een steegje verdwijnen, zonder zelfs maar achterom te kijken.

Turatello dacht aan Carmen en liep het huis weer in. Door wat hij daar aantrof wist hij dat hij ten dode opgeschreven was. Hij moest er nu achter zien te komen wie degene was die hem koste wat kost dood wilde hebben. Al was dat eigenlijk wel duidelijk. Alleen Luciano Liggio kon hem daar helemaal in Sicilië laten opsporen. De Milanese maffia eiste zijn dood. De oorlog met de Corleonesen was begonnen.

23

In de oven van ijs

Twee weken in het duister van de 'klok' waren genoeg om wie dan ook te breken. Door de uren te tellen aan de hand van de komst van het eten was het de eerste drie of uiterlijk vier dagen nog wel mogelijk om te weten welke dag het was. Maar na vier dagen was de geest niet helder meer en zorgde de psychische vermoeidheid ervoor dat de gevangene wegzakte in een korte lusteloosheid die hij verwarde met slaap, omdat die lang leek leek te duren. Vanaf dat moment viel onmogelijk meer na te gaan wat werkelijkheid was en wat niet, kregen waanbeelden de overhand en verviel de gedetineerde in een eindeloos delirium. Soms lukte het minder emotionele mensen om de nachtmerries te verdrijven: korte flitsen, zeldzame fonkelingen van helderheid, die afgewisseld werden door lange uren vervuld van depressie. Tijdens deze voortdurende stemmingswisselingen vormde zich in het hoofd van de gevangene beetje bij beetje, als een schimmel, de gedachte aan de dood. De dood betekende namelijk het einde van alle pijn, zowel lichamelijk als geestelijk, als een verkwikkende droom waarin de gevangene al zijn lichamelijke pijn en psychische leed achter zich kon laten.

Renatino doorstond de eerste week, maar daarna werd ook hij in een zwart gat gezogen. Ook hij had de behoefte zich te verliezen in de armen van de weldadige dood. Een einde aan zijn lijden, geen stinkende wc meer, een eindeloze droom, troost. In zijn cel bevonden zich echter geen voorwerpen waarmee hij de dood op een pijnloze manier kon bespoedigen. Bovendien werd hij zich tijdens zijn heldere momenten bewust van twee redenen om dit plan te laten varen. De eerste reden was de haat die hij koesterde tegen de hele wereld, de directeur van de gevangenis, de cipiers en tegen iedereen die zijn kindertijd verwoest had. Renatino bleef in zichzelf herhalen dat hij in leven moest blijven om die hypocriete wereld te doen ontploffen. De andere reden dat hij zich zo wanhopig aan de werkelijkheid vasthield was zijn ongeboren zoon. Zijn zoon zou alles van hem krijgen wat hij zelf als kind niet had gehad. Dat had hij zichzelf beloofd en die belofte moest hij waarmaken, anders zou hij hetzelfde doen als wat anderen hem hadden aangedaan.

Hij klampte zich met uiterste wilskracht aan dit idee vast. En minuten, uren, dagen later opende de bewaker eindelijk de deur van de 'klok' en deelde hem mee: 'Renatino, je straf zit erop. Kom, ik breng je naar je cel.'

Met de deur wijd open en de verblindende elektrische lampen dwong hij hem zijn ogen half te openen. Zijn hersens werkten als een mixer en hij kon niet wijs worden uit de woorden van de bewaker. Hij stond op van de jutezak met maïsbladeren die op de grond lag.

'We gaan!' riep dezelfde stem dwingend.

'Is het voorbij?' vroeg hij met een zacht stemmetje.

'Ja, het is voorbij.'

In de weerspiegeling van de deur waren de brigadier en twee andere bewakers zichtbaar. Renatino zag echter alleen drie zwarte schimmen. Hij herkende wel de stem van een van de twee bewakers, de meeste sadistische en schofterige van allemaal.

'Je stinkt als een geit in de bronsttijd.' En hij spuugde op hem. Renato was nog niet getemd en wierp zich instinctief met zijn laatste krachten op hem en gaf hem een vuistslag. De bewaker proefde dat zijn tandvlees bloedde en sloeg Renatino terug, met de hand waarin hij zijn handboeien had. Zijn wenkbrauw sprong open en het bloed liep over zijn gezicht. Beiden werden naar de ziekenboeg gebracht en Renatino werd op verzoek van de directeur in de gaten gehouden door twee cipiers, zodat hij niet nog meer problemen zou veroorzaken.

Algiso Lopez, de directeur van de gevangenis, ging persoonlijk in de ziekenboeg kijken om vast te stellen hoe erg de verwondingen van zijn agent waren. Daarna begaf hij zich naar de kamer daar vlakbij, om te zien hoe de gevangene eraan toe was. Renatino was vastgebonden aan het bed en kon zich niet bewegen. De dokter was bezig zonder verdoving de snee in zijn wenkbrauw te hechten. Toen hij de directeur zag zei hij, om dit goed te praten: 'Het verdovingsmiddel is op, maar het zijn maar twee hechtingen.'

De directeur leek hem niet te horen. Hij beval de brigadier: 'Hij mag niet langer hier in de ziekenboeg blijven dan nodig is voor zijn medicatie.' Daarna wendde hij zich tot de bewakers: 'Eén week in de oven. Eens kijken of we die demonen definitief kunnen temmen.'

De twee bewakers keken de directeur aan.
De dokter fluisterde: 'Maar in zijn staat...'
Voordat hij wegliep voegde de directeur daar nog aan toe: 'Maak daar maar tien dagen van. Je weet nooit... Onderzoek voor de zekerheid ook zijn bloed maar. Ik wil niet dat hij de hele gevangenis besmet.'
Renatino klaagde niet, ondanks de pijn die de naald veroorzaakte die het levende vlees van zijn wenkbrauw in en uit ging.

De dag erna kwamen ze hem bij zonsopkomst al halen en ondersteunden twee bewakers hem onder zijn oksels tot aan de 'oven', terwijl hij handboeien om had. Renatino was doodmoe, door de pijn in zijn hoofd was hij niet eens in staat na te denken en zijn benen konden hem niet langer dragen. Ze kozen dit tijdstip om geen opschudding te veroorzaken bij de andere gedetineerden. De 'oven' was de meest onmenselijke cel van de gevangenis. Algiso Lopez had hem zelf bedacht. Hier liet hij de volhouders brengen, die hij niet kon breken door de klok. De oven dankte zijn naam aan zijn oude functie. Nu was het een donkere ruimte zonder frisse lucht, met een vloer die omhoogkwam aan de andere kant van de geblindeerde deur. Aan de muren waren afvoerbuizen bevestigd, die rioolwater lekten en er in de loop van de tijd voor gezorgd hadden dat de muren en de grond bedekt waren met een zacht, muf ruikend laagje schimmel en vocht. Er was geen vierkante centimeter in de oven die droog was. De deur was zo laag dat Renatino moest bukken om naar binnen te gaan. Hij was opnieuw op een nachtmerrieachtige plek beland waar afwisselend gekte, sprankjes helderheid en spoken uit het verleden, zonder enige logica, een afschuwelijke werkelijkheid vormden. De zomer was begonnen, maar daarbinnen was het ijskoud. Hij kon niet op de grond gaan liggen, omdat die overal nat en smerig aanvoelde, dus dommelde Renatino een paar uur op zijn hurken in, met zijn rug tegen de deur, het enige oppervlak dat niet besmeurd was met het vocht dat uit de buizen lekte. De vernederingen waren echter nog niet ten einde, want de cipiers pisten soms tegen de deur, zodat de warme urine onder de deur door liep en zijn voeten nat werden. En om hem te pesten vroegen ze hem ook nog hen te bedanken, omdat hij het dankzij hen tenminste een beetje warm kreeg.
De oudste bewakers konden zich niet herinneren dat er ooit iemand was geweest die er na langer dan een week weer helder uit kwam. Vele gevangenen hadden geprobeerd zelfmoord te plegen door zich met hun hoofd tegen de ijzeren deur te werpen, maar Renatino zat anders in elkaar. Zijn trots was reusachtig en dankzij zijn trots wist hij ook deze

extreme proef te doorstaan. Hij sliep al dagen niet, en als hij al sliep was het maar een paar uur. Zijn wonden waren ontstoken en omdat hij zeer hoge koorts had trilde en zweette hij alsof hij in een bad vol ijsklontjes zat. Inmiddels hallucineerde hij ook. De dokter kreeg met moeite toestemming van de directeur om hem eerder dan gepland naar zijn cel terug te brengen. Misschien redde hij met deze overplaatsing wel zijn leven, aangezien zijn koorts zo hoog was dat hij begon te hallucineren. In zijn waanbeelden werden herinneringen die hij diep weggestopt had in zijn onderbewustzijn weer werkelijkheid. Hij zag zichzelf als kind voetballen met zijn vriendjes in het park bij piazza Gobetti, toen de mensen die om hen heen stonden hem aanwezen aan een paar politieagenten. De agenten kwamen met snelle passen op hem aflopen. Ze hielden hem vast als een verstokte delinquent en sleepten hem de politiewagen in. Hij was pas acht jaar en werd naar Beccaria gestuurd omdat hij de circusdieren bevrijd had. In de gevangenis in Beccaria wilden ze hem de blauwe overall van een gevangene aantrekken, maar hij verzette zich. Hij schopte wanhopig om zich heen om niet te worden uitgekleed, maar werd vastgehouden door een paar sterke handen. Vanaf dat moment werd de herinnering verduisterd door een eindeloos zwart gat. Hij zag voor zich hoe hij in een hoekje van een vochtige cel opgerold zat, terwijl een roedel wolven hem in zijn voeten probeerde te bijten. Hij trapte om zich heen, verdedigde zich met al zijn kracht, maar kon niets uitrichten tegen die wilde beesten, die uiteindelijk zijn tenen te pakken kregen en deze van zijn voet af rukte, wat een ondraaglijke pijn veroorzaakte.

De bewakers hadden hem opgetild en probeerden hem te laten lopen, maar zijn voeten waren stijf en verkrampt, als twee stompjes. Hij zag de twee bewakers die hem ondersteunden en begreep niet of hij nog droomde of dat hij weer terug was in de werkelijkheid. De bewakers sleepten hem langzaam de oven uit, door de gangen, naar de ziekenboeg. De directeur wachtte hem op in de slaapzaal. Hij wilde getuige zijn van de onvoorwaardelijke overgave van de gevangene. Toen hij voor hem stond, zei hij: 'Zoals je ziet, Renatino, gelden hier alleen *míjn* wetten. Wetten waar jij voor moet buigen, anders...'

Renatino tilde zijn hoofd op en wilde hem lik op stuk geven maar stootte, gelukkig voor hem, slechts keelklanken uit die de directeur interpreteerde als een verklaring van onderdanigheid.

'Hebben jullie het gehoord? Iedereen geeft het vroeg of laat op.' Hij glimlachte en wees zijn mannen het bed aan waar ze Renatino op moesten leggen en verliet toen de slaapzaal.

Uiteindelijk, na dagenlang buiten bewustzijn te zijn geweest, konden zijn gepijnigde ledematen en uitgeputte geest tot rust komen.

* * *

Bernardo Leighton had een woning gevonden in een rustige buurt in Rome, pal naast de muren van het Vaticaan. Hij had dit lichte tweekamerappartement dat deel uitmaakte van een luxe flatgebouw in via Aurelia, gehuurd nadat hij was gevlucht uit Chili vanwege de staatsgreep van generaal Pinochet. Leighton was een van de meest gewaardeerde politici in Chili. Hij had de Christendemocratische Partij van Chili opgericht en, toen drie jaar later de democratisch gekozen president werd verjaagd na een staatsgreep onder leiding van generaal Augusto Pinochet, zonder mogelijkheid van beroep de tussenkomst van de strijdkrachten afgekeurd. Vervolgens werd hij vanwege zijn standpunt vervolgd door de militaire raad en gedwongen het land te verlaten. Hij vluchtte samen met zijn vrouw Anita Fresno naar Rome, waar hij met andere Chileense vluchtelingen een beweging tegen de dictatuur probeerde op te zetten.

Het was de *longa Manus* van de Dina, de geheime dienst van het Chileense regime, echter dankzij zijn banden met de fascisten, en in het bijzonder met de top van de P2, gelukt om hem te vinden. Het vuile werk zou daarentegen worden opgeknapt door een van de batterijen uit de metropool, om iedere vorm van politieke bemoeienis te vermijden.

Albert Bergamelli werd gebeld door Pierluigi Dalmasso, die hem vertelde dat de Eerwaarde toestemming gaf om 'het pakje op te slaan'. Bergamelli wist precies wie hij hiermee bedoelde. Hij had hem en zijn vrouw namelijk dagenlang achtervolgd: hij wilde niet het risico lopen zich te vergissen in de persoon, maar bovenal wilde hij 'het pakje' veilig 'opslaan', en de executie onberispelijk en probeemloos uitvoeren.

Met de hinderlaag voor Bernardo Leighton ging de 'Campagne van wedergeboorte' van de Eerwaarde officieel van start.

24

De tijd van de anonieme ontvoeringen

De gunst die de clan van de Marseillanen aan de Eerwaarde had verleend, was niet in cijfers uit te drukken, want vanaf die dag stonden Chili en Argentinië open voor de duistere zaken van de leider van de vrijmetselaars. Verder behaalde de clan door deze actie ontzaglijk veel voordelen, want vanaf die dag leek het alsof ze een beschermengel bij zich droegen, die hen uit iedere situatie redde. Zelfs toen een ijverige commissaris erin was geslaagd hen te arresteren, vonden ze een manier om hen uit de gevangenis te houden, zonder al te veel risico te lopen: de hekken gingen wonder boven wonder vanzelf open en de clan ging gewoon verder met zijn overvallen en afpersingspraktijken.

De periode van de ontvoeringen brak aan. Een nationale schandvlek die zijn weerga niet kent. Anders dan in Spanje en Duitsland, waar ontvoeringen altijd politiek geladen waren, werden in Italië mensen ontvoerd door criminele bendes, met financieel gewin als enig doel. Italiaanse ondernemers, vooral in Lombardije, voelden zich niet meer veilig. Niemand was er meer zeker van na een werkdag heelhuids thuis te komen. Op een gegeven moment werd één ontvoering per vier dagen geregistreerd.

Albert Bergamelli en zijn maten waren de eersten die zich in deze tak van misdaad specialiseerden. Voor een ontvoering zijn veel mensen nodig en plekken waar de gijzelaar weken of soms maanden vastgehouden kan worden.

De historische kern van de Marseillanenbende moest dus worden uitgebreid. Mario Castellano, Paolo Provenzano, Laudavino De Sanctis, bijgenaamd Lallo Mankepoot en Danilo Abbruciati, beter bekend als de Snor, kwamen erbij. De Snor zou later een van de vooraanstaande personen worden van de bende van Magliana.

* * *

De twee moorden op Favignana leverden Turatello veel problemen op. Hij werd stevig aan de tand gevoeld door de politie van Trapani, die hem vragen stelde waar Engelengezicht het antwoord niet op wist. Wat deed die Duitser, die in koelen bloede vermoord was, in de badkuip van zijn huisje? Waarom had de moordenaar op zijn vrouw geschoten? Maar de vraag waarop Turatello zelf een antwoord wilde was: wie haatte hem zo erg dat hij hem dood wilde hebben?

Turatello had daar zo zijn ideeën over, maar was niet van plan deze met de politie te delen. Aan het eind van het verhoor, nadat hij tot in detail, minuut voor minuut, had verteld wat hij tijdens zijn verblijf op het eiland had gedaan, lieten ze hem eindelijk gaan. Hij was vrij om naar Milaan terug te keren. Maar Turatello voelde zich niet meer veilig in zijn stad. Als de Sicilianen het echt op hem gemunt hadden, kon hij weinig tegen hen beginnen. Hij besloot contact op te nemen met de Generaal, de vreemde figuur die hem was komen opzoeken in de Roxy en hem een kaartje had gegeven met zijn nummer erop. Hij draaide het nummer en een telefoniste zei dat de persoon naar wie hij op zoek was spoedig contact met hem zou opnemen. En inderdaad, een paar uur later belde dezelfde secretaresse terug met de mededeling dat ze een afspraak had gepland met de Generaal voor de dag erna, in de galerie in Savini.

Galerie Victor Emanuel II was de plek waar ze het minst zouden opvallen. Francis keek om zich heen, zoekend naar de generaal, maar zag niemand met zijn gelaatstrekken. Hij ging in een kleine fauteuil van Savini zitten en wachtte op degene met wie hij had afgesproken. Even later schoof er een jongen bij hem aan in een zwart T-shirt en met een haarlok die deels over zijn ogen viel.

'De Generaal kan niet komen en heeft mij gestuurd. Ik heet Pierluigi Dalmasso,' legde de jongen kort uit.

'Maar ik wil alleen met hem praten.'

'Ik verzeker je dat we deel uitmaken van hetzelfde team. Vertrouw me maar. Bovendien zijn de Marseillanen goed bezig,' vertelde hij. 'Nu is het jouw beurt, volgens de afspraak die je met de Generaal hebt gemaakt.'

'Wat zullen we nou krijgen? Ik heb met niemand iets afgesproken.'

'Heb je dat niet tegen de Generaal gezegd? Je leek overtuigd toen jullie elkaar in jouw tent gesproken hadden.'

'Hij heeft me iets voorgesteld wat voor ons... hoe zeg je dat... voor mensen die de grenzen van de wet opzoeken, altijd een droom is geweest,' legde Turatello uit. 'We hebben er altijd naar gestreefd datgene te doen wat de goedkeuring kan wegdragen van de mensen die de macht in handen hebben. Hoe zou ik zo'n voorstel kunnen weigeren?'

'Er is iemand geweest die het heeft geweigerd,' antwoordde Dalmasso, terwijl hij dacht aan Renatino en zijn batterij.

'Wie is die gek?'

'Iemand die er op dit moment slecht aan toe is. Maar laten we ons op de ontvoeringen concentreren. Ik zal je vertellen wie ons eerste doelwit is...'

'Wacht, niet te snel. Zijn jullie werkelijk in staat om mij te beschermen?'

'Je maakt een grapje. Wie denk je dat de touwtjes in handen heeft hier in Italië?' vroeg Dalmasso dubbelzinnig. 'Als jij je bij ons leger aansluit zal er geen politieagent of rechter zijn die je nog lastigvalt. Dus, zoals ik al zei, nu zal ik je vertellen wie ons volgende doelwit is.'

* * *

Het 'doelwit', zoals Dalmasso zei, was een vrouw, of eigenlijk meer een meisje van dertig, Domenica Boldini, het tweede kind van koffiekoning Riccardo Boldini. De jonge vrouw, getrouwd met een werknemer uit de fabriek van haar vader, was assistente van de faculteit Filologie van de staat waar ze dagelijks vele uren in de bibliotheek doorbracht om de klassieken te bestuderen. Die avond bleef ze nog langer in de leeszaal hangen dan normaal en nadat de bewaker haar eraan had herinnerd dat het sluitsignaal inmiddels geklonken had, leverde ze haastig en geïrriteerd de boeken weer in en liep naar de uitgang.

Turatello's bende had haar gewoontes bestudeerd en stond klaar om tot actie over te gaan. Francis had een busje laten stelen, een beige Fiat 850. De nacht ervoor hadden ze het busje vlak bij het park van largo Richini geparkeerd, op een punt waar Domenica langs zou lopen in de richting van de garage in via Pantano, om haar auto te halen en naar huis te rijden.

Die dag droeg de vrouw een wijde bloemetjesrok, met een bonte blouse en een hip gilet met borduursels, zoals toen de mode was. Menica, zoals haar vader haar noemde, was niet mooi. Omdat ze erg bijziend was droeg ze een bril met jampotglazen op haar iets te prominente neus en ze had niets kunnen uitrichten tegen de acne die haar gezicht aantastte. Voor de rest was ze goed geproportioneerd. Mannen floten natuurlijk niet als ze langsliep, maar dat deerde haar niet. Mannen van haar leeftijd hoefden wat haar betreft niet naar haar om te kijken, want ze had thuis al een man die op haar wachtte. Haar vader had een zucht van verlichting geslaakt toen ze op een dag aankondigde verliefd te zijn en te willen trouwen. Menica voelde zich al een paar dagen bijzonder opgetogen vanwege een geheim dat ze nog met niemand gedeeld had, zelfs niet met haar moeder: ze verwachtte misschien een kind!

Angelo Infanti, Davino alias Stalin en Angelino Epaminonda hadden opdracht gekregen de vrouw te ontvoeren. Ze zagen haar uit de poort van de universiteit komen en dicht langs de muur naar de garage lopen. Ondanks het late tijdstip hingen er nog steeds groepjes studenten rond het gebouw, kletsend en lachend. Zodra de jonge vrouw ter hoogte van het busje was, liep Angelo Infanti op haar af en stelde haar de banale vraag: 'Heb je een vuurtje voor me?'

De vrouw kreeg echter geen tijd om te antwoorden, want toen ze een aansteker in haar tas wilde zoeken zag Angelo Infanti zijn kans schoon en duwde haar hard tegen het busje, terwijl hij tegelijkertijd haar mond met een handdoek bedekte, zodat ze niet kon schreeuwen. De vrouw bleek echter een duiveltje, want ze begon als een muilezel te trappen, raakte de benen van Angelo Infanti en Angelino Epaminonda, die zijn kameraad te hulp was geschoten, met de punt van haar schoen in zijn ballen. Hij zakte in elkaar van de pijn, maar herstelde zich meteen toen hij zag dat de vrouw bijna uit Angelo Infanti's armen ontsnapte. Epaminonda liep op haar af en stompte haar met al zijn kracht tegen haar voorhoofd. Iemand had het tumult gehoord en keek uit het raam, terwijl een aantal studenten in hun richting wees.

Het lukte Angelo Infanti haar in het busje te krijgen. Hij sprong meteen achter haar aan de auto in en tapete haar polsen aan elkaar zodat ze zich niet kon verzetten, terwijl Epaminonda het portier van buitenaf sloot en naar de voorkant liep. Hij knikte naar Stalin dat hij de auto kon starten, terwijl hij naast hem plaatsnam. Stalin was een prima coureur maar vertrok zonder enige haast, alsof hij iets moest bezorgen: hij wilde niet de aandacht trekken met onnodige toestanden, hoewel veel mensen in de straat inmiddels begrepen dat ze getuigen waren geweest van de zoveelste ontvoering.

Een half uur later werd Domenica Boldini de mond gesnoerd met een stuk tape en werden haar handen achter haar rug gebonden, waarna ze in het busje in een garagebox werd gezet die door de Generaal ter beschikking was gesteld. Epaminonda was aangesteld als bewaker van de gevangene. Hij had opdracht gekregen haar niet uit het oog te verliezen. Als ze naar de wc moest mocht ze het ding in de box gebruiken, maar hij mocht haar absoluut niet alleen laten.

Voor Menica was de meest aangrijpende periode van haar leven aangebroken. Ze begreep niet goed wat ze van haar wilden, of ze haar wilden vermoorden of dat ze haar vader om losgeld moest vragen. Ze hadden een muts over haar hoofd getrokken en het duister was nog lastiger te verdragen dan de koude staalplaat waar ze op lag. Naarmate de uren verstreken veranderde haar woede in wanhoop en terwijl de tijd voorbij tikte ging die over in gelatenheid. Ze bedacht opeens dat ze de rozenkrans kon bidden. Ze gebruikte haar vingers om de kralen te kunnen tellen die ze voor zich zag en ging in foetushouding liggen in de hoop dat ze zou verdwijnen in een universum, ver verwijderd van de garagebox. Langzaam maar zeker viel ze in een rusteloze slaap, vermoeid als ze was door de heftige emoties van de voorbije uren en door de hoofdpijn die de vuist van Epaminonda haar had bezorgd.

Zo gingen twee of drie dagen voorbij, of misschien was het wel een week. Ze had ondertussen geen besef van tijd meer. Haar bewakers stonden niet toe dat ze de muts van haar hoofd haalde, zelfs niet om de chocoladerepen te kunnen eten waar ze onderhand genoeg van begon te krijgen. Wat haar echter het meest irriteerde was het absolute gebrek aan privacy. Als ze naar de wc wilde leidde haar bewaker haar met de hand naar het kamertje waar zich een toiletpot en een kleine wastafel bevonden. Op haar verzoek om de deur te sluiten antwoordde hij dat hij zich om zou draaien, maar de deur niet dicht kon doen omdat hem dit verboden was. In werkelijkheid draaide hij zich helemaal niet om en lachte omdat hij dacht bijdehand te zijn. Menica voelde dit aan omdat ze de adem en de stem van de man rechtstreeks voelde. Op een dag verzette ze zich en schreeuwde ze dat hij de deur dicht moest doen. Als antwoord kreeg ze een paar klappen, waardoor ze met haar hoofd tegen de muur sloeg. Daarna had ze geen stoelgang meer en raakten haar darmen geblokkeerd, waardoor ze voortdurend gekweld werd door pijn en spasmen.

Even later arriveerde een bendelid dat als een leider instructies gaf. Menica begreep alleen dat ze haar naar een andere schuilplaats zouden brengen. Ze lieten haar uit de bus stappen en dwongen haar op de grond te gaan liggen, op een groot plastic vel. Iemand bedekte haar mond weer met tape en vervolgens werd ze in cellofaan gewikkeld, waardoor ze moest kokhalzen. Ze tilden haar op en stopten haar in een grote zwarte kartonnen cilinder, die werd gebruikt voor het vervoer van theater- en bioscoopapparatuur.

Menica voelde dat ze stierf. In haar hele leven was ze nog nooit claustrofobisch geweest. Maar zo ingepakt, omwikkeld met cellofaan en opgesloten in een bak die net een doodskist was, alleen door haar neus te kunnen ademen, met de pijn in haar darmen die maar niet ophield, dacht ze dat haar laatste uur geslagen had. Ze begon te bidden, het enige wat ze haar niet konden verbieden.

Turatello beval Stalin en Epaminonda de cilinder in de vrachtwagen te laden die buiten met draaiende motor stond te wachten. Op de laadbak van de vrachtwagen stond een opvallende afbeelding van twee schijnwerpers met de tekst: 'Cinetechniek. Geef licht aan je spektakel.' De cilinder waarin Menica zich bevond werd tussen een berg kisten, dozen met projectors, statieven en muziekapparatuur gestopt.

De reis was lang en pijnlijk, een onbeschrijflijke kwelling die Menica ternauwernood doorstond. Hobbels, gaten, bochten, versnellingen, er leek geen einde aan te komen. De vrachtwagen werd één keer aangehouden voor een doorzoeking door de Fiscale Inlichtingen- en Opsporingsdienst.

Menica hoorde de achterdeur opengaan. Ze probeerde zich te bewegen en te schreeuwen, maar kreeg het niet eens voor elkaar te kreunen. Het beetje hoop dat ze nog had doofde uit als de vlam van een kaars toen ze de deur weer hoorde sluiten en de wagen weer in beweging voelde komen.

De marteling van de arme Menica duurde lang: vijf, zes, misschien wel zeven uur. Toen de vrachtwagen stopte was de vrouw al een paar uur buiten bewustzijn. Toen ze haar uit haar tombe van karton en cellofaan haalden bungelde haar hoofd heen en weer. Albert Bergamelli dacht dat ze dood was. Hij haalde de muts van haar hoofd en trok het tape van haar mond, maar nog steeds gaf ze geen teken van leven. Hij liet zich azijn brengen en sprenkelde dit onder haar neus. Dit had effect, want de vrouw zoog haar longen vol met lucht.

'Ze is er echt slecht aan toe. Jullie hebben haar bijna vermoord,' riep Bergamelli geërgerd tegen Stalin en Epaminonda.

'Wees blij dat we haar in dat stuk karton hebben gewikkeld,' antwoordde Stalin rancuneus, omdat hij niet tegen kritiek kon. 'We zijn aangehouden door twee mannen van de FIOD, die onze waar wilden doorzoeken. Ze hebben ook de transportpapieren uitgeplozen. Ik heb gezegd dat het spullen waren voor het feest van Ronciglione en gelukkig kwam een van hen precies uit die buurt en hebben ze ons doorgelaten, zonder de rest te controleren.'

Ze zetten haar de muts weer op. Mario Castellano en Lino Bellicini probeerden haar op haar benen te zetten, maar Menica's knieën hielden het niet en ze bleef maar ijlen.

'We laten haar even een paar uur bijkomen voordat we haar in de nieuwe schuilplaats stoppen,' deelde Bergamelli zijn kameraden mee terwijl hij wegliep.

Stalin en Epaminonda hadden hun missie volbracht. Ze groetten de Marseillanen en gingen terug naar Milaan, maar niet zonder eerst alle waar in de opslagplaats van het gemeentelijk theater van Viterbo te hebben geloosd.

Het huisje waar Menica naartoe werd gebracht bevond zich in via Cassia, in het noorden van Rome, in de buurt van het Braccianomeer. Hier hadden de Marseillanen een van hun bases. Ze huurden het huisje al jaren en gebruikten het soms om een gijzelaar te verbergen of om zelf rustig in te verblijven. Dit was geen provisorische schuilplaats, zoals de garagebox in Milaan. Hier genoot de gevangene zeer veel vrijheid, maar waren de regels streng. De jonge vrouw mocht één keer per dag naar de wc, op een door de bewakers bepaald tijdstip, en het eten was op rantsoen: een blikje tonijn, een beetje voorverpakt vlees en een paar appels. Dit had tot doel haar zo veel mogelijk te verzwakken, zodat ze het wel uit haar hoofd zou laten om te vluchten.

25

De techniek van een ontvoering

De onderhandelingen om het losgeld waren begonnen. Zodra Riccardo Boldini, de vader van Menica, ter ore was gekomen dat zijn dochter ontvoerd was, kreeg hij een pijnaanval en moest hij zo lang de ontvoering duurde op de reanimatiezaal blijven. Zijn vrouw was, ook om gezondheidsredenen, niet in staat met zo'n ernstige situatie om te gaan en dus zat er niets anders op dan de onderhandelingen toe te vertrouwen aan de oudste dochter, Evelina. Maar zij toonde zich vanaf het begin van de onderhandelingen een harde noot om te kraken.

Vader Boldini had, uit angst voor de ontvoeringen die zich als een olievlek door heel Lombardije verspreidden en in het bijzonder in de streek van Milaan, het zekere voor het onzekere genomen en twee miljard lire voor de belasting verzwegen, voor het geval zich zoiets zou voordoen. Een corrupte medewerker van zijn bank had dit doorgebriefd aan een vriend van de Generaal. Deze gaf het vervolgens weer door aan de Generaal, die het op zijn beurt rapporteerde aan zijn meerdere, majoor Guetta. Turatello, die de onderhandelingen leidde, wist daardoor precies hoe ver hij kon gaan. Hij besloot drie miljard aan losgeld te eisen en was van plan de familie op het laatste moment tegemoet te komen door er een miljard af te halen en zo op twee miljard uit te komen, dat al klaar lag bij de bank. Maar al tijdens het eerste telefoontje zei Evelina dat haar zusje een dromer was en nooit in de fabriek wilde werken, zich nooit zo had opgeofferd als zij en dat ze zich daarom wel redde. Ze was al dat geld niet waard, geld dat ze bovendien niet hadden.

Turatello liet zich niet afschepen en zette de gebruikelijke tactiek voort. Hij hield de gesprekken kort, of belde naar de buren, die hij opdroeg naar Evelina Boldini te gaan om te zeggen dat haar zus aan de telefoon was en met haar wilde praten. Toen hij dit een paar dagen had volgehouden, gaf Evelina uiteindelijk op. Ze wilde echter wel bewijs dat haar zus nog leefde. Om dit bewijs te krijgen deed ze een vreemd verzoek: 'Vraag aan mijn zus wat er zo bijzonder is aan de datum op het kettinkje dat ze om haar nek draagt.'

Turatello belde Albert Bergamelli die de vraag aan de ontvoerde vrouw moest doorgeven.

Bergamelli ging zelf naar het huis, vlak bij het Braccianomeer. Hij had Bellicini en Castellano al gewaarschuwd dat hij eraan kwam. Op het laantje dat uitkwam bij het huis trof hij de twee aan, wachtend voor het hek. Het huis was typerend voor het Romeinse platteland. De voorkant, die diagonaal doorkliefd werd door de buitentrap naar de eerste verdieping, werd gekenmerkt door beige pleisterkalk en groene luiken. Het deurtje op de begane grond kwam direct uit in de woonkamer. Aan de linkerkant bevond zich een kleine deur in de vorm van een boog die naar de uit tufsteen gehouwen kelder leidde. Bergamelli liep, gevolgd door Bellicini, de kelder in. Hij deed het licht aan en liep de tufstenen treden af. Onder aan de trap begon een gewelfde tunnel van een meter of tien lang, met in enkele nissen kromme wijnrekken, met daarop talrijke flessen wijn. Aan het eind van de galerij stonden volkomen wanordelijk houten kistjes en kartonnen dozen opgestapeld voor het transport van de wijn. Bellicini zette een bivakmuts op en Bergamelli volgde zijn voorbeeld. Daarna verplaatsten ze de kisten en dozen en maakten zo een rechthoekig luik van houten planken vrij.

Menica rilde voortdurend. Het gat waarin ze haar hadden opgesloten was niet eens bepleisterd, waardoor het vocht haar tot op het bot verkilde. Ze wreef over haar armen en de rest van haar lichaam als ze begon te verstijven, om haar bloedcirculatie weer op gang te brengen, maar het had geen zin. Tijdens het trage verstrijken van de dag had ze vele malen overwogen zich langzaam weg te laten glijden tot de dood zou volgen. Maar op zeker moment kregen een sterk gevoel van wraak, haar overlevingsinstinct en de gedachte aan haar familie, die vast vreselijk moest lijden, de overhand en begon ze te bidden en God om vergeving te vragen voor die gedachten. Ze zwoer bij zichzelf dat ze het zou redden, dat ze vol zou houden. Maar de psychische stress, de fysieke pijn en de hevige kou bleven haar verzwakken. Het enige moment waarop ze het gevoel had herboren te zijn was de ochtend, als ze haar kwamen halen om haar behoefte te doen. Dat was het mooiste moment van de dag, want dan mocht ze het gat uit en haar benen strekken. Lang duurde dat echter niet, want het chemische toilet, dat haar tirannen buiten het gat hadden geplaatst, bevond zich in de tunnel van de kelder. Ze werd dan gedwongen de muts op te zetten, omdat ze wilden voorkomen dat ze de plek zou herkennen waar ze haar gevangen hielden. Maar door de sterke mostgeur had ze meteen begrepen dat ze in een wijnkelder zat. Waar ze ook de hele dag naar uitkeek was het moment waarop ze eten kreeg. Of het ochtend of avond was kon ze inmiddels niet meer onderscheiden, omdat haar bioritme compleet verstoord was geraakt in de uren dat de vermoeidheid het won van haar wakkere staat en ze at op commando, wanneer haar bewakers het verlangden.

Aanvankelijk was ze woedend op de man die haar eten bracht. Ze haatte hem omdat hij haar dwong deze eindeloze marteling te ondergaan. Later begon ze echter vol verwachting naar hem uit te kijken; hij bleef immers een menselijk wezen. Ze begon zelfs tegen hem te praten.

Menica hoorde het luik opengaan. Ze had pas nog gegeten. Was het mogelijk dat er al een hele dag voorbij was en ze opnieuw te eten kreeg? Ze keek omhoog en zag twee mannen met bivakmutsen.

'Kijk omlaag, hoer!' schreeuwde Bellicini.

Ze gehoorzaamde. Daarna hoorde ze een nieuwe stem: 'Ik heb met je zus Evelina gesproken,' zei Bergamelli, zonder enige inleiding. 'Ze wil weten wat er zo bijzonder is aan de datum op het medaillon dat je om je nek draagt.'

Opeens herinnerde Menica zich haar gouden kettinkje, een dierbaar aandenken aan haar eerste communie, dat ze van haar oma had gekregen, en hield het stevig in haar hand. Daar zou ze nooit afstand van doen.

'Ze wil er zeker van zijn dat je nog leeft, voordat ze het losgeld betaalt. Je hebt werkelijk een lieve zus,' ging Bergamelli verder met zijn typisch Franse tongval. 'Eerder had ze gezegd nooit een lire aan jou te verspillen, omdat jij nog nooit in de fabriek hebt geholpen.'

'Dat is niet waar.' Menica barstte in tranen uit.

'Het is net zo waar als het feit dat je vader je wilde onterven. Klopt het niet dat de zaken er zo voor staan?' ging Bergamelli sadistisch verder. 'Nou, wil je me nog over die vervloekte datum vertellen of hoe zit dat? Wat is er zo bijzonder aan?'

Het snikkende meisje antwoordde: 'De datum is fout. Er staat zes mei, in plaats van negen mei. Dat is alles.'

Bergamelli glimlachte tevreden. Hij gaf Bellicini een teken het luik weer te sluiten. Meteen daarna stapelden ze er slordig kisten, kartonnen dozen en pakken stro tegenaan.

Evelina was tevreden met het antwoord en wilde de onderhandelingen voortzetten. Ze zei tegen Turatello dat het haar niet gelukt was meer dan vijfhonderd miljoen bij elkaar te krijgen, zelfs niet door een aantal goede vrienden om hulp te vragen. 'De hoer test ons uit,' zei Turatello tegen zijn makkers. 'Maar we kunnen niet laten merken dat we weten dat ze twee miljard in hun kluis hebben liggen, anders verraden we de medewerker bij de bank en loopt het met ons ook slecht af.'

'We laten haar geloven dat we tevreden zijn over de eerste storting,' zei Angelo Infanti. 'Daarna onderhandelen we opnieuw.'

Ze accepteerden dus de vijfhonderd miljoen. Ze legden Evelina uit hoe het geld afgeleverd moest worden. De instructies die ze moest volgen stonden verspreid over meerdere briefjes die ze haar zouden laten vinden als in een speurtocht. Daarna diende ze het pak met geld in een mand onder aan een viaduct te stoppen, die zij van bovenaf zouden laten zakken.

Epaminonda en Stalin moesten Evelina's Mercedes volgen, wat ze met grote discretie deden. Alles liep dan ook voorspoedig en volgens plan. Ze haalden het eerste voorschot van het losgeld op bij het afgesproken viaduct.

De ontvoering kreeg een prettige wending. De familie ging betalen en zou dit tot de laatste cent doorzetten.

Vervolgens besloten Turatello en zijn maten Evelina een geluidsopname van haar zus te sturen. Niets is zo emotionerend en schokkend als de stem van een ontvoerde. Bovendien werd praktisch niemand die ooit ontvoerd was, slechter behandeld dan Menica.

Evelina, haar moeder en Marzia, haar jongste zus, beluisterden de tape samen met de politie. De stem van Menica bibberde van de emoties en ontroerde de drie vrouwen.

'Mama, Evelina, haast jullie, ik ga dood. Ik verblijf in een gat... Ik heb het koud en ik heb honger... Ik denk aan jullie en bid... maar ik kan niet meer, ik weet niet hoe lang ik het nog volhoud... Geef Marzia een kus van me. Mama, ik hou van je.'

De politie analyseerde de band grondig, hopend op een aanwijzing die hen naar de plek zou leiden waar het meisje werd vastgehouden. De enige aanwijzing die ze hadden was de magnetische houder. Ze ontdekten dat de band deel uitmaakte van een oude partij tapes die door een groot bedrijf in de hoofdstad waren verkocht. Het was dus mogelijk dat de jonge vrouw was ontvoerd in Milaan en gevangen werd gehouden in Rome.

Bij het volgende contact informeerde Evelina, die nog steeds op een lager bedrag hoopte, de ontvoerders dat het haar nogmaals gelukt was vijfhonderd miljoen bij elkaar te verzamelen, maar dat dit het uiterste was wat ze van haar familie konden verwachten.

Turatello deed alsof hij tevreden was en gaf haar de gebruikelijke uitleg over de wijze waarop ze het geld moest overhandigen.

Ook deze keer moesten Stalin en Epaminonda de Mercedes van het meisje weer volgen. Ze reed echter de verkeerde kant op.

Evelina ging via della Pecetta in, de straat die uitkwam in de buurt van het treinstation. Daar zou ze haar auto parkeren en daarna zou ze het spoor volgen tot onder het viaduct Adriano Baculca, de plek waar ze hadden afgesproken.

Maar twee Alfa Giulia's met politiekleuren blokkeerden de Mercedes de weg en de twee politiemannen die uitstapten vertelden Evelina Boldini dat ze, in opdracht van de rechter, de vijfhonderd miljoen die bestemd was voor de ontvoerders in beslag moesten nemen. Om de ontvoeringen het hoofd te bieden was er namelijk een wet aangenomen, die het Openbaar Ministerie de mogelijkheid gaf bezittingen van de familie van ontvoerde mensen uit handen van de ontvoerders te houden.

Turatello gaf desondanks nog steeds niet op. De familie had nog een miljard tot haar beschikking en daarom bond hij opnieuw de strijd aan met Evelina. Deze keer klonk de boodschap van Menica nog wanhopiger. Als Evelina het leven van haar zusje wilde redden, moest ze hem zo snel mogelijk nog een miljard lire brengen.

26

Met de dood eindigt de pijn van het leven

De martelingen die Renatino had moeten doorstaan hadden ervoor gezorgd dat hij op bepaalde momenten tijdens zijn detentie naar de dood verlangde. Er wordt gezegd dat de dood de kwellingen van het leven wegneemt. Maar diep in zijn hart wilde hij niet sterven, vooral niet omdat zijn zoon spoedig geboren zou worden. Hij was hersteld van de ontberingen in de klok en de oven. Voorlopig zat hij rustig in zijn cel, hoewel hij niet bepaald in prettig gezelschap verkeerde. Hij deelde zijn cel met een enorme patser, een van die verachtelijke lui die in de gevangenis een soort thuissituatie creëerden. De man was altijd op jacht naar groentjes die hij kon domineren en tot zijn tijdelijke echtgenote kon bombarderen. De andere gedetineerden noemden zulke lui vol afkeer: 'ontplofte' mensen zonder hoop. Deze gevangenen probeerden een gezinnetje te stichten achter de veilige muren, liepen in het rond en deelden klappen uit als jaloerse echtgenoten, wanneer een andere gedetineerde ook maar naar hun groentje durfde kijken. Dit waren de meest gehate gevangenen van allemaal, omdat de gevangenis zo diep in hun brein was gedrongen dat ze zich gedroegen als smerissen. Het gebeurde dan ook regelmatig dat ze tijdens oproeren klappen uitdeelden aan andere gevangenen en zich aan de zijde van de bewakers schaarden.

De directeur had bepaald dat hij zijn cel moest delen met een figuur met wie hij totaal niets gemeen had. Hij vond het leuk om zijn gevangenen te stangen. De twee probeerden elkaar niet tot last te zijn, maar waren genoodzaakt elkaars aanwezigheid te verdragen. Ze spraken alleen tegen elkaar als het echt niet anders kon en verder bemoeiden ze zich alleen met hun eigen zaken. Renatino tolereerde bijvoorbeeld dat op sommige avonden, wanneer een zekere Calani dienst had, de deur van de cel tegen een vergoeding van 10.000 lire open bleef en de patser alle tijd kreeg om het groentje van dat moment te neuken. De laatste was Mario, een jongen van amper twintig, die zich door een fout op hun afdeling bevond. Hij wachtte namelijk op overplaatsing naar Rebibbia in Rome, waar zijn proces zou plaatsvinden. Hij was geen echte crimineel. Ze hadden hem betrapt met enkele doses heroïne in zijn auto, wat volgens hem een list was van een paar vrienden die hem uit de weg wilden ruimen, zodat een van hen vrij spel had om zijn vriendin te veroveren. Een laffe actie. Als het waar was wat hij zei, moest er een hartig woordje met God en alle heiligen gesproken worden, temeer daar Mario ook nog eens de pech had de patser uit Renatino's cel tegen het lijf te lopen.

Op een middag stuurde de directeur iemand om Renatino te halen. Het was niet gebruikelijk dat een gevangene naar het kantoor van Algiso Lopez moest komen. Dat gebeurde alleen als je straf voorbij was, of wanneer hij slechte berichten van buiten voor je had. Renatino dacht aan Veronica en aan de baby. Hij vreesde het ergste en volgde de brigadier vol verwarring en met het vage voorgevoel dat zijn leven een negatieve wending zou krijgen.

Hij stond tegenover de directeur. In degene die naast hem stond, herkende hij de dokter van de gevangenis. Hij zag er serieus uit en keek naar de grond. Algiso Lopez hield hem van achter zijn bureau een brief voor, met als afzender de polikliniek van Bari.

'Het spijt me. Je bent een zeikerd, maar zo'n ziekte wens ik zelfs mijn ergste vijand niet toe,' zei hij laconiek.

Renatino las de getypte brief door en zag in de gezwollen wetenschappelijke tekst het woord 'leukemie' staan. Hij voelde een tinteling in zijn hersenen en had een leeg gevoel in zijn maag. Hij voelde zich verloren, maar wilde zich niet gewonnen geven aan die grote hufter. 'Is dat alles?' was zijn commentaar.

De ander lachte om zijn provocatie en antwoordde: 'Vind je het niet genoeg? Dat rapport is jouw doodvonnis.'

'Wanneer zal de executie plaatsvinden?' vroeg hij aan de dokter zonder zijn zelfbeheersing te verliezen.

'Dat is niet te zeggen, in ieder geval niet over een maand of over twee maanden,' antwoordde de dokter een beetje beschaamd.

'Zullen we er dan maar drie van maken?' vroeg de directeur met een sadistische glimlach.

'Maar nee,' reageerde de dokter die het wrede spelletje van de directeur haatte. 'Vaak kunnen patiënten ook nog jaren leven, met de juiste behandeling.'

'Oké. Breng me nu weer naar mijn cel,' zei Renatino tegen de brigadier die hem was komen halen. Zonder zijn vijand nog meer te plezieren, verliet hij het kantoor.

Het nieuws had hem van zijn stuk gebracht. Hij was woedend op de hele wereld. Leukemie krijgen op zijn leeftijd was niet eerlijk. Het weinige wat hij van de ziekte wist was dat hem een reeks infecties en bloedingen te wachten stond. Het zou niet lang duren. Drie maanden had die sadist van een directeur gezegd, of een jaar, met de juiste behandeling...

Terug op de afdeling merkte hij meteen dat de bewakers zich anders gedroegen dan normaal. Ze dromden samen in een cel vlak bij die van hem. Er was een koortsachtig komen en gaan van cipiers en ander personeel, zoals psychologen en maatschappelijk werkers. Alle gedetineerden, ook degenen die klusjes moesten doen, werden gedwongen naar hun cel terug te gaan. Toen Renatino en de begeleidende brigadier de afdeling betraden, gaf een lage onderofficier de brigadier een teken dat hij moest doorlopen. Renatino liep langs de wijd openstaande deur waarachter het groepje bewakers zich bevond en hield zijn pas in. Aan het tralievenster hing Mario, die door de patser geneukt werd zodra hij de kans kreeg.

De brigadier greep hem bij de arm en dwong hem verder te lopen. Er heerste totale chaos. Verschillende bevelen spraken elkaar tegen. Iemand schreeuwde: 'Haal hem naar beneden.' Een ander riep: 'Raak hem niet aan en waarschuw de dokter.' Weer een ander: 'De directeur komt eraan.' En: 'Laten we op de officier van justitie wachten.'

Renatino liep zijn cel in en zag zijn celgenoot op zijn brits zitten met zijn handen in het weinige haar dat hij nog had. Toen hij Renatino zag keek hij op. Hij was ontdaan, zo leek het tenminste. 'Hij heeft zelfmoord gepleegd.'

'Ik heb het gezien,' antwoordde Renatino kort.

'Hij kwam niets te kort bij me,' probeerde de man het goed te praten.

'Praat geen onzin! Jij hebt hem vermoord, ben je nou blij?'

'Maar ik hield van hem.'

'Luister, ik heb geen zin om naar jouw lulkoek te luisteren, rat die je bent. Hou je bek.' Renatino was laaiend.

Het nieuws van zijn ziekte, het zien van die arme dode jongen, die ongeveer even oud was als hij en de aanwezigheid van die lompe kerel maakten hem gek van woede. Dit was precies wat de directeur wilde: gevangenen uit balans brengen waardoor hij ze met zijn macht kon breken. Er viel niet aan te ontkomen.

Het ergste van de gevangenis is wanneer een gedetineerde zich bewust wordt van het feit dat hij zijn autonomie kwijt is. Voor elke handeling is hij afhankelijk van iemand anders. Voor de zwakkeren, die ook in hun leven buiten de gevangenis hun ideeën nooit durven doordrukken, is het makkelijker zich aan te passen aan de omstandigheden in de gevangenis. Maar wie een sterke persoonlijkheid heeft en liever de leiding neemt, moet er zwaar afzien. Renatino behoorde tot de groep voor wie de gevangenis een voortdurende strijd betekende. Ieder moment van de dag bedacht hij manieren om er weg te komen.

Nu de resultaten van zijn bloedonderzoek zijn doodvonnis betekenden was zijn verlangen om de wereld te laten ontploffen alleen maar toegenomen.

'Maar ik hield echt van hem... Het is niet zoals je denkt...' De man was van het bed opgestaan en liep op Renatino af. 'Ik kende hem nog maar net, maar we hadden een klik. Je had zijn mond en tong moeten voelen, zo zacht...'

'Zit je me in de zeik te nemen?' Renatino's uitroep deed hem verstijven.

'Het is niet zoals je denkt. Hij hield van me.' De patser was volledig de weg kwijt.

Renatino duwde hem met twee handen weg. De man raakte uit evenwicht en zette een stap naar achteren, om vervolgens met zijn honderd kilo in de aanval te gaan. Renatino sloeg hem met zijn vuist vol in het gezicht, waardoor zijn bovenlip scheurde. De patser begon als een bezetene blind op hem in te slaan. Ze hielden elkaar in de houdgreep en bleven op elkaars hoofd rammen. Even later snelden bewakers toe en werden ze uit elkaar gehaald. In de tussentijd had het nieuws over de zelfmoord zich als een lopend vuurtje door de hele gevangenis verspreid en begonnen de gevangenen met keukengerei tegen de tralies te slaan en een hels kabaal te produceren.

Het lukte de cipiers de twee hardhandig te scheiden. Sommige sloegen op hen in uit wraak voor hun armzalige beroep, andere omdat ze deze miserabele figuren van de aardbodem wilden laten verdwijnen.

Toen Renatino weer wakker werd, lag hij vastgebonden op het immobilisatiebed. Ze bleven zijn lichaamsdelen afranselen, met name zijn testikels. Hij was naakt, zijn benen waren gespreid en zijn armen vastgebonden langs zijn lichaam. Het verbaasde hem dat hij geen pijn voelde, en begreep dat dit geen goed teken was. Het wilde namelijk zeggen dat zijn lichaam gevoelloos was geworden en dat dit de voorbode was van veel ernstigere fysieke klachten. Er stonden nog drie cipiers om hem heen, de drie wreedste, onder wie agent Calani.

De kracht om te praten ontbrak hem. Hij richtte zijn hoofd op en schrok toen hij zag dat zijn rechterbal zo opgezwollen was als een rugbybal. Hij dacht dat hij hem misschien wel voor altijd verspeeld had. Maar hij had nog zoveel om voor te leven...

De dag erna veranderde de sfeer compleet. Renatino voelde aan dat er iets belangrijks gebeurd moest zijn, omdat de hoofdarts persoonlijk naar de immobilisatiekamers kwam, waar hij nog steeds vastgebonden lag. De dokter zorgde ervoor dat hij losgemaakt werd en behandelde hem zorgvuldig. Hij nam een paar buisjes bloed af uit zijn opgezette scrotum. Hij dichtte de wonden op zijn gezicht en gebood zijn staf hem naar de ziekenboeg over te brengen. Hier werd alles duidelijk. Ze overhandigden hem een telegram, afkomstig van Veronica, waarin stond dat haar straf erop zat en ze hem snel op zou komen zoeken en hem in haar armen zou sluiten.

Om de blauwe plekken op zijn gezicht wat minder erg te laten lijken, haalden ze wat gezichtspoeder van de vrouwenafdeling, zodat 'zijn vrouw niet te erg zou schrikken, want die verwacht een kind'. Bovendien werd hem te verstaan gegeven niet over het ongeval dat hem was overkomen te praten, anders...

De dag erna arriveerde Veronica en de directeur stelde, bij wijze van uitzondering, een kleine kamer tot hun beschikking, die eigenlijk voor administratiedoeleinden bestemd was. Veronica had een ongelooflijk dikke buik en Renatino was bang haar te hard te knuffelen, ook omdat zijn botten pijn deden en iedere aanraking pijnscheuten veroorzaakte. Veronica had het wel in de gaten.

'Wat hebben ze met je gedaan?' vroeg ze, om vervolgens zijn wonden te kussen, alsof ze zo zijn pijn kon verlichten. 'Mijn god, je zit onder de wonden!'

'Nu ik jou zie gaat het beter.'

Veronica kuste hem innig en Renatino beantwoordde haar kus hartstochtelijk, waardoor hij de afschuwelijke gebeurtenissen van de afgelopen tijd even kon vergeten.

Ze gingen tegenover elkaar zitten en keken elkaar een paar lange minuten aan, terwijl ze elkaars handen stevig vasthielden.

'Ik wil goed naar je kijken, omdat ik je niet wil vergeten,' zei Renatino.

'Lieverd van me, wat hebben ze je toegetakeld... Ik zal die verdomde rotzakken eens een lesje leren! Deze keer komen ze er niet zo makkelijk van af!' Veronica was echt kwaad.

'Nee joh, laat maar zitten. Misschien als ik eruit kom, oké? Maar vertel eens over jezelf. Wanneer ben je uitgerekend?'

'Over twee weken. Het gaat goed met hem. De dokter is langsgekomen en heeft gezegd dat alles goed verloopt.'

Ze omhelsden elkaar nog eens. Veronica zou nog een paar dagen in Bari blijven en de directie beloonde Veronica's zwijgen om geen schandaal te veroorzaken, door Renatino nog niet naar zijn cel terug te brengen, zodat ze hem iedere dag kon komen opzoeken en hem kon brengen wat hij maar wilde.

Voor Renatino waren dit de beste dagen van zijn detentie, maar het mooiste moment kwam een week later, toen hij het telegram ontving waarop stond dat zijn zoon geboren was, een prachtig jongetje van acht pond en zevenhonderd gram, en dat moeder en zoon het goed maakten!

Na dit telegram werd Renatino achtervolgd door de kwellende gedachte dat hij moest proberen naar Milaan overgeplaatst te worden, om zijn zoon te kunnen zien en samen een gezin te vormen.

Hij vroeg de directeur te spreken om zijn beweegredenen uiteen te zetten, maar kreeg te horen dat hij die maar op papier moest zetten, want de directeur had geen tijd om naar zijn onzin te luisteren. Renatino schreef zijn verzoek om dichter bij zijn zoon te zijn die hij sinds zijn geboorte nog niet had kunnen zien, op een schriftblaadje. Hij deed een beroep op het feit dat de directeur ook vader was en gaf de brief aan de brigadier, die hem een paar uur later kwam zeggen dat hij het schrijven aan de directeur had gegeven en dat hij zo snel mogelijk antwoord zou krijgen. De rechter die belast was met het toezicht op de uitvoering van de straffen moest er ook nog over beslissen.

Dagen, weken en maanden gingen voorbij zonder dat hij antwoord kreeg. De directeur bedacht altijd een smoes waardoor zijn verzoek naar de volgende week werd verplaatst. Renatino voelde de grond heet worden onder zijn voeten. Het lukte hem met moeite zijn kalmte te bewaren. Hij reageerde niet meer op de provocaties van de bewakers: hij wilde hun geen reden geven hem nieuwe straffen op te leggen. Hij bleef geduldig wachten tot hij naar Milaan zou kunnen terugkeren en zijn zoon in zijn armen zou kunnen nemen. Ondertussen was het al twee keer Kerstmis geweest en kwam de derde steeds dichterbij, toen hij op een dag de directeur op zijn afdeling tegen het lijf liep. Hij liet deze gelegenheid niet voorbijgaan en sprak hem aan: 'Directeur, neemt u me niet kwalijk meneer, maar ik zou u graag willen vragen wat het antwoord is op mijn verzoek tot overplaatsing.'

Algiso Lopez wist hoe hij zijn gevangenen kwaad kon krijgen. Hij deed alsof hij het zich niet herinnerde. 'Heb je me een brief geschreven? Ik kan me niet herinneren dat ik die gelezen heb. Hij zal wel ergens op mijn bureau liggen. Morgen zal ik hem zoeken.'

Renatino had zijn hart er wel uit willen rukken, maar werd tegengehouden door een tiental handen, die hem optilden en naar zijn cel droegen, waar ze hem opsloten, hoewel het luchtuur was.

Hij zon op wraak en bedacht een protestactie. Hij kon het dak op klimmen via een trapje dat hij had gezien, dat naar de vliering leidde. Het was niet onmogelijk het trapje te bereiken. Hij hoefde alleen van het terras van hun afdeling naar het dak te springen dat uitkwam op via Giovanni XXIII en een gat van een meter of tien te overbruggen. Als hij het dak kon bereiken, zouden de buurtbewoners hem zien en zou zijn verzoek gehoord worden. Hij wilde niets anders dan zijn zoon zien. Zelfs een man als Algiso Lopez zou bereid zijn te onderhandelen in plaats van de dood van een man op zijn geweten te hebben, die bovendien op alle televisies in Italië te zien zou zijn.

Renatino probeerde zijn nieuwe celgenoot te overtuigen, een Milanees van een jaar of veertig, die er wel twee keer zo oud uitzag en gevangenzat vanwege de moord op zijn broer om een stomme kwestie over een erfenis. Ook hij wilde terug naar Milaan om in de buurt van zijn vrouw te zijn, en van zijn advocaat die zijn zaak volgde. Hij wilde echter niets weten van zijn plan om het dak op te gaan. Hij had hoogtevrees en was bang dat hij op het laatste moment niet durfde springen om die paar meter tussen het terras en het dak te overbruggen.

'Renatino, ik zweer het, ik kan het echt niet! Waarom sluiten we onszelf niet op?' jammerde de Milanees.

'Onszelf opsluiten? En wat dan? Weet je hoe lang ze dan bezig zijn om de deur te forceren?' antwoordde Renatino.

'Als ze niet naar ons luisteren zorgen we voor twee messen en richten een bloedbad aan en dreigen dan onszelf te snijden.' Hij was opgewonden en zeker van zijn zaak. Zo kwam het in ieder geval op Renatino over.

'Ik houd er niet van om te klagen,' zei Renatino, 'dat is niet waardig.'

In werkelijkheid dacht hij aan zijn leukemie en aan het feit dat een bloeding hem binnen een paar minuten fataal zou kunnen worden.

'Maar we hoeven er niet aan dood te gaan. We moeten onszelf zo toetakelen dat we naar het ziekenhuis moeten. Daar zullen ze de rechter erbij halen en kunnen we hem om overplaatsing vragen.'

'Goed dan. Laten we doen zoals jij zegt. Laten we hopen dat het werkt. Volgens mij zou de scène op het dak meer effect hebben... maar als dat idee je niet aanstaat, doen we wat jij voorstelt.' Renatino ging akkoord hoewel hij zich ervan bewust was dat dit voor hem het einde kon betekenen.

In die jaren was zelfverminking om aandacht te vragen voor een probleem, erg populair. Bijna iedere dag was er wel iemand in de Italiaanse gevangenissen die zichzelf sneed, vergiftigde of met zijn hoofd tegen de muur liep, waarbij vaak doden vielen. Veel gedetineerden gingen nog verder dan zich in de armen of buik te snijden en slikten naalden, spijkers of springveren uit hun matras in. Sommigen naaiden zelfs hun mond dicht. Als gevangenen zich zo verminken is dat omdat ze geen andere manier meer kunnen bedenken om hun mening duidelijk te maken.

Renatino en zijn celgenoot Silvano besloten zich op te sluiten, en gewapend met een mes en een fles staken ze op een maandagochtend, vóór de wekker, de veldbedden in de schuine nis van de muur. Toen ze er zeker van waren dat de deur, die naar binnen toe openging, klemde dankzij de veldbedden, begonnen ze te schreeuwen dat ze naar Milaan overgeplaatst wilden worden. De eerste ter plaatse was de brigadier met wie Renatino bevriend was, die goedmoedig zei dat de twee moesten kalmeren. Hij zou de directeur op de hoogte brengen van hun verzoek. Hij probeerde de deur te openen, maar de veldbedden beletten hem dat.

'Brigadier, we snijden onszelf als de directeur weigert ons over te plaatsen,' schreeuwde Renatino.

Op hetzelfde moment was het geluid te horen van een fles die brak en schreeuwde Silvano als een bezetene: 'Ik pleeg zelfmoord! Ik snijd mijn aderen door!'

De brigadier begreep dat hun verzet serieuzer was dan hij in eerste instantie dacht. Zoiets had hij nooit van Renatino verwacht. 'Jongens, doe geen stomme dingen! Ik haal de directeur. Ik raad jullie aan om geen stomme dingen te doen, anders zullen jullie het berouwen!'

Ze hoorden hem wegrennen, terwijl hij tegen zijn collega's schreeuwde dat de gevangenen van 43 zich verzetten.

Na een paar minuten had zich voor de cel van Renatino en Silvano een heel peloton bewakers verzameld. In de uren die volgden kwam bijna al het verantwoordelijke personeel van de gevangenis voorbij: de psycholoog, de maatschappelijk werkers en de dokter, maar Algiso Lopez, de directeur, weigerde naar de afdeling te komen om met Renatino te onderhandelen.

De gevangenen hadden het luchtuur overgeslagen en zaten nog steeds opgesloten in hun cel. Even protesteerden ze door te schreeuwen, tegen de tralies te slaan met elk voorwerp dat maar lawaai maakte, en door brandende papierproppen naar buiten te gooien.

Het werd middag en een van de bewakers schreeuwde naar Renatino: 'Renatino, je hebt gewonnen. Je mag naar de administratie, waar je het transportbevel vindt. De carabinieri verwachten je. Je wordt overgeplaatst.'

Na die woorden begonnen alle gevangenen te klappen. Ze schreeuwden van blijdschap en begonnen opnieuw tegen de deuren van hun cel te slaan, ten teken van de overwinning.

Maar Renatino bleef onaangedaan. Zijn vriend was echter dolblij. 'Het is ons gelukt, Renatino! Die klootzak van een directeur is bezweken.'

Hij was niet overtuigd. In de afgelopen maanden had hij Algiso Lopez leren kennen als iemand die zich niet zomaar gewonnen gaf zonder er iets voor terug te vragen.

'Begrijp je niet dat ze het bevel tot overplaatsing hier in onze cel zouden moeten brengen, en niet in het administratiekantoor? Het is één grote leugen. Ze willen dat we onze cel verlaten om ons daarna te kunnen aftuigen.' Hij draaide zich naar de deur om zich verstaanbaar te maken en beval met luide stem: 'Breng het bevel tot overplaatsing hier. Ik wil het eerst zien. En ik kom pas naar buiten als Silvano met me mee mag.'

Niemand beantwoordde zijn verzoek. De stilte keerde terug in de gevangenis. Ook de andere gedetineerden waren gestopt met kabaal maken.

De stem die ze al eerder gehoord hadden, zei: 'Goed dan, maar minder goed voor jou.' De twee hoorden hem de gang uit lopen.

Nu brak het moeilijkste deel van hun plan aan. Ze zouden proberen de deur open te breken en vervolgens moesten ze zich snijden om de directeur te dwingen hen naar het ziekenhuis te sturen.

Naarmate de tijd verstreek kreeg Renatino steeds meer spijt dat hij voor deze oplossing had gekozen. Niet omdat hij zichzelf niet durfde snijden, maar omdat hij het plan steeds als een zwaktebod had beschouwd. Hij had zich laten overtuigen door de Milanees omdat hij diep vanbinnen altijd geneigd was zijn naasten tevreden te stellen.

De avond viel. Ze aten wat van het blikvoedsel dat ze apart hadden gehouden met het oog op een lange belegering en gingen, uitgeput door de spanning, op de grond tegen de muur zitten, om een beetje uit te rusten. De cipiers zouden waarschijnlijk pas de volgende ochtend tot actie overgaan.

Midden in de nacht werd er echter met houwelen en mokers tegen de deur geramd. De mannen vlogen overeind. Renatino zwaaide met een mes en Silvano met een glasscherf.

Ze hadden geen tijd meer. De veldbedden zouden het vroeg of laat begeven. Dit was het moment waarop ze moesten laten zien dat ze geen lafaards waren, maar echte mannen, die uitvoerden waarmee ze gedreigd hadden.

'Algiso Lopez,' riep Renatino, 'als ik sterf kleeft er bloed aan jouw handen!' Hij trok zijn trui uit, waardoor hij in zijn ontblote bovenlijf stond, en maakte de eerste snee in zijn onderarm, terwijl de klappen tegen de deur leken toe te nemen. Renatino begon systematisch in zichzelf te snijden. Hij lette er wel op dat hij het mes niet te diep in zijn huid zette en ontweek nauwkeurig de pezen in zijn polsen. Hij had te veel kameraden met verstijfde handen gezien omdat ze zichzelf niet hadden gespaard en onnauwkeurig te werk waren gegaan, waardoor ze er blijvend letsel aan hadden overgehouden. Na een paar minuten was zijn hele lichaam, met uitzondering van zijn gezicht, bebloed. Als ze niet snel genoeg waren liep hij het risico dood te bloeden. De deur was inmiddels ingeslagen en enkele bewakers probeerden een gat te maken tussen de springveren van de veldbedden. Renatino hielp de indringers zelfs het gammele veldbed neer te halen.

'Ik help jullie een handje, rotzakken. Daarna wil ik weleens zien wie als eerste binnen durft te komen. Ik zweer dat een van jullie niet naar huis gaat vannacht.' De opwinding, het bloed en de adrenaline hadden Renatino geladen als een kanonskogel. Hij schuimbekte van woede, wat vanaf de andere kant van de barricade duidelijk zichtbaar was.

Het gat dat tussen de veldbedden ontstaan was, was maar smal en slechts groot genoeg voor één persoon. De directeur, die nog opgefokter was dan zijn gevangene, beval de bewakers: 'Ga naar binnen! Een week verlof voor degene die hem pakt!'

Maar de bewakers die zich het dichtst bij het gat bevonden, stonden als aan de grond genageld toen ze een met bloed besmeurde man zagen die schreeuwde als een gek, en durfden niet naar binnen. 'Pakt u hem maar! Ik heb geen zin om te worden neergestoken,' zeiden meerdere bewakers.

De directeur riep dat hij iedereen voor het militaire gerecht zou slepen. Het was een patstelling en Algiso Lopez overwoog om op te geven, toen er iets onverwachts gebeurde.

Renatino hoorde een kreet van wanhoop achter zich. Hij draaide zich om en zag Silvano als een klein kind op zijn knieën zitten huilen en smeken om genade. Hij had de nek van de gebroken fles nog in zijn hand, maar had zichzelf niet eens een schrammetje toegebracht. 'Genade! Sla me niet! Ik ben ziek! Ik smeek jullie… ik smeek jullie… genade!'

Renatino werd woest en wilde zijn woede op de lafaard botvieren. Hij wierp zich op hem en maakte aanstalten hem met zijn mes te doorboren, maar werd tegengehouden door de sterke hand van zijn vriend de brigadier: 'Renatino, doe het niet! Het is een arme christen! Hij is het niet waard! Denk aan je zoon!' Even later hadden honderd andere handen hem onder controle en tilden hem naar het immobilisatiebed.

27

Duivels geld leidt naar de bak

De vijfhonderd miljoen, het eerste deel van het losgeld dat voor Domenica Boldini was betaald, werd volgens afspraak onder alle deelnemers aan de ontvoering verdeeld. Velen van hen hadden, om zich in te dekken tegen de belasting, winkels, kroegen en verhuisbedrijven opgezet. In die tijd werd geld van dubieuze afkomst veelal witgewassen door het in kleine gedeeltes naar de eigen bank te brengen en er vervolgens de leveranciers mee te betalen. Dit kan banaal lijken, maar het werkte. Het was het meest gebruikte systeem en het kostte niets. Banken waren nog niet verplicht stortingen boven bepaalde bedragen te controleren. Natale Piscopo, die een groente- en fruitstalletje op de markt had, beheerd door een neef, begon een miljoen per dag te storten; na een tijdje ging hij over op twee miljoen en zo verder. Piscopo wist niet dat na de ontvoering van Menica Boldini er een bevel onder de banken was verspreid om alle gestorte bankbiljetten van vijftig- en honderdduizend lire te controleren.

De directeur van de Banca Provinciale Lombarda liet de Rechtbank van Milaan weten een aantal biljetten uit de Boldinizaak te hebben geïncasseerd. Vicecommissaris Moncada en zijn rechterhand Vittorio Perrone gingen meteen op zoek naar de eigenaar van de rekening. Natale Piscopo werd direct geïdentificeerd en een aantal dagen geschaduwd. Omdat het Boldinimeisje nog steeds werd vastgehouden, besloten ze meteen tot actie over te gaan.

Piscopo werd gepakt toen hij op een avond zijn woning verliet. Drie agenten stopten hem in een politiewagen en brachten hem linea recta naar het hoofdbureau in via Fatebenefratelli. Ze gingen niet eens langs het administratiekantoor en brachten hem onmiddellijk naar de kelder van het gebouw, naar een grote kamer die 'de Nachtegaalkamer' werd genoemd. De politie ontkent natuurlijk dat er ooit zo'n kamer op het bureau in Milaan bestaan heeft, maar in die kamer werden veel levens van onschuldige mensen gespaard dankzij de niet altijd spontane 'medewerking' van een aantal delinquenten.

Iedereen in die kamer begon vroeg of laat te praten, omdat geen enkele crimineel zwaarwegende morele redenen heeft om zijn handlangers te beschermen of de plek waar de gegijzelde vastgehouden wordt te verzwijgen. Het was slechts een kwestie van tijd, afhankelijk van het karakter van de crimineel. Natale Piscopo werd in zijn omgeving als een harde beschouwd. Hij was een van de lijfwachten van Turatello. Een betrouwbare man dus, maar zodra de 'behandeling' begon, hield hij de pijn na een paar minuten al niet meer vol en vertelde dat hij niet wist waar Boldini werd vastgehouden, maar dat hij wel iemand wist die hen kon helpen: Angelo Infanti, de rechterhand van Turatello, want het was zijn taak de gevangene in leven te houden.

Wie denkt dat deze verhoren in het geheim plaatsvonden, alleen bestemd voor de mensen die aan de zaak werkten, in een gesloten kamer met een beul die tangen en elektroden gebruikte als een sadistische nazi, heeft ongelijk. De verhoren vonden plaats in een grote zaal die alle rechercheurs van het bureau mochten betreden, met name degene die op een of andere manier meewerkten aan het onderzoek. Verder kwamen er collega's observeren, de zogenoemde 'nepbaarden' van de SISMI of de SISDE, en mensen van wie de identiteit niet was vastgesteld, maar die wel vrije toegang hadden tot het bureau... zoals Pierluigi Dalmasso.

Dalmasso had Turatello al een tijd geleden gewaarschuwd zijn bankbiljetten niet bij de bank in te wisselen, omdat hij wist dat de banken nieuwe controlerichtlijnen hadden gekregen. Francis had kennelijk geen tijd gehad al zijn mannen hiervan op de hoogte te stellen en een van hen was gewoon stortingen blijven doen, waardoor hij de hele operatie in gevaar had gebracht. Piscopo had de waarheid verteld toen hij beweerde niet te weten waar Boldini gevangen werd gehouden, maar majoor Guetta dacht dat hij het zeker zou opgeven als de politie bleef doordrammen; vroeg of laat zou hij onthullen wie haar gevangenbewaarder was. Infanti moest op de een of andere manier het zwijgen worden opgelegd. Hij waarschuwde de Generaal voor dit gevaar en vroeg hem Angelo Infanti uit de weg te laten ruimen. Turatello mocht hier echter niets van weten. De Generaal belde vervolgens naar Dalmasso en vroeg hem de zaak te regelen.

Dalmasso kon verrassend snel beslissen en 'actie' ondernemen, om het zo maar te zeggen. Toen de politie de volgende dag Angelo Infanti op ging zoeken in zijn woning, vonden ze hem al languit in een leunstoel voor de televisie, die nog aanstond, met een kaliber 9mm kogelgat in zijn lichaam. De kogel was zijn nek binnengedrongen en had zijn lichaam via de mond weer verlaten.

* * *

De barricade had Renatino honderdzeventig hechtingen en een dertigtal littekens op zijn armen en buik opgeleverd, die hem er de komende jaren aan zouden herinneren wol nooit met zijde te vermengen, zoals zijn moeder altijd zei, en dat hij zich nooit meer met onbeduidende figuren in moest laten. Na een paar dagen werd hij uit het ziekenhuis ontslagen, waar een rechter hem had bezocht, waarna hij weer naar de gevangenis werd gebracht. Hij was herstellende van de bloedingen die hij met zijn mes had veroorzaakt. De gevangenisarts had voor zijn leven gevreesd. Leukemie had een vermindering van het aantal bloedlichaampjes tot gevolg, die ervoor zorgen dat wonden genezen. Door een tekort aan bloedlichaampjes kan ieder beetje bloedverlies fataal zijn.

Precies in deze dagen kwam Elio hem in Bari opzoeken. De twee broers konden elkaar niet omhelzen omdat Renatino onder maximale bewaking gesteld was.

Elio was meer geëmotioneerd dan hij. 'Hoe gaat het nu met je?'

'Ik heb het ergste gehad. Ik heb met de rechter gesproken, maar ondanks de scène die ik getrapt heb is de bevestiging van mijn overplaatsing nog niet aangekomen,' antwoordde Renatino.

'Renato, je moet rustig aan doen. De kranten schrijven alleen maar over jou als een gezwel dat in de kiem gesmoord moet worden.'

'Je hebt geen idee wat voor een hel het hierbinnen is. De directeur van de gevangenis gedraagt zich als een maffiabaas. Ik moet me tegen iedereen verdedigen. Maar vertel me hoe het met mama gaat.'

'Ik moest je zeggen dat het goed met haar gaat, maar eigenlijk lijdt ze onder het feit dat het met jou zo slecht gaat.' Vervolgens stelde hij hem de vraag die hem het meeste dwarszat. 'Maar het kan niet dat je zo erg veranderd bent. Jezelf al die verwondingen toebrengen, dat is niets voor jou. Wat is er met je aan de hand?'

'Ik heb je al gezegd dat de gevangenis je verandert.'

'Arme broer van me...'

Renatino voelde dat hij zijn geheim niet langer voor zich kon houden, omdat hij de band met zijn broer en de liefde van zijn moeder niet wilde kwijtraken.

Hij besloot het te vertellen. 'Goed dan, er is echt iets aan de hand...'

'Ik wist het.'

'Elio... ik heb leukemie. Ik heb niet lang meer te leven. Daarom wil ik voordat ik de pijp uit ga wat stennis schoppen, zodat er nog even aan me gedacht wordt. Je moet me echter beloven niets tegen Veronica of mama te zeggen.'

'Leukemie? Praat geen onzin!'

'Ze hebben me onderzocht. Ik heb de status van de polikliniek gelezen, kijk zelf maar.' Hij haalde het rapport, dat hij altijd bij zich droeg, uit zijn zak en liet het Elio door het glas zien. 'Heb je het gelezen?'

'Ja, maar ik blijf erbij dat het onzin is. Als je echt leukemie had, had je door al dat bloed dat je hebt verloren allang het loodje gelegd. Ze hebben zich vergist. Of ze hebben het je wijsgemaakt!' Zijn broer bleef bij zijn standpunt. 'Laten we het volgende doen, als dit het probleem is. Laten we een second opinion vragen. Ik zeg je dat ze je in de zeik nemen. Ze willen je gek maken. Maar jij moet sterk zijn.'

Het was lang geleden dat iemand hem zo had toegesproken. De woorden zweepten hem op en gaven hem de kracht om de strijd aan te gaan.

Elio was inmiddels expert op het gebied van gevangenissen, omdat hij zijn broer van de ene kant van Italië naar de andere had gevolgd, en sprak een verpleegkundige van de gevangenis aan. Hij gaf hem een beste fooi en vroeg hem wat bloed bij Renatino af te nemen voor een reeks onderzoeken, in het bijzonder om na te gaan of hij daadwerkelijk leukemie had.

Hij bleef net zo lang in Bari tot de uitslag van het onderzoek bekend was. En toen het zover was, was hij blij dat hij naar zijn intuïtie had geluisterd: zijn broer mankeerde niets! Het was een list van Algiso Lopez, de gevangenisdirecteur, om te zorgen dat hij in een depressie zou belanden. Maar nu hadden ze in ieder geval bewijs voor zijn sadistische daden.

Renatino voelde zich als herboren. Zijn verzet en zijn wil om te leven namen toe en hij vroeg of hij de directeur mocht zien. De bewakers wisten inmiddels dat hij en de gevangenisdirecteur voortdurend met elkaar overhoop lagen. Hij kreeg kettingen om zijn polsen en vijf bewakers begeleidden hem naar het kantoor van de directeur.

'Wat is er nou weer, Renatino?' vroeg Algiso Lopez zodra hij hem het kantoor binnen zag komen.

'Ik wil u graag een rapport laten zien dat u waarschijnlijk niet zal bevallen... Brigadier, kunt u het blaadje pakken dat in mijn zak zit?' vroeg hij aan de bewaker.

Hij haalde er twee blaadjes uit. Renatino knikte dat hij het roze blaadje aan de directeur moest geven. Algiso Lopez sloeg het open en las snel wat de uitslagen van het bloedonderzoek waren. Maar hij werd er niet minder zelfverzekerd door. Hij vouwde het blaadje weer op en gaf het weer aan de brigadier.

'En dus? Je bent kerngezond. Dat wil zeggen dat je het hier zo slecht nog niet hebt, nietwaar?' zei hij op gekunstelde toon.

'Directeur, dat wil zeggen dat de andere analyse vals was. Dat is genoeg bewijs voor uw gedrag,' antwoordde Renatino.

'Welke andere analyse?'

'Die.' Renatino wees naar het andere blaadje dat de brigadier uit zijn zak had gehaald.

De directeur stak zijn hand uit en liet de brigadier hem het tweede blaadje geven. 'Dit?' Hij vouwde het rapport van de polikliniek van Bari open, waarop de diagnose leukemie stond. 'Dit zou je bewijs zijn?'

'Ja, dat.'

Rustig scheurde de directeur het papier aan stukken. 'Zo, nu heb je geen bewijs meer.'

'Klootzak!' Renatino probeerde zich op de man te storten, maar de bewakers hielden hem tegen voordat hij het bureau kon bereiken. Ze sloegen hem hard, omdat hij zich verzette met de energie van een stier. Ondanks de ketens die zijn handen in bedwang hielden, lukte het hem het gezicht van een van de bewakers die zich het dichtst bij hem bevond te raken. De vijf cipiers sloegen hem in zijn zij en in zijn gezicht. Vervolgens sloeg één hem neer met een vuistslag in zijn nek en verloor hij een paar seconden zijn bewustzijn.

Ook toen hij op de grond lag bleven ze hem afranselen, deze keer met hun zware schoenen. Ze schopten tegen zijn nieren, zijn borstkas en zijn benen, totdat de directeur opstond van zijn stoel en langs de tafel op de gevangene af liep. Hij gaf zijn werknemers opdracht te stoppen. Renatino draaide zijn hoofd en zag hem dreigend naast zich staan. Hij wilde hem toeschreeuwen hoe hij hem minachtte, maar er kwam geen geluid uit zijn keel.

De directeur nam echter het woord: 'Oké, Renatino, je hebt gewonnen. Vandaag nog zal ik je verzoek tot overplaatsing tekenen. Uiterlijk overmorgen zal je in Milaan die bastaard van een zoon van je kunnen zien. Ben je nou tevreden? Je hoeft geen antwoord te geven. Maar waag het eens door te brieven dat je hier slecht en respectloos behandeld bent en ik weet je in elke Italiaanse gevangenis te vinden! Uit mijn ogen nu met hem!'

28

Spotten met losgeld

Na de arrestatie van Natale Piscopo en de moord op Angelo Infanti had Francis Turatello besloten eerder om het losgeld te vragen. Hij had de oudste zus gewaarschuwd dat Menica op punt van instorten stond. Als ze nog langer zouden aarzelen zouden ze haar in een doodskist moeten terugbezorgen. Evelina was de wanhoop nabij en zei dit door de telefoon ook tegen Turatello.

'De politie laat ons geen moment met rust. Zo kunnen we je nooit betalen.' Ze wist echter dat de telefoon afgetapt werd en ging er niet verder op door. Ze schreef hem een briefje met de vraag hoe ze het miljard dat ze voor de vervangend officier van justitie hadden weten te verbergen aan hem kon overhandigen.

Evelina Boldini had de pastoor van de San Lorenzo Maggiore-basiliek opgedragen als bemiddelaar tussen haar en de ontvoerders te fungeren. Als ze de telefoon van de parochie vier keer over zouden laten gaan, zoals afgesproken, wist ze dat ze zich moest voorbereiden om een boodschap over te brengen. Het principe was simpel en al eerder getest tijdens andere ontvoeringen: iemand van de familie liet een briefje bezorgen, dat vervolgens door de tussenpersoon in een spleet in een muur werd gestopt. Het antwoord zou in diezelfde kier gestopt worden en op hetzelfde briefje zou de plek van het volgende 'briefgat' staan.

Zo begon een soort speurtocht, met berichtjes die op de meest uiteenlopende plekken in de stad werden achtergelaten. Het werkelijke probleem was de overdracht van de tas met geld. Dat was een cruciaal moment, want de politie hield vast en zeker alle leden van de Boldinifamilie in de gaten. Turatello had een idee. Op een dag reed hij vanuit Milaan over de Alzaia Naviglio Grande richting Corsico, toen hij op een zeker moment zag dat er langs de rechterkant van de straat een lange muur liep. Aan de andere kant van de omheining bevonden zich op minder dan honderd meter de spoorlijnen naar Vigevano en Mortara. Direct naast het spoor lag een weg die onder het viaduct van via Pietro Giordani door liep en samenkwam met via Francesco Gonin, een perfecte vluchtweg. Als iemand die snel ter been was de tas op zou vangen die vanaf de andere kant over de muur werd gegooid, de honderd meter zou rennen die nodig waren om het spoor over te kunnen steken, zou hij in een minuut bij de auto zijn die hem onder het viaduct opwachtte en van de radar verdwijnen. Het zou de politie nooit lukken de muur af te zetten en de vluchtauto tegen te houden, ook omdat de spoorweg een onoverbrugbaar obstakel vormde voor een auto die geen terreinwagen was.

Francis stelde zijn plan aan zijn maten voor en dit werd unaniem aangenomen.

Op de afgesproken dag van de overdracht begon de pastoor, in zijn zeegroene Fiat 600 aan de speurtocht. De ontvoerders lieten hem door Milaan rijden en stuurden hem vervolgens naar een restaurant in de buurt van Porta Genova. Hier werd hem telefonisch medegedeeld waar hij de Alzaia Naviglio Grande op moest gaan en dat hij deze moest volgen tot hij aan de rechterkant een muur zag. Op zeker moment zou hij op de muur een zwart kruis zien. Daar moest hij uitstappen met de tas met geld. Onder het kruis stonden nieuwe aanwijzingen.

De pastoor stapte weer in zijn auto en reed in de richting van de Naviglio. Hij werd gevolgd door een aantal politieauto's, die een bruiloft leken te escorteren. De pastoor kwam aan bij het geschilderde kruis. Hij deed wat ze hem via de telefoon hadden opgedragen. In de muur vond hij een ander briefje waarop stond dat hij even verderop nog een teken op de muur zou vinden, met een nieuwe aanwijzing. Hij vertrok en achter hem kwam ook de stoet politieagenten weer in beweging, klaar om tot actie over te gaan. Dit herhaalde zich drie of vier keer. De onderzoekers zagen de priester uit zijn auto stappen met de tas en kort daarop weer instappen, ook met de tas, daarna zagen ze dat hij de auto startte en wegreed, steeds langs de muur. Aan het einde van de rit gooide de priester de tas naar de andere kant van de muur.

Stalin zag hem door de lucht vliegen. Hij pakte hem op, drukte hem stevig onder zijn arm en rende naar het spoor, in de richting van de auto die in de schaduw van het viaduct op hem stond te wachten.

Enkele politiewagens probeerden snel om te draaien en terug te gaan, een aantal agenten renden naar de muur en waagden een poging eroverheen te klimmen, maar tevergeefs. Toen ze met hulp van hun collega's de top bereikten, konden ze nog net een auto op volle snelheid weg zien rijden, verborgen achter de contouren van het viaduct. Ze konden niet eens het merk van de auto herkennen, zo ver weg was hij al.

***

De dag waarop hij de gevangenis van Bari verliet was zijn opluchting onbeschrijflijk. Renato was nog niet geheel hersteld van de klappen die hij tot op de laatste dag had gekregen, maar toen hij een oorlogskreet in de richting van de directeur kon slingeren, die hem uit het raam van zijn kantoor in de gevangenwagen zag stappen, voelde dat als een bevrijding. 'Algiso Lopez,' schreeuwde hij voordat hij de geblindeerde bus in stapte, 'ik zweer dat wanneer ik je de volgende keer op straat tegenkom, ik je klotekop van je romp trek. Zowaar ik Renatino heet!'

De directeur lachte honend. Hij richtte zijn wijsvinger op hem, alsof hij hem doodschoot, daarna deed hij het raam dicht en ging weer naar binnen.

Eindelijk in Milaan! Eindelijk kon hij Veronica omhelzen en Robertino voor het eerst zien. Hij kende hem alleen van de foto, en hem nu zo zien, al zo groot, vrolijk trippelend door de zaal, alles aanrakend wat er aan te raken en te verplaatsen viel, bracht bij hem zo'n hevige emotie teweeg, dat zijn keel dichtzat. Dat was zijn zoon! En hij was zelf nauwelijks vierentwintig jaar oud. 'Arme zoon van me. Wat moet je met een vader zoals ik?' zei hij moedeloos.

Veronica wilde echter niet verdrietig zijn op zo'n mooi moment. Het gezin was herenigd, al was het slechts voor een kort ogenblik tijdens een wekelijks bezoek.

In San Vittore hoorde hij dat zijn kameraden van de batterij, met wie hij de overval in via Monte Rosa had gepleegd, alweer vrij waren of absolutie hadden gekregen. Hij was nog net op tijd om Napo te groeten, die zijn straf had uitgezeten en nu eindelijk zijn rekening met justitie vereffend had en als een vrij man naar huis mocht. Alleen hij moest nog drie jaar zitten. Met Napo was het al met al slecht afgelopen, omdat ze hem in een garagebox aangetroffen hadden die op zijn naam stond, met een gestolen Alfa, geweren, pistolen, bivakmutsen, kogelvrije vesten en een radio die afgestemd stond op de politiefrequentie, kortom veel belastend materiaal dat lastig te verklaren was.

San Vittore was radicaal veranderd sinds hij er voor het laatst was. De 'politici' waren aangekomen en de gevolgen waren duidelijk te zien.

De gevangenen werden onderverdeeld in verschillende afdelingen waarbij rekening werd gehouden met hun hiërarchische positie. Aan een van de twee uiteinden van de helse gevangenis bevond zich de vijfde afdeling, die beschouwd werd als een vakantieoord voor de kopstukken die er verbleven. Hier zaten de leiders van criminele organisaties met hun partners. Dat wil zeggen, Siciliaanse maffia en bendes die meetelden in Milaan. Pal aan de overkant bevond zich de heksenketel van de tweede afdeling, waar de gewone criminelen hun straf uitzaten, zoals drugsdealers, straatschoffies en kanonnenvlees dat gedwongen was met zes man in een cel van twee bij drie meter te zitten.

Renatino was naar deze afdeling verbannen, omdat hij nog niet tot de zware Milanese criminelen behoorde, hoewel hij als een harde werd beschouwd.

In die tijd behield San Vittore, dankzij de overheersing van de maffiabazen van de vijfde afdeling, nog een soort *pax mafiosa.* Iedere vorm van strijd of opstand van gevangenen van de andere afdelingen werd ogenblikkelijk in de kiem gesmoord dankzij de hulp van de Siciliaanse clan, die in ruil voor hun hulp van de directie een zekere vrijheid kreeg om zich binnen de gevangenis te bewegen.

Door de komst van de 'politici' en vervolgens die van de jongens van de batterijen raakte het evenwicht verstoord. De leiders van de twee groepen konden het niet na laten elkaar aan te vliegen over substantiële zaken en erekwesties. In San Vittore ontstond, zoals vaak onder dezelfde omstandigheden gebeurde, bonje tussen Renatino en een van de leiders van de Nuclei Armati Proletari, een zekere Savino. Ruzie vanwege een simpel meningsverschil.

Savino had een paar weken geleden een cursus opgezet over dialectisch materialisme. Hij greep iedere gelegenheid aan, tijdens het eten, het luchtuur en gedurende de nacht, om een aantal kameraden te indoctrineren, onder wie ook een paar gewone criminelen. Heftige discussies waarin woorden gebruikt werden die mensen tijdens een praatje in een café nooit zouden gebruiken.

'Ons genootschap bestempelt zich niet als een organisatie met een complex programma,' zei Savino,' maar als een die de karakters van onze ervaringen karakteriseert. Wij handelen op verschillende plaatsen en in diverse situaties, voor zover de acties zelf onderling een organisatorisch verband en een politieke confrontatie behouden, begrepen?'

Niet alleen de gewone gevangenen, maar ook zijn kameraden hadden moeite deze woorden te begrijpen. Renatino was gedwongen deze berg 'onzin' aan te horen. Op een avond gebeurde het onvermijdelijke. De televisie viel uit door de bliksem, terwijl er net een variétéprogramma met Loretta Goggi werd uitgezonden. Savino profiteerde hiervan door duidelijk te maken dat het feit dat de bliksem in de mast was ingeslagen een dialectische gebeurtenis was 'omdat we daardoor meningen uit kunnen wisselen, die we als we passief naar de benen van Goggi waren blijven kijken nooit van elkaar hadden geweten'. Een van de gewone criminelen, een zekere Marco, die inmiddels al weken naar de professor luisterde en zichzelf inmiddels ook als een professor beschouwde, dacht hier anders over en antwoordde: 'Ik geloof niet dat het juist is wat je zegt, omdat de benen van Goggi een kern van aandacht vormden, die nu uiteenvalt als het signaal wegblijft, dialectisch of niet!'

Er ontstond een heftige discussie tussen de twee. Marco bracht de meester in problemen, want hij verklaarde: 'Jij hebt me gezegd dat er geen twee waarheden kunnen bestaan. Dan is er dus een van de twee niet waar. Of die van jou, of die van mij. Dus als de waarheid revolutionair is, zoals we talloze keren gezegd hebben, dan is de leugen contrarevolutionair, wat wil zeggen dat degene die de waarheid vertelt eerlijk is en degene die liegt een schoft, en omdat onze ideeën niet met elkaar overeenkomen wil dat zeggen dat een van ons een schoft is! En dat ben ik duidelijk niet!'

Terwijl Marco dit zei wierp hij zich op Savino. De twee begonnen te vechten, terwijl de andere gevangenen zonder veel belangstelling toekeken.

Dankzij Renatino, die hen uit elkaar haalde, eindigden ze niet in het ziekenhuis.

Deze ruzie deed Renatino besluiten te vertrekken. Hij hield het niet langer vol in de gevangenis. Hij kon niets of niemand meer verdragen en bracht zoekend naar een manier om te ontsnappen zijn dagen door. Veel gevangenen hadden geprobeerd San Vittore te ontvluchten, maar het was slechts weinigen gelukt. Naar het ziekenhuis overgebracht worden bood de enige mogelijkheid. Daar zou alles een stuk eenvoudiger zijn. Toen kreeg hij het idee zich te infecteren met hepatitis. Het was een dwaas, maar uitvoerbaar idee. Zijn celgenoten stonden achter zijn keuze. Niemand dacht erover hem dit idee uit het hoofd te praten.

Op die dag begon Renatino zichzelf te injecteren met het bloed dat hij bij gevangenen had afgenomen die lichamelijke klachten hadden. Het kon hem niet schelen welke bloedgroep ze hadden en of deze overeenkwam met die van hem of niet. Hij kreeg allergische reacties die ieder normaal mens zorgen zouden baren, maar hem niet. Hij was zelfs blij dat hij negatief op het bloed reageerde. Een gevangene met een familielid dat verpleegkundige was in een laboratorium, gaf hem in ruil voor een dikke fooi hepatitis A-bloedplasma. Hij injecteerde er vijf kubieke centimeter van in zijn ader, maar er gebeurde niets. Het was alsof hij gedistilleerd water in zich had gespoten. Renatino's lever was duidelijk niet stuk te krijgen. Hij injecteerde zelfs zijn eigen urine... en toch bleef zijn lichaam het volhouden.

Naast zijn injecties volgde hij een dieet waar de andere gevangenen al van gruwden als ze alleen maar hoorden waar het uit bestond. Als hij kookte ontvluchtten zijn celgenoten de cel, omdat ze de kadaverstank niet konden verdragen. Zijn dieet bestond uit licht gebakken boter, om wat smaak te geven aan de eieren die hij in de zon had laten rotten en gebakken had met twee plakjes kaas, om ze weg te krijgen. Er verspreidde zich een dodekattengeur in de cel. Die smerige prut doorslikken was op zich al een heldendaad. Zo gingen een dag of twintig voorbij, tot Renatino een keer 's nachts opstond van de tafel waaraan hij met zijn celgenoten zat te kaarten, zichzelf in de spiegel in de wc bekeek en schrok omdat zijn ogen geel waren. Hij werd ogenblikkelijk naar de ziekenboeg gebracht. De dokter die hem de volgende ochtend een bezoek bracht beval meteen dat hij naar het Agostino Bassi di Dergano-ziekenhuis gebracht moest worden, naar de afdeling besmettelijke ziekten.

29

Italië in gijzeling

We schrijven halverwege de jaren zeventig. Italië was gegijzeld door de georganiseerde criminaliteit, de geheime diensten, de maffia, maar bovenal door de complotten die de Eerwaarde en zijn vrijmetselaarsloge, beter bekend als de P2, in opdracht van de CIA hadden gesmeed. Het wemelde in de grote steden van de gewapende bendes die overvallen pleegden en vuurgevechten hielden als in het wilde Westen. Het kwam vaak voor dat er tussen de kleine berichtjes in de krant de volgende advertenties stonden: 'Degene die onze Fiat 697 NP3, een vrachtwagen met aanhanger en lange wielbasis, terugvindt, ontvangt van ons een miljoen. Het kenteken is MI N33108, hij heeft een blauwe cabine en is verdwenen in Bovisa in de nacht van de 21e. Maximale terughoudendheid gegarandeerd.' Of: 'Een beloning van tien miljoen voor degene die ons de concrete mogelijkheid biedt terug te krijgen wat er de zevende jongstleden uit het appartement in via Pericle Albini, nummer 36 is verdwenen. Maximale discretie gegarandeerd.' Burgers onderhandelden direct met de dieven en sloten de politie en de carabinieri a priori buiten. Aanslagen waren inmiddels aan de orde van de dag. Het eerste politieke moordslachtoffer in Milaan was de industrieel Carlo Saronio.

De meeste mensen beschouwden deze maatschappelijke chaos niet als een gevaar voor de democratie. Ze dachten dat wat zich dagelijks voordeed simpelweg een teken was van een politieke en economisch onzekere periode, die vroeg of laat voorbij zou zijn, zoals al zo vaak was gebeurd in het verleden.

De mensen die deel uitmaakten van de leidende klasse waren wél doodsbang geworden. Zij hadden veel te verliezen en zagen van de ene op de andere dag al hun zekerheden in elkaar storten. De Lombardijnse bourgeoisie ontdekte hoe kwetsbaar ze was en wat haar nog het meest verontrustte was dat de staat niet de juiste wapens had om haar te verdedigen. De eerste ontvoerde personen die naar huis terugkeerden, vertelden over de afschuwelijke tijd die ze in gevangenschap hadden doorgebracht en over de kwellingen die ze hadden moeten doorstaan. Ieder potentieel slachtoffer lag wakker van hun verhalen. De verhalen over hun vernederingen, de onbeschrijflijke fysieke pijn, de maanden die ze hadden doorgebracht in een vochtig gat, de honger die hun darmen teisterde, het totale gebrek aan privacy en het geweld dat sommige gegijzelden door hun beulen was aangedaan schokten hun vrienden en joegen hun vrees aan. In deze periode liepen de restaurants leeg, sloten mensen de luiken van hun huizen die in het groen van San Siro verborgen waren, werden de kinderen van gegoede burgers naar Zwitserse scholen gestuurd en werden alle gegevens van de deuren verwijderd die verwezen naar de families die er woonden. Ditzelfde gebeurde met de telefoonboeken. In een paar maanden tijd waren Alfredo Danesi, een koffiehandelaar; Marina D'Alessio, de dochter van een aannemer; Giovanni Bulgari, eigenaar van het luxemerk met dezelfde naam; Egidio Perfetti, handelaar in een bekend merk kauwgom en eigenaar van tientallen andere industriële bedrijven en handelsondernemingen ontvoerd. Maar de meest opzienbarende ontvoering was die van Amedeo Mariani, de zoon van Ubaldo Mariani, die door iedereen werd beschouwd als handlanger van de Eerwaarde.

Vicecommissaris Moncada brainstormde voor de zoveelste keer met inspecteur Vittorio Perrone over deze criminele feiten, gebruikmakend van de borden waarmee hij de muren van zijn kantoor behangen had. Hij had stukken uit de krant geknipt en opgehangen, met beschrijvingen van de overvallen, moorden en ontvoeringen, en met de foto's van de mogelijke daders erbij. Aan één kant had hij de belangrijkste criminele bendes van Rome en Milaan genoteerd, aan de andere kant de terroristische aanslagen. In het midden van deze rijtjes had hij met rode viltstift 'P2' gezet.

'Volgens mijn theorie begint alles hier.' Hij omcirkelde met de viltstift 'P2'. 'Bij iedere aanval hadden alle betrokkenen iets te maken met de Eerwaarde,' zei hij tegen Perrone.

'Over de éminence grise van Ubaldo Mariani zijn in de rechtbank twee dossiers geopend die gaan over zijn mogelijke banden met criminele groeperingen,' bevestigde de inspecteur. 'Maar hoe kunnen we de ontvoering van zijn zoon uitleggen? Hierdoor wordt hij een slachtoffer. Als hij deel uitmaakt van de onderwereld kan hij niet het slachtoffer zijn van de georganiseerde misdaad.'

Perrone legde de vinger op de zere plek. Dit was het enige wat niet strookte met Moncada's theorie.

'We hebben Amedeo Mariani, de zoon van de rechterhand van de Grote Meester nagetrokken en ontdekt dat hij de voorzitter is van Audicon, een van de grootste Romeinse bedrijven op het gebied van elektronische onderdelen. Het bedrijf maakte een crisis door en ging bijna failliet. Voor de ontvoering stonden er belangrijke kredietverstrekkingen van de staat in de planning, maar was nog onbekend hoe groot de lening zou zijn. Later was de financiële situatie er echter als bij toverslag verbeterd en kon Audicon zijn schulden aflossen en opnieuw gaan produceren.'

'Wilt u zeggen, meneer, dat hij de ontvoering in scène heeft gezet om zijn bedrijf weer op poten te krijgen?' vroeg Perrone ongelovig.

'Dat zou een verklaring kunnen zijn.'

'En als hij het nu gedaan heeft om zijn blazoen te zuiveren?' vroeg de inspecteur.

'Leg uit.'

'Ubaldo Mariani is een veelbesproken man. De rechtbank heeft een onderzoek naar hem ingesteld. Hij zou na de ontvoering van zijn zoon kunnen zeggen: "Zien jullie nu dat ik me niet inlaat met criminelen? Anders zouden ze immers nooit mijn zoon ontvoerd hebben. Als, zoals jullie beweren, de Eerwaarde aan de touwtjes trekt in dit theater, zou hij me hebben beschermd. Wij zijn dus niet verantwoordelijk voor wat er in Italië gebeurt. Wij spannen niet samen met criminelen."'

'Het zit allemaal erg ingewikkeld in elkaar. Maar misschien is er een andere verklaring voor dit alles, namelijk de oorlog tussen de Eerwaarde en de andere Grote Meester in de vrijmetselaarij, Salvini. Toen hij doorkreeg dat de macht van de Eerwaarde toenam, heeft hij geprobeerd hem uit zijn functie te zetten en is de Eerwaarde met hulp van Mariani in de tegenaanval gegaan. Mariani heeft documenten over vermeende gelddverduisteringen van de Grote Meester Salvini rondgestuurd. Deze zette vervolgens een stap terug en legde het bij met de Eerwaarde, maar vroeg daarna om het hoofd van Mariani. Uit angst dat hij zou gaan praten en de waarheid zou vertellen hadden ze hem er, door zijn zoon te ontvoeren, van overtuigd dat hij zich beter terug kon trekken. Wat vind je van deze versie?'

'Dat lijkt me de meest plausibele, meneer,' antwoordde Perrone.

'Ik raak er steeds meer van overtuigd dat degene die de touwtjes in deze chaos in handen heeft de Eerwaarde is, de Grote Meester van loge P2. De bankbiljetten van een aantal grote sommen losgeld zijn in een nest van fascistische terroristen gevonden, terwijl de wapens, die tijdens een aantal aanvallen gebruikt waren, uit Spanje kwamen, waar een bende opereert die de 'groep van Madrid' genoemd wordt, waar onder anderen een zekere Pierluigi Dalmasso deel van uitmaakt. Diens wegen kruisen vaak die van de loge en bovendien lijkt hij iets te maken te hebben met de meest opzienbarende delicten van de afgelopen jaren. Een feit dat niet gebruikt kan worden als bewijs, maar dat ik wel als een overtuigende aanwijzing beschouw, is namelijk dat de Eerwaarde de OMPAM, de afkorting van *Organizzazione mondiale per l'assistenza massonica*, in een pand in via Romania in Rome had gevestigd. Dit is soort vrijmetselaars-VN waarin veel ambassadeurs en vertegenwoordigers van zesendertig landen zitting hebben. Deze organisatie gaat uit van saamhorigheid en verleent hulp aan de vrijmetselaarsloges en hun families en aan bevolkingsgroepen in nood. Welnu, de uitgaven voor deze doelen blijken exact evenveel te zijn als de laatste drie sommen losgeld bij elkaar van de ontvoeringen die door de clan van Marseillanen gepleegd zijn. Is dat niet erg toevallig?'

De laatste belangrijke aanwijzing die Moncada had ontdekt was de aankoop van twee panden: een huis in Sabaudia, in de buurt van San Felice Circeo, en een woning in via Aurelia, die ook met een deel van het losgeld voor de ontvoeringen van de Marseillanen betaald was. De transactie was door de advocaat van Bergamelli gedaan, een zekere Gian Antonio Martinelli, zoon van de generaal van Publieke veiligheid Mario Martinelli, organiserend secretaris van de loge, van groot belang voor de P2, die de Grote Meester zelf had aangesteld voordat hij gepromoveerd werd tot Eerwaarde. Moncada was inmiddels zo ver met zijn onderzoek dat hij op het punt stond te ontdekken dat advocaat Martinelli zich zo veilig voelde dat hij bij dezelfde bank van het Paleis van Justitie honderd miljoen aan losgeld stortte.

Er was genoeg bewijs om het gehele dossier aan rechter Vittorio D'Amico te kunnen geven, de procurator die zich op dat moment bezighield met de onderzoeken naar de politieke terroristische acties. Hij wilde de zaak met hem bespreken en weten of ze sterk zouden staan als deze in de rechtbank voorkwam.

* * *

Voor Renatino was het leven in Bassi een droom die uitkwam. In zijn blauwe zijde pyjama ontving hij vrienden, kennissen en bewonderaars die hem gerechten brachten uit de beste restaurants van Milaan, flessen champagne, merksigaren en Zwitserse chocolade. Allemaal heerlijkheden die hij, omdat hij een streng dieet volgde vanwege de hepatitis die zijn lever had aangetast, niet kon eten en daarom genereus aan de bewakers en verplegers uitdeelde. Het kwam erop neer dat hij met al het gevangenispersoneel vriendschap had gesloten. Eén deed wel erg hard zijn best om zijn vriend te worden: een zekere Franco Rambelli, die waarschijnlijk corrupt was.

Maar zijn vrienden deden meer dan Renatino alleen eten en drinken bezorgen; ze hadden ook aan zijn emotionele gezondheid gedacht. Op een middag, tijdens het bezoekuur, zag hij zoals gewoonlijk Mattia, Simone en Nicolò binnenkomen. Ze hadden echter nog iemand meegenomen, die een breedgerande hoed en net zo'n regenjas als detective Sheridan droeg.

Zodra hij hen binnen zag komen, zag hij dat ze deze keer niets lekkers te eten bij zich hadden. 'Vandaag geen chocolaatjes?'

Mattia antwoordde raadselachtig: 'We hebben iets anders voor je meegebracht.'

Ondertussen vroegen Simone en Nicolò aan de andere patiënten of ze een wandelingetje in de gang wilden maken. Ze zouden hen wel terugroepen als het moment daar was. Sommigen mopperden binnensmonds, maar wisten dat Renatino's wil wet was; bovendien wilden ze de vriendschap met degene die hun voorzag van snoepjes en grapjes niet op het spel zetten. Toen ze alleen in de zaal waren stapte Mattia opzij, waardoor de patiënt de mysterieuze gast kon zien en maakte het geluid van een fanfare: 'Tattatataaaaa...' Hij gaf het startsein voor een spektakel dat ongebruikelijk was in de sobere ruimte waarin ze zich bevonden.

De gast was natuurlijk een vrouw. Ze zette haar hoed af, waarbij een dikke bos geblondeerd haar tevoorschijn kwam, en gooide deze naar Renatino, die de twee indringende zwarte ogen en vlezige lippen bewonderde, in haar niet meer zo jonge gezicht. Tergend langzaam opende ze een voor een de knoopjes van haar regenjas. Vervolgens maakte ze haar riem los en uiteindelijk trok ze haar jas uit en liet hem haar lichaam zien, dat uit marmer gehouwen leek.

'Goed, de rest zal ze je zelf wel uitleggen,' zei Mattia met een sluw lachje, terwijl hij zijn vrienden de deur uit duwde.

Nu ze alleen waren liep Renatino naar de vrouw toe. 'Ik weet niet eens hoe je heet,' zei hij.

'Noem me maar Noemi, als dat voor jou belangrijk is.'

'Noemi... ben je Italiaans?'

'Nee, Duits. Maar ik woon al in Italië sinds mijn twintigste.' Ze pakte zijn hand en bracht die naar haar borst. 'Voel je mijn hart?'

'Nee, maar wel iets anders,' glimlachte hij.

Noemi was totaal niet verlegen en legde haar handpalm tussen Renatino's benen. 'Voel je hier iets? Och arme, ben je misschien geschrokken?'

'Nee, het zit zo. Hij is totaal niet verlegen,' rechtvaardigde Renatino zich. 'Ze hebben hem de laatste tijd een beetje toegetakeld en nu weet ik niet hoe hij gaat reageren op een stoot zoals jij.'

'Wil je het uitproberen?' Noemi duwde hem naar het bed en legde hem liefdevol neer, terwijl ze hem kleine kusjes op zijn wangen, neus en mond gaf. 'De grote Renatino... ze hebben me verteld dat jij staatsvijand nummer één bent... maar zo angstaanjagend ben je niet.'

'Ik niet, maar hij had je in zijn goede tijd flink de stuipen op het lijf gejaagd, dat verzeker ik je,' grapte hij, terwijl hij op het bed ging liggen en zich overgaf aan de zorgen van de vrouw die haar vak tot in de perfectie verstond.

Noemi's warme lippen kusten de zachte huid van zijn nek en vonden toen hun weg naar zijn tepels. Ze maakte ze nat met haar tong en begon er gretig op te zuigen, terwijl haar handen zijn zij en achterste streelden. Daarna liet ze zijn tepels voor wat ze waren en ging ze verder met zijn navel, zonder zijn huid los te laten met haar mond. Ook bij deze erogene zone gebruikte Noemi haar tong, terwijl ze licht met haar duimen aan de zijkant van zijn buik drukte en steeds dichter in de buurt kwam van zijn lies. Renato verloor zichzelf compleet door deze erotische massage en kreunde van genot. En eindelijk kwam de vrouw met haar mond bij zijn lid aan, dat echter niet zo was als ze gehoopt had en zoals hij verteld had. Het leek wel op de penis van een zestiende-eeuwse putto, klein als die van een pasgeborene.

Noemi kon haar teleurstelling niet verbergen. 'Ze hebben je echt te pakken gehad.'

'Dat zei ik toch. Ik heb wat tijd nodig om te herstellen,' probeerde hij zich te verdedigen.

'Geef me de tijd,' fluisterde de vrouw die zichzelf deze keer wilde overtreffen. Ze kuste zijn mond en zoog op zijn lippen, tong en gehemelte. Daarna dook ze onder het laken, waardoor Renatino boven op haar eindigde, ter hoogte van haar vagina en deze begerig begon te likken.

Noemi had ondertussen zijn penis tussen haar duim en wijsvinger genomen en begon hem voorzichtig af te trekken, terwijl ze hem af en toe nat maakte met wat speeksel. Ze had nog nooit zoiets meegemaakt en het wond haar enorm op dat Renatino haar zo nodig had. De hartstochtelijke kussen van Renatino begonnen effect op te leveren. Ze raakte steeds opgewondener omdat het was alsof ze met een klein jongetje te maken had. Als volwassen vrouw had ze dit nog nooit eerder meegemaakt. Renatino's tong maakte haar steeds geiler. Om nog meer te genieten begon ze met haar vrije hand haar clitoris te masseren, die vervuld was van verlangen. Ze sloot haar mond om zijn lid en begon hem met zachte bewegingen, die ze vele malen herhaalde, te pijpen. Deze handeling had een ongekend opwindende uitwerking op haar. Ze dacht terug aan toen ze nog klein was en zich vermaakte door haar vriendjes te verbazen en hun 'pistooltjes' te pijpen tot ze uitgeput waren. Ze merkte dat er eindelijk iets veranderde in het object van haar verlangen. Hij werd wakker uit zijn lethargische toestand. Ze voelde hem in haar mond opzwellen, maar werd niet op tijd stijf. Ze voelde al een warme stroom vocht haar keel in spuiten en zag een druppel over het lichaam van haar tijdelijke geliefde lopen. Hij slaakte een verstikte kreet op het moment van de ejaculatie, die hem echter hevige pijn bezorgde.

Noemi likte de laatste druppels op, nam een andere houding aan en begon hem weer op zijn mond te zoenen. 'Heb ik je pijn gedaan?'

Hij schudde zijn hoofd. 'Nee, jij niet... maar die klootzakken hebben hem afgetuigd.'

'Laten we zeggen dat hij vanaf vandaag herstellende is, oké?' zei ze met een lieve glimlach.

'Je bent onbetaalbaar, Noemi. Ik kan je niet genoeg bedanken. Ik was een beetje bang, moet ik je eerlijk bekennen.'

'Ik hoop dat ik ervoor gezorgd heb dat je nu wat rustiger bent.'

Ze bezegelden hun eerste ontmoeting met een lange kus.

Renatino had besloten nog een paar weken in het ziekenhuis te blijven: hij wilde er zeker van zijn dat hij weer aangesterkt was voordat hij zijn vluchtpoging ondernam. Hij mocht geen fouten maken want hij had al hepatitis gekregen in ruil voor zijn vrijheid, iets wat hem de rest van zijn leven zou blijven kwellen en waarvoor hij zich voortdurend met interferon zou moeten injecteren.

Hij wist dat hij niet haastig moest zijn. Hij maakte werk van Franco Rambelli, de corrupte bewaker die pas in Milaan was aangekomen en helemaal met hem wegliep. Hij fladderde steeds om hem heen en Renatino was niet van plan hem te laten ontsnappen.

'Ben je hier pas?' vroeg hij op een saaie middag.

'Ja. Ik ken niemand hier.'

'Ga dan naar deze kroeg van vrienden van me, en zeg tegen ze dat je een vriend van Renatino bent. Je zult zien dat ze je een leuke tijd bezorgen.'

En op zijn vrije dag ging de bewaker daadwerkelijk naar de kroeg van de Basso-broers waar hij iemand van de oude batterij ontmoette. De vrienden doorzagen hem meteen. Franco Rambelli trapte er met beide benen in. De volgende dag vertelde hij Renatino in geuren en kleuren wat hij had gedaan met zijn nieuwe vrienden. Hij vertelde dat motors zijn passie waren en Renatino beloofde hem een Kawasaki cadeau te doen. Voor de bewaker, die niet meer verdiende dan zeventigduizend lire per maand, was dit een droom die uitkwam. In ruil voor de motor vroeg Renatino hem slechts een handje te helpen als hij hem nodig had. Op zekere avond hoefde hij alleen maar te vergeten de deur van de afdeling te sluiten. Vanaf dat moment was hij niet meer bij hem weg te slaan. Hij bezocht hem zelfs als zijn dienst afgelopen was, totdat Renatino hem op een avond hard de waarheid zei: 'Luister, Franco, jij en ik kunnen geen vrienden worden. We zijn elkaars tegenstanders. Doe dus niet zo stom en gedraag je als een smeris. Of, als je van dat shitleventje van je af wilt, kom je met mij mee en laat ik je zien hoe het beter kan. Maar tot die tijd moet je niet meer zo amicaal doen. Oké?'

In de nacht van de ontsnapping kreeg Ganni Illich, een Slaaf die in dezelfde zaal als hij lag, last van buikpijn en kromp ineen. De corrupte Franco Rambelli riep meteen de dienstdoende verpleegkundige, die vervolgens aan kwam rennen met een dokter en twee andere bewakers. Ze probeerden de gevangene te helpen met kalmerende injecties. Hij bleef echter schreeuwen als een bezetene. Ze hielden hem met zijn drieën vast, zodat de dokter eindelijk een ampul buscopan kon inspuiten. Toen ze klaar waren met de patiënt en naar de andere drie bedden in de kamer keken, constateerden ze dat het bed van Renatino leeg was. Ze keken eerst of hij op de wc zat en toen dit niet het geval bleek sloegen ze meteen alarm.

Renatino was echter bliksemsnel. Hij had een witte jas aangetrokken en was de vleugel van het ziekenhuis uit gegaan die bestemd was voor gevangenen. Vervolgens was hij door de hoofduitgang gelopen, waar hij zijn hand opstak naar de bewaker die hem vriendelijk terug groette.

Voor het ziekenhuis stond een BMW 3000 geparkeerd met Napo en Teo erin. Het was Renatino gelukt hun de dag van de ontsnapping door te geven en de twee waren precies op tijd om hun leider op te halen. Maar de uren gleden voorbij en Renatino was er nog steeds niet. Ze dachten dat er iets verkeerd was gegaan en om half vier 's morgens besloten ze naar huis terug te keren. Een uur later kwam Renatino het ziekenhuis uit. Hij zag niemand en haastte zich naar viale Jenner. Hij stapte in de eerste lijnbus die hij zag, stapte uit bij het station en liet zich door een taxi naar een van zijn schuilplaatsen brengen. Het was zomer en de hemel beloofde een zonnige dag. Na vier jaar was Renatino eindelijk vrij!

30

Grove maatregelen

Turatello verdeelde het losgeld in drie gelijke delen. Een derde van de buit ging naar de clan van de Marseillanen, een derde naar zijn bende en een derde naar de Generaal, zijn persoonlijke verbinding met de ongrijpbare Geheime Dienst, aangevoerd door majoor Guetta. Volgens de regels zou de Geheime Dienst, die hun van achtergrondinformatie en tips had voorzien, slechts recht hebben op tien procent, maar hij wilde hun meer betalen omdat hij bondgenoten nodig had. Turatello maakte een spannende periode door: iemand had zijn betrouwbaarste man, Angelo Infanti, op barbaarse wijze geëxecuteerd. Zijn andere betrouwbare maat, Natale Piscopo, was gearresteerd. Liggio had een moordenaar op hem afgestuurd voor iets wat hij niet had gedaan. En ten slotte had iemand zijn GT gebruikt om Renatino te provoceren en zijn familie in gevaar te brengen, wat hij nooit van zijn leven zou doen. 'Het is overduidelijk dat iemand me erin wil luizen,' concludeerde hij terwijl hij bal vijftien probeerde te potten. Maar hij kon zich niet concentreren en miste de pocket.

Stalin wachtte tot de ballen stil lagen en krijtte zijn keu. 'Misschien moet je weer met de zus van de Professor gaan praten.'

'Daar heb ik ook aan gedacht. We kunnen de Corleonesen niet meer gebruiken. Ik heb nieuwe bondgenoten nodig.'

* * *

De jaren die Renatino in de gevangenis door had moeten brengen waren loodzwaar geweest. Ze hadden hem fysiek aangetast, maar geestelijk was hij er sterker en vastberadener dan ooit uit gekomen. Hij was zich ervan bewust dat de batterij zo snel mogelijk opnieuw samengesteld moest worden en er hard tegenaan moest gaan, want voortvluchtig zijn had grote gevolgen. Maar voordat hij tot actie overging, wilde hij van zijn gezinnetje genieten: van Veronica en de kleine Robertino.

Zijn ontsnapping had het voltallige ziekenhuispersoneel in grote problemen gebracht. In alle politieauto's lag zijn signalementfoto goed in het zicht. Politieagenten en carabinieri hadden één prioriteit: Renatino terugbrengen naar de gevangenis.

Napo leende hem wat geld en overtuigde hem ervan naar Gargano te gaan waar ze voor een paar weken een kamer met uitzicht op zee hadden gehuurd. Zo zou hij ook even van de radar verdwijnen.

Renato hoopte de relatie met Veronica opnieuw op te kunnen bouwen. Ze was een onberispelijke moeder en te allen tijde bereid om in haar zoons behoeftes te voorzien. Het deed hem goed te zien dat ze zo serieus was. Toen hij de gevangenis in ging zag ze eruit als iemand uit een meisjestijdschrift, met haar minirokje en lange oorbellen, en nu straalde ze verantwoordelijk uit en nam ze haar rol als moeder zeer serieus. Dat betekende niet dat ze niet meer aantrekkelijk was. Haar ogen, helder als een lagune, haar gewelfde lichaam en haar heupen die zachter waren geworden door haar zwangerschap wonden hem nog steeds op. Maar het verlangen… was op de een of andere manier niet meer zoals eerst. Hij wist nog dat Veronica voordat hij in de gevangenis belandde onverzadigbaar was. Er was geen plek of moment waarop ze geen zin had hem te kussen, te strelen of een vluggertje te doen. Nu hij terug was, had ze echter alleen de eerste nacht met hem willen vrijen. Maar aangezien hij niet meer reageerde zoals eerst had ze, uit voorzichtigheid, of omdat ze er niet te zwaar aan wilde tillen, hem niet meer geprobeerd te zoenen of te knuffelen. Ook Renatino zorgde ervoor, uit angst om weer een slecht figuur te slaan, dat hij niet alleen met haar in één ruimte was. Ter compensatie bracht hij veel tijd door met zijn zoontje en probeerde hij de tijd die hij met hem had moeten missen in te halen. Maar één gedachte die te maken had met zijn seksuele vaardigheden, bleef hem bezighouden. De ontmoeting met Noemi was niet erg stimulerend geweest, hoewel de vrouw er werk van had gemaakt en het haar gelukt was de daad tot een goed einde te brengen. Dat was nu eenmaal Noemi's beroep. Kon hij zulke prestaties ook van Veronica verlangen? En hoe zou hij daar dan op reageren? Vroeg of laat moest hij het probleem aanpakken. Zijn libido was nog altijd even groot, alleen gedroegen zijn verlangen en zijn 'vriend' zich, in tegenstelling tot voor zijn gevangenschap, niet meer hetzelfde. Voor het einde van de vakantie wilde hij het probleem de wereld uit helpen en het openlijk met Veronica bespreken. In de tussentijd kon hij alleen maar van de vrijheid genieten waar hij achter de tralies van de ergste gevangenissen van Italië voortdurend van had gedroomd. Na vier jaar gedwongen gescheiden van elkaar te zijn geweest was het niet vreemd dat ze eerst alles op een rijtje moesten zetten. De afstand had Robertino, die hij alleen had gezien tijdens het bezoekuur, ook beïnvloed. Ook hij moest eraan wennen zijn vader om zich heen te hebben.

* * *

Domenica Boldini was op het platteland van Benevento achtergelaten. De Marseillanen hoopten zo de politie om de tuin te leiden en hen te laten geloven dat de Zuid-Italiaanse camorra haar ontvoerd had. De vrouw was door een paddenstoelenzoeker gevonden. Ze was ondervoed en zwaar depressief. Ze brachten haar naar het ziekenhuis in de stad en na de eerste behandelingen werd ze met de ambulance naar haar huis in Milaan gebracht.

Vicecommissaris Moncada was een van de eersten die haar zag. Hij was woedend op die 'beesten', zoals hij ze noemde, omdat ze haar zo slecht behandeld hadden. Moncada en zijn rechterhand Vittorio Perrone hadden iedere kleine aanwijzing, gerelateerd aan de ontvoeringen in de regio van Milaan, bestudeerd. Het leek alsof de misdaden waren gepleegd door occulte criminelen. Uit verschillende bronnen hadden ze vernomen dat er meerdere keren contact was geweest tussen Berenguer en de mannen van de militaire geheime dienst. Ze hadden de tip nog niet kunnen verifiëren, maar waren ermee bezig.

Moncada en Perrone brachten een bezoek aan een adjudant van de carabinieri – codenaam Schim – die de ontvoeringen vanaf het begin had gevolgd. Schim en zijn groep waren iemand aan het ondervragen die het eten en drinken verzorgde voor een bende waarvan ze vermoedden dat deze de industrieel Raffaele Molinari ontvoerd had. Ze hadden de verdachte naar een van de vlieringen van de kazerne geleid, waar hij kon schreeuwen tot zijn stembanden knapten, maar alleen de zwaluwen die onder de dakpannen nestelden hem konden horen. De militairen, die allemaal een bivakmuts droegen, sloegen hem met hun rubberen wapenstokken onder zijn voetzolen om hem te dwingen op te biechten waar ze de industrieel verborgen hielden. Maar de man bleef bij hoog en bij laag beweren dat hij niets wist en hoe langer hij dit volhield, hoe meer de beulen op hem insloegen. Ze ontzagen alleen zijn hoofd.

Moncada draaide zich van het raam weg toen hij de slachting zag. 'Jullie pakken hem hard aan, adjudant.'

'Zijn we te wreed volgens u?' vroeg de oude *carabiniere* sarcastisch.

'Wij nemen het soms ook niet zo nauw,' herstelde Moncada zich.

'Ik herinner me de gijzelaars, toen ze net vrijgelaten waren. Hun doodsbange gezichten,' zei de adjudant. 'Als u het mij vraagt verdienden de Muià, de Mammolieten en al dat sadistische gespuis de galg, vlak voor de dom. Wat vertellen we de families als we niet eens in staat zijn de lichamen van hun kinderen of echtgenoot aan hen terug te geven? Herinnert u zich Ceschina nog, commissaris? En Cortellezzi? En Adami? En de arme Cristina Mazzotti? Die zijn niet meer thuisgekomen.'

'Tegenover deze barbaren zijn onze wapens botte speren,' kwam Perrone tussenbeide.

'Precies. De politici hebben onze handen gebonden met hun garanties. Ik zou hun willen laten zien in welke staat we de arme slachtoffers aantreffen, als het ons al lukt hen te bevrijden.' De adjudant uitte een stroom van boze woorden die tegelijkertijd overliepen van *pietas*. 'Sommige gijzelaars hebben kettingen om hun nek en voeten, net als honden. Soms zijn die kettingen zo zwaar en dik dat wij ze zelfs met een draadtang niet loskrijgen. Perfetti, de man van de Gomme del Ponte, hebben we in een gat zo groot als een doodskist gevonden, onder de kelder van een huis in viale Monte Ceneri, hier in Milaan. Restani, de arme vrouw, heeft al die tijd in een berghok op de vliering van een boerderij opgesloten gezeten. Het was augustus en bloedheet. Er kwam geen zuchtje wind in het berghok. Ze was broodmager en geblinddoekt. Dit hebben we uit respect niet tegen de pers verteld. Wist u dat haar eerste bewaker, Francesco Polistena, haar verkracht heeft en zwanger gemaakt? De andere bendeleden wilden hem vermoorden, maar voor ze de kans kregen hebben we hem kunnen arresteren en zo het leven van dat beest gered. Dan is er nog de slachting van Mauro de Felice. Die is nergens mee te vergelijken. Ik heb zelf de stukken geteld. Het waren er achtennegentig. Achtennegentig, hoort u? In weet ik hoeveel vuilniszakken. Hoe kun je zachtaardig met zulke lui omgaan? Hoe eerder we informatie van hen loskrijgen, hoe eerder we een mensenleven kunnen redden.'

'Adjudant, ik denk er precies zo over als u...' zei Moncada. 'Ik heb naar u gevraagd omdat ik de tip die ik van een betrouwbare bron heb gekregen aan uw informatie wilde toetsen. De tip betreft de bende van René Berenguer, de Marseillaan.'

'We weten dat een groot deel van de ontvoeringen hun werk is.' De adjudant was een van de experts op het gebied van ontvoeringen en had alle dossiers in Italië bestudeerd. 'Ook bij de laatste, die van mevrouw Boldini, hebben ze een vinger in de pap gehad, ook al zijn ze niet de direct verantwoordelijken geweest. De Marseillanen opereren vanuit onze hoofdstad. Ze moeten het "pakje" ontvangen hebben en het daarna hebben warm gehouden. Mevrouw Boldini is in Benevento gevonden, maar naar wat ik heb gelezen in het verslag van het verhoor is ze daar eerder heen gebracht dan de dag van haar vrijlating.'

'Dat was een afleidingsmanoeuvre voor ons,' zei Moncada. 'De bendes hebben onverwachte bondgenootschappen gesloten voor de verschillende fases van de ontvoeringen. Sommige mensen hebben zich gespecialiseerd in de gevangenneming, in het gevangen houden, in het contact en de onderhandelingen met de familie of in de overdracht van het losgeld voor de gevangene.'

'Dat is ook onze conclusie,' bevestigde de maarschalk. 'Maar welke informatie wilde u verifiëren?'

Moncada keek hem strak aan. 'Het gaat om een automatisch pistool, een M10, dat ik al een aantal maanden probeer te traceren. Ik heb op verschillende plaatsen delict hulzen van dit wapen gevonden, ook bij een van de laatste ontvoeringen. Het is gebruikt door een van de Marseillanen, maar ook door de Siciliaanse maffia en een van de Milanese bendes, namelijk die van Francis Turatello. Nu weet ik zeker dat dit automatische pistool uit een magazijn afkomstig is dat onder controle staat van de militaire geheime dienst en is mijn vraag: Hoe is het mogelijk dat hetzelfde wapen door zowel maffiosi als gewone criminelen gebruikt wordt? Hoe zou u dat verklaren?'

'Commissaris, wees niet zo naïef! Twee plus twee is altijd vier. Als ik u was zou ik oppassen zulke vragen te stellen,' antwoordde adjudant Schim hard.

'Dus u raadt me aan de andere kant op te kijken als ik achter bepaalde feiten kom?'

'Wij hebben net als doodgravers een smerig beroep. We hebben de hele dag met verkrachters, moordenaars, pedofielen en maffiosi te maken. Het is logisch dat een van hen, wanneer hij ons iets in vertrouwen vertelt, in ruil een beetje bescherming verwacht, of dat wij een oogje dichtknijpen bij hun illegale handel. Daarom zijn criminele leiders bijna allemaal vertrouwelingen van de politie. En zo ontstaat de relatie tussen de staat en de onderwereld. Een relatie die gunstig kan zijn voor de staat, maar ook voor de criminelen. Het verbaast me niets wat u ontdekt heeft, commissaris. Wij staan aan de kant van de wet, maar niet te dicht, anders lukt het ons nooit criminelen de wet te laten respecteren. We moeten dus het juiste evenwicht vinden tussen legaliteit en illegaliteit en het is aan ieder van ons dit evenwicht bekend te maken. Dat is het moeilijkste deel van ons werk. Ik handel volgens mijn instinct en tot op de dag van vandaag heb ik geluk gehad. Begrijpt u aan de andere kant dat jullie hier in Milaan iedere nacht maar dertig politiewagens in kunnen zetten, en wij carabinieri niet meer dan twintig auto's? Maar ik had liever nooit gehoord wat u mij verteld heeft, hoewel ik het begrijp. Er wachten ons trieste dagen.'

Vicecommissaris Moncada begreep uit de beschouwing van de oude adjudant dat het moment was aangebroken een rechter in te schakelen. Diezelfde avond nog belde hij rechter Vittorio D'Amico om een afspraak te maken.

* * *

Er waren maar vier jaar verstreken, maar vier jaar zijn voor een twintiger een heel leven. Terug uit Gargano zocht Renatino zijn oude vrienden in een van de nesten van de Comasinabende op, hoewel hij de problemen met de moeder van zijn zoon nog niet had opgelost. Toen hij hen had achtergelaten waren zijn vrienden niet veel meer dan melkmuilen en nu waren ze zelfverzekerd en ondernemend. Alle jongens van de oude batterij waren er: Napo, Cambogia, Franca, Mazzinga, met zijn goede humeur, Bradipo en de Beverrat, altijd aan de heroïne. De vriendschap die hen allen verbond was legendarisch onder de inwoners van de buurt. Ze hadden geen echte baas. Renatino was alleen de leider omdat hij rap van tong was en een aangeboren charismatische uitstraling had, waardoor alle meisjes als een blok voor hem vielen. In de Comasinabende had ieder lid zijn eigen rol. Zoals Renatino de erkende leider was, was Napo de strateeg, Cambogia de aanvoerder als Renatino er niet was, terwijl Mazzinga werd gewaardeerd om de wijze waarop hij zijn mitrailleur wist te gebruiken. Zijn vrienden noemden hem zelfs de Benvenuto Cellini van de mitrailleur. Bradipo kwam ondanks zijn verslaving op kritieke momenten met oplossingen en dankzij zijn opvliegende karakter wist hij een tumult op te lossen met angstaanjagend geschreeuw dat de gijzelaars verlamde. Verder dacht hij met de snelheid van een luiaard. Tot slot was er de Beverrat, met zijn gedrongen gestalte en muizengezicht. Hij was een zeer slechte schutter en gedroeg zich als een gunman uit het wilde Westen. Zijn mankementen werden hem echter allemaal vergeven omdat hij deze compenseerde met zijn humor en scherpzinnigheid.

'Half Milaan is in rep en roer omdat jij bent ontsnapt,' zei Napo, 'inclusief je vriend Turatello, die tegen iedereen zegt dat je hem een loer wilt draaien om zo de koning van Milaan te worden.'

'Dat is onzin. Ik wil hem geen loer draaien om maffiabaas te worden, maar zijn rotkop verbouwen omdat hij mijn huis beschoten heeft. Dat vergeet ik niet.'

'Hij heeft problemen,' zei Cambogia. 'Ze hebben Angelo Infanti vermoord en zijn andere plaatsvervanger, Natale Piscopo, zit gevangen in San Vittore.'

'Dat is nog niet alles. De huurmoordenaars van Liggio zitten hem ook op de hielen,' glimlachte de Beverrat. 'Het lijkt erop dat Turatello hem een streek heeft geleverd voor een partij nepheroïne. Hij heeft hem eerst betaald en is daarna teruggegaan om de buit op te halen.' Hij barstte in lachen uit. 'Liggio weet niet dat een andere bende hem in de zeik genomen heeft, namelijk wij! En dus houdt Turatello zich Joost mag weten waar schuil en reageert hij op geen enkele provocatie.'

Renato besloot naar hem toe te gaan voor een gesprek van man tot man. Het was absurd om oorlog te voeren en kostbare energie te verspillen die ze beter konden gebruiken tegen banken, smerissen en industriële uitbuiters van andermans werk. Hij wilde opheldering in naam van hun oude vriendschap.

Om de mentaliteit van de goede jongens van de batterijen in die jaren te begrijpen is het belangrijk te weten dat hun gedrag voortkwam uit een soort rebellie tegen de instanties. Het geld dat ze overhielden aan de overvallen was niet hun hoofddoel. Het eigenlijke doel van hun acties was zich tegen Jan en alleman te verzetten.

De oorlog tussen de bendes was simpelweg een bevestiging van hun superioriteit. Ze bakenden hun jachtterrein af. Ze waren er niet op uit hun rivalen uit te schakelen, maar wilden hen juist vernederen, en toch hun waarde erkennen. Daarom bleef Renatino Turatello zoeken in de cafés die hij vaak bezocht, waarmee hij zich blootstelde aan het gevaar door de politie gepakt te worden. Hij was immers de belangrijkste voortvluchtige van de Milanese politie. Renato stuurde al zijn maten eropuit om Engelengezicht op te sporen, maar hij leek al wekenlang spoorloos te zijn. Napo kwam met het idee een van de kassiers van goktent Porta Genova te benaderen. Francis beheerde zeker het geld en daarom moest de kassier weten waar hij zich schuilhield. Ze wachtten hem op in de buurt van de poort en toen de kassier eraan kwam met de kassa om de tafels te openen, grepen ze hem vast om hem te laten vertellen waar Engelengezicht zich bevond. Hij zwoer echter dat sinds kort de geldzaken door een van de chefs van de goktent geregeld werden en dat zij Turatello ook nergens konden vinden.

'Oké, laten we doen alsof we dat geloven,' zei Renatino terwijl hij de leren tas met geld aan Napo gaf. 'Maar als je hem ziet, zeg dan dat Renatino altijd bereid is om hem te ontmoeten, ook op een open terrein, als hij zijn excuses voor alles wat hij geflikt heeft maar voor zich houdt. Weet je nog wat je moet zeggen?'

De kassier, een gehoorzame bonenstaak, knikte dat hij het had begrepen. 'Ik zal het hem zeggen. Maar ik zweer dat meneer Turatello zich al weken niet in de gokzaal heeft vertoond.'

Ze lieten hem gaan. Ze hadden Turatello een miljoen of dertig afhandig gemaakt. Ze raakten echter nog geen lire aan van dit geld. De volgende dag verdeelden ze de som in gelijke delen, lieten een vijftigtal postwissels uitschrijven en adresseerden deze aan evenzoveel vrienden in de gevangenis. Vervolgens stopten ze de bonnen in een envelop en richtten deze aan goktent Porta Genova, met een bedankje aan Turatello voor het geweldige gebaar.

Die dubbele belediging had hem uit zijn schuilplaats moeten lokken, maar Engelengezicht reageerde ook deze keer niet op de provocatie. Hij had te veel problemen. En als je Luciano Liggio achter je aan had, kon je je geen afleiding permitteren. Renatino zou hem zijn acties hoe dan ook ooit betaald zetten.

Turatello was met de helm geboren. Hij had zich meerdere keren uit onvoorziene situaties weten te redden.

Toen ze de ontvoerders van Pietro Torielli, een industrieel uit Vigevano, zochten, kwamen de detectives in een verlaten fabriek op het platteland in de buurt van Bergamo terecht. Tot hun grote verrassing zagen ze een andere gijzelaar achter een luik vandaan komen: graaf Luigi Rossi di Montelera. Dit toeval duidde erop dat er een verband kon bestaan tussen de ontvoering van de industrieel en die van de graaf. Toen ze de geregistreerde telefoongesprekken van de twee ontvoeringen naast elkaar legden, merkten de analisten op dat de sprekers vaak op respectvolle toon naar een zekere 'meneer Antonio' verwezen. Na deze meneer Antonio nagetrokken te hebben, wisten de onderzoekers dat het hier ging om een zekere Antonio Ferruggia die in via Ripamonti 166 te Milaan woonde. De twee jonge rechters die het onderzoek leidden, besloten een arrestatiebevel uit te schrijven voor deze man, hoewel ze nog geen concreet bewijs hadden dat hij iets met de twee ontvoeringen te maken had.

Het wooncomplex van via Ripamonti werd omringd door de FIOD, die het mysterieuze personage mocht arresteren. Kolonel Visicchio, die de arrestatie leidde, besteeg samen met een groepje militairen de trappen, tot op de bovenste verdieping. Toen ze voor de deur van het penthouse stonden belden ze aan. Binnen klonk het gehuil van een baby. De deur ging open. De twee militairen duwden hem met hun schouder verder open, vielen het appartement binnen en omsingelden de man die had opengedaan.

Luciano Liggio verzette zich niet. Na een moment van verwarring en woede omdat hij zich op zo'n banale wijze had laten pakken, vormde zijn met een dikke snor omsierde mond een glimlach. Kolonel Visicchio bestudeerde hem aandachtig en vergeleek hem in gedachten met de enige signalementfoto die ze van hem hadden en toen hij zijn identiteit had vastgesteld, vroeg hij: 'Bent u...'

Maar de meest gezochte crimineel van Italië, de gevaarlijkste en wreedste maffiabaas van die tijd, liet hem zijn zin niet afmaken. 'Ja, dat ben ik.'

Hij leefde samen met Lucia Paranzani die hem de kleine Paolo, de baby die huilde vanwege de plotselinge inval, had geschonken en niets wist van het dubbelleven dat haar man leidde.

De foto's waar hij met handboeien om zijn polsen op stond, lieten een lachende, bijna lief ogende maffiabaas zien. Snel werd duidelijk waarom. Liggio droeg de geheimen van dertig jaar maffiamacht met zich mee, van delicten, drugshandel, bouwspeculaties, contact met het lokale bestuur en met de nationale politiek. Veel mensen beefden toen ze de bekentenissen van Lucianeddu hoorden, veel anderen slaakten echter een zucht van verlichting, onder wie Turatello.

31

Het leven is één tegenslag

Veronica had het kind naar bed gebracht en ging naar de woonkamer waar Renatino op de bank naar de serie *L'amaro caso della baronessa di Carini*, gespeeld door Ugo Pagliai en Paolo Stoppa, lag te kijken.

Veronica droeg een fusteinen ochtendjas, tot aan haar voeten. De tijd van de sexy babydolls was voorbij. Ze zette het volume van de tv zachter en ging naast hem zitten. 'Jij en ik moeten eens serieus praten,' zei ze.

Hij had die zin sinds hun hereniging steeds gevreesd, maar nu was het moment gekomen om de realiteit onder ogen te zien.

'Wat denk je van jouw en ons leven te maken?' vroeg ze terwijl ze hem recht in de ogen keek.

Renatino realiseerde zich dat de verantwoordelijkheid van het moederschap er de afgelopen vier jaar voor had gezorgd dat Veronica veel sneller volwassen was geworden dan hij. 'Dit is mijn leven. Ik kan het niet veranderen omdat er van tijd tot tijd kans is op een tegenslag.'

'Noem jij dat tegenslagen? Jou naar de gevangenis gebracht zien worden, je dwars door Italië van gevangenis naar gevangenis volgen, zijn dat tegenslagen?'

'Ik begrijp dat het anders is nu we een kind hebben,' zei Renatino, 'maar je zult zien dat we het prima gaan redden. Je hoeft je geen zorgen te maken. We pakken de draad snel weer op, met de jongens gaat alles voor de wind.'

'Ik houd het niet vol om je te steunen,' antwoordde ze, vechtend tegen haar tranen.

'Hé, kleintje. Eerst dacht je niet zo. Wat is er gebeurd? Jij hebt meer ballen dan wij allemaal samen. En juist nu geef je het op?'

'Iedere keer als de bel gaat raak ik in paniek. Ik denk aan Robertino. Heb je je wel eens afgevraagd wat er van hem terechtkomt als ze ons allebei in de bak gooien, zoals de vorige keer? Ik zal je vertellen wat er dan gebeurt: ze geven hem aan de sociale dienst mee, die hem vervolgens aan weet ik welke familie toewijzen. Is dat wat je wilt voor je zoon?'

Zoals gewoonlijk was er geen speld tussen Veronica's redenatie te krijgen. Renatino besloot op haar zwakke plek in te spelen. 'Maar ik hou van je. We houden van elkaar. We kunnen niet uit elkaar gaan. Wil je dat ik sterf van pijn in mijn hart?' Hij streek door haar lange haren, kuste haar voorhoofd, vervolgens haar ogen en uiteindelijk haar mond. Veronica beantwoordde zijn kus en de twee bleven elkaar lange tijd strelen en knuffelen. 'Snap je nu dat ik gek op je ben, lieverd?'

Haar humeur was omgeslagen. De oude Veronica was terug, altijd bereid zijn liefde te beantwoorden. Hij streelde haar borsten en zij reageerde door in zijn billen te knijpen en ze dan weer zacht te strelen. Ze dacht dat zijn achterste zijn meest erogene zone was. Vervolgens gleed haar hand tussen Renatino's benen, maar ze trok zich meteen weer terug.

'Je verlangt niet meer naar me,' zei ze terwijl ze zijn nek kuste.

'En of ik naar je verlang.'

'Ik ken je. Je had me anders allang genomen... en nu...'

Hij blokkeerde. Hij hield op haar te strelen en maakte zich los uit haar omhelzing. Nadat hij twee glazen whisky had ingeschonken gaf hij er één aan zijn vrouw. 'Je hebt geen idee wat die hufters me hebben aangedaan. Het is niet meer zoals eerst. Ik heb nog pijn. Ze hebben met wapenstokken op me ingeslagen. Je weet niet hoe ik geleden heb. Maar met jouw hulp zal ik genezen en daarna zal het weer zijn zoals toen we elkaar net kenden, ik zweer het. Ik verlang nog steeds naar je.'

Ze nam hem stevig in haar armen. 'Vergeef me. Ik wilde je niet kleineren. Ik ben stom. Maar je moet me begrijpen. Voor mij gaat Robertino nu boven alles. Dat snap je toch wel?'

'Natuurlijk snap ik dat,' zei Renatino droevig.

'We redden het wel. Met een beetje geluk gaan we het redden, je zult het zien.' De woorden kwamen recht uit haar hart, maar haar hoofd wist dat ze loog.

* * *

Vicecommissaris Moncada stond erop rechter D'Amico in zijn privékantoor te ontmoeten en niet in het parket. Onderweg dacht hij terug aan de woorden van adjudant Schim over de krachten in het veld. Hij kon hem geen ongelijk geven. Het gehele personeelsbestand van de politie van Milaan bestond uit slechts honderdveertig man, terwijl dat er vijftig jaar geleden ruim driehonderd waren. En toch telden de drie veiligheidseenheden, namelijk de politie, de carabinieri en de FIOD, ondanks alles bijna tweeduizend werknemers, wat meer was dan in enig ander westelijk land. Maar ze waren slecht verspreid. Het ministerie van Binnenlandse Zaken had pasgeleden erkend dat slechts zeventien procent werd ingezet in actieve dienst. De rest zat aan bureaus stapels papier te stempelen, ze reden hun superieuren rond of verzamelden nutteloze informatie, bijvoorbeeld over de zedigheid van huwbare meisjes, een van de meest door burgers gevraagde diensten. En dat allemaal voor een salaris van honderdveertigduizend lire per maand, veel minder dan dat van een dienstmeisje. En een dienstmeisje riskeerde niet eens haar leven, wat zij voortdurend deden als ze op patrouille gingen.

Moncada arriveerde bij het huis van de rechter, direct vanuit station Termini, na een gebroken nacht in een treincouchette van de rechtstreekse spoorverbinding Milaan-Rome. Vittorio D'Amico was substituut-officier van de Romeinse rechtbank en was begonnen met het inventariseren van alle criminele feiten die te maken hadden met terrorisme. De vicecommissaris zette zijn koffertje op het bureau van de rechter en na de gebruikelijke kop koffie begon hij zijn stelling toe te lichten in de hoop een verband te ontdekken met de onderzoeken van de rechter.

'Meneer D'Amico, denk niet dat ik paranoïde ben, maar ik geloof dat er een oorlog tegen onze democratie aan de gang is,' begon hij terwijl hij zich installeerde in de fauteuil tegenover het bureau van de magistraat. 'Ik ben mijn onderzoek begonnen met een document dat was opgesteld door een groep Griekse opstandelingen die zich verzetten tegen de kolonels. Dit is een kopie. Het is in het Engels geschreven.' Hij hield hem een getypt papier voor. De procureur scande het snel, maar luisterde liever naar wat de commissaris erover te vertellen had. 'De Griekse opstandelingen,' ging Moncada verder, 'hebben een rapport onderschept van een Griekse spion in Italië aan premier Papadopoulos, waarin hij uitlegde dat een bepaalde operatie in Italië vanwege iets onverwachts niet op 20 april had kunnen plaatsvinden, maar dat de aanslag, die naar de vijfentwintigste was verplaatst, toch zijn effect had gehad.'

'Refereert hij aan de bom in de Fiat-stand in Milaan?' vroeg de rechter.

'Ja, precies. Zes mensen raakten gewond. Op dezelfde dag werd een andere bom, een blindganger, in het centraal station aangetroffen. Ook in Milaan. De connectie tussen de twee bommen maakt duidelijk dat dit het begin is van een strategie om het Italiaanse volk in totale onzekerheid te storten. Het doel daarvan is het volk op te hitsen tegen de aanhangers van het communisme, die als plegers van de aanslagen worden beschouwd. Hetzelfde gebeurde twee jaar geleden in Griekenland wat uiteindelijk tot het Kolonelsregime leidde.'

'U bent toch niet helemaal hierheen gekomen om deze hypothese met mij te delen, hè, commissaris?' vroeg de rechter.

'Nee, luister tot ik mijn verhaal heb afgemaakt. Procurator, ik heb dossiers aangelegd van een aantal zaken die de laatste jaren in Italië hebben plaatsgevonden. Daar zijn de nodige elementen in te vinden die mijn hypothese bevestigen. Maar laten we verdergaan met het beschrijven van de feiten. Een jaar later vindt de aanslag op de landbouwbank plaats. Ook hier spreken de onderzoeken elkaar tegen. Dan begint onze Geheime Dienst zich ermee te bemoeien. Nog geen zes maanden later breekt de opstand in Reggio Calabria uit, onder het motto "Wie opgeeft is een beul", en geleid door Ciccio Franco, een vertegenwoordiger van het neofascisme, die heel handig inspeelde op het protest van de inwoners van Reggio Calabria, die zich verzetten tegen de keus van Catanzaro als hoofdstad van de regio. Hij gaf een neofascistische draai aan het protest en voerde actie tegen een centrale positie van de staat. Er werden barricades opgeworpen, ze gooiden met molotovcocktails naar overheidskantoren, staken bussen en bielzen in brand waarbij doden vielen. Kortom, een soort generale repetitie voor de opstand die naast Ciccio Franco ook geleid werd door de ex-partizaan Alfredo Perna, die actief was geweest als spion voor Amerika. En dit is waar ik naartoe wil, meneer de procurator.'

'Zitten de Amerikanen hierachter?' vroeg D'Amico.

'De Amerikanen zijn een constante factor in onze hedendaagse geschiedenis. Herinnert u zich het bloedbad in Portella della Ginestra nog?'

'Natuurlijk, dat is de geschiedenis in gegaan als het bloedbad van Salvatore Giuliano, maar die arme jongen lijkt er niets mee te maken te hebben. Er wordt tenminste gezegd dat hij niet degene was die op de menigte geschoten heeft.'

'Dat klopt. De aanval in Portella is beraamd door de Amerikanen van de OSS, wat nu de CIA is.'

'Ik heb alle documenten over Portella bestudeerd, commissaris,' zei de rechter. 'Ik weet dat er niet alleen met mitrailleurs is geschoten, zoals steeds werd gedacht, maar dat er ook granaten naar de menigte zijn gegooid. Veel overlevenden hadden scheuren en kneuzingen aan hun benen, maar dat detail is altijd verzwegen door de autoriteiten.'

'Exact. Granaatwerpers behoorden uitsluitend tot de uitrusting van het Amerikaanse leger en van de mannen van de Decima Mas van prins Junio Valerio Borghese. En weet u wat de rol van Borghese in dit verhaal is, meneer de rechter? Borghese werd gered van het doodvonnis dat hem in 1945 was opgelegd door de partizanen, dankzij de Amerikaanse geheimagent James Angleton. En weet u wie hem om deze gunst vroeg? Monseigneur Montini, die in die tijd hoofd was van de Vaticaanse geheime dienst.'

'Wilt u me nu zeggen dat de toekomstige Paulus VI zijn anticommunistische campagne heeft gelanceerd?' vroeg D'Amico.

'Inderdaad. Het feit dat de prins en zijn vrouw als enige twee Italiaanse fascisten uit de tijd van de sociale republiek zijn gered door Amerika is vreemd. Het is wel duidelijk dat de Amerikanen hem wilden gebruiken om zijn vakkundigheid bij militaire operaties en vanwege zijn haat jegens de communisten. Angleton werd bij de redding van de prins geholpen door een andere Amerikaan, ene John Calderon. Ook hij was geheim agent, maar vooral de belangrijkste connectie tussen don Sturzo, balling in Amerika, en de anticommunistische Italiaanse groeperingen.' Moncada was op dreef.

'Borghese bewees de Amerikanen dus een wederdienst omdat ze zijn leven gered hadden door in te grijpen in Portella?' verduidelijkte de rechter.

'Precies. Door gif in zijn koffie te doen werd Pisciotta het zwijgen opgelegd, omdat hij op het punt stond een explosieve bekentenis te doen. Het was namelijk Pisciotta zelf geweest die het commando had gevoerd over de twaalf met granaatwerpers gewapende mannen op de vlakte van Portella della Ginestra. Hij had hen de nacht ervoor opgehaald van vliegveld Bocca di Falco, waar ze met een speciale vlucht naartoe waren gekomen. Zij waren de meest toegewijde volgelingen van prins Borghese.'

'En dit alles in samenwerking met de Amerikaanse dienst.' D'Amico leek niet verrast.

'Dat is precies wat er de laatste tijd gaande is. Er bestaat een pact tussen staatsinstellingen, de maffia, de geheime dienst, neofascisten, gewone criminelen en de Amerikaanse geheime diensten. Het is een duivelse strategie om de natie in de richting van een burgeroorlog te drijven.'

'Commissaris, wees niet zo melodramatisch. Laten we ons beperken tot de feiten. Wat heeft u nog meer ontdekt?' vroeg de rechter.

'We waren gebleven bij de opstand in Reggio. Acht dagen na de eerste schermutselingen op het plein, ontspoort de Zonnetrein in Gioia Tauro. Deze keer vallen er zes doden en raken ruim zeventig mensen gewond. Na amper twee weken beweert de onderzoekscommissie dat het ongeluk veroorzaakt is door een gammel treinstel. We weten echter dat het hier om een aanslag gaat. Slechts twee maanden later verzamelen vijf jongeren uit Reggio informatie over de aanslag en leggen er een dossier van aan, waarin ze melding maken van het feit dat neofascistische bewegingen betrokken waren bij de opstand. Ze moesten de map naar eerwaarde Eduardo Di Giovanni brengen, maar een botsing bij het tolhuisje van Frosinone maakt een einde aan hun leven. Ze waren alle vijf op slag dood. Weet u wie er achter het stuur zat van de vrachtwagen die hen heeft geschept?'

'Zeg het maar.'

'Iemand die werkzaam was voor een van de bedrijven van Junio Valerio Borghese.'

'Hij duikt steeds op als er een bloedbad moet worden aangericht,' merkte D'Amico somber op. 'Is het dossier dat ze naar Rome wilden brengen ingeleverd bij justitie?'

'Dat is het meest verontrustende, meneer D'Amico. Niet de agenten van de verkeerspolitie waren als eerste op de plaats delict, zoals logisch zou zijn, maar leden van de partij. Zij hebben het dossier meegenomen en daarna is er niets meer van vernomen,' eindigde Moncada.

'Om als eerste ter plaatse te kunnen zijn moesten ze dus al klaarstaan om in actie te komen. Mijn god, wat onwerkelijk.' De rechter was nu echt aangeslagen.

'En dan de ontvoeringen,' ging de vicecommissaris onverstoorbaar verder. 'Ik heb uit betrouwbare bron vernomen dat het idee van de ontvoeringen afkomstig is van een Meester vrijmetselaar van de geheime loge Propaganda 2, en van zijn rechterhand Ubaldo Mariani, die beschouwd wordt als het werkelijke "brein" achter P2. Tussen de documenten zat ook een soort door de Eerwaarde opgestelde gebodenlijst met de titel "Plan voor democratische wedergeboorte", waarin alle fases van deze strategie beschreven staan. De ontvoeringen zijn het werk van de clan van Marseillanen, Berenguer, Bergamelli en kameraden. Zij zijn er natuurlijk mee begonnen, daarna hebben de bendes hun voorbeeld gevolgd.' Hij hield hem een stuk papier voor. 'Kijk, dit is de lijst met ontvoeringen waarvan ik vermoed dat de Eerwaarde erbij betrokken is.'

De rechter keek de lijst vlug door en bleef toen bij één naam hangen. 'De ontvoering van Mariani staat er ook bij. Amedeo is de zoon van Ubaldo Mariani.'

'Inderdaad. Mariani heeft deze ontvoering met hulp van de Marseillanen bedacht, zodat hij niet meer in verband zou worden gebracht met vuile zaakjes van de georganiseerde misdaad, in het bijzonder met Berenguer. Verder had hij de ontvoering nodig om Audicon te redden, een van zijn familiebedrijven. Het ministerie van Werkgelegenheid heeft vanwege de ontvoering snel een bedrag overgemaakt, dat overigens al bestemd was voor de redding van het bedrijf.'

'Commissaris, ik moet u complimenteren, want ook ik ben tot de conclusie gekomen dat de vrijmetselarij en de neofascisten de georganiseerde misdaad inzetten om de staat te verzwakken. Maar we hebben te weinig bewijs om hen hierop vast te pinnen,' zei de rechter.

'Er is nog een laatste feit waar ik graag uw aandacht voor zou willen vragen: de vliegramp van Montagna Longa.'

'Die heeft een paar jaar geleden plaatsgevonden. De ramp heeft het leven van meer dan honderd mensen geëist,' herinnerde de rechter zich.

'Honderdvijftien, om precies te zijn. Ik verzamel ook informatie over deze ramp, die simpelweg als een ongeluk werd beschouwd. Maar ik heb een aantal getuigenissen bestudeerd waaruit blijkt dat het ook deze keer gaat om een bloedbad dat veroorzaakt is door een van de fascistische cellen.'

'Moncada, we nemen te veel hooi op onze vork. Laten we ons alleen proberen te concentreren op de vastgestelde feiten. We zullen op twee fronten tegelijk strijden. Ik vaardig een arrestatiebevel uit voor deze Meester vrijmetselaar en zijn rechterhand, Ubaldo Mariani. Tegelijkertijd moet worden achterhaald waar Berenguer, Bergamelli en consorten zich bevinden. Als het ons lukt hen te arresteren en we beloven ze strafvermindering, lukt het ons misschien ook om de hele organisatie te ontmantelen.'

'Ik schaduw een vrouw, die hen vermoedelijk van eten en drinken voorziet. Als we geluk hebben, brengt ze ons naar hun nest.'

'Goed, Moncada, blijf haar schaduwen. Ik bestudeer in de tussentijd deze documenten om bewijs te vinden waarmee ik de Eerwaarde kan belasten.'

Moncada haalde de vijf blauwe dossiermappen met de onderzoeken uit zijn koffer en gaf die aan de rechter. Met het overhandigen van de mappen werd een stilzwijgende overeenkomst bezegeld tussen de twee beschermers van de wet. Een pact van bloed dat hen zou verbinden in leven en dood, in naam van een hoog ideaal dat democratie heet.

32

Oorlog tussen de bendes

Renatino was met Cambogia aan het biljarten in een kroeg van de Comasinabende, toen Veronica opgewonden opbelde en hem bijna een hartaanval bezorgde. 'Kom snel, ik heb Robertino bij me. Ik ben bang, kom, ik smeek je... ze staan hier voor de deur.' Haar stem was gebroken van angst, ze kon met moeite haar tranen bedwingen. Op de achtergrond waren opgewonden stemmen te horen.

Renatino maakte zich ernstige zorgen. 'Blijf kalm, ik kom eraan. Maar wie is er "hier voor de deur"?'

'Ze zijn met zijn drieën. Ze stapten uit een auto en liepen recht op me af. Ik dacht meteen dat ze me wilden ontvoeren. Ik heb Robertino gepakt en me verstopt bij de kapper, bij Romeo. Kom snel! Ze staan nog steeds voor de deur.'

Renatino liet de hoorn vallen en schreeuwde naar Cambogia dat hij hem moest volgen. Hij wist waar Romeo werkte.

Voor de kapperszaak stonden huisvrouwen met boodschappentassen en een groepje hangjongeren die naar binnen keken en commentaar leverden. Renatino haastte zich naar de glazen deur, met zijn trouwe Beretta in de hand onder zijn jas. Cambogia volgde hem, maar bleef op afstand, zodat hij hem rugdekking kon geven.

Zodra hij binnen was, zag hij Veronica haar zoon stevig vasthouden, omringd door Romeo en andere kappers die haar probeerden te troosten. Renatino omarmde haar en de jongen, die zijn armen om de nek van zijn moeder had geslagen en niet meer los wilde laten.

'Wie waren het?' vroeg Renatino terwijl hij zich uit de omhelzing losmaakte.

De kapper antwoordde met droevige stem: 'Drie kl... maar ik wil niet schelden, de jongen is erbij. Ze hebben haar bedreigd. Ze wilden ook de vitrine ingooien met een steen. Een van hen schreeuwde: "Zeg tegen die klootzak dat zijn zoon er vandaag levend van afkomt, maar dat Francis niets vergeet. De volgende keer zal er werkelijk iemand huilen!" Dat schreeuwden ze tegen mevrouw,' voegde hij eraan toe, terwijl hij naar Veronica wees.

Renatino zag rood van woede. Turatello had hem dus de oorlog verklaard, hoewel hij nog steeds niet kon geloven dat hij degene was die zijn gezin zo bedreigde. Was het mogelijk dat Engelengezicht alle principes overboord had gegooid die de verhoudingen tussen hun bendes altijd bepaald hadden? Het was nu al de tweede keer dat hij zo'n actie waagde. Hij besloot het Francis nog diezelfde avond betaald te zetten.

Hij vroeg Mazzinga hem te helpen bij het opsporen van Turatello. Mazzinga was moedig, kon met zijn mitrailleur overweg alsof het een natuurlijk verlengstuk van zijn arm was en was ook nog eens ongelooflijk sterk, waarom de jongens hem zijn bijnaam hadden gegeven. Omdat je tegen Renatino nu eenmaal geen nee kon zeggen stemde hij in, al had hij weinig zin in een wraakactie.

Ze reden drie uur door de stad, zoekend en vragen stellend aan iedereen die op de een of andere manier met hem te maken had. Hun auto leek wel een munitiebergplaats: er lagen twee mitrailleurs in met talloze magazijnen, een pump-action shotgun en een lupara shotgun, een tiental handgranaten, ieder drie pistolen en de Remington van Cambogia. Met zoveel vuurwapens konden ze gemakkelijk de Banca d'Italia overvallen. Turatello was onvindbaar. Ze reden langs alle nachtclubs, maar niets. Vervolgens gingen ze alle goktenten langs, maar ook daar hadden ze hem al weken niet gezien. Ook in de biljartzalen waar hij meestal kwam wisten ze niet waar hij was. Ze wilden het net opgeven, toen Mazzinga zich een Amerikaanse kroeg herinnerde in via Mac Mahon, waar hij hem wel eens tegen het lijf was gelopen.

'Snel!' schreeuwde Renatino.

Op dat nachtelijke uur waren de straten leeg en Mazzinga reed verder, zonder aandacht te schenken aan stoplichten of zebrapaden. Ze reden onder een viaduct door en kwamen bij Ghisolfa, waar ze de laan met bomen in sloegen. Aan het eind van de laan zagen ze de lichtjes van het café en voor het raam drie dubbelgeparkeerde BMW's. Renatino herkende de kleine, gedrongen Davino en Angelo Epaminonda, twee leden van de bende van Turatello, maar bespeurde nergens het imponerende silhouet van hun baas.

'Hij is er vast ook. Ga langzamer rijden, maar stop niet,' beval hij Mazzinga. In de tussentijd haalde hij de shotgun en een paar handgranaten uit de tas en stopte deze laatste in de zak van zijn jas. 'Ik stap uit en loop achter de bomen naar het café toe. Jij rijdt nog even door en keert dan om. Als ik zie dat je eraan komt zet ik de dans in en kom jij achter me aan om me te helpen. Als de geweren leeg zijn springen we in de auto en smeren we hem, begrepen?'

Mazzinga knikte en stak zijn hand uit om zijn mitrailleur uit de tas te pakken. Renatino stapte uit de auto en sloop dichterbij. Hij hield zijn ogen op de groep gericht die voor de kroeg bivakkeerde. Plotseling was er beweging, er kwam iemand uit de Amerikaanse bar die in een van de auto's stapte. De anderen volgden zijn voorbeeld. Ze startten de motoren en scheurden weg.

'Verdomme!' riep Renatino uit, terwijl hij Mazzinga tegemoet rende die zoals afgesproken naar hem toe reed. Hij sprong in de auto en zei: 'Raak hen niet kwijt. Geef gas!'

Mazzinga versnelde en liep een beetje op hen in. Hij zag de auto's via Cenisio in slaan. Misschien waren ze op weg naar het station. Ook hij sloeg af en remde toen abrupt omdat hij de drie auto's naast elkaar voor een rood stoplicht zag staan. De inzittenden spraken met elkaar via de raampjes.

'Wat doen we?' vroeg Mazzinga.

'Zo'n mooie gelegenheid krijgen we niet meer.' Renatino leek wel gebeten door een tarantula. Hij draaide het raampje aan zijn kant omlaag en klom vervolgens naar de achterbank, zodat Mazzinga de ruimte had. Ook het raampje achterin draaide hij omlaag en stak het geweer naar buiten terwijl hij tegen zijn maat zei: 'Haal hen links in. Dan schieten we ze neer en maken we dat we wegkomen.'

Mazzinga gehoorzaamde. Met zijn linkerhand stuurde hij en in zijn rechter hield hij zijn mitrailleur vast. Toen ze zich ter hoogte van de drie auto's bevonden begon Renatino te schieten en opende tegelijkertijd ook Mazzinga het vuur. Hij loste een paar snelle, nerveuze salvo's. Ze schoten ramen en deuren kapot. De inzittenden van de drie auto's verspilden kostbare seconden voordat ze reageerden. Sommigen begonnen terug te schieten, niet wetend waar ze op moesten richten.

Zodra Mazzinga hun reactie hoorde, legde hij zijn mitrailleur neer en gaf plankgas. Renatino bleef net zo lang schieten tot ze uit het zicht verdwenen waren en liet zich toen op de bank vallen, net op tijd, want de achterruit van de Alfa werd vol geraakt door een kogel en barstte in duizend scherven uiteen.

'Schiet op, Mazzinga, schiet op! Ze hebben peper in hun reet!' schreeuwde Renatino, bij wie de adrenaline door het lijf gierde.

Van de drie BMW's had alleen de meest rechtse de achtervolging ingezet. De andere twee waren gereduceerd tot rokende zeven.

'Mazzinga, afremmen bij het volgende viaduct,' zei Renatino terwijl hij de Remington greep en twee pistolen aan zijn riem hing. 'Ik stap uit als je nog rijdt.'

'Maar Renato, ben je gek geworden?'

'Doe wat ik je zeg. Als je schoten hoort keer je om en kom je me ophalen, oké?'

De weg liep omhoog, over het spoor. Mazzinga remde af en Renatino gleed naar buiten, zonder zijn evenwicht te verliezen. Hij ging tussen de sporen op de grond liggen en hield Cambogia's Remington in de aanslag, klaar om te schieten. Hij moest erop vertrouwen dat hij een beetje geluk zou hebben, want als er in tegengestelde richting een auto aan zou komen zou deze hem overrijden. Zijn plan was simpel. Hij zou de BMW opwachten terwijl hij op de grond bleef liggen. Met het spectrale licht van de lantaarnpalen en dankzij de helling zouden ze hem niet kunnen zien. Zodra hij de auto hoorde naderen zou hij opspringen en het vuur openen met de Remington. Hij drukte zich tegen het asfalt, met zijn zintuigen op scherp. Hij hoorde de motor van de auto die het viaduct op reed. Renatino zag de koplampen door de nacht snijden. Maar opeens remde de auto af. Hij leek te aarzelen. Daarna keerde hij snel om en reed terug.

Renatino richtte zich met een kloppend hoofd van spanning op, nog steeds met het geweer in zijn handen. Vanaf de andere kant kwam er een auto aan. Hij was genoodzaakt de stoep op te springen om niet geraakt te worden. Ze hadden hun achtervolging vast gestaakt om de gewonden in de andere auto's te helpen, dacht hij.

Na een paar minuten kwam Mazzinga aanzetten. 'Ik heb geen schoten gehoord.'

'Ze hebben het opgegeven en het overleefd, maar Engelengezicht zullen ze na het figuur dat hij vannacht heeft geslagen Poephoofd noemen.' Hij lachte om zijn eigen grap en Mazzinga deed hem na, terwijl hij schakelde en naar huis reed.

* * *

Rechter Vittorio D'Amico kreeg toestemming van het ministerie om vicecommissaris Moncada tijdelijk naar Rome over te plaatsen voor een politieonderzoek waar ze samen met het Milanese parket aan werkten. Het hoofdbureau stelde vijf agenten tot Moncada's beschikking. Ze waren net uit de luiers, maar meer konden ze niet voor hem doen met de personeelsschaarste die er heerste. Omdat ze allemaal groentjes waren, begon Moncada met het abc van de 'perfecte politieagent'. Hij instrueerde hen dat ze met niemand over de onderzoeken mochten praten, zelfs niet met hun moeder of vriendin, dat ze hun ogen altijd open moesten houden en niemand konden vertrouwen. Hun eerste opdracht was een vrouw te identificeren, een zekere Mara. Zij was de schakel met de bende van de Marseillanen.

De jongens keken elkaar een beetje verontrust aan zodra ze begrepen met wie ze te maken hadden, hetgeen Moncada niet ontging. Hij probeerde hen dan ook meteen gerust te stellen.

'Wees niet bang. We laten hun arrestatie over aan jullie ervaren collega's. Wij hoeven alleen deze Mara op te sporen. Haar echte naam is Maria Rossi. De laatst bekende woning van Mara en haar vrienden was in viale Eritrea, de Afrikaanse wijk in het noorden van Rome.' Hij liep naar de topografische kaart van de stad en wees de buurt aan. 'Hier. Maar daarna hebben ze dit nest verlaten, kennelijk in gevaar gebracht door een tip.' Hij liep weg van de kaart en richtte zich tot zijn team. Het waren stuk voor stuk sterke jongens, wilskrachtig en in staat respect af te dwingen. Hij nam hen een voor een op. 'Nu vragen jullie je vast af hoe we iemand in een stad van twee miljoen inwoners vinden? Het is geen eenvoudige opgave, dat begrijp ik. Laten we maar zeggen dat het een hopeloze opgave is. Maar we hebben de mogelijkheid om die bloeddorstige criminelen in de nek te grijpen en we laten hen niet ontsnappen!'

Dagenlang doolden hij en zijn agenten door de stad en lieten aan iedereen de foto van de vrouw zien. Ze bezochten buurtmarkten, dameskapsalons, supermarkten en kiosks, in de hoop op een gelukstreffer. Ze hadden de stad in zes kwadranten verdeeld en gingen nauwgezet straat voor straat af en stelden dezelfde vraag talloze keren. Maar de vrouw leek nooit te hebben bestaan. In de derde week, na controle van de tips die ongegrond bleken, begon Moncada zich af te vragen of ze de vrouw ooit nog zouden vinden. In die tijd leken de Marseillanen er ook lucht van te krijgen dat ze op de hielen werden gezeten en hielden ze stil in hun nesten.

Op een dag wilde een van zijn agenten hem spreken. Het was Nico Piras, een Sardijn, de jongste en blijkbaar minst snuggere van het stel.

'Commissaris, ik moet u spreken... maar ik schaam me een beetje,' begon de jongen.

'Je kunt het, Nico. Wat je me ook wilt zeggen, ik beloof dat het tussen ons blijft... of je moet een misdaad gepleegd hebben,' zei de commissaris glimlachend om hem op zijn gemak te stellen.

'Nee, commissaris, waar ziet u me voor aan? Een misdaad, nee... maar als mijn moeder dit wist... dan zou ze het nooit goedkeuren.'

'Je bent banger voor je moeder dan voor een rechter.' Hij schoof de stoel een eindje van het bureau af.

'Wat sommige dingen betreft wel, commissaris.'

'Over welke dingen heb je het nu, Nico?' vroeg Moncada. 'Ga zitten,' zei hij, wijzend naar de stoel voor het bureau.

'Het zit zo, commissaris. Gisteravond ben ik bij een meisje geweest.'

'En dus? Wat is daar vreemd aan? Je bent jong, ziet er goed uit, ik denk dat je nog tientallen vriendinnen zult hebben.'

'Het was niet mijn vriendin, commissaris. Die zit in Orsitano.'

'Heel goed, je hebt jezelf een slippertje toegestaan?'

'Noem het maar slippertje. Het heeft me tienduizend lire gekost.'

'Ben je bij een prostituee geweest? Is dat wat je me wilde vertellen? Tienduizend lire! Dat moet Brigitte Bardot geweest zijn.'

Nico boog zijn hoofd uit schaamte.

'Nou goed. Dat is geen zonde... Of eigenlijk...' de commissaris hernam zich meteen, '... zou het beter voor ons agenten zijn ons niet in dat soort kringen te begeven. Als dat alles is wat je aan me kwijt wilde, kan ik je alleen zeggen dat je op moet passen voor bepaalde ziektes.'

'Commissaris, er is meer.'

'Ach Nico, wat heb je nog meer gedaan?'

'Na de dienst, met alle respect, ging Consolata, terwijl ik me aan het aankleden was, naar de eetkamer. Ik heb van achter de deur naar binnen gegluurd en gezien dat er een vrouw binnenkwam, die haar groette en haar daarna een stapeltje geld gaf.'

'Prostituees hebben soms een madam die hun zaken regelt en hen met vermogende mannen in contact brengt, mensen die geen hoerenhuizen willen bezoeken uit angst gepakt te worden door de politie.'

'Commissaris, die vrouw was Mara.'

Moncada verbleekte. 'Echt waar? Piras, weet je het zeker?'

'Ik zweer het op mijn moeder, commissaris. Ik heb haar gezicht goed gezien, ze was het echt.'

De commissaris sprong op van zijn stoel. 'En dat zeg je me nu? Duccio! Fiorenzo! Liborio!' Hij riep het team bij elkaar.

Vanaf die dag werd Nico Piras de held van de 'Moncada-brigade', zoals de patrouille van wanhopigen liefdevol was gedoopt. Consolata werd nauwlettend in de gaten gehouden, totdat de vrouw op een zaterdag eindelijk weer verscheen. Ze zagen haar naar Consolata toe gaan en even later met haar het gebouw verlaten. Ook Moncada kon haar zien en bevestigen dat dit inderdaad de persoon was die ze zochten. De twee stapten in de auto van Mara, een grijze Citroën 2CV.

Ze volgden hen op enige afstand en Moncada riep zijn jonge agenten Piras en Duccio, met amper tweeëntwintig de oudste van het team, op naar de plek te komen waar ze zich op dat moment bevonden.

De 2CV reed in de richting van Aurelia. Even later stopte hij voor de uitrit van een appartementencomplex. De vrouw liet Consolata uitstappen, die naar een travestietenfeest leek te gaan, zoveel make-up had ze op haar gezicht. Consolata groette haar vriendin en liep het laantje op dat leidde naar het complex. Mara gaf gas en reed verder de eenrichtingsstraat in. Nico Piras en Uberto, een andere agent uit het team van Moncada, volgden haar. Ze hadden de opdracht haar aan te houden en naar het hoofdbureau te leiden, terwijl de vicecommissaris samen met Duccio, Fiorenzo en Liborio wachtte tot Consolata een van de deuren van het complex in ging.

De lift stopte op de vierde verdieping. De vier politieagenten liepen muisstil de trap op. Ieder trapportaal had twee deuren. Toen ze aangekomen waren op de vierde verdieping legden ze hun oor tegen de deur van nummer acht en hoorden ze mannen- en vrouwenstemmen. Ze waren daarbinnen. Moncada wilde die kans niet laten schieten. Hij knikte naar de andere drie dat ze een inval gingen doen. De jongens wisselden bezorgde blikken uit. Ze stonden op het punt geconfronteerd te worden met de Marseillanen, de meest meedogenloze bende van Rome. Toch knikten ze instemmend. Moncada maakte aan Liborio duidelijk dat hij het slot open moest schieten. Tegelijkertijd zou Fiorenzo, de meest robuuste, de deur openrammen met zijn schouder. Als de deur eenmaal open was zou hij als eerste naar binnen gaan, gevolgd door Duccio. Fiorenzo en Liborio moesten hun rugdekking geven.

De commissaris maakte zich veel zorgen om het feit dat ze geen kogelvrije vesten droegen, maar ze hadden geen tijd om die te gaan halen. Hij besloot alles op het spel te zetten. Hij gaf Liborio en Fiorenzo het teken dat ze zich moesten klaarmaken. Binnen in het appartement klonken stemmen, in het bijzonder die van Consolata, die lachte om de grappen van een man.

Moncada wees Liborio op het slot en maakte met zijn duim en wijsvinger een schietgebaar. De agent ging op een halve meter van de deur staan en vuurde twee keer. Fiorenzo, zo massief als een bergketen, schoot als een katapult tegen de deur en beukte hem in één keer open. Moncada en Duccio riepen 'Politie! Handen omhoog!' en vielen het appartement binnen, met hun pistool in de hand, gevolgd door de andere twee.

Ze troffen Consolata in de armen van Bellicini aan, terwijl Bergamelli, nog in zijn onderbroek, in het gezelschap was van de prachtige Elisa Furciniti, die zijn oude vriendin Felicia Cuozzo had vervangen. De actie was zo goed gecoördineerd en zo snel, dat de twee gangsters niet eens de tijd hadden naar hun pistolen te rennen die open en bloot op de ladekast en de eettafel lagen. Ze konden niets anders doen dan zich overgeven. Bergamelli liep rood aan van woede. Hij kon niet geloven dat de politie hem in de boeien kwam slaan. Na deze bittere verrassing kreeg hij zijn zelfverzekerde uitstraling weer terug. Hij wist dat hij goed beschermd werd. Hij glimlachte spottend naar de vicecommissaris en zei hem dat deze komedie spoedig zou veranderen in een schertsvertoning. Hij werd beschermd door een grote familie! Hij wist nog niet dat die grote familie hem in de steek had gelaten.

Moncada en zijn team van jonge agenten hadden een van de meest gevreesde bendes van die jaren een halt toegeroepen. Ze waren net een paar minuten te vroeg om ook de derde partner, Berenguer, op te kunnen pakken, die besloot naar Frankrijk terug te gaan om daar zijn criminele carrière voort te zetten.

33

Nieuwe bondgenootschappen

Het vuurgevecht met Renatino had Turatello's zenuwen flink op de proef gesteld. Hij was niet bang voor hem maar het werd hem gewoon te veel om er nog een vijand bij te hebben die hij moest verslaan.

De arrestatie van de leiders van de Marseillanenbende waarover in de krant werd geschreven was nog een klap voor zijn moreel. Bergamelli werd goed beschermd, dus als ze hem gearresteerd hadden was dat omdat hij te lastig was geworden en omdat zijn beschermers hadden besloten hun steun in te trekken. Nu hij de steun van de Marseillanen miste, voelde hij de adem van de Sicilianen in zijn nek, die na de arrestatie van Liggio een nieuwe boss hadden benoemd, namelijk Totò Riina, die naar het scheen nog wreder en hardvochtiger was dan Lucianeddu.

Turatello vond dat het tijd werd om nieuwe bondgenootschappen te sluiten en besloot terug te gaan naar de zus van de Professor. Deze keer was hij vastbesloten het wapen van de verleiding in te zetten om haar aan zijn kant te krijgen. Hij had begrepen dat zij uiteindelijk degene was die de strategieën en doelen van de nieuwe camorra uitzette. Haar broer leende slechts zijn gezicht en zijn ongelooflijke moed aan de organisatie.

Deze keer had hij een bos van vierentwintig rode rozen laten bezorgen, de kleur van de passie. Toen hij op de verdieping kwam waar Mariella woonde, zag hij de bloemen op de deurmat liggen. Hij glimlachte hoofdschuddend, pakte ze op en belde aan. Even later deed Mariella zelf open. Ze was zoals hij haar zich herinnerde: ze droeg haar glanzende asblonde haar in een strakke vlecht die haar hoofd omkranste en haar prachtige blauwe ogen zaten weggestopt achter een ouderwetse schildpaddenbril.

Turatello's gezicht dook op van achter de bos met rozen, wat er een beetje gek uitzag. Het was voor het eerst dat Mariella glimlachte, omdat ze spontaan dacht: wat doet een artisjok in een bos rode rozen? Wat ze zei was echter diplomatieker: 'Meneer Turatello, ik had niet achter u gezocht dat u plantkundige was.'

'Mariella, dit is een bescheiden geschenk, een ode aan uw vrouwelijkheid. Weiger ze niet, ik smeek u.' Turatello wist hoe hij met vrouwen om moest gaan. Hij had er zoveel gehad in zijn leven dat ze inmiddels een open boek voor hem waren.

'Alleen stommelingen denken intelligente mensen te kunnen bedriegen. En u bent intelligent, meneer Turatello, maar ik ben geen stommeling,' zei ze streng. 'Die zijn nergens voor nodig.' Ze wees naar de rozen en ging hem voor.

'Ik ben het helemaal met u eens.' Francis draaide zich om en zette de rozen in de trapkoker. Daarna volgde hij de vrouw het appartement in.

'Heeft uw komst te maken met wat er in de krant staat?' Mariella liet er geen gras over groeien.

Turatello vond dat hij de touwtjes in handen moest nemen en de enige manier om dat te doen was haar naar zijn territorium te leiden.

'Nee, ik ben teruggekomen om u om het bondgenootschap te vragen dat de oplossing voor onze problemen kan zijn.'

'Waardoor heeft u het idee gekregen dat wij problemen hebben?' vroeg Mariella.

'Wie heeft er in tijden als deze geen problemen? Dat wat er gaande is verandert onze levens radicaal. We moeten ons ervoor klaarmaken, daarom sta ik erop dat we onze krachten bundelen. De toekomst is in handen van de grote coalities,' bleef Engelengezicht doordrammen.

'Wij hebben altijd genoegen genomen met onze eigen moestuin. Dat is het ware geheim van succes. Je eigen territorium afbakenen en verdedigen. Zoals leeuwinnen doen. We kunnen zoveel leren van onze vrienden de dieren.'

'Luister naar me, Maria.' Engelengezicht probeerde een vertrouwelijker toon aan te slaan. 'Milaan is een plaats waar zeventig procent van het Italiaanse kapitaal circuleert, zowel legaal als illegaal. Je kunt niet weigeren deel uit te maken van deze omvangrijke business. Zeker niet omdat ik je deze op een zilveren bord aanreik.' Hij naderde de vrouw, die voor het raam was gaan staan en naar de bruisende straten van de metropool keek, van achter.

'Maria, ik voel dat wij een speciale band hebben. Samen kunnen we deze stad naar onze wensen omvormen. Samen, en natuurlijk met je broer, kunnen we een genootschap vormen waar nog jarenlang over gesproken zal worden.' Hij pakte haar armen vast en dwong haar zich om te draaien. Hij zette haar bril af en legde die op tafel. 'Ik ben vast niet de eerste die tegen je zegt dat je schitterende ogen hebt... en je huid...' Hij streelde voorzichtig haar wang, maar zij trok zich instinctief terug. Turatello gaf het echter nog niet op: 'Maria... je hebt zo'n lieve naam...'

Maria deinsde nogmaals terug. Haar gezicht verstrakte. 'Ik heb geleerd dat water en olie niet samengaan.'

'Dan laten we ze voor wat ze zijn. Heb je wel eens gezien wat waarzegsters doen? Ze schenken olie op water in een diep bord en dat vormt dan onnoembare figuren,' zei Francis.

'Ik weet het niet... Ik moet het er met de Professor over hebben,' zei de vrouw twijfelend.

'Maria, hier moeten gevoelens spreken en niets anders. Luister alleen naar je hart,' fluisterde Engelengezicht haar met honingzoete stem toe.

Van buitenaf mocht die gigant er belachelijk uitzien, groot en log als hij was, terwijl hij de dandy uithing bij een tenger vrouwtje dat nauwelijks tot zijn borst kwam, maar de gefluisterde woorden en de tedere aanraking van zijn handen, hypnotiseerden Mariella, die zich in een mystieke trance leek te bevinden. De vrouw deed haar ogen half dicht om van dit moment te genieten dat ze in haar hele leven nog nooit had gekend en Turatello sloeg toe.

'Vanaf de eerste keer dat ik je zag, heb ik je haar al willen strelen,' zei hij, terwijl hij een voor een de haarspeldjes verwijderde die de vlecht omhooghielden, net zo lang tot het haar los op haar schouders viel. Francis ontwarde haar gouden lokken, kamde ze met zijn vingers en spreidde ze zo goed als hij kon over haar schouders. De vrouw sidderde en opende haar ogen en keek diep in die van Engelengezicht. Hij bracht zijn gezicht dicht naar haar toe. Dit was het moment van de waarheid en hij moest haar nu niet laten schrikken. Hij gaf haar de gelegenheid het laatste stapje te zetten, en inmiddels had ze begrepen wat zijn bedoeling was. Maar Mariella had haar gevoelens te lang genegeerd en wist weinig van de liefde. Ze wist niet wat ze moest doen en hoe ze zich moest gedragen. Daarom kneep Francis zijn ogen half dicht en raakte met zijn lippen de hare. Zodra hij haar aanraakte trok Mariella zich een beetje terug, maar niet helemaal. Ze waren net twee dieren die elkaar besnuffelen om erachter te komen of ze voor elkaar gemaakt zijn. Langzaam bewoog ze haar mond weer naar hem toe en deze keer raakten hun lippen elkaar langer. Mariella kuste hem opnieuw, en begon op zijn bovenlip te zuigen. Eerst hield hij zich in, maar kon zich niet langer bedwingen toen de vrouw hem uitdaagde en stak zijn tong in haar mond. De vrouw reageerde alsof ze een elektrische schok kreeg en zoende hem wild, alsof ze de verloren tijd wilde inhalen. Daarna maakte ze haar hemdje en rok los en hielp, zodra ze zich bevrijd had van haar eigen kleren, Francis met die van hem, maar bleef ondertussen zijn mond, wangen en ogen kussen, alsof ze gegrepen werd door een hevige seksuele drift. Haar handen gleden over zijn broek en over zijn lid, dat er klaar voor was. Mariella snakte naar hem, kleedde zich helemaal uit en bood zich naakt aan hem aan. Turatello had een flink aantal vrouwen gezien, maar de perfectie van haar flanken, haar nog stevige borsten, haar platte buik en haar venusheuvel, die bedekt was met een bosje kastanjebruine gekrulde haartjes konden makkelijk wedijveren met die van zijn meest uitdagende danseressen. Hij had nooit verwacht dat er zoveel schoonheid en perfectie achter die donkere kleding schuilging. Ze draaide zich om en veegde het tafelkleed aan de kant en boog voorover met haar buik tegen de tafel. Ze bood hem het meest erotische deel van haar lichaam aan. Turatello bleef zich verbazen over zoveel onbevangenheid. Hij liep dichter naar haar toe en penetreerde haar van achter, maar heel voorzichtig, omdat hij niet wist of de vrouw nog maagd was. Nee, ze was geen maagd meer. Daarom had haar broer jaren geleden haar eerste en enige aanbidder vermoord.

Het akkoord tussen Engelengezicht en de familie van de Professor werd tot ieders tevredenheid gesloten. Vooral Mariella was er blij mee. Vanaf die dag leek ze weer op te bloeien. Turatello had een nieuwe bondgenoot bij de camorra en bij het opstellen van het pact vroeg hij de Professor om het hoofd van de man die de Sicilianen naar Favignana hadden gestuurd om hem koud te maken. De Professor beloofde hem dat zijn wens vervuld zou worden. Turatello bouwde zelfs een gemeenschap met de nieuwe camorra, namelijk de Giapon Divani di Lissone, die diende om de illegale handel van de organisatie te verbergen.

* * *

Tussen Renatino en Veronica was het niet meer zoals vroeger. Veronica stelde zich erg beschermend op tegenover het kind en was voortdurend bang dat hij betrokken zou raken bij een of andere wraakactie. Ze noemde het haar moederinstinct, een zevende zintuig dat mannen nooit zullen begrijpen. Renatino probeerde het wat minder dramatisch af te schilderen. Hij begreep de angst die Veronica in zijn greep had niet en kon deze dus ook niet rechtvaardigen. Af en toe verloor hij zijn geduld en ging hij liever weg dan dat hij boos werd waar het jongetje bij was. Ze leefden inmiddels in twee aparte huizen. Zij werd doodsbang van de gedachte aan wat er met Robertino zou kunnen gebeuren als de politie hun huis binnen zou vallen.

Renatino was de meest gezochte voortvluchtige van Italië en was gedwongen zich voortdurend te verplaatsen. Hij sliep zelden twee nachten achter elkaar in hetzelfde bed. Verder had hij om zijn handlangers te kunnen betalen contant geld nodig, dat hij bij elkaar kreeg door overvallen te plegen, wat voor hem en zijn jongens inmiddels een soort routine was geworden. Ze hadden de volgende doelen gekozen: servicestations, kroegen in buitenwijken, winnaars van de lotto, tabakswinkels, restaurants en juwelierszaken. Er was geen bedrijf dat niet was bezocht door de bende van Comasina. De winkeliers in de stad gaven het inmiddels aan elkaar door. Als ze zich niet verzetten, waren Renatino en zijn makkers niet gewelddadig. Daarom werkten de meeste verkopers mee, zodra ze begrepen met wie ze te maken hadden. Maar het ging niet altijd van een leien dakje.

Renatino werd beschouwd als een perfectionist en een betrouwbare jongen van wie je op aan kon, omdat hij nooit actie ondernam zonder zich vooraf te informeren, dagenlang de gewoontes en grillen van zijn toekomstige slachtoffer te bestuderen en te bedenken wat er eventueel mis zou kunnen gaan. Omgeving, klanten, vluchtwegen, overal hield hij rekening mee, en pas als hij zeker was van zijn zaak ging hij tot actie over. Hij was een echte misdaadmanager. Het gebeurde zelden dat hij spontaan besloot om met zijn maten een winkel te overvallen. Toch gebeurde dat wel eens.

Op een middag liep Napo langs een juwelierszaak op piazzale Paolo Gorini en zag een lange rij mensen buiten de winkel staan. Op een groot gekleurd bord stond: 'Ik koop uw goud. Twintig procent meer dan de officiële waarde. Alleen vandaag.' Het verbijsterde hem hoeveel mensen er rustig hun beurt afwachtten met een zakje in hun handen met daarin de familiekostbaarheden die ze wilden verkopen. Even later belde hij Renatino om te zeggen dat die juwelier de hele wijk goud afhandig maakte. Renato wilde de situatie met eigen ogen zien en vroeg Napo hem op te halen zodat hij de zaak even kon onderzoeken. Nadat Napo hem had opgepikt reden ze langs Mazzinga, die al klaarstond met zijn onafscheidelijke mitrailleur. De avond was inmiddels gevallen en er stond geen lange rij meer voor de winkel zoals die ochtend. 'Laten we het nu proberen. Er is niemand,' zei Napo terwijl hij de Fiat 132 Special dubbel parkeerde.

'Maar we weten niets van de eigenaar. We weten niet of het een geschifte gangster is of een rustig opaatje,' antwoordde Renatino aarzelend.

'Renato, we moeten beslissen, het is nu of nooit. Om zoveel goud tegen zo'n prijs te kopen, moet hij wel een grote vis aan de haak hebben geslagen. Misschien heeft hij het morgenochtend al wie weet waarheen gestuurd. Morgen is het te laat.'

Mazzinga mengde zich in de discussie: 'Renatino, ik denk dat Napo gelijk heeft. Als we het willen proberen, moeten we het nu doen. Als Napo het goed gezien heeft moeten daar behoorlijk wat kilo's goud binnen liggen.'

Ze gingen zo op in hun discussie dat ze de schaduw die de winkel op verdachte wijze in gleed niet bemerkten.

Renatino kon geen beslissing nemen. Misschien hadden Napo en Mazzinga gelijk: nu of nooit. Improvisatie ging tegen zijn principes in, maar hij begreep dat het nodig was deze keer het lot te tarten. 'Oké, laten we gaan,' zei hij alsof hij opeens inspiratie had gekregen.

Hij hield zijn 38 vast, terwijl Mazzinga zijn bivakmuts opzette en controleerde of het magazijn van zijn mitrailleur goed zat. Napo zette de 132 voor de winkel neer. Hij zou in de auto op hen wachten met de motor aan. Renatino en Mazzinga sprongen naar buiten en liepen vastberaden in de richting van de juwelierszaak. Op dit uur was het plein leeg. Ze zwaaiden de deur open en gingen naar binnen. Het was een typische buurtwinkel. In het midden stond een draagpilaar van gewapend beton. Achterin bevond zich de grote toonbank, links een houten wand met planken waarop wandklokken en zilveren schalen en borden uitgestald waren en rechts stond een elegant glazen tafeltje om kettinkjes, oorbellen van weinig waarde en af en toe een horloge op te laten zien. De zaak was leeg, de eigenaar had zich verstopt achter de pilaar in het midden van de ruimte.

Renatino droeg geen muts, want zonder was hij makkelijker te herkennen.

'Halt iedereen. Dit is een overval!' schreeuwde hij terwijl hij zijn pistool liet zien en naar de linkerkant van de winkel bewoog.

'Handen omhoog en niet slim proberen te zijn!' Mazzinga kwam achter hem aan en liep naar het tafeltje aan de rechterkant. De eigenaar, een man op leeftijd met witte haren en een snor, stond achter de toonbank met zijn handen al in de lucht. Hij leek verlamd van angst.

'Wie is daar in hemelsnaam?' Renatino hoorde eerst de stem en zag daarna van achter de pilaar een lange, dunne jongen opduiken in een broek met wijde pijpen die op de naad gescheurd was en een bloemetjeshemd van een ondefinieerbare kleur. Hij had een pistool in zijn hand en bloeddoorlopen ogen van een losbandig leven. De jongen zag eerst Renatino en toen Mazzinga. 'Wie zijn jullie in hemelsnaam?' schreeuwde hij hysterisch op een onvriendelijke toon.

'Wie ben jij?' vroeg Renato op zijn beurt.

'Uit welk riool ben jij gekropen?' vroeg Mazzinga meteen daarna.

De juwelier stond verbaasd naar de surreële discussie te luisteren.

'Jullie moeten hier weg. Dit is mijn overval!' schreeuwde de jongen buiten zichzelf terwijl hij zijn wapen op de oude man richtte.

'Rustig maar, jongen. Doe geen dingen waar je later spijt van kunt krijgen,' zei Renatino.

'Wegwezen jullie. Ik was als eerste binnen.' Hij drukte de loop van het pistool in de wang van de oude man die bijna een hartaanval kreeg.

'Luister, vriend, nu word je rustig.' Renatino duldde geen tegenspraak.

'Zeg me niet wat ik moet doen,' brulde de jongen terwijl hij zich deze keer naar Renatino omdraaide en zijn pistool op hem richtte.

Mazzinga verwachtte niet anders en loste een kort salvo op zijn benen. De jongen smakte met een schreeuw tegen de grond. Renato liep naar de toonbank en lette daarbij op dat hij de jongen ontweek die spartelde van de pijn. Hij greep de oude man die trilde als een kuiken bij zijn kraag.

'Heb je me herkend?'

De man knikte. 'Maak dan nu zonder tegenstribbelen de kluis open. En haast je, anders bloedt hij dood in je winkel.'

De man verdween de kamer achter de winkel in, gevolgd door Mazzinga. Renatino wierp een blik op de jongen die met zijn handen op de wond aan zijn dijbeen drukte, in een poging de bloeding te stelpen. 'Je bent zo stoned als een garnaal,' zei hij. 'Begrijp je nu een keer dat die shit die jullie in je aderen spuiten jullie verandert in idioten met langzame reflexen?'

De jongen keek hem smekend aan. Hij vroeg hem met zijn verwarde blik om hulp. Maar Renatino negeerde hem, liep naar de deur om naar buiten te gluren, waarbij hij erop lette dat hij niet met zijn schoenen in het bloed ging staan.

Napo, die het salvo had gehoord, was de auto uit gestapt, klaar om in actie te komen, maar Renatino gebaarde dat alles goed was. Napo kalmeerde en nam weer plaats achter het stuur van de 132. Het plein zag er rustig uit, niemand had de herrie van kort daarvoor gehoord.

'Haast jullie, daarheen!' schreeuwde Renatino.

Kort daarna kwam Mazzinga weer binnen. Hij droeg zijn mitrailleur over zijn schouder en hield met beide handen met moeite een grote tas vast. 'Het is een berg aan goud,' zei hij niet ontevreden.

'En wat is er met opa gebeurd?'

'Die heb ik daar maar gelaten. Hij lag zo lekker te slapen,' grapte Mazzinga. 'Laten we gaan!'

'Ga jij maar, dan bel ik ondertussen de ambulance. Ik wil niet de dood van deze klootzak op mijn geweten hebben,' zei hij terwijl hij naar de verslaafde wees. Hij liep naar de telefoon op de toonbank en draaide het nummer van de eerste hulp, terwijl Mazzinga de winkel uit ging.

‘Stuur een ambulance naar de juwelier op piazzale Paolo Gorini. Er ligt hier een sukkel dood te bloeden. Hebt u begrepen waar het is? ...Oké, ja... Gorini... Vergeet het maar, vriend, het is niet belangrijk wie ik ben.’ Hij hing op en verliet de zaak zonder aandacht te schenken aan het geklaag van de ongelukkige solo-overvaller.

Op een nacht waarin Renato op rooftocht was, werden Veronica’s zorgen bewaarheid. Er drukte iemand onafgebroken op de bel. Met een brok in haar keel ging ze kijken wie er was: het was drie uur ’s nachts en ze dacht dat er iets ergs aan de hand was. Zodra ze de hoorn van de intercom oppakte schreeuwde een vervormde stem: ‘Nu sliep je nog, lelijke hoer! Maar vroeg of laat leveren we die klootzak van een man van je dood bij je af, met zijn ballen in zijn mond!’

Veronica ging bij het raam kijken wie de lafaard was die haar en haar zoon bedreigd had. Ze ontwaarde een man die naar een politieauto rende en op volle snelheid wegreed.

De volgende ochtend vertelde ze in tranen wat er was gebeurd. Renatino ging eerst tekeer als een wild beest, maar troostte haar vervolgens. Hij vertelde haar dat ze zich geen zorgen hoefde te maken, omdat hij de zaak zou regelen.

* * *

Mason Marvel, de garnizoenaanvoerder van de CIA op de Amerikaanse ambassade in Rome had met majoor Guetta afgesproken bij de gebruikelijke bar in via Veneto. Doney werd door specialisten als het bijkantoor van de Romeinse spionnenbureaus beschouwd. Marvel genoot aan een tafeltje buiten de bar van het lauwe klimaat van Rome en van zijn ijshoorntje toen Guetta naast hem plaatsnam, na een laconiek ‘Hallo’. Hij riep de ober bij zich en bestelde een glas water met een Alka Seltzer: hij bleef maar last houden van maagzuur. ‘Wat wilde je me zeggen?’ vroeg hij onomwonden.

‘Ik heb geen goed nieuws,’ antwoordde Mason Marvel, nadat hij een druppel chocola van de rand van het hoorntje likte. ‘Jouw vriend de rechter staat op het punt om de papieren te tekenen voor de arrestatie van de Eerwaarde. Een paar dagen geleden is een Milanese commissaris met hem komen praten, dezelfde als die de Marseillanen heeft uitgeschakeld. En nu werken ze samen aan een plan tegen de loge. We moeten ze tegenhouden, voordat ze tenietdoen wat wij tot nu toe hebben bereikt.’

'Laat dat maar aan mij over,' zei majoor Guetta resoluut nadat hij het digestief en het glas water in één slok achterover had geslagen.

'We zullen iemand van buiten Rome in dienst moeten nemen, zodat er geen verbanden worden gelegd met onze rechter.'

'Laat dat ook maar aan mij over. Maak je geen zorgen, ik ben niet achterlijk,' zei hij een beetje geïrriteerd vanwege de suggestie.

'Ik wilde je niet beledigen, maar het bestuur is het zat jullie gaten te dichten.'

'Zeg tegen je superieuren dat ze zich geen zorgen hoeven te maken. Er zullen geen gaten meer vallen. Betaal jij voor de Alka Seltzer?' En zo liep Guetta weg, met dezelfde afstandelijkheid als waarmee hij gekomen was.

* * *

Een paar uur later wachtte de geheime handlanger van majoor Guetta, Pierluigi Dalmasso, tot Renatino zijn schuilplaats in Baggio, Milaan, verliet. Dit werd als de veiligste wijk van Milaan beschouwd voor de deugdzame jongens, want hier bleef de politie liever uit de buurt. Zodra hij hem uit de deur zag komen ging hij met zijn Kawasaki naast hem rijden. Hij had zijn helm niet op, anders zou hij hem niet herkennen.

'Renatino, ik moet met je praten, spring achterop,' schreeuwde hij om zijn aandacht te trekken.

'Hoe weet jij in hemelsnaam waar ik woon?' Renatino deed geen moeite zijn verbazing te verbergen. 'Weet je wel dat het halve politiekorps van Milaan me zoekt?'

'Kom aan, spring achterop. Ik heb je gezegd dat je me kunt vertrouwen.'

Hoe kan ik een ratelslang als jij nu vertrouwen, dacht Renatino. Ondanks zijn tegenzin, stapte hij toch achter op de motor. 'Ik heb geen tijd, verdomme. Waar breng je me heen?'

'Naar een café waar we kunnen praten zonder lastiggevallen te zullen worden. We zijn er in vijf minuten, ik zweer het.' Hij gaf plankgas. De motor steigerde en scheurde weg.

Kort daarna zaten ze in een zaaltje in een onopvallende kroeg, in de buurt van de stadions.

'Ik heb het je al gezegd, Dalmasso, en sorry voor mijn eerlijkheid, maar ik vertrouw je niet. Mag ik nu weten hoe je in hemelsnaam achter mijn schuilplaats bent gekomen? Er zit zeker een verlinker in mijn batterij, hè? Als ik erachter kom wie het is, vil ik hem levend.' Renatino was werkelijk woedend.

'Nee, geen verlinker. Wij weten alles, wij hebben overal ogen en oren.

Je hebt geen idee waar we toe in staat zijn. Daarom vraag ik je over te stappen naar onze kant. Je gaat er alleen maar op vooruit.'

'Kijk, Dalmasso, het verschil tussen jou en mij is, en misschien heb ik je dat al verteld, dat jij met de juten heult en ik me aan de andere kant bevind. Jij en ik kunnen nooit vrienden worden, begrijp je dat nu een keer?'

'Je hebt juten en juten. Die aan onze kant staan zijn meer zoals wij, dan zoals de juten waar jij aan denkt. Ik bied je een gouden kans aan en jij laat hem schieten. Zie je niet hoe je nu moet leven? Als je je bij ons aansluit hoef je niet meer af te zien. Dan geniet je onze bescherming en kan niemand meer een vinger naar je uitsteken. En als alles voorbij is en wij aan de macht zijn, word jij als een held gezien. Zie je het voor je?'

'Wij, wij, wij! Mag ik nu eindelijk eens weten wie jullie zijn?' barstte Renato los.

'Luister, er is iemand die zich tegen ons verzet, een rechter uit Rome. We zijn genoodzaakt hem uit de weg te ruimen, als we zelf niet uit de weg geruimd willen worden. Het is een eerlijk klusje, maar je moet het alleen doen. Je gaat met de trein naar Rome, wacht hem daar op bij zijn huis, voert de opdracht uit en neemt het vliegtuig terug. Vanaf dan zijn al je problemen voorbij. Wat zeg je ervan?'

'Wat ik daarvan zeg? Zie je me voor een moordenaar aan? Ik heb nog nooit iemand vermoord! Ik ben bereid om iemand te doden, maar alleen uit verdediging. Ik ga niet de wereld rond om mensen om te leggen die ik niet ken, om mee te werken aan jouw smerige politieke spelletjes. Dalmasso, jij bent de meest corrupte man die ik ooit in mijn leven heb ontmoet. Je verstopt je als een rioolrat en laat anderen je klusjes opknappen. Wat ben je voor een lafbek? Je stuurt mensen om in jouw plaats te moorden. Je bent echt een klootzak!' Dit soort criminelen maakte Renatino razend.

'Ik dacht je een gunst te verlenen. Maar als je er zo over denkt, laat dan maar zitten. Doe maar alsof je me nooit gezien hebt. We gaan ieder onze eigen weg. Maar ik denk dat die van jou vrij kort zal zijn, vriend,' antwoordde Dalmasso op listige toon. 'Kom, dan breng ik je terug naar Baggio.'

'Doe geen moeite, ik loop wel.'

Renatino en Dalmasso zouden elkaar nooit meer zien.

* * *

Hij had Veronica beloofd haar en de kleine te komen halen om de hele dag samen door te brengen. Hij begreep Veronica's angst en had de scheiding geaccepteerd, hoewel het hem pijn deed Robertino niet elk moment van de dag te kunnen zien. Hij had altijd gedroomd van een hechtere band met zijn zoon, maar dit was de prijs die hij moest betalen als hij niet volgens de regels wilde leven.

Ondanks dat hij de sleutel had klopte hij aan bij Veronica's woning, maar niemand deed open. Misschien was ze niet thuis. Het zou hem niet verbazen als ze boos was, want hij was een uur te laat voor hun afspraak.

Hij ging naar binnen om hen op te wachten, maar zag een briefje op de eettafel en had een voorgevoel waarvan zijn hart oversloeg. Hij las: 'Lieve Renato, ik wilde het je in je gezicht zeggen, maar dat heb ik niet gedaan. Ik ben bang. 's Nachts slaap ik niet uit angst dat iemand ons kind iets zal aandoen. Ik denk dat weggaan bij jou de enige manier is om een einde te maken aan deze nachtmerries. Niet boos worden. Jij hebt je keuzes gemaakt. Sta mij nu toe voor Robertino en mij hetzelfde te doen. De tijd heelt alle wonden. Robertino en ik gaan proberen een nieuw leven op te bouwen. Ik smeek je, kom ons niet zoeken en vergeef me, als je kunt. Jouw Veronica.'

Die woorden braken zijn hart. Hij plofte op een stoel en bleef daar urenlang roerloos met zijn handen voor zijn gezicht zitten nadenken over zijn mislukte leven en zijn mislukte generatie. Zoals vaak gebeurde in de pauzes tussen momenten van hoogspanning, viel hij in slaap alsof hij onder hypnose was. De kwelgeesten keerden terug en knepen zijn keel dicht, de monsters die tussen de plooien van zijn bewustzijn verborgen zaten en wakker werden om hem te belagen en te martelen. Het roedel wolven rende op hem af. Hij zou willen vluchten, maar werd tegengehouden door een bovennatuurlijke kracht en verstijfde. De wolven kwamen aangehold en scheurden zijn leren schoenen aan stukken. Daarna beten ze zich vast in zijn kleren en scheurden ook deze met woede en vastberadenheid aan flarden. Hij was wanhopig en huilde in de hoop hen te ontroeren, smeekte om genade, maar kon haast geen woord uitbrengen. Hij voelde dat hij stikte, zijn hart klopte als een bezetene, in zijn ogen was geen sprankje licht meer te zien en zijn oren werden doorboord door een snijdend gesis. Hij had het gevoel in een zwarte afgrond zonder einde te storten.

34

Ik ken!

Ik ken.

Ik ken de namen van de verantwoordelijken voor datgene wat 'staatsgreep' genoemd wordt (en wat in werkelijkheid een reeks 'staatsgrepen' is, die gepleegd zijn om de macht te beschermen).

Ik ken de namen van de verantwoordelijken voor de slachtpartij in Milaan op 12 december 1969.

Ik ken de namen van de verantwoordelijken voor de slachtpartijen in Brescia en Bologna begin 1974.

Ik ken de namen van de 'top' die heeft gemanoeuvreerd, dus zowel de oude fascistische uitvinders van de 'staatsgreep', als de neofascistische aanrichters van de eerste slachtpartij, als ten slotte, de 'onbekende' aanrichters van de meest recente slachtpartijen.

[...]

Ik ken de namen van de groep machthebbers, die, met hulp van de CIA (en in tweede instantie van de Griekse kolonels en de maffia), eerst een anticommunistische campagne (die overigens compleet is mislukt) hebben opgezet om '68 af te sluiten en vervolgens, ook weer met hulp van en geïnspireerd door de CIA, hun antifascistisch blazoen gezuiverd hebben om de ramp van het referendum te blokkeren.

Ik ken de namen van degenen die, tussen de ene mis en de andere, instructies en gegarandeerde politieke bescherming hebben gegeven aan oude generaals (...), aan jonge neofascisten, of beter gezegd neonazi's [...] en tot slot aan kleine-criminelen [...]. Ik ken [...].

Pier Paolo Pasolini

(*Corriere della Sera*, 14 november 1974)

Zodra Moncada het hoofdartikel gelezen had, belde hij meteen de rechter. 'Meneer D'Amico, we zijn niet alleen. Pasolini is tot dezelfde conclusies gekomen als wij.'

'Pier Paolo Pasolini?' vroeg de rechter alsof hij het niet goed begrepen had.

'Ja, de schrijver en filmer. U moet echt de *Corriere* van vandaag lezen. Pasolini wordt veel gevolgd door jongeren en door linkse intellectuelen. Zijn getuigenis kan ons helpen.'

'Ik zal hem tijdens het eten lezen, bedankt voor de informatie, commissaris.'

Het artikel bracht, zoals te voorspellen was, heel wat discussie teweeg. Moncada had het goed gezien. Iemand moest zijn ogen openhouden en de onderzoekers wijzen op de mensen die te maken hadden met dat soort intriges. Maar dit was een tijd waarin de fysieke uitschakeling van een tegenstander de efficiëntste en snelste oplossing van problemen was.

Ook nu wilde men geen risico lopen en dus weerklonk er ook in dit geval een bevel in de naamloze afdeling in corso di Porta Romana die was gereserveerd voor de Geheime Dienst. Een kakelende stem aan de andere kant van de telefoon beval majoor Guetta: 'Majoor, u moet die communistische flikker voor altijd het zwijgen opleggen. Let er echter wel op,' eindigde hij, 'dat het lijkt op een flikkerongeluk. We willen geen martelaars in deze tijd, dat moest er nog eens bij komen!'

Majoor Guetta hing op en vroeg zich af aan wie hij deze opdracht kon geven. Hij wilde Dalmasso niet met te veel verantwoordelijkheden opzadelen. Hij moest een mannelijke prostitué uit een Romeinse volksbuurt zien te vinden. Dat was niet moeilijk, hij had er meer dan één omgekocht. Hij pakte de hoorn op en gaf het bevel.

Pier Paolo Pasolini werd precies een jaar na dat telefoontje op mysterieuze wijze vermoord.

* * *

In diezelfde maanden verspreidde het drugsverkeer zich als een olievlek door Milaan en het hele Lombardijse gebied, dankzij de bijdrage van de mannen van de Professor, die vanuit de gevangenis van Ascoli Piceno in staat was soldatenvolk dat bestond uit duizenden straatjongens naar zijn hand te zetten.

Turatello gebruikte een flink percentage hiervan om de miljardeninkomsten van zijn goktenten te vergroten. Riina probeerde aanvankelijk, als hoofd van de Corleonesen, die nieuwe invasie vreemdelingen in te dammen, maar gaf de Napolitaanse nieuwelingen toen toch wat levensruimte, om geen nieuwe oorlog te ontketenen. Francis bracht Mariella, zijn vennoot, af en toe een bezoek, om haar passie levend te houden.

* * *

Rechter Vittorio D'Amico bracht de laatste vrijdag van zijn leven met zijn zoon Enrico door. Ze aten met zijn tweeën, omdat zijn vrouw bij haar oude ouders op bezoek was en zijn dochter niet in Rome was. Het was een heel normale avond, zoals Enrico later zou vertellen, zoals zovele, waarin ze spraken over van alles en nog wat. De magistraat betrok zijn zoon vaak bij de problemen van het rechtersambt en hij was erg kritisch over het rechtssysteem.

'De gewone burgers beschouwen de rechter tegenwoordig als de gevaarlijkste vijand van de maatschappij,' klaagde hij bij de jonge Enrico.

'Het is niet allemaal jullie schuld wat er in Italië gebeurt,' zei zijn zoon troostend.

'Maar het gevoel van onzekerheid dat er heerst is ook onze schuld. Wij maken bijvoorbeeld veel te makkelijk gebruik van de voorwaardelijke invrijheidstelling. Enerzijds omdat de gevangenissen uitpuilen, anderzijds omdat veel rechters de burgerplicht inmiddels verwarren met welwillendheid zonder onderscheid te maken.'

'Maar als dat het geval is, is het grootste schandaal het trage tempo waarin de processen verlopen,' zei Enrico kritisch.

'Dat is waar. De lange duur van de processen is op zich al genoeg om iedere afschrikwekkende werking van de straf weg te nemen. De misdaad heeft veel stof doen opwaaien en het volk verwacht meteen een oplossing. Maar als deze er na zeven of acht jaar komt, is iedereen het criminele feit vergeten en let niemand meer op de juiste straf. De schrikbarende toename van de criminaliteit van de laatste jaren komt vooral door het feit dat de criminelen er zeker van zijn dat ze niet gestraft worden. En als ze al veroordeeld worden hoeven ze die straf nooit uit te zitten. We hebben op schandalige wijze gebruikgemaakt van de amnestie.'

'Is het waar dat maar twintig procent van de gevangenen de gevangenis verlaat omdat ze daadwerkelijk hun straf hebben uitgezeten?' vroeg de zoon. 'En de andere gedetineerden dan?'

'Die komen voorwaardelijk vrij, of omdat hun preventieve hechtenis is afgelopen, of vanwege een revocatie, of vanwege een verdaging. Als je eens wist hoeveel maffiabazen we hebben moeten laten gaan omdat hun zaak verdaagd was. Helaas laten veel rechters zich ook voor weinig omkopen.'

Enrico wist niet dat dit de laatste avond met zijn vader zou zijn en bleef zich verbazen over de wonderbaarlijke banaliteit van het leven...

De dag erna was de eerste dag van de vakantie, en toch stond de rechter op de gewoonlijke tijd op om de laatste beschikkingen naar de medewerkers van het parket te brengen. Hij had geen bewaker en zijn scherprechters wisten dit maar al te goed. Hij verliet zijn huis op hetzelfde tijdstip als altijd. Hij stapte in de auto en reed de via Mogadiscio door, een smalle eenrichtingsstraat die uitkomt in via Giuba, in het hart van de Afrikaanse wijk. Toen hij bij de kruising met via Giuba aankwam, werd hij door een stoplicht gedwongen voorrang te verlenen aan de auto's die van links kwamen. En precies daar zou zijn leven eindigen. Dalmasso bereed een rode Guzzi 750-motor en stopte een paar meter voor het kruispunt. De neofascist Pierluigi Concutelli zat bij hem achterop en verborg een Ingram-mitrailleur onder een lichtbeige overjas. Zodra hij de auto de straat uit zag komen stapte Concutelli van de motor af en liep met snelle passen op hem af. De rechter stopte zoals altijd voor het verkeerslicht en keek naar de auto's die van links kwamen en zag meteen wat de twee motorrijders van plan waren. Concutelli brulde: 'Vittorio D'Amico!' Precies op dat moment begreep de rechter in welk gevaar hij verkeerde en ondernam een nutteloze poging om te vluchten. Hij opende instinctief zijn portier om aan zijn lot te ontsnappen, maar werd door een mitrailleursalvo voor altijd in de autostoel gepind. De deur stond wijd open en het lichaam hing naar voren, omdat de rechter uit had willen stappen.

Toen Moncada over de executie werd geïnformeerd, maakte hij zich zorgen om zijn dossiers en vroeg een paar dagen later aan de procureur, die de onderzoeken van de vermoorde rechter over moest nemen, of hij mocht controleren of zijn dossiers veilig waren. Maar de documenten waren verdwenen.

Vicecommissaris Moncada was nu de enige die wist van het onderzoek dat had geleid tot de moord op rechter D'Amico.

* * *

Renatino wist zich geen raad met Veronica's beslissing, maar zocht haar niet op; hij zou haar toch nooit kunnen overtuigen om terug te komen.

Hij kon de reeks dreigementen van de politieagenten, die Veronica midden in de nacht hadden gewekt, niet verkroppen en beloofde zichzelf vroeg of laat wraak te nemen op die hufters.

Het idee voor de wraakactie kwam van Mazzinga, toen ze voor een blokkade stonden. Napo bestuurde de auto en draaide toen hij de twee politiewagens met zwaailichten zag snel de eerste de beste zijstraat in. 'Als wij een straat moesten barricaderen, zou er nog geen vlieg ontsnappen. Zij vinden het genoeg om midden op straat te gaan staan en met hun arrogante koppen met zo'n signaalbordje te zwaaien, alsof ze willen zeggen "en nu naai ik jou",' merkte Napo op.

'En als wij nu eens zorgen dat zij niet weg kunnen?' stelde Mazzinga voor.

'Wat zeg je nou, Mazzinga?' riep Napo uit.

'Mazzinga heeft gelijk,' kwam Renatino tussenbeide. 'Wij versperren hun de weg. Zo nemen we voor eens en voor altijd die klootzakken te grazen die Veronica hebben lastiggevallen.'

Hoewel het idee gek leek, gingen ze de avond erna op zoek naar een politieauto, in Lambrate, tegen de snelweg Tangeziale Oost aan. Napo was degene die hem in het oog kreeg. Mazzinga en Renatino maakten zich klaar. Mazzinga met zijn trouwe mitrailleur, Renatino met een shotgun en Napo met een Magnum en twee Beretta's.

De politieauto reed met lage snelheid naar via Console Flaminio. Napo nam de via dei Canzi om een stuk af te snijden en weer terug te komen op het punt waar de twee straten elkaar kruisen. Hij was zo snel dat, toen ze bij de kruising aankwamen, de Giulia nog nergens te bekennen was. Renatino had alle tijd om uit te stappen en zich in de schaduw op te stellen. Napo zag de politieauto aankomen en versperde hem zoals afgesproken de weg door de auto dwars te zetten. De agent achter het stuur had dit niet verwacht en remde bruusk. In de tussentijd verscheen Renatino uit het donker en schreeuwde: 'Handen omhoog en uit de auto!' Aangezien de twee nog bij moesten komen van de schrik, schoot hij op het voorwiel, dat hierdoor klapte. Mazzinga en Napo waren intussen uit de auto gestapt met hun wapens goed in het zicht. 'Eruit! Eruit klootzakken!' brulde Napo.

Er restte de twee arme agenten niets anders dan met hun handen omhoog uit de auto te stappen. Nu begint het leuke gedeelte, dacht Renatino. 'Gooi jullie wapens op de grond, snel en zonder de slimmerik uit te hangen.' De twee gehoorzaamden en hielden hun adem in. Ze waren jong en wilden hun leven niet riskeren.

'Wat doen jullie hier?' vroeg Renatino.

'Patrouilleren,' antwoordde degene die vermoedelijk de oudste was.

'Oké, vanaf nu patrouilleren wij. Trek jullie uniform uit.' Renatino wierp een bijdehante blik naar Napo en Mazzinga, die lachten achter hun snorren.

De twee agenten trokken hun jas uit en legden die op de grond, in afwachting van nieuwe orders. 'Alles, ook jullie broek, overhemd, riem, alles, behalve jullie onderbroek,' ging Renatino verder.

'Mijn broek kun je wel op je buik schrijven,' zei de oudste moedig.

Renato gaf geen antwoord, maar laadde duidelijk zichtbaar zijn shotgun. Napo deed hetzelfde met zijn automatische geweer.

Ze hoefden niets meer te zeggen, want de twee trokken haastig ook hun broek uit en legden deze op het asfalt. Renato liep naar de twee jongemannen die alleen nog hun onderbroek aanhadden. Zijn gezicht werd verlicht door de lichtkegel van de lantaarnpalen. 'Ga op jullie knieën zitten.' De arme agenten herkenden hem en begonnen te vrezen voor hun leven. Ze gehoorzaamden zonder protest. 'Herkennen jullie me? Wij zijn de bende van Comasina. Een van jullie collega's heeft mijn vrouw en mijn kind bedreigd, midden in de nacht. God, laat me er niet achter komen wie het geweest is, anders hang ik hem aan de hoogste lantaarn. Zeg tegen jullie collega's dat ik ook vieze spelletjes kan spelen en dat zij ook een familie hebben die ik kan bedreigen, maar dat het beter is om familieleden buiten onze spelletjes te houden, is dat duidelijk?'

Dat gezegd hebbende, liep hij naar de Giulia, die daar nog met open portier stond, en schoot op het dashboard, waardoor de elektrische installatie en de zendinstallatie niet meer werkten. Ondertussen raapte Mazzinga snel de uniformen en de wapens van de twee agenten bij elkaar, terwijl hij achteruit liep. Daarna stapte hij in de auto, gevolgd door Napo en Renatino.

Vanaf die nacht werd de weg barricaderen met politiewagens en zich vermaken door de agenten te dwingen zich uit te kleden het favoriete spelletje van de jongens van Renatino's batterij. Ze maakten er zelfs een wedstrijd van om hun leider hun moed te tonen.

Na een tijdje reed er in Lambrate geen enkele politiewagen meer rond, en als ze toch in die buurt moesten zijn, zorgden de agenten ervoor dat ze er met minstens twee eenheden heen gingen.

De volgende maanden genoten de goede jongens van de Comasinabende het meest als ze agenten blootsvoets en halfnaakt naar het politiebureau terug konden sturen. Hun plezier konden ze echter met niemand delen, omdat er in de kranten met geen woord over de kwajongensstreken van Renatino en zijn kameraden werd gerept.

De politiewagens waren nu al een tijdje doelwit van overvallen. De agenten verloren hun zelfbeheersing en het gevaar bestond dat een van hen woedend zou reageren en daardoor misschien een tragedie uit zou lokken. Moncada wist dat een aantal agenten Renatino's familie had bedreigd en was woest geworden vanwege hun gedrag, dat hij 'onbezonnen' had genoemd. Hij begreep wel waarom ze zich zo gedragen hadden, maar ze moesten leren dat er tussen bandieten en de politie een ongeschreven erecode bestaat die moet worden gerespecteerd. Moncada had deze erecode nog nooit aan zijn laars gelapt. Hij had zich altijd correct gedragen tegenover zijn tegenstanders en daarom werd zijn woord heilig bevonden door de criminelen. Meer dan eens was het hem gelukt in zijn eentje te voorkomen dat een overval of een ontvoering uitliep op een tragisch bloedbad.

Om het branie schoppen in de kiem te smoren had Moncada besloten in de tegenaanval te gaan en verdubbelde om te beginnen het aantal nachtdiensten van de agenten. Hij wilde Renatino dwingen in het openbaar te verschijnen of zich terug te trekken in zijn nest. Al snel circuleerden er op de straten van Lambrate 's nachts meer Alfa Giulia's met politiekleuren dan Fiats 500.

Renatino had begrepen dat het tijd werd om te stoppen met hun voortdurende provocaties en deed zijn vrienden op een avond een voorstel: 'Het is beter als we het vanaf nu wat rustiger aan doen. Wat zeggen jullie ervan als we eens een uitstapje gingen maken?'

Tot op dat moment was er nog nooit iemand van de batterij geweest die zijn zin doordrukte. Ieder gaf gewoon zijn mening, of deed een voorstel en het geld dat verdiend werd, werd altijd gelijkelijk verdeeld onder de leden die meegedaan hadden aan de actie. Als er gewerkt moest worden wist iedereen automatisch wat zijn rol was. Er werd niet over gediscussieerd dat Renatino altijd de eerste was die een bank betrad en de laatste die eruit kwam; dit was voor hen allemaal altijd logisch geweest.

In de groep, waar onderling een goede verstandhouding heerste, werd als vanzelfsprekend naar Renatino's voorstellen geluisterd en langzaam maar zeker merkte hij dat zijn kameraden naar hem luisterden alsof hij de natuurlijke leider was, een rol die hij geleidelijk aan toebedeeld had gekregen. Daarom ontpopte hij zich als het hoofd van de groep. Door elkaars rollen als vanzelfsprekend te accepteren, zonder onenigheid zoals vaak gebeurt in een groep collega's, werd de batterij steeds hechter. Ze zouden hun leven geven voor een kameraad, in de wetenschap dat die dat ook voor hen zou doen.

'Een vriend van me heeft me een tip gegeven die perspectieven zou kunnen bieden,' kondigde Renatino op een dag aan. 'Het gaat om de ontvoering van de zoon van de vicepresident van de Foggia. Een rijkaard die bovendien politieke ambities heeft.'

'Een ontvoering?' vroeg Mazzinga ongelovig.

'Veel overvalbatterijen hebben zich er al aan gewaagd. Het levert bakken met geld op,' viel Cambogia bij.

'Wij hoeven ons alleen bezig te houden met de ontvoering en met de eerste paar dagen waarop de gevangene vastgehouden wordt. Mijn vriend vertelde dat twee andere groepen de rest van de gevangenschap en het losgeld regelen,' verduidelijkte Renato.

'Dat is een eitje,' zei de Beverrat enthousiast.

'Het is echt niet alles goud dat er blinkt,' reageerde Napo, die meer van het onderwerp af leek te weten dan de anderen. 'Ik heb ook eens gedacht me bezig te gaan houden met ontvoeringen en heb er toen over gesproken met iemand die er al ervaring mee had. Het levert weinig op en je loopt veel risico om in de bak te belanden. Ik zal uitleggen waarom. Als we iemand ontvoeren en er gaat iets mis, moeten we twintig jaar zitten, mits de gegijzelde niet sterft, anders worden dat er dertig. Als het wél goed gaat en de buit is, laten we zeggen, een miljard, dan krijgen wij daar dertig procent van, dat wil zeggen driehonderddertig miljoen. Als we met zijn tienen zijn strijken we ieder dertig miljoen op. Maar dan is het nog niet afgelopen, want een of ander familielid van degene die van de ontvoering af weet, kan ook om geld vragen en dan vraagt iemand anders je nog om tien miljoen omdat hij je een busje heeft geleend. Kortom, uiteindelijk blijft er nog een miljoen of twintig voor jezelf over die je vervolgens, als ze je pakken, direct aan je advocaat moet geven, alleen al om de procedure te starten. Als we daarentegen met zijn vieren een juwelierszaak onder handen nemen, maken we tweehonderd miljoen aan goud buit, waarvan we door het voor vijftig procent te verkopen ieder vijfentwintig miljoen opstrijken, met een halfuurtje werken, zonder iemand iets schuldig te zijn en bovenal zonder één, twee, of misschien wel drie maanden te wachten. Sommige ontvoeringen hebben zelfs wel een jaar geduurd. Zo, dat wilde ik alleen even zeggen.'

'Nou, als je echt wilt weten hoe ik erover denk, het is niet dat ik het erg zie zitten om er andere mensen bij te betrekken,' zei Renatino. 'Laten we het zo doen. We gaan kijken waar het om gaat. Ondertussen verlaten we Milaan voor een tijdje en laten we onze politievrienden even afkoelen. We nemen de beslissing op het moment zelf,' besloot hij.

Trouw aan het adagium 'nieuwe zorgen doen de oude zorgen vergeten', ging Renatino, nadat Veronica uit beeld was verdwenen, op zoek naar een andere vrouw en zijn keuze was gevallen op Jenny, een danseres die optrad in de nachtclubs van Milaan. Haar echte naam was Patrizia Mella en ze was een van die vrouwen die door mensen als Renatino werden gewaardeerd, omdat hij niet van al te dringende vragen en hete adem in zijn nek hield. Patrizia ging haar eigen gang, stond altijd voor hem klaar en had er geen probleem mee dat ze soms dagenlang niets van hem hoorde. Ze zag er leuk uit, met haar wat bolle gezicht, als dat van een bunny, en altijd lachende grote zwarte ogen. De zakenreis moest meer lijken op een uitstapje dan op een werktrip. En omdat de Beverrat en Bradipo altijd klaagden dat ze buitengesloten werden, besloot hij hen mee te nemen. De twee waren vrienden voor het leven, maar gedroegen zich als kat en hond. Ze ruzieden de hele dag om ieder wissewasje en bovendien waren beiden voortdurend op zoek naar heroïne of cocaïne, wat Renatino beslist niet kon verdragen.

Desondanks vond hij het goed dat ze hun vrouwen meenamen, die blij waren met deze onverwachte vakantie buiten het seizoen, al zeiden ze dat niet met zoveel woorden. Ze gingen naar Vieste, bij Gargano, een gebied dat juist in die periode ontdekt zou worden door grote stromen buitenlandse toeristen. Ze stopten bij een vijfsterrenhotel, vlak bij het haventje.

Cambogia, Napo, Mazzinga, Teo en Franca zouden zich later bij hen aansluiten. Ze hadden afgesproken kamers te nemen in twee verschillende hotels, zodat ze niet de aandacht zouden trekken van een te oplettende smeris.

Ze liepen rond als een rustig groepje toeristen dat Gargano bezocht. Ze liepen tot op de Monte Sant'Angelo en een jongetje dat daar woonde bood aan hun gids te zijn. Hij was snel en aardig en leek op een van de schoenpoetsertjes van Vittorio De Sica. Hij liet hun de kleine straatjes van het dorp zien, bracht hen naar de Achthoekige Toren, naar het Sanctuarium en naar de Heilige Grot, doel van de kruisvaarders die op weg waren naar het Heilige Land. Aan het einde van de ochtend vroeg hij hun om een fooi en verdween de spring-in-'t-veld zoals hij ook verschenen was, op zoek naar andere toeristen. Ze gingen naar Mattinata om te lunchen in een van de havenrestaurants en hier merkte Renatino dat hij zijn portemonnee kwijt was! De Beverrat en Bradipo hielden niet op hem te plagen, omdat het jongetje van Monte Sant'Angelo hem vast en zeker had gestolen. De Beverrat stelde voor terug te gaan om hem te zoeken, maar Renatino was moe en er had toch niet meer dan een paar duizend lire in gezeten. Het enige vervelende was dat hij ook zijn identiteitskaart kwijt was: hij moest een nieuwe laten maken. Ze vergaten het incident en gingen terug naar het hotel om uit te rusten.

Die avond besloten ze in het restaurant van het hotel te gaan eten, dat beschikte over een romantische veranda die uitkeek op een smaragdgroene zee. 'Vanavond dineren we bij kaarslicht,' kondigde de Beverrat aan, die toen ze aankwamen het mooie terras met het uitzicht van een ansichtkaart in het oog had gekregen. Maar toen ze de trap af liepen naar de grote zaal, werden ze verrast. Het complete team van Foggia, met spelers, trainer, masseurs en managers, had precies dat hotel uitgekozen in afwachting van de wedstrijd die ze de volgende zondag tegen Juventus zouden spelen.

Renatino kon zijn verwondering met moeite verbergen. 'Maar dit is een teken van het lot!' riep hij naar zijn kameraden. Iedereen lachte, ook de vrouwen, al hadden ze de grap niet begrepen omdat zij zich absoluut niet met de zaken van hun man mochten bemoeien. Patrizia, Franca en Elisa zagen er zeer representatief uit: jong, zeer bedreven en beschikbaar. Ze werden meegenomen als een trofee en ook die avond zorgden ze ervoor dat hun mannen een geweldige indruk maakten.

Renatino, de Beverrat en Bradipo, in hun dure, elegante pakken, hun Rolex, Breitling en Patek Philippe aan hun pols en die drie adembenemende schoonheden aan hun arm zorgden er zelfs voor dat de gipsen fossielen van de zaal zich naar hen omdraaiden. De spelers, die erg gevoelig waren voor vrouwelijk schoon, konden hun ogen niet van hun rondingen afhouden. Renatino, die gek was op voetbal en net zoveel van voetbal wist als de deelnemers van *Rischiatutto*, herkende Bergamaschi, die middenvelder was geweest bij Milan, zijn club. 'Bergamaschi! Ik ben fan van je,' zei hij terwijl hij met uitgestoken hand op hem af liep. De voetballer stond op en schudde hem de hand. 'Tenminste, toen je nog voor mijn club speelde, voor Milan.' Iedereen begon te lachen. Het ijs was gebroken. Renatino bood iedereen champagne aan en toen ze hun glazen hieven voor een toost zei hij: 'En omdat ik voor Milan ben en niet zo gek ben op Juve, proost ik op jullie overwinning tegen de zebra's.'

De voetballers beantwoordden zijn toost, sommige applaudisseerden en ze tikten opgetogen hun kristallen glazen tegen elkaar.

Mede dankzij de meisjes maakten ze snel vrienden. Renato zocht trainer Ettore Puricelli op, geboren in Montevideo, maar genaturaliseerd tot Italiaan. Hij wilde proberen uit te zoeken of de vicepresident van het team de jongens ook naar het trainingskamp gevolgd was. 'Door u zijn wij, Milan, een jaar of twintig geleden landskampioen geworden, niet-waar?' vroeg Renatino.

'Ja, in 1955,' antwoordde de trainer.

Renatino was van plan te laten zien hoeveel hij van voetbal af wist, maar verloor Jenny, die haar handen vol had aan het ontwijken van de tentakels van een vetzak die een van de belangrijkere managers moest zijn, gezien de manier waarop de anderen uit het gezelschap hem aanspraken, niet uit het oog.

Later op de avond speelden ze een potje biljart. Renato en de Beverrat maakten alle tweetallen die hen uitdaagden in. Daarna gaf Renatino zijn keu aan Bradipo en trok zich terug in een telefooncel.

'Hoi Sisto...' zei hij, zodra hij hoorde dat de hoorn werd opgenomen. 'Ja, alles gaat goed. We zitten vlak bij Foggia... Ja, op zakenreis. Maar luister nu goed naar me. Ik heb direct een "bidprentje" nodig... Ja, het is voor mij... Ik leg het je later uit. Nee, ik kan het niet hier laten maken, anders had ik dat allang gedaan. Ik wil niet dat er al te recente foto's van mij rondgaan. Lukt het voor morgen? Oké, tot morgen dan. Ik bel je nog om je het adres door te geven waar je het heen moet brengen. Dag.'

Hij hing op. Sisto was een typograaf die niet alleen zijn vak verstond, maar ook betrouwbaar en bovenal goed en snel was. Renatino keerde terug naar de zaal. Hij zag dat Patrizia lastiggevallen werd door de dikzak. Alleen de Beverrat stond nog bij de biljarttafel met een van de managers van het team te spelen. Bradipo rakelde zijn jeugdherinneringen op door te vertellen dat hij het debuut van Domenghini had bijgewoond, die de kroeg van zijn moeder in Treviglio bezocht. Renato voegde zich bij het gezelschap en de avond was pas afgelopen toen de flessen champagne, die hij aanbood, op waren.

35

Overschrijd nooit de snelheidslimiet

Een helikopter van de verkeerspolitie kreeg boven de zeesnelweg van Florence een BMW in het oog die hard over de weg zigzagde en de auto's links en rechts inhaalde. De sergeant gaf zijn positie meteen door aan de politie op de weg.

'Aan alle wagens op de zeesnelweg. Een zilverkleurige BMW rijdt in de richting van Montecatini met een snelheid van tweehonderd kilometer per uur.'

Eén auto van de verkeerspolitie bevond zich precies op de weg waar de BMW reed, direct na het tolhuisje van Montecatini. Agent Bruno Lucchesi luisterde naar de oproep en antwoordde dat hij de auto wel zou aanhouden. Vervolgens waarschuwde hij zijn partner, die achter het stuur zat, goed op te letten. Kort daarna kwam de zilverkleurige BMW achter het tolhuisje vandaan en hield de agent een signaalbord omhoog, met zijn andere hand gebiedend dat de bestuurder zijn auto op de vluchtstrook moest zetten. Sisto remde abrupt en gehoorzaamde de agent vloekend. Hij stopte aan de rand van de snelweg en wachtte tot de agent naar hem toe kwam. 'Goedendag. Uw rijbewijs en autopapieren alstublieft,' zei de politieagent vriendelijk doch dringend.

Sisto begon in zijn zakken te zoeken. Hij bedacht snel een manier waarop hij zich het beste kon gedragen en verzon een excuus. 'Mijn moeder ligt in het ziekenhuis en ik ben op weg naar haar... voordat het te laat is.' Een excuus zo oud als de weg naar Rome, dacht hij, maar het was het eerste dat hem te binnen schoot.

Hij haalde zijn rijbewijs uit de binnenzak van zijn jas en boog toen voorover om de autopapieren uit het dashboardkastje te pakken. Hij hield de agent die geduldig stond te wachten beide documenten voor. De agent bladerde de papieren door en controleerde het kenteken en de naam van de eigenaar. Alles leek in orde te zijn. Sisto lachte binnensmonds, de autopapieren waren vervalst, maar hij was een Michelangelo in het vervalsen van documenten. De agent had niets in de gaten.

Vervolgens opende Lucchesi zijn rijbewijs. Het stond op naam van Renato Gatti, dertig jaar. Die naam kwam niet overeen met die van de eigenaar van de BMW.

'Dit is niet uw auto.'

'Zeker wel. Sisto Riva,' riep Sisto uit.

Pas op dat moment keek de agent beter naar de foto op het rijbewijs. De afgebeelde man was niet Sisto Riva. 'Wilt u zo vriendelijk zijn om even uit de auto te stappen?' vroeg de agent terwijl hij een stap naar achteren zette.

'Agent, ik heb u al gezegd dat ik haast heb... mijn moeder is stervende. Wees een beetje menselijk.'

'Stap uit heb ik gezegd, en laat me het niet hoeven herhalen.'

Sisto besloot hem zijn zin te geven, maar begon zijn geduld te verliezen.

'Nou, wat is het probleem? Bevalt mijn gezicht je niet?'

'Het gezicht op dit rijbewijs bevalt me niet,' zei de politieagent terwijl hij hem de foto liet zien.

Sisto begreep dat hij hem per ongeluk het rijbewijs dat voor Renato bestemd was had gegeven. Hij kon zich wel voor zijn kop slaan en probeerde zich te herstellen. 'Ik heb me vergist, dat is niet die van mij, die moet ik naar een vriend brengen die hem op kantoor heeft laten liggen.' Hij probeerde het rijbewijs uit de handen van de agent te rukken, maar die liet zich niet verrassen.

'Geef me verdomme dat rijbewijs terug! Ik ben heus niet bang van je.'

'Leg je handen op het dak en spreid je benen!' beval Bruno Lucchesi terwijl hij hem bij zijn arm greep en probeerde om te draaien. Ondertussen liet hij het rijbewijs vallen en probeerde zijn pistool te pakken, maar Sisto wurmde zich los en wierp zich op hem. De twee rolden over de grond, voor de auto, buiten het zicht van de tweede agent. Sisto probeerde het pistool uit zijn hand te trekken. De agent schreeuwde naar zijn collega dat hij moest komen helpen.

Zodra hij de schreeuw van zijn partner hoorde, sprong Biagio Aliperti, die naar de radiomeldingen van de centrale zat te luisteren, uit de politiewagen. Hij had echter nog geen twee passen gezet of hij hoorde een pistoolschot. Hij zocht instinctief beschutting achter het portier van de auto en zag dat Lucchesi even verderop vol in zijn borst was geraakt en over de grond rolde. Hij schoot op de belager, maar raakte de BMW. De ander schoot in zijn richting en raakte zijn benen. Hij kon niet meer staan en viel op de grond.

Sisto rende naar het nabije tolhuisje, ging in het midden van de rijbaan staan en dwong een Simca met een stel aan boord te stoppen en gebood de inzittenden uit te stappen terwijl hij hen onder schot hield. Hij stapte in en reed op volle snelheid weg. Bij de eerste onbewaakte afrit verliet hij de snelweg en liet hij de auto achter. Hij stal een steviger exemplaar en wiste zijn sporen uit. Hij had een dode en een ernstig gewonde achtergelaten, met naast hen een rijbewijs met de foto van Renato erop.

Renatino wachtte tot het etenstijd was en zat met de Beverrat, Bradipo en Franca te pokeren. Op de achtergrond stond de tv aan op het avondjournaal. Een van de eerste berichten was de moord op Bruno Lucchesi van de verkeerspolitie en de verwonding van zijn collega Biagio Aliperti. Er werden beelden vertoond van de plaats delict, het lichaam van de arme agent dat bedekt was met een laken en een bloedvlek op het asfalt. De omroeper beschreef wat er gebeurd was, terwijl de camera inzoomde op de foto op het rijbewijs dat op naam stond van een zekere Renato Gatti, dertig jaar oud. Renatino sprong op toen hij die woorden hoorde en draaide zich net op tijd naar de tv om zijn pasfoto te zien, die hij gelukkig, slim als hij was, had laten maken met een donkere zonnebril op.

Een uur later belde Sisto naar het hotel. Renatino bleef kalm aan de telefoon en legde hem uit waar ze elkaar konden ontmoeten. Een half uur later wandelden ze langs de kade, zich mengend tussen de lokale bewoners, die na het avondeten massaal over straat flaneerden.

'Wat heb je je in hemelsnaam op je hals gehaald? Op alle nieuwsbulletins was vanavond mijn foto te zien! Wat heb je gedaan, verdomme?' Renatino gaf hem een uitbrander.

'Het was een ongeluk, ik zweer het, Renatino, een foutje. Ik heb wat extra gas gegeven zodat ik zo snel mogelijk bij je zou zijn, want je had me gezegd dat het dringend was. Ze hebben me gesnapt. De verkeerspolitie heeft me aangehouden. Maar ik had alles prima op orde, ik hoefde nergens bang voor te zijn. Alleen... heb ik me vergist en heb ik de agent jouw rijbewijs gegeven in plaats van dat van mij.'

Renato kon niet geloven wat hij hoorde. 'Dat kan toch niet, verdomme! Ik kan niet geloven dat je hem het valse rijbewijs hebt gegeven. Hoe stom kun je zijn?'

'Ik heb me vergist, zeg ik toch. Het zat in mijn zak en ik heb het zonder na te denken tevoorschijn gehaald.'

'Stop jij je rijbewijs niet in je portefeuille? Hoe kun je je nou vergissen?

Gelukkig heeft de halve wereld gezien dat ik hier in Vieste zit, met het voetbalteam van Foggia. Zodra ze ontdekken dat dat mijn foto is, heb je de poppen aan het dansen! Morgen sta ik in alle kranten en zegt iedereen dat ik die arme vent vermoord heb!'

Renatino had geen ongelijk. De volgende dag stond op de voorpagina van de kranten het bericht dat de ontsnapte gevangene Renatino, de leider van de bende van Comasina, een verkeersagent in het hart geschoten had en een ander ernstig had verwond. Een journalist had verzonnen dat de bloemen die op de achterbank van de BMW waren gevonden voor een vrouw aan de kust waren, die Renatino ging opzoeken. 'Meedogenloos, maar altijd galant, Renatino wilde niet zonder bos bloemen bij zijn vrouw aankomen.'

De bloemist van Milaan, waar Sisto de bloemen had gekocht, voor een oude vlam van hem, herkende zonder twijfel de man op de signalementfoto van Renatino, die hem de bloemen had laten schikken. Zo zie je maar weer hoe betrouwbaar ooggetuigen zijn.

Deze banale tegenslag was het begin van de legende van de 'galante bandiet met de ijzige blik'. Die beschuldiging was de eerste stap die hem een beruchte reputatie bezorgde waardoor hij al snel gevaar nummer één voor de samenleving werd.

Renatino hechtte op dat moment echter weinig belang aan deze verzinsels, ook omdat hij tientallen getuigen had die zouden zweren dat hij zich om die tijd op zevenhonderd kilometer afstand van de plaats delict had bevonden. Maar hij hield geen rekening met de evocatieve kracht van de pers en van gemanipuleerde beelden. Hij was inmiddels uitgegroeid tot de nieuwe Italiaanse Dillinger en nooit eerder was hij zo populair, niet alleen vanwege zijn sexappeal en zijn hemelsblauwe ogen, maar ook vanwege zijn wreedheid en de vastberadenheid waarmee hij zijn slachtoffers doodde. Dit vormde een fascinerend contrast met de zachtheid van zijn gelaatstrekken en zijn aantrekkingskracht voor vrouwen.

In de weken die volgden zou deze mythe zich in het hoofd van iedere Italiaan nestelen terwijl hij, in ieder geval met de eerste moorden, niets te maken had.

Renatino liet zich ondanks deze tegenslagen niet afhouden van het doel van hun trip naar Puglia. Zijn tipgever in Foggia toonde hem de foto van de man die ontvoerd moest worden. Zodra hij de foto zag barstte hij in lachen uit, want het buitengewone toeval wilde dat de persoon op de foto niemand minder was dan de vetzak, die steeds hardnekkig had geprobeerd zijn vriendin te versieren. Het idee hem te ontvoeren en hem een nare tijd te bezorgen maakte hem euforisch.

Maar het was duidelijk geen goede week, want zodra ze de villa begonnen te observeren, die de vader van de dikzak voor hem had gekocht, kwamen ze erachter dat hij naar Rome was vertrokken, waar hij meerdere dagen zou blijven. De teleurstelling was groot en iedereen was het ermee eens dat ze terug zouden keren naar Milaan om eventueel een paar weken later weer naar Puglia te gaan.

De avond waarop ze terugkeerden naar Milaan wilde Renatino zijn beste vrienden thuis uitnodigen voor een 'bedrijfsetentje', zoals hij het noemde. In werkelijkheid was er weinig om vrolijk over te zijn, omdat zijn foto nog steeds in de kranten stond en de journalisten de misdaden van de jongens van Comasina steeds harder aanpakten.

'Sisto heeft ons in de problemen gebracht. Hij heeft mijn rijbewijs aan de verkeersagent gegeven in plaats van dat van hem. Hij zag dat de foto niet overeenkwam met Sisto en toen brak de hel los. Ik ben de bandiet met de ijzige blik geworden. Je zal zien dat ze er zelfs een film over maken.' Renatino vertelde zijn vrienden wat er werkelijk gebeurd was. Napo, Mazzinga, Teo en natuurlijk de Beverrat, Bradipo en Franca hoorden hem aan.

De drie vrouwen, Patrizia, Simona en Elisa, waren in de keuken de bijgerechten aan het maken, omdat Renatino het hoofdgerecht, zijn stokpaardje, al gemaakt had: eend met sinaasappel.

De Beverrat onderbrak hem: 'Luister, Renatino, het regent, kun je ons je Kever even lenen? Bradipo en ik hebben afgesproken met die kerel die ons de Winchester heeft verkocht. Hij heeft gezegd dat hij er nog drie geregeld heeft.'

'De sleutels liggen in de gang, maar haast jullie, want over een halfuur gaan we eten en ik heb niet al die moeite gedaan om het vervolgens weg te gooien. De eend moet warm gegeten worden. En vergeet niet te tanken, hij is bijna leeg. Gaat het echt om Winchesters en niet om… ander spul?' vroeg hij argwanend.

'Natuurlijk, wat denk je wel! Over een halfuur zijn we terug, beloofd!' riep de Beverrat terwijl hij naar buiten liep, gevolgd door Bradipo.

Ze maakten hun belofte waar, of bijna, want ze keerden na een uur terug en deden het diner dat Renatino had voorbereid eer aan. Ze bleven echter met elkaar bekvechten.

'Heb je nou gezien wat voor een koopje ik voor je geregeld heb?' begon de Beverrat terwijl hij het vet van de eend terugspuugde in zijn bord.

'Wil je daarmee ophouden?' antwoordde Bradipo geduldig. 'Als het aan jou had gelegen had je alle drie de geweren meegenomen, terwijl er maar één de moeite waard was. Je zou mij moeten bedanken.'

'Ik heb ook wel gezien dat die andere Winchesters oud waren,' antwoordde de Beverrat.

'Ja, nadat ik je erop had gewezen,' lichtte Bradipo toe.

'Zo sprak het genie! En hoe zit het dan met Novara?'

'Ga je me dat nu weer onder de neus wrijven?'

'Natuurlijk, toen was je niet zo'n wijsneus. Als ik er niet was geweest, was je met beide voeten in de val gelopen!' riep de Beverrat uit.

Renatino kwam tussenbeide. 'Willen jullie daarmee ophouden? Jullie lijken wel twee flikkers, ik kan er niet meer tegen. Wat was er in Novara?'

'Dat heb ik je nooit willen zeggen, omdat je dan boos op hem zou worden,' zei de Beverrat.

'Gaat dit over toen jullie in een winkel in Novara waren?' vroeg Renatino.

'Ja, een eeuw geleden,' zei Bradipo om het feit te bagatelliseren.

'Aangezien jij alles weet, laten we dan maar aan Renatino vertellen wat voor een sukkel je bent,' ging de Beverrat te keer.

'Wat ben jij een rat, zeg,' schold Bradipo. De Beverrat maakte aanstalten om hem een klap te verkopen, maar Mazzinga hield hem tegen en pakte hem bij zijn arm.

'Zo, jullie hebben nu deze eend met sinaasappel verpest,' grapte Mazzinga om de situatie te redden.

'Dus?' vroeg Renatino.

'Ik vertel het wel,' zei Bradipo. 'Het gebeurde tijdens de rit van de gevangenis naar de rechtbank. Alleen hij en ik werden vervoerd,' zei hij terwijl hij naar de Beverrat wees. 'Tijdens de rit stopt de bus achter een blauwe auto die hem met het bordje van het ministerie van Binnenlandse Zaken aanhoudt. Ik zie twee mannen in burger naar de brigadier lopen die ons begeleidde en met hem smoezen. Na een tijdje groet de cipier de mannen en komt hij de achterdeuren van het busje opendoen. Daarna stapt hij naar achteren en laat de twee agenten in burger instappen. Eén gaat voor mij zitten. Hij haalt een vel papier tevoorschijn en leest mijn hele strafblad voor. Een ware ramp. We zaten gevangen voor een simpele overval op een tabakszaak, maar door antecedenten en verzwarende omstandigheden leek het erop dat ze ons tien jaar zouden geven. Dus ik vraag wat ze willen. Ze zeggen dat ze veel voor ons kunnen betekenen. Ze weten dat we met zijn tweeën werken en ze willen Laurel en Hardy niet uit elkaar halen. Kortom, zij kunnen ons helpen door een ontsnapping te organiseren, echte paspoorten te regelen en een gouden handdruk van een miljoen of honderd en twee enkeltjes naar een land in Zuid-Amerika te geven waar we lijfwachten moesten zijn van mensen die zij beschermden. Dit alles in ruil voor een klein klusje...'

'We moesten iemand van de Rode Brigades omleggen,' viel de Beverrat hem in de rede. 'Het mooie is dat hij er al over na had gedacht en op het punt stond op de aanbieding in te gaan. Ik heb hem toen gezegd te wachten. Dat we hem zo snel mogelijk antwoord zouden geven. Die kerels zijn toen kwaad geworden en hij ook, alsof ik de beste deal van de eeuw had afgewezen!'

'Misschien was ik wat impulsief, maar ze gaven ons paspoorten, honderd miljoen ballen en werk in Zuid-Amerika.'

'Je hebt de mentaliteit van een smeris en van een schoft, dat maakt me nog kwader dan jij me maakt,' schreeuwde de Beverrat. 'De grootste belediging voor mij was naar Zuid-Amerika te gaan en agentje te spelen. Hoe kon hij in hemelsnaam denken dat hij mij geen groter plezier kon doen in het leven dan te eindigen als smeris, en waar? In Argentinië of Chili!'

'De Beverrat heeft gelijk. Hoe kon je zo'n pact accepteren?' vroeg Renatino.

'Het kwam door het moment. Het proces, de gevangenis van Novara die een van de zwaarste is, dat weet jij ook wel, Renato. Tien jaar daarbinnen zitten was een nachtmerrie.'

'Omdat je een stuk stront bent, daarom,' bemoeide de Beverrat zich ermee. 'Als ik niet had ingegrepen stal je nu nog steeds autoradio's.'

'... sprak Al Capone.'

'Ik pleegde al overvallen, toen jij nog croissantjes uit bars pikte, zo heb ik je leren kennen!'

'Hij noemt het overvallen... een verkoper in het stadion zijn kasopbrengst afhandig maken noemt hij een overval.'

'Nu is het genoeg! Jullie hebben de avond verpest. Ga buiten maar verder ruziën!' brulde Renatino.

Franca mengde zich in de discussie: 'Laat ze toch, Renato, zie je niet dat ze stijf staan van de drugs? Naast de Winchester zijn ze een flinke joint gaan halen, daarom zijn ze weggegaan.'

'We hebben de Winchester echt gehaald,' verantwoordde Bradipo zich.

'Maar dat is niet alles,' grinnikte de Beverrat.

'Nu is het genoeg! Naar buiten nu!' schreeuwde Renatino.

De twee stonden op. De Beverrat was werkelijk beledigd. 'Renatino, zo heeft nog nooit iemand mij behandeld!' zei hij, en hij pakte zijn geweer en stapte op.

Bradipo wist niet wat hij moest doen. Daarom besloot hij hem toch te volgen. 'Ik houd hem wel in de gaten, je weet nooit wat hij uithaalt.' Hij pakte zijn regenjas en ging ook de deur uit.

De vrolijkheid was omgeslagen in een ongemakkelijke sfeer. Simona, de vrouw van de Beverrat, schaamde zich vreselijk. 'Ik heb hier werkelijk geen woorden voor. Ik excuseer me voor hem.'

'Jij hoeft je niet te excuseren,' verzekerde Renatino haar. 'Ik wil niet dat ze verslaafd raken aan die rotzooi. Het stijgt naar hun hoofd en ze denken niet meer na. Kloteheroïne.'

'Toch is het niet de eerste keer dat ik zoiets hoor.' Napo verwees naar wat Bradipo had verteld.

'Ik weet dat er iets soortgelijks in de gevangenis van Cuneo is voorgevallen,' herinnerde Mazzinga zich.

'Dat moet dan hetzelfde zijn als waar ik het over heb,' zei Napo. 'Een maffioso van de familie Bontade werkte sinds kort samen met de rechters. Hij zat in de gevangenis van Cuneo, samen met Enrico Rigoldi en Marco Bianchini, twee leden van de Rode Brigades. Iemand moet hem aanlokkelijke beloftes hebben gedaan, een beetje zoals de Beverrat en Bradipo is overkomen. Alleen als maffiosi besluiten een misdaad te plegen, gaan ze regelrecht op hun doel af. Ze hadden hem dus gevraagd twee activisten van de Rode Brigades te vermoorden tijdens het luchtuur. De maffioos kende de twee niet, en waarschijnlijk was hij zo achterlijk dat hij de Rode Brigades niet eens kende, maar ze hadden hem zijn vrijheid beloofd en een paspoort en dat was alles wat hij verlangde. Hij belaagde hen, maar Bianchini verweerde zich goed en ontsnapte, samen met zijn kameraad. De maffioso is verplaatst en meer is er niet van bekend.'

'Het verschil tussen hen en ons,' concludeerde Renatino, 'is dat wij een code hebben en het lijkt erop dat die maffiosi en smeerlappen die een uniform dragen, die allang vergeten zijn.'

Die nacht stortregende het en waren de straten verlaten. De Beverrat die zijn Winchester vasthield die hij diezelfde avond bemachtigd had, liep door de regen, kwader dan ooit tevoren. Bradipo, die de sleutels nog had van Renatino's Kever, stapte in, startte de motor, ging naast de Beverrat rijden en zei dat hij ook in moest stappen. De Beverrat stapte als een driftig jongetje in de auto en zei: 'Breng me naar mijn zus.'

Bradipo keerde om, zodat hij hem bij zijn zus af kon zetten. De Beverrat hield niet op met klagen tijdens de rit. Hij was laaiend op Renatino.

'Hij moet me niet zo behandelen. Ik ben geen winkeljongetje, ik heb meer overvallen gepleegd dan hij.' Zijn zelfvertrouwen veranderde onder invloed van de drugs in paranoia.

'Trek het je niet zo aan, je weet toch hoe Renatino is?' probeerde Bradipo hem te kalmeren.

'Heb je je nooit afgevraagd waarom hij ons nooit meeneemt voor een barricade? Wij mogen nooit mee naar belangrijke overvallen. Heb je je nooit afgevraagd waarom niet?'

'Omdat wij lastpakken zijn, daarom niet,' antwoordde Bradipo droevig.

'We moeten hem laten zien dat wij ook in staat zijn om zo'n verdomde straat te barricaderen!' De Beverrat had zijn zin nauwelijks afgemaakt of ze zagen in de verte in de weerspiegeling van de druppels op de voorruit de blauwe lichten van een jeep.

'Daar zul je ze hebben!' riep de Beverrat uit, terwijl hij zich aan zijn mitrailleur vastklampte. 'Laten we gaan, Bradipo, laten we die rotzakken eens tonen wie we zijn.'

'Ben je gek geworden? Zodra ze ons zien leggen ze ons om in dit hondenweer, zonder zich zelfs maar te laten zien.'

'Ben je bang? Je bent bang! Renatino had gelijk toen hij zei dat we schijtluizen zijn.'

'Wat ben jij een klootzak. Wil je soms dood?' Bradipo wist niet wat hij moest doen. Hij deed altijd wat mensen zeiden dat hij moest doen. Het lag niet in zijn aard om met eigen ideeën te komen.

'Kom op, Bradipo! Dit is onze kans! Laten we de trofee mee naar Renatino nemen en ons een ongeluk lachen.' De Beverrat was echt niet goed bij zijn hoofd.

'Smerige klootzak! Wil je echt dood? Nou, kom op dan, laten we gaan!'

Hij gaf gas en reed zo snel de Kever kon op de jeep af. Ter hoogte van de politiewagen gooide hij het stuur om zodat de Beverrat makkelijk op de jeep kon richten. De Beverrat leunde ondanks de regen naar buiten en zwaaide met zijn geweer.

'Schiet! Schiet dan, verdomme! Nu!' schreeuwde Bradipo. Maar hoewel de Beverrat met zijn bovenlijf uit de auto hing, met zijn geweer in de aanslag, hoorde Bradipo geen schoten. Hij zag echter dat de Beverrat weer ging zitten en krampachtig zijn wapen probeerde te ontgrendelen.

'Shit! Shit! Ik heb hem niet ontgrendeld! Shit!' Terwijl de Beverrat zijn onnozelheid op het wapen botvierde, werd de Kever een paar keer beschoten. Bradipo trapte het gaspedaal in en sloeg een zijstraat in. Hij gaf plankgas, reed tegen het verkeer in eenrichtingsstraten in, hopend dat het lot hem gunstig gezind was, vertrouwend op het late tijdstip en op de regen. Gelukkig botste hij tegen geen enkele auto die uit de tegengestelde richting kwam. Hij hoorde echter dat de carburateur geen benzine meer kreeg. Hij herinnerde zich dat Renatino hem had gezegd hem vol te gooien, wat ze dus duidelijk niet gedaan hadden. Een laatste plof en de auto stond definitief stil.

'We hebben geen benzine meer,' kondigde Bradipo aan. Evengoed was het hem gelukt de jeep van zich af te schudden. Maar wat moesten ze nu doen?

De Beverrat zei dat hij niet moest wanhopen. Hij zag een Fiat 131 op hen afkomen. 'We verlaten de auto. Pak het geweer en wacht bij een poort. Ik pak die auto en dan gaan we naar huis terug.'

De Beverrat rende de straat op, door de regen, en begon met zijn armen te zwaaien. De 131 stopte. Achter het stuur zat dokter Umberto Premoli, vijftig jaar oud. De man draaide het raampje omlaag om aan de vreemdeling te vragen of hij hulp nodig had, maar zodra hij zag dat de Beverrat een pistool in zijn hand had zette hij zijn auto in zijn achteruit om aan de hinderlaag te ontsnappen.

Bradipo hoorde vanuit een duistere poort twee schoten. Daarna zag hij de dokter uit de auto rennen en zich achter een stel geparkeerde auto's verschuilen. De regen bemoeilijkte het zicht. De Beverrat draaide zich om op zoek naar zijn prooi. Bradipo zag hem tussen twee auto's door lopen. Hij kwam instinctief uit de poort tevoorschijn en hield het geweer in de aanslag zonder te richten en loste een schot waardoor het raampje van de auto waar dokter Premoli achter probeerde te schuilen kapot vloog. De arts begreep dat hij snel zou sterven, maar snapte niet waarom. Hij stond op en zette het weer op een lopen langs de stoep, maar deze keer miste Bradipo niet en een tweede kogel raakte zijn rug, ter hoogte van zijn hart. De dokter viel tegen de grond met een onderdrukte kreet. Zijn gezicht smakte tegen het plaveisel, in een plas regenwater.

Toen de Beverrat de man op de grond zag liggen, stapte hij rustig in de 131 en startte de auto. Even later voegde ook Bradipo, met het geweer nog in zijn handen, zich bij hem. 'Laten we teruggaan naar Renatino. We hebben er een potje van gemaakt vannacht,' zei hij terwijl hij het geweer op de achterbank legde.

36

Wie voor een dubbeltje geboren is wordt nooit een kwartje

Het verhaal was zo onwerkelijk, dat Renatino het met moeite kon geloven. Hij dacht dat die twee drugsverslaafden een grap met hem hadden uitgehaald. Maar ze waren te serieus om onzin uit te kramen. Dat was al de tweede dode die hij op zijn geweten had, zonder zelf ook maar één keer de trekker te hebben overgehaald. Hij had niets met de zaak te maken, maar voelde zich evengoed verantwoordelijk voor de acties van die twee schoften. Nu zaten ze daar te janken als twee jongetjes die straf hebben gekregen van hun juf. Het viel niet te begrijpen. Iemand vermoorden om zijn auto was van de zotte, of erger nog, iets voor junks. Hij zou hen met zijn eigen handen willen wurgen, maar ze waren het niet waard. Toen ze hem vervolgens opbiechtten dat ze zijn Kever midden op straat hadden achtergelaten omdat er geen benzine meer in zat, begaf zijn lever het bijna. Hij had zich tot dat moment ingehouden, maar begon nu van streek te raken: de politie zou meteen naar hem toe komen, hoewel zijn autopapieren vervalst waren. Ze hadden hem een fortuin gekost. Als je voortvluchtig bent, kost alles op de zwarte markt minstens drie keer zo veel als normaal. Renatino besloot zich zo snel mogelijk van het appartement te ontdoen, ook omdat de twee idioten de 131 niet ver van de schuilplaats geparkeerd hadden.

De lucht van Milaan was duidelijk giftig voor Renatino's batterij, waardoor ze besloten de volgende dagen terug te gaan naar Puglia voor de ontvoering waar zijn maat uit Foggia hem voor gevraagd had. De zoon van de bestuurder van Foggia was terug en nu kon de ontvoering in gang gezet worden. De Beverrat en Bradipo hadden niet het lef om Renatino te vragen hen ook weer mee op zakenreis naar Puglia te nemen. Ze besloten zich een paar weken gedeisd te houden en in een van de toevluchtsoorden van de bende te blijven, de kamer in via Zuretti.

De twee hadden er met hun nachtelijke, rampzalige uitstapje voor gezorgd dat de publieke opinie nu krachtig pleitte voor de doodstraf voor criminelen die onschuldige mensen, zoals dokter Premoli, vermoordden. De politie en de carabinieri werden ingezet voor een van de grootste mensenjachten van de naoorlogse periode. Milaan was verlamd en Renatino's foto stond op de voorpagina's van alle kranten en verscheen in elke editie van het televisiejournaal. Hij werd inmiddels publiek gevaar nummer één genoemd, de beroemdste gezochte persoon van Italië.

Ondanks de talloze barricades lukte het hem en zijn betrouwbaarste mannen om Foggia te bereiken. Napo stapte op de bus, Renatino en Mazzinga op de trein en Teo en Cambogia namen de oude Mercedes 300.

Ze kwamen weer bij elkaar in hotel Cicolella, niet ver van het centraal station van Foggia. Hier hadden ze afgesproken met Renatino's tipgever. En zodra ze hem zagen wisten ze dat hun nog meer problemen te wachten stonden.

'Het spijt me dat ik jullie helemaal hierheen heb laten komen,' begon hij met een onbetrouwbare uitdrukking op zijn gezicht, 'maar de jongen is naar de Verenigde Staten vertrokken en ik weet niet wanneer hij terugkomt. Ze zeggen dat hij midden in een grote import-exportzaak zit. Het spijt me.'

'Gelul dat het je spijt!' barstte Napo los, die zich meestal wel kon bedwingen. 'Dit is al de tweede nutteloze reis die we maken!'

'Je had ons kunnen waarschuwen,' zei Renatino verwijtend.

'Dat had ik natuurlijk gedaan als ik het eerder had geweten. Ik hoorde het pas vanmorgen, toen ik naar kantoor ging,' verklaarde de man.

'En wat doen we nu? Gaan we terug naar Milaan?' vroeg Cambogia.

'We kunnen beter even wegblijven uit Milaan,' zei Renatino.

'Gaan we naar zee?' grapte Mazzinga met zijn vrolijke gezicht.

'Als ik jullie een tip mag geven, de bank van Andria zou interessant kunnen zijn,' zei de man. 'Ik kom uit Andria, maar woon al tien jaar in Foggia. Het hoofdkantoor barst altijd van het contante geld. Die boeren hier denken alleen maar aan sparen.'

Het idee om de kosten van hun trip terug te verdienen door een bank leeg te roven kon werken. 'Wat denk jij ervan, Napo?' vroeg Renatino.

'Waarom niet? Een beetje geld kan nooit kwaad. En bovendien zijn de politieagenten en werknemers hier niet zo op hun hoede als bij ons.'

'Is iedereen het ermee eens?' Niemand durfde hem tegen te spreken.

'Oké, leg ons uit hoe deze bank in elkaar zit...' gebood hij de tipgever. Deze pakte een vel papier en tekende de plattegrond van de ruimte waar de kluizen en uitgangen van de bank zich bevonden. De techniek was dezelfde als die hij bij tientallen andere overvallen met zijn trouwe kameraden had gebruikt. Ze stalen een witte Alfa in Foggia en reden hiermee naar Andria. Ze kwamen vlak na de middagpauze bij de bank aan, rond drie uur. Teo, de jongste, bleef in de auto met draaiende motor zitten, de andere vier hadden een bivakmuts opgezet en liepen resoluut op de ingang af. Zoals gewoonlijk was Renato de eerste die naar binnen ging. In beide handen had hij een van zijn eigen pistolen, zijn trouwe P38 en een Smith&Wesson. Hij schoot één keer tegen het plafond en schreeuwde: 'Attentie! Dit is een overval! Handen omhoog!'

Alle medewerkers en klanten vielen meteen stil.

Napo had intussen zijn positie bij de deur ingenomen. Mazzinga met zijn mitrailleur en Cambogia met de Remington hadden zich aan beide kanten van de balie opgesteld die de vorm had van een soort hoefijzer en in het midden van de ruimte stond. Renatino klom eroverheen. Dit was het moment dat hem altijd de grootste kik gaf. Hij voelde de adrenaline naar zijn hoofd stijgen, wat beter werkte dan een snuif cocaïne. Hij liet de kassier de kassa's legen in de tas die hij over zijn schouder droeg en dwong daarna de directeur met hem af te dalen naar de ondergrondse kluis. Hij dwong hem de kluis open te maken en vulde de tas met contanten. Terwijl hij bezig was om alles te grijpen wat kostbaar was, hoorde hij politiesirenes en direct daarna een paar mitrailleursalvo's.

Hoe kunnen ze hier zo snel zijn? vroeg hij zich buiten adem af. Zonder zich verder druk te maken over de directeur liep hij terug naar boven, naar de centrale zaal.

De klanten en medewerkers lagen nog op de grond. Iemand klaagde over verwondingen en de kassier die hem kort daarvoor had geholpen de kassa's te legen, lag nu roerloos op de grond en onder hem vormde zich een steeds groter wordende bloedvlek.

'De stommeling wilde de held uithangen,' legde Cambogia uit toen hij zijn gezicht zag betrekken.

'De politie staat buiten,' constateerde Renatino toen hij door een raam gluurde.

Vanaf de straat klonk een stem die vervormd werd door de megafoon: 'Geef jullie over, jullie zijn omsingeld. Jullie kunnen niet ontsnappen.'

Renatino richtte bij wijze van antwoord zijn pistool naar buiten en loste een schot. Meteen schoten mitrailleurs de ruiten aan diggelen en verkruimelden de pleisterkalk van de muur ertegenover. Renatino dook naar de grond om niet te worden geraakt door de scherven. 'Ze zijn gek geworden!' schreeuwde hij.

Zodra de schoten ophielden stond hij op en liep naar het raam. 'We hebben hierbinnen tientallen gijzelaars! Zijn jullie uit op een bloedbad?'

'Geef jullie over! Laat de mensen naar buiten!' schreeuwde dezelfde stem door de megafoon.

'We komen nu naar buiten. Als jullie niet schieten!' antwoordde Renatino.

'Renato, wat wil je doen?' vroeg Napo.

'Neem een groep gijzelaars, dan gaan we tussen hen in staan en gaan naar buiten. We zetten onze bivakmutsen af, zodat ze ons niet herkennen.'

'Ze hebben Teo gepakt en zullen hem dwingen te praten,' zei Napo.

Mazzinga en Cambogia geboden acht mensen op te staan van de grond. Ze lieten hen een groep vormen en mengden zich ertussen. Ze liepen in groepsverband naar de deur. Renatino gaf de gijzelaars de laatste instructies. 'Blijf omlaag kijken. Als iemand slim probeert te zijn, probeert te ontsnappen of te schreeuwen, zweer ik dat ik hem koud maak. Begrepen? Knik als jullie het hebben begrepen.' Ze knikten allemaal, terwijl ze zijn blik meden.

De glazen deuren van de bank gingen open en de op elkaar gepakte groep liep naar buiten. De straat was afgeladen met burgers en rekeninghouders die zich zorgen maakten om hun geld. De politieagenten stonden achter de bomen en auto's opgesteld. Teo zat niet meer achter het stuur van de witte Alfa. De menigte maakte lawaai. Iemand schreeuwde: 'Vermoord hen!' Andere verwensingen volgden. De commissaris schreeuwde naar zijn mannen: 'Niet schieten! In hemelsnaam, niet schieten!' De agenten waren gefrustreerd omdat ze de situatie niet onder controle hadden en hoopten dat er iets onverwachts gebeurde zodat ze een excuus hadden om te schieten.

De groep gijzelaars en bandieten bewoog in de richting van de Alfa. De commissaris nam opnieuw de megafoon ter hand: 'Jullie kunnen nergens heen. Jullie moeten je overgeven. Nu is het alleen nog een overval. Straks sterft er iemand.' Hij wist niet meer wat hij moest zeggen om hen ervan te overtuigen dat ze op moesten geven en besloot: 'Doe geen stomme dingen!'

Renatino was zijn gewoonlijke koelbloedigheid nog niet verloren en fluisterde tegen zijn mannen: 'Napo, jij rijdt, Mazzinga en Cambogia, jullie gaan achterin zitten met twee gijzelaars, begrepen? Niet meer dan twee.'

Ze waren inmiddels bij de auto aangekomen. Het lukte de commissaris niet de bandieten te lokaliseren.

De groep gijzelaars splitste zich in twee delen. Eén deel bleef aan de rechterkant van de auto en de andere zes verplaatsten zich naar de linkerkant.

De commissaris zag iemand uit de groep de Alfa in kruipen. Vervolgens werd de motor gestart en stoof hij weg. Hij liep daarbij het risico de mensen die rond de bank samendromden overhoop te rijden. De mensen raakten in paniek en stoven alle kanten op om ruimte te maken voor de Alfa om aan de virtuele omsingeling van de politie te ontsnappen. Kort daarna begon de politie aan de achtervolging van de auto, maar door de chaotische manier waarop de mensen zich bewogen, verloren ze kostbare seconden. Ze wilden immers geen onschuldige personen aanrijden.

De twee bankbediendes in de Alfa bleven buitengewoon kalm, hoewel ze vreesden voor hun leven. Toen ze in de buurt waren van het tolhuisje van Poggio Imperiali, vroeg Renatino hun uit te stappen en excuseerde zich daarbij voor de overlast. Ze reden verder naar Milaan, maar waren niet tevreden over de gang van zaken. Ze hadden weer iemand van het leven beroofd, opnieuw een onschuldige, de kassier. De buit bedroeg iets meer dan dertig miljoen, een troostprijs aangezien hun voor de ontvoering een derde van het losgeld beloofd was, wat neerkwam op bijna een miljard. Er was genoeg om kwaad over te zijn. Ook omdat de bende in minder dan een maand tijd drie moorden had gepleegd. Dat betekende drie keer levenslang.

* * *

Vicecommissaris Moncada verbrak zijn telefoongesprek en haastte zich naar zijn superieur, Alfonso Caruso, de hoofdcommissaris van politie. Hij had sinds een paar weken uitkijkposten ingericht om een van de nesten van Renatino's bende in de gaten te kunnen houden, die in via Zuretti. Het was hun gelukt dit nest te lokaliseren dankzij tips van een betrouwbare bron. Een paar dagen later had een van de patrouilleteams aan hem doorgegeven dat hij twee mensen de kamer binnen had zien gaan.

'We moeten direct handelen,' zei de hoofdcommissaris. 'We moeten iemand arresteren als we willen dat de pers stopt ons in de zeik te nemen.'

'Zal ik ook Grasso van de afdeling Overvallen en zijn mannen bellen?' vroeg Moncada.

'Ik geef je carte blanche. Ondertussen spreek ik met Valentini en Messina. Ga snel en laat die schoften niet ontsnappen.' De woedeaanval van de commissaris was zo heftig, dat er plotseling rode vlekken in zijn gezicht verschenen toen hij boos werd.

Het lukte Moncada met zijn collega van de afdeling Overvallen een dertigtal mannen op te trommelen voor de inval in het nest in via Zuretti. Het betrof een complex van zes verdiepingen recht tegenover het sobere bakstenen gebouw van het Provinciale Bestuur van Financiën van Milaan.

Scherpschutters lagen op de loer in het kantoor van het Provinciale Bestuur, andere op straat, verscholen achter geparkeerde auto's. De eenrichtingsstraat werd afgesloten ter hoogte van via Parravicini. Achter de dranghekken die de politie had neergezet begonnen zich de eerste groepjes nieuwsgierigen te vormen. Toen ze zagen wat er gebeurde dachten ze dat er een grote som geld werd vervoerd. Maar toen liet een agent zich ontvallen dat ze op het punt stonden Renatino's bende op te rollen. Dit nieuws verspreidde zich als een lopend vuurtje onder de winkeliers en buurtbewoners. Binnen een paar minuten was de straat gevuld met mensen die naar de ramen op de hoogste verdieping van het gebouw wezen.

Moncada hoopte hen te kunnen grijpen zodra ze naar buiten kwamen, maar met al dat publiek was er van een verrassingsactie al geen sprake meer. Daarom besloot hij het gebouw binnen te gaan tot het trapportaal en Renatino en zijn kameraden ervan te overtuigen dat ze zich beter konden overgeven. De agenten die het complex in de gaten hielden hadden hem verteld dat ze twee, of mogelijk drie personen in de kamer hadden gezien.

Moncada ging samen met zijn onafscheidelijke collega Vittorio Perrone, vicecommissaris Attilio Grasso van de afdeling Overvallen en twee agenten die gewapend waren met mitrailleurs naar boven.

Ze kwamen aan bij het trapportaal op de bovenste verdieping en Moncada schreeuwde: 'We weten dat jullie hierbinnen zitten. Renato, als je naar buiten komt met je handen omhoog dan verzeker ik je dat je niets gebeurt, ik geef je mijn woord.'

Niemand antwoordde. Het was duidelijk dat ze daarbinnen druk aan het overleggen waren. De politieagenten wisten dat ze levensgevaarlijk en onvoorspelbaar waren en hadden daarom hun wapens op de deur gericht, klaar om te schieten. Alleen Moncada droeg geen pistool. Hij had nog nooit een wapen gedragen, omdat hij altijd had geweigerd op een mens te schieten, ook al was het dan, zoals in dit geval, een bandiet met meerdere moorden op zijn geweten. Hij geloofde in de kracht van onderhandeling, in de confrontatie tussen mensen en tot op dat moment was dat altijd goed afgelopen. Hij was altijd zijn beloftes nagekomen en de Milanese criminelen waardeerden en respecteerden hem hierom.

Ze hoorden een slot openklikken en de deur ging een paar centimeter open. Het team van agenten concentreerde zich op de kier, hopend binnen iets te zien bewegen. Ze hoorden een stem: 'Blijf daar, anders richten we een bloedbad aan!' Het was de gemaakte stem van Bradipo. Het was duidelijk dat hij tegen zijn paniek streed.

Iemand in deze omstandigheden is tot alles in staat, dacht Moncada. Hij moest het tempo opvoeren. 'Is Renatino daar bij jullie? Laat me met hem praten. Ik ben vicecommissaris Moncada.'

'Renatino is hier niet. Ga weg. We willen ons best koud laten maken, maar dan nemen we vanavond wel iemand van jullie mee naar het kerkhof, dat zweer ik jullie.'

'Ik heb je gezegd hoe ik heet. Wie ben jij? Zeg me ten minste hoe je heet,' ging Moncada verder.

Na een paar seconden kreeg hij antwoord. 'Ik ben Claudio,' antwoordde Claudio Grasso, alias Bradipo.

'Claudio, wie is daar bij je?' drong Moncada aan.

'Vito is hier. Maar hij heeft gezegd dat hij zich liever dood laat schieten dan dat hij de bak in gaat.'

'Claudio, gebruik je verstand. Doe geen stomme dingen. Is het niet beter te blijven leven dan naar de hel te gaan? Je zit een paar jaar, betaalt de gemeenschap je schuld af en keert terug als vrij man. Is dat niet de moeite waard?'

Hij wachtte op een antwoord dat niet kwam. Misschien was hij op de juiste weg. 'Als je naar buiten komt, gebeurt er niets. Je hebt mijn woord. Er staat een heel leger buiten. Er is geen ontkomen aan.'

De deur ging nog een beetje verder open. Het gewapende team was zo gespannen als een veer. Moncada bevond zich in de vuurlinie van zowel zijn vrienden als zijn vijanden. Hij gaf zijn mannen een teken nog even geduld te hebben. De logge gestalte van Bradipo verscheen in de deuropening met een machinegeweer in zijn handen.

Moncada gaf hem geen tijd om na te denken. 'Goed zo, Claudio. Je hebt de juiste keuze gemaakt. Later zul je me dankbaar zijn. Maar leg nu je geweer op de grond... langzaam, je kunt het...'

De man stond als versteend. Hij stond duidelijk strak van de heroïne.

'De Beverrat wil niet naar buiten komen,' zei hij met schorre stem.

'Zeg jij dan dat hij moet komen, misschien luistert hij wel naar jou. Jullie zijn toch vrienden?' vroeg Moncada meteen.

Hij knikte. Hij wankelde door de grote hoeveelheid drugs die hij in zijn aderen had. 'Beverrat, kom nou naar buiten. Het is afgelopen... eindelijk afgelopen.'

De loop van een lupara-geweer kwam uit de deuropening tevoorschijn. 'Nooit, ik schiet mezelf liever voor mijn kop.'

'Toe nou, hou op. Er staat een heel leger buiten.' Hij herhaalde de woorden van de commissaris.

Moncada mengde zich in het gesprek. Hij had de bijnaam van de andere crimineel opgevangen. 'Beverrat, doe wat je vriend zegt. Leg het geweer neer en kom naar buiten. Er zal je niets gebeuren. Ik zal tijdens het proces getuigen dat jullie hebben meegewerkt.'

'Nooit!' schreeuwde de Beverrat en hij loste een schot dat gelukkig gericht was op het plafond. Bradipo dook naar de grond en het team zocht dekking achter de trap.

Moncada realiseerde zich dat hij het verkeerde woord had gebruikt. Zeg nooit in het bijzijn van een harde kerel het woord 'meewerken'. Nu moest hij helemaal van voren af aan beginnen. Bradipo lag nog steeds op de grond. Moncada stapte tijdens een moment van rust uit zijn schuilplaats, pakte hem bij zijn pols en sleepte hem naar de plek waar zijn team stond. De twee agenten hielpen hem overeind en brachten hem in veiligheid.

Nu hoefde hij alleen nog maar te proberen de andere bandiet uit het nest te krijgen. De Beverrat was trotser dan Bradipo en het zou lastiger worden hem ervan te overtuigen zich over te geven, maar Moncada ging verder met de onderhandelingen. Hij riep hem en iets later hoorde hij door de deur, die nog steeds openstond, het antwoord.

Deze keer sprak hij op zachtere toon. Het leek alsof hij aan het eind van zijn Latijn was. 'Commissaris, Renatino heeft me verteld dat u een fatsoenlijke man bent.'

'Nou, Beverrat, als je me vertrouwt, kom dan naar buiten, dan maken we er een eind aan.'

'Zo makkelijk gaat dat niet. Ik ben een mislukkeling. Iedereen zegt dat ik niets waard ben, ook mijn vrouw. Renatino vertrouwt me ook niet meer en heeft me aan de kant gezet. Zij maken de stad onveilig terwijl ik hier thuis zit met een breiwerkje. Ik wilde laten zien dat ik ook iemand was... maar, zoals ze bij ons thuis zeggen, wie voor een dubbeltje geboren is, wordt nooit een kwartje... Het is genoeg, commissaris. Ik zal niemand meer lastigvallen.'

Er volgde een irreële stilte. Moncada wist niet wat hij moest zeggen. Hij had deze bekentenis niet verwacht. Hij wist niet wat hij ertegen in moest brengen. Hij keek naar zijn agenten en kreeg een idee.

'Beverrat! Praat geen onzin! Hoe verzin je dat soort dingen? Hoe kun je nu denken dat je niets waard bent? Weet je hoeveel politieagenten hierbuiten staan voor jou? Alleen voor jou! Kom op, noem een getal!'

Hij wachtte op een antwoord, zodat hij wist of hij zijn aandacht had of niet. Maar het bleef stil in het appartement.

'Er staan vijftig agenten hierbuiten, begrijp je dat? Vijftig agenten, allemaal voor jou. Hoe kun je nu zeggen dat je niemand bent?'

'Vijftig agenten?' Eindelijk reageerde hij!

Moncada's gezicht lichtte op. 'Ja, Beverrat. Als je door het raam kijkt kun je ze zien.'

'Te laat, Moncada. Mijn eer is geschonden... Er is geen weg meer terug...'

Ze hoorden hem bij de deur weglopen. Moncada en de anderen hielden hun adem in. Moncada begreep dat het onvermijdelijke zou gaan gebeuren en brulde: 'Beverrat! Doe het niet!'

Er klonk een pistoolschot in het appartement. Moncada en de anderen renden erheen, duwden de deur open en gingen naar binnen. De vicecommissaris liep de eetkamer in en zag de Beverrat op de grond liggen, met het pistool nog in zijn hand. Hij was verkrampt van de pijn en was gewond. Hij had zich in zijn hoofd geschoten! 'Bel een ambulance,' schreeuwde Moncada naar zijn agenten. Hij boog zich over de man en constateerde dat de wond niet levensbedreigend was en dat de kogel hem had geschampt. Die klootzak had zich tegen zijn hoofd geschoten om trouw te blijven aan zijn eigen eer, maar had het pistool zo gericht dat hij zich niet zo erg zou verwonden. De Beverrat opende zijn ogen en zag de commissaris boven zich.

Moncada glimlachte toen hun blikken elkaar kruisten. 'Wat ben jij een klootzak.' De Beverrat glimlachte terug en viel toen flauw door alle emotie.

37

De afdaling naar de onderwereld

In het Centrum van Hedendaagse Geschiedenis in Rome, boven juwelier Bulgari in via Condotti, zag een groep oude vrienden elkaar terug. Ze waren deze keer bijeengeroepen door de minister van de republiek, die dicht bij het Vaticaan stond. Naast hem was ook de Eerwaarde er, deze keer zonder zijn rechterhand Ubaldo Mariani. Ook generaal Martinelli, de leider van de CIA, Mason Marvel en majoor Guetta van de geheime afdeling van de SISMI waren van de partij.

De minister legde uit wat de reden was voor deze samenkomst. 'Vandaag ben ik degene geweest die om deze buitengewone bijeenkomst heeft gevraagd. Het gaat om een netelige kwestie. Ik zal beginnen met een citaat.' De minister was altijd bijzonder creatief in het uiteenzetten van zijn theorieën. 'Volgens mij was het Andy Young die heeft gezegd dat religieuze overtuigingen iemand meer in de richting van de vrijheid duwen dan politieke ideologieën. Waarom zeg ik dit? De afgelopen dagen heeft er een belangrijke ommezwaai in de socialistische partij plaatsgevonden. Een jongen, die ik als neoliberaal en concordaat zou definiëren, is erin geslaagd de decennialange antiklerikale traditie van deze partij te doorbreken. Het Vaticaan steunt hem en heeft gezegd hem graag als partijsecretaris van deze partij te zien. Nu hij daadwerkelijk secretaris van de socialistische partij is, weten jullie dat ik het over Bettino Craxi heb. De tegenstanders, aangevoerd door de oude secretaris, Francesco De Martino, dreigen en zoeken nieuwe mogelijkheden. Diezelfde De Martino wil de volgende president van de republiek worden. Kortom, er is een kleine, maar effectieve actie nodig om hem, hoe zeg je dat, definitief uit de politiek te verdrijven. Wat zouden we kunnen doen?'

'President, ik denk dat u zelf het antwoord daar al op weet,' zei de Amerikaan die het subtiele geïntrigeer van de minister goed doorhad.

'Aangezien deze tegenwoordig erg in de mode zijn, wat denken jullie van een ontvoering?' vroeg hij met dezelfde goedige eenvoud als waarmee hij een vriend uit zou nodigen om samen een kop koffie te gaan drinken. De gasten verstomden. Hoewel ze gewend waren aan acties die nog meedogenlozer waren, hadden ze nooit aan zoiets gruwelijks gedacht.

'We kunnen geen mensen van het apparaat gebruiken. Dat is te gevaarlijk,' zei Mason Marvel meteen.

'Dan schakelen we een groep experts in,' stelde de Eerwaarde voor.

'De Marseillanen zijn uitgeschakeld. De enige in het circuit die werkelijk te vertrouwen is, is Francis Turatello,' zei Guetta.

'En die Renatino? Dat lijkt me ook een prima kerel,' zei de Eerwaarde.

'Die heeft zich nog nooit aan een ontvoering gewaagd en hij blijft weigeren zich bij ons aan te sluiten,' antwoordde Guetta. 'We hebben hem in het verleden al geprobeerd te benaderen, maar hij wil niets van ons weten. Het is een rebelse geest. Maar vroeg of laat zal het ons lukken hem te strikken.'

'Maar zal Turatello met ons willen samenwerken? Ik weet dat het hem voor de wind gaat. Misschien wil hij zich wel niet in een zaak mengen waarbij hij veel te verliezen heeft,' zei de Eerwaarde.

'Ik weet hoe ik hem kan overtuigen. Er bestaan cadeaus die hij niet kan weigeren,' antwoordde Guetta.

'Een cadeau?' vroeg de Eerwaarde. 'Gaat u hem een cadeau geven? En hoe weet u zeker dat hij het nog niet heeft?'

'Dat kan ik u niet zeggen. Dat komt u te zijner tijd te weten,' besloot majoor Guetta.

Generaal Martinelli kwam tussenbeide: 'Maar zal de ontvoering van De Martino niet te veel stof doen opwaaien? We zullen alle ordehandhavers ophitsen.'

Guetta was klaar om antwoord te geven, dit was zijn terrein. 'We gaan niet De Martino zelf ontvoeren, maar zijn zoon. Guido heet hij, geloof ik. We zorgen ervoor dat de onderhandelingen snel verlopen. De oud-secretaris, die weinig goudreserves heeft,' onderstreepte hij sarcastisch, 'zal zich tot een vriend moeten wenden en wij zullen zorgen dat hij bankbiljetten uit eerdere ontvoeringen krijgt. Dit zal genoeg zijn om hem in diskrediet te brengen en ervoor te zorgen dat niemand hem nog vertrouwt, vooral de communistische partij niet die hem tot nu toe steunt.'

'Dat lijkt me een goed plan,' reageerde de CIA-functionaris. 'De oud-secretaris zal om zijn zoon te redden zich niet druk maken over details en uitzoeken of het geld zwart is of wit. Dit zal genoeg zijn om hem in een kwaad daglicht te stellen.'

'Goed. Ga maar naar Engelengezicht,' concludeerde de minister tevreden over het feit dat alle deelnemers aan de bijeenkomst het met elkaar eens waren.

Zodra Guetta terug was in Milaan begon hij meteen met het uitwerken van een complexe strategie om de tactiek van de politie te verstoren. Hij legde aan de Generaal, die zowel met Turatello contact had gehad als met Renatino, uit wat hij moest doen en wat hij aan Engelengezicht moest vragen. Daarna beval hij hem aan het werk te gaan.

* * *

Er komt een moment in het leven waarop alles de goede kant op lijkt te gaan, waarop het ons eindelijk gelukt is op onszelf te vertrouwen, we het gevoel hebben dat de wereld aan onze voeten ligt en we ons onoverwinnelijk voelen. In deze fase worden we minder oplettend en beginnen we de eerste fouten te maken. Francis Turatello bevond zich in deze situatie. De zaken gingen hem voor de wind en het geld kwam met bakken binnen. Hij hoefde zich inmiddels alleen nog maar druk te maken over het kapitaal van zijn goktenten, minder of meer legale handel en overeenkomsten met deze of gene.

Hij bleef Mariella, de zus van de Professor, zien. Ze spraken één keer per week af om de balans op te maken van de verschillende activiteiten en bedreven dan ook de liefde. Later ontwikkelde Turatello de gewoonte om Stalin te sturen, met als excuus dat hij op zakenreis was en zo nam het aantal bezoekjes steeds verder af.

In die tijd was Turatello de koning van Milaan, reed in Maserati's, droeg kleding van beroemde ontwerpers, opzichtige bontjassen, diamanten ringen, had altijd een hakenkruis om zijn nek en genoot van vrouwen en champagne van de beste merken. Hij bezat de beste nectar die het leven hem kon bieden.

Toen de Generaal hem vroeg om ergens af te spreken, ging hij hier redelijk geïrriteerd op in. Als de Generaal contact met hem opnam, wist hij dat er werk aan de winkel was. En daar vergiste hij zich niet in. Deze keer, met de ontvoering van de zoon van een partijsecretaris, wilde hij er liever tussenuit knijpen.

'Het spijt me, Generaal, maar ik wil me liever niet meer bezighouden met bepaalde zaken. Ze zijn te gevaarlijk en kosten te veel tijd en moeite,' antwoordde hij op het voorstel om mee te werken aan de ontvoering.

'Mensen in hoge rangen schatten jou hoog in en hebben expliciet om jouw medewerking gevraagd. Sterker nog, ze willen jou, om hun vertrouwen in jou te tonen en in de hoop dat je je niet zult terugtrekken, een cadeau aanbieden, waarvan ze zeker zijn dat je het zult waarderen,' zei de Generaal.

'Een cadeau? Maar Generaal, willen jullie me kopen met een cadeau?'

'Onderschat ons niet, Francis, het is een heel bijzonder cadeau, anders hadden we het je nooit gegeven. Ik weet zeker dat je het aan zult nemen, we kennen je inmiddels langer dan vandaag.' Terwijl hij dit zei haalde hij uit zijn jaszak een sierlijk met de hand gemaakt blauw kistje tevoorschijn en hield hem dit voor.

Turatello was nieuwsgierig naar de inhoud. Hij nam het in zijn handen en maakte het open. Zodra hij zag wat erin zat gooide hij het vol afgrijzen op de grond. 'Gatver... wat is dit voor een grap?'

De Generaal raapte het kistje rustig op en deed het open. Er zaten een duim en een wijsvinger in. Uit de binnenkant van de deksel pakte hij een vel papier, dat achter het lijstje geklemd zat.

'Dit is het "certificaat". Hij lachte ironisch terwijl hij het hem liet zien. Het was een kopie van het strafregister van een zekere Toni Riccobene, met zijn signalementfoto en vingerafdrukken. De Generaal hield Turatello het blad voor. 'Herken je de man op de foto? Hij heet Riccobene, maar misschien zegt zijn naam je niets. Maar als je terugdenkt aan Favignana, zou je je moeten herinneren dat het weinig scheelde of deze man had je van het leven beroofd. Toni Riccobene werkte als moordenaar voor de Corleonesen, maar zoals je ziet hebben mijn vrienden hem voor jou ingepakt en opgestuurd als een cadeau. Ze willen dat jij weer met ons samen gaat werken en deze zaak zou een goede gelegenheid zijn om ons de hand te schudden.'

'Hoe zou ik zo'n cadeau niet aan kunnen nemen?' zei Turatello bitter.

'Dat was wat we hoopten dat je zou zeggen,' antwoordde de Generaal tevreden.

'Wat moet ik deze keer doen?'

'Deze ontvoering zal niet moeilijker zijn dan de andere,' stelde de generaal hem gerust. 'Jij zal de ontvoering zelf voor je rekening nemen, maar het plan zal worden bedacht door een lokale politicus van de Christen Democratische Partij en de organisatie is in handen van een bende kleine criminelen uit de Rione Sanità in Napels. Ik heb al contact gehad met een zekere Vincenzo Tene en zodra ik het bedrag had genoemd dat hij hiermee kon verdienen, door de gegijzelde slechts een maand vast te houden, viel hij bijna flauw.'

'Zet 'm op, Generaal. Laat mij ook maar flauwvallen. Hoeveel levert deze zaak ons op?' vroeg Turatello.

'We zullen een miljard aan losgeld eisen, dat witgewassen zal worden door een instantie.'

'Van Nunzio Guida, van de Ammaturo-Malventi-clan? Die hebben banden met Cosa Nostra. Die staan bepaald niet welwillend tegenover mij, dat weet je.'

'Nu wel. Daarom hebben ze de streek die ze je geleverd hebben, goed gemaakt met de dood van deze arme jongen,' zei hij terwijl hij naar het kistje met de twee macabere bewijsstukken wees.

'Dat is beter. En het geld?'

'Het gebruikelijke derde deel, zoals altijd,' antwoordde de Generaal kort en bondig.

* * *

In het nest in via Zuretti had Renatino het bericht ontvangen dat de Beverrat en Bradipo gearresteerd waren, als een patiënt die van zijn dokter hoort dat zijn gezwel goedaardig is: een ware opluchting. Hij had altijd slecht tegen die twee drugsverslaafden gekund. Maar ze waren al zo lang zijn vrienden en voor hem betekende vriendschap meer dan familie. Ondanks de problemen die ze bleven veroorzaken, had hij hen nooit uit de batterij gezet. Hij had hen echter aan de kant geschoven en belde hen alleen als hij soldatenvolk te kort kwam. Hun arrestatie kwam als geroepen. Het lot van Teo stemde hem echter droevig. Hij beschouwde Teo als zijn jongere broer. Hij was een goede jongen, niet gemaakt voor dit bestaan, wat hij hem talloze keren had gezegd. Maar de charme van de kleine criminaliteit, de wereld van de Milanese criminelen, was te verleidelijk voor een fragiele jongen als hij. Hij was erg aangedaan door zijn opsluiting, omdat hij wist hoe wreed de bak was. Hij had genoeg jongens zien sterven aan het trauma dat ze in de gevangenis hadden opgelopen.

Na deze berichten besloot hij de oude kern van de batterij weer bijeen te brengen: Napo, Mazzinga en Cambogia en als vervanging van de Beverrat, Bradipo en Teo, riep hij de Stomme en Molotov erbij, twee jongens die de bende in het verleden hadden geholpen tijdens enkele strooftochten.

Renatino koesterde al heel lang een wens: het belastingkantoor van Milaan leegroven. Hij was er een paar jaar geleden geweest, om de belasting van zijn moeder te betalen, en toen hij al die brave burgers in de rij zag staan om een kleine donatie te doen aan de staatskas, had dit hem diep geraakt. Drie bewakers van Mondialpol reden karretjes door de ruimte die metalen kistjes vervoerden, volgestopt met bankbiljetten. De karretjes verdwenen in de liften die omhooggingen naar andere verdiepingen en kwamen leeg terug, voortgeduwd door diezelfde bewakers. Ze keerden terug naar de kas waar de kistjes opnieuw gevuld werden met geld dat de mensen stortten. Hij had de herinnering aan die heerlijkheden al die jaren in zijn hoofd opgeslagen en nu hij leider was van een sterke, hechte batterij met vastberaden, slimme mensen, had hij besloten dat het moment was aangebroken om zijn droom te realiseren.

'Jongens, ik heb een idee dat, als het goed uitgevoerd wordt, ons allemaal rijk en beroemd zal maken, zoals de overvallers van The Great Train Robbery,' vertelde hij zijn kameraden.

'Het doelwit is het belastingkantoor aan piazza della Vetra.' Hij wachtte tot zijn vrienden reageerden. Hun reactie liet niet lang op zich wachten.

'Maar dat is gekkenwerk, het barst daar van de juten,' zei Mazzinga.

'Dat is midden in het centrum. De politiewagens van Fatebenefratelli kunnen daar met loeiende sirenes in tien minuten zijn,' zei Molotov sceptisch.

'Weet je zeker dat het kan werken?' vroeg Cambogia.

Napo had nog niets gezegd, maar vroeg zich af hoe serieus Renatino's voorstel was. 'Heb je een plan?'

'Natuurlijk heb ik dat. Molotov heeft gelijk als hij zegt dat we vlak bij het hoofdbureau zitten. Daarom mogen we absoluut niet de aandacht van de bewakers trekken. Dat betekent dat we niet mogen schieten. De grootste moeilijkheid schuilt in het feit dat het gebouw barst van de smerissen in burger, waardoor onze vijand moeilijk te herkennen is. Om deze problemen te omzeilen...'

'En dat zijn er niet weinig,' onderbrak Mazzinga hem.

'Dat zijn er zeker niet weinig, maar ze zijn makkelijk op te lossen. Ik zei dus, om deze problemen te omzeilen hoeven we alleen maar zonder chaos te veroorzaken bij de zaal met de kluis te komen. Daarom doen we ons voor als inspecteurs. Als we binnen zijn, stoppen we de bankbiljetten in zakken, die we vervolgens uit het raam in een pick-up gooien die we aan de zijkant van het gebouw hebben geparkeerd. Terwijl de truck hem smeert, knevelen wij de mensen die zich in de zaal met de kluis bevinden en gaan we weg, als ongenode gasten, door de hoofdingang. Alsof er niets gebeurd is. Wat zeggen jullie ervan?'

Napo, die meestal de strategieën uitwerkte voor een overval, was onder de indruk van Renatino's plan. 'Wat goed! Je overtreft de maestro. Niets meer aan het plan veranderen.'

'Als jij dat zegt, ben ik een stuk geruster,' glimlachte Renatino tevreden.

'Het enige grote probleem is de zaal met de kluis in te komen zonder deze te vernielen. Wat verzinnen we waardoor ze de deur voor ons open-doen?' vroeg Napo.

'We moeten minstens twee of drie keer op onderzoek uitgaan,' ging Renatino verder. 'We moet opnemen hoe lang we over het traject doen, tellen hoeveel agenten er ieder uur rondlopen, vaststellen wat het juiste moment is voor de overval, kijken hoeveel smerissen in burger we herkennen, maar bovenal moeten we ten minste één keer de zaal in waar de kluis staat om de positie van de "marmot" te bepalen en in het bijzonder om te zien of de ramen beschermd zijn door tralies. Want als dat het geval is moeten we ze met thermiet laten smelten en verliezen we nog meer kostbare minuten.'

'Wanneer beginnen we?' vroeg Molotov, die nog nooit had meegewerkt aan zo'n grote onderneming.

'Ik ga eerst op onderzoek uit met Mazzinga en Cambogia. Jij, Napo, zult je haar moeten knippen en je snor bij moeten punten en jullie ook,' zei hij tegen de Stomme en Molotov. 'We moeten er netter uitzien, anders laten ze ons door jullie patjepeeërgezichten niet eens naar binnen.'

'Gaan we ongewapend op onderzoek uit?' vroeg Cambogia die moeilijk afstand kon doen van zijn geweer.

Renatino antwoordde, na even te hebben nagedacht: 'Ik denk dat alle metaaldetectors uitgeschakeld zijn, met al die smerissen die er rondlopen. Ik neem mijn P38 en 9mm-dubbelloops pistool mee. Het lijkt me logisch dat je je mitrailleur niet mee kunt nemen, Cambogia. Je moet iets kiezen wat minder opzichtig is, zoals een pistool. De volgende ronde is voor jullie,' zei hij tegen Napo en de andere twee. 'Zorg dat jullie weten hoe de ruimtes zijn ingedeeld en wat voor publiek er rondloopt. Goed... dan kunnen we nu van ons rampzalige Milan gaan genieten. Als Rivera die Marchioro er niet uit gooit komen we nooit ergens. Is dat nu een trainer?'

38

De geboorte van staatsvijand nummer één

De baliemedewerkster gaf hem een formulier. Renatino bedankte haar met een glimlach en liep naar een van de toonbanken die bestemd waren voor klanten die een formulier in moesten vullen. Hij droeg een onberispelijk zwart pak, met een jas van kamelenhaar en had een zwarte krokodillenleren aktetas bij zich. Hij deed alsof hij de instructies op het formulier las, maar keek ondertussen in het rond om de indeling van de zaal goed in zich op te kunnen nemen. Rechts liep een zijgang die uitkwam bij een lift en een trap. Aan de andere kant van de balie met kassa's stonden agenten metalen kistjes op karretjes te zetten, die de kassiers vervolgens volpropten met het geld dat de belastingbetalers hadden gestort. Als de kistjes tot aan de handvatten van de kar reikten, kwamen er drie bewakers aan die hem meenamen en naar de lift reden. Op de bovenste verdieping moest zich de kluis bevinden, want ze gingen slechts één verdieping omhoog. Na een minuut of tien kwamen ze weer naar beneden met de lege kar en zetten deze naast een andere balie. Cambogia en Mazzinga waren ook de zaal binnengekomen om de situatie te bestuderen.

Renatino besloot zich te verplaatsen. Hij liet het formulier op de tafel achter en begaf zich in de richting van de gang. Hij liep voorbij het hekje van de lift; hij nam liever de trap. Hij maakte het koord los dat onbevoegden ervan moest weerhouden naar binnen te gaan en maakte het weer vast toen hij erlangs was. Vervolgens liep hij vastberaden en met de uitstraling van de directeur van een ijzerfabriek de trap op die hem naar een portaal met verschillende deuren leidde, van de administratie, van de boekhouding en van het personeel. Op de laatste las hij 'kantoor kassa'. Dat was de kamer die hij zocht. Hij liep resoluut naar binnen, zonder aan te kloppen, en trof de secretaresse achter haar bureau aan. Ze zat haar nagels te vijlen. Nadat ze hem nauwkeurig had opgenomen en had vastgesteld dat ze te maken had met iemand van de directie, stopte ze haar vijl en nagellak terug in haar tas en stotterde: 'Waarmee kan ik u van dienst zijn?'

'Waar zijn de anderen?'

Het meisje wees naar de deur rechts van haar. Daarna raapte ze al haar moed bijeen en vroeg: 'Mag ik vragen wie u bent?'

'Ik ben Bonforti, ik kom van het hoofdkantoor. Ik ben verantwoordelijk voor de veiligheid.'

Terwijl hij dit zei liep hij naar de deur waarnaar de secretaresse had gewezen. Hij ging de andere kamer binnen en trok de deur achter zich dicht. Hij was aangekomen bij het hart van het systeem. De kamer werd in tweeën gedeeld door een wand van kogelvrij glas met daaromheen een schot. Vanaf de ene kant van de wand zag hij de kluis met daarvoor drie werknemers en drie bewakers die stapels geld uit de kluis haalden en op elkaar stapelden in een gigantische kast, zo groot als de muur. De mannen gingen zo op in hun werk dat ze niet in de gaten hadden dat er een man in de kamer ernaast stond.

De twee kamers waren met elkaar verbonden door middel van een geblindeerde deur. Ook in deze kamer stond een klein bureau. Hieraan zat een bewaker, onderuitgezakt met zijn voeten op het bureau *Diabolik* te lezen. De bewaker had niet eens de moeite genomen op te kijken toen hij naar binnen stapte. De discipline liet duidelijk te wensen over in dit kantoor, ook omdat niemand het ooit in zijn hoofd had gehaald daar een overval te plegen. Die man heeft zeker de sleutels van de geblindeerde deur, dacht Renatino. Hij liet zijn blik lang op de ruimte met de kluis rusten. Hij zag dat de ramen voorzien waren van tralies, maar dat de ruimtes ertussen groot genoeg waren om een zak vol geld doorheen te duwen en naar beneden te gooien, in de laadbak van de truck. Toen de bewaker eindelijk naar hem opkeek en daarbij zijn voeten van het bureau haalde, snauwde Renatino: 'Is dit jullie manier van werken? De secretaresse zit haar nagels te vijlen, jij leest stripverhalen en draagt een uniform dat er niet netjes uitziet. Wie staat jullie toe zo te werken? Deze laksheid is onacceptabel. Wie is hier de verantwoordelijke?'

De bewaker knoopte zijn uniform dicht en antwoordde met ingehouden stem: 'De heer Scirè.'

'Ze hadden gelijk toen ze zeiden dat hier te veel mensen werken die liever lui dan moe zijn en dat er nodig iemand ontslagen zou moeten worden.' Terwijl hij dit zei liep hij de kamer uit en ging die van de secretaresse binnen, die net deed alsof ze papieren zat te lezen. Hij groette haar met een dreigement – 'We zien elkaar snel!' – en ging haastig weg via de trap. Hij had inmiddels genoeg gezien en wilde zijn bevindingen met zijn kameraden delen: de overval zou makkelijker zijn dan gedacht. De mensen waren gewend aan hun routine, de sleutel van de geblindeerde deur aan de agent bij de deur vragen was een eitje. Ook was het kinderspel om bij de kamer met de kluis te komen. Er was zeer weinig bewaking.

De vicedirecteur van het belastingkantoor had uiteindelijk besloten het alarmnummer te bellen. 'Stuur een politiewagen naar piazza Vetra, ik heb drie of vier verdachte figuren rond de bank zien hangen. Ik wil niet paranoïde lijken, maar met iemand van jullie in de buurt zou ik me rustiger voelen.'

De centrale antwoordde dat ze de twee dichtstbijzijnde auto's zouden sturen. Binnen een paar minuten kwamen patrouillewagens Dom en Europa bij de bank aan. Alles leek echter onder controle en de patrouilleleider, brigadier Giovanni Ripani, gaf dit door aan de centrale. Hij liet ook weten dat hij toch op onderzoek uit zou gaan om zich ervan te verzekeren dat alles echt in orde was. Tegen de andere auto zei hij dat hij een rondje in de buurt moest rijden en hem binnen een paar minuten weer voor het kantoor zou treffen.

Renatino trof Mazzinga en Cambogia bij de deur aan. Ze zochten hem. Ze maakten zich zorgen, wat hij meteen al aan hun ogen kon zien.

'Wat is er aan de hand?' vroeg Renatino.

'Problemen,' zei Cambogia angstig, terwijl hij altijd erg rustig was.

'Wat voor soort problemen?' vroeg Renatino meteen.

'Er staan twee politiewagens bij het kantoor,' vertelde Cambogia.

'Hoe kan dat? Die kunnen hier niet zijn vanwege ons.' Renatino begon zijn geduld te verliezen.

'Luister, niet boos worden, maar de anderen zijn er ook,' kwam Mazzinga tussenbeide.

'Welke anderen?'

'De anderen. Napo, de Stomme en Molotov.'

'Verdomme! Ik had ze gezegd dat ze een andere dag moesten gaan omdat we anders politieagenten aan zouden trekken als lijkvliegen. En kijk wat er gebeurd is!'

'En dat is nog niet alles. Er was een zekere Savino naar je op zoek.'

'Savino? En wie is dat?'

'Hij zei dat jullie elkaar in San Vittore hebben ontmoet. Hij is van de *Nar*.'

'Ah, Savino... O, nee, dat is een lastpak eerste klas. Maar waar is hij?'

'Hij is hier, Renatino. Hij is ook op piazza Vetra.'

'Is hij hier ook? En hoe wist hij dat we hier waren? Wie heeft hem dat in hemelsnaam gezegd?' Hij verhief zijn stem en Cambogia gebaarde dat hij zich in moest houden om niet de aandacht van de mensen te trekken.

'Hij heeft geld nodig en wilde je vragen of hij mee mocht werken aan een van je zaken,' legde Mazzinga uit. 'Ik heb hem niets gezegd. Ik heb gezegd dat hij dat met jou moest bespreken.'

'Klotezooi! Ik wil hem niet eens zien! We moeten hier snel weg, anders pakken ze ons op als een stel idioten,' zei Renatino terwijl hij het belastingkantoor verliet.

Ze liepen door de loggia. Niet ver daarvandaan hadden ze de auto geparkeerd.

Brigadier Ripani had een figuur met een zwarte leren jas aan de rand van het park zien staan wachten. Hij zag eruit als een klassieke voyeur. Hij liep naar hem toe en vroeg naar zijn identiteitsbewijs.

De man deed echter alsof hij hem niet hoorde en liep met gezwinde pas naar het midden van het plein.

'Halt! Politie!' schreeuwde de brigadier, terwijl hij zijn pistool tevoorschijn trok en eenmaal in de lucht schoot als waarschuwing.

Renatino, Mazzinga en Cambogia hoorden achter hen het schot en zagen spreeuwen opvliegen. Ze draaiden zich om en zagen in het midden van het parkje een politieagent een jongen achtervolgen die mank liep.

'Dat is Savino,' riep Mazzinga uit.

De agent had zijn pistool op de vluchtende jongen gericht en schreeuwde: 'Halt of ik schiet!'

Cambogia kon zich niet inhouden toen hij die scène zag en trok instinctief zijn revolver tevoorschijn en holde naar de agent die midden in het park was aangekomen en schreeuwde: 'Juut! Ik ben hier! Neem mij maar! Draai je om!'

De agent hoorde het geschreeuw van links en draaide zich om. Twee keer doorkliefde een dolk zijn vlees, één keer zijn arm en één keer zijn been. De hevige pijn werd echter overtroffen door de spanning van het moment. Cambogia deed zijn bijnaam eer aan, schreeuwde en schoot als een gek. Brigadier Ripani klemde zijn kaken op elkaar en had nog de kracht om zijn pistool te richten en op de fanaat te schieten. Zijn schoten troffen doel, want hij zag de bandiet op zijn zij zakken. Hij dacht dat hij de strijd nu wel verloren had, maar de bandiet nam hem, nadat hij op zijn knieën was gevallen, onder schot en schoot nog één keer. Maar hij miste. Toen schoot de mankepoot Savino Cambogia te hulp. Verscholen achter een boomstronk schoot hij op de heldhaftige agent. De brigadier, die zich tussen twee vuren bevond, werd vol in zijn borst geraakt en voelde zijn hart uiteenspringen. Hoewel zijn zicht inmiddels wazig was, zag hij de eerste bandiet voorover op de grond vallen. Hij wankelde, maar het lukte hem nog een paar meter in de richting van Cambogia te strompelen, die op zijn rug op de grond tegen de dood vocht. De brigadier richtte zijn pistool op de crimineel en schoot nog twee keer. Het lichaam van Cambogia trok nog twee keer samen en bleef daarna voor altijd roerloos liggen. Brigadier Ripani voelde het leven uit zich vloeien, misschien kreeg hij nog net de tijd om aan zijn geliefden te denken, en smakte tegen de grond...

In de tussentijd schoot de partner van de brigadier, agent Fraina, in een wanhopige poging zijn oude vriend te beschermen, op Savino, die half achter de boom verscholen zat. Hij raakte hem in zijn nek en in zijn borstkas. Savino waagde een halfslachtige vluchtpoging, maar zakte na een paar stappen stervend neer op een bankje.

Om hen heen waren helse taferelen losgebarsten. De tweede politiewagen was naar het plein teruggekeerd en de twee agenten schoten in de richting van de mannen die naar via Molino delle Armi liepen.

Toen de schietpartij begon zocht een oude man, die zijn driejarige kleinzoon had meegenomen naar het park, dekking achter een boom, de kleine Marco tegen zijn borst klemmend. Hij had echter de pech dat een van de bandieten hem in het vizier kreeg. Deze man droeg een lange regenjas, kwam naar hem toe en schreeuwde: 'Geef me het kind of ik vermoord je!' Hij probeerde het kind uit zijn handen te trekken, maar zijn opa verdedigde het kind dapper, met de weinige kracht die zijn oude lichaam nog bezat. De crimineel sloeg hem met de loop van zijn pistool tegen zijn hoofd en gaf hem een duw, waardoor hij met de peuter op de grond viel. Marco huilde van angst. De bandiet liet zich niet vermurwen en nam hem mee onder zijn arm, als een postpakketje.

Een verkeersagent hoorde de schoten, liet zijn kruispunt voor wat het was en ging naar het plein. Hij kon nog net de laatste fase van de ontvoering van het kind zien.

De bandiet met de lange regenjas rende naar via Wittgens. De agent hield hem onder schot, maar had niet de moed om te schieten omdat hij het risico liep ook het kind te raken. De bandiet hield in via Wittgens een 132 aan. Hij dwong de eigenaar uit te stappen en liet het jongetje op straat achter. Even later zou zijn opa, die in tranen was, hem weer in zijn armen kunnen sluiten. De agent opende het vuur op de 132. Hij had niet in de gaten dat er nog een auto aan kwam rijden, die de bandieten hadden gebruikt om naar piazza Vetra te gaan. De criminelen hadden de raampjes omlaag gedraaid en schoten op iedereen die in hun blikveld kwam. Er ontstond paniek: mensen schreeuwden van angst, doken naar de grond, de criminelen schoten de winkelruiten aan diggelen. De politieagenten schoten op de auto, maar er stonden te veel mensen omheen en ze liepen het risico onschuldige omstanders te raken. Ze probeerden de auto te achtervolgen, maar de bandieten ontsnapten en gingen op in het chaotische verkeer van de metropool.

Een paar minuten later arriveerde het complete hoofdkwartier van politie bij het plein waar het bloedbad had plaatsgevonden. Hoofdcommissaris Alfonso Caruso was er, Attilio Grasso van de overvaleenheid, vicecommissaris Moncada met zijn rechterhand Vittorio Perrone, de patrouilleleiders en de hoofden van de andere afdelingen. Ze wilden allemaal met eigen ogen zien waar de criminelen van Renatino's bende toe in staat waren. Het plein zag eruit als een slachthuis. Het werd afgezet voor publiek. Alleen fotografen van de technische recherche en een enkele journalist met wie de politie goede banden had mochten de plaats delict betreden. De hoofdcommissaris en alle anderen liepen meteen naar het met kogels doorzeefde lichaam van de arme brigadier Ripani. Moncada kon zijn woede niet inhouden. Hij had hem een paar dagen eerder nog gezien. Hij was naar zijn kantoor gegaan om hem uit te nodigen voor zijn bruiloft. Hij had de ceremonie al uitgesteld vanwege de dood van zijn moeder, maar nu was het eindelijk zover en kon hij zijn liefdesdroom verwezenlijken. Hij was gelukkig omdat hij een meisje had gevonden dat hem begreep en snapte wat dit vreemde werk van hem eiste. Een werk zonder dienstrooster.

De ambulances waren onderweg en er werd voorrang gegeven aan de agent die ondanks zijn ernstige verwondingen nog tekenen van leven vertoonde. Het toegetakelde lichaam van Ripani werd voorzichtig op een brancard gelegd en met spoed naar Niguarda gebracht.

Een paar meter verderop lag de bandiet die vermoord was door de agent. Hij werd meteen herkend. Het was Mario Cantarella, alias Cambogia, een goede vriend van Renatino. Dat zou een groot verlies voor de bende zijn, omdat hij een van de belangrijkste personen uit de groep was, vanwege zijn trouw en zijn moed.

Ze namen poolshoogte bij de andere bandiet, die nog op het bankje lag. Ook hij was op sterven na dood. Het was een bekende van de politie, een zekere Savino. Hij had in het geheel niets met de bende van Renatino te maken. Na uitgebreider onderzoek bleek echter dat hij in dezelfde periode met Renatino in de gevangenis van San Vittore had gezeten. Waarschijnlijk had Renatino hem sinds kort opgenomen in de bende. De man voerde een doodsstrijd; een straaltje bloed sijpelde uit zijn mondhoek en hij ademde moeizaam. De verpleegkundigen legden hem op een brancard en reden hem naar de ambulance die met loeiende sirenes vertrok.

De mensen die getuige waren geweest van de schietpartij kwamen langzaamaan bij van de schrik. Een bloemenvrouw die in een van de hoeken van het plein haar kiosk had, bleef maar herhalen: 'Ze schoten met de bedoeling te doden... Ze wilden doden...'

De opa, die de kleine Marco tegen zijn borst klemde, kon niet ophouden met snikken. Hij vroeg zich af wat er van zijn leven terecht was gekomen als het kind gewond was geraakt of was vermoord. Een aantal voorbijgangers, dat nog in shock was, zat op de grond met de handen in het haar.

Sommige politieagenten hadden last van hevige woedeaanvallen, andere verloren zich in neerslachtigheid omdat ze een gewaardeerde collega en vriend waren verloren. Een ander schreeuwde: 'Het waren die klootzakken van de bende van Renatino!' En een collega troostte hem: 'Deze keer komt het hun duur te staan. Als we ze vinden, brengen ze het er niet levend van af!'

De tonijnenslacht die die ochtend bloed deed stromen in Milaan, luidde een ander tijdperk in. De *Corriere d'Informazione* kopte de volgende dag op de voorpagina dat de 'tijd van Kaïn' was aangebroken. Onverwachts moest de politie het hoofd bieden aan een nieuw soort crimineel. Jongens – Renatino was destijds pas zesentwintig jaar – voor wie een mensenleven geen enkele waarde had, jongens die alleen uit machtsvertoon in koelen bloede doodden. Eenmaal deze weg ingeslagen, zou het moeilijk zijn te stoppen en om te keren, en daarom besloot de gevestigde orde zich volledig te richten op de gevangenneming en ondergang van de bende van Renatino.

Renatino's positie verslechterde nog door de dood van brigadier Giovanni Ripani, die de verwondingen die hij had opgelopen tijdens het vuurgevecht niet overleefde.

Dit keer was het een jacht op leven en dood. Ze moesten allemaal worden gepakt, dood of levend!

39

Vijfsterrenontvoeringen

Na het bezoek van de Generaal speelde Turatello op twee tafels, wat in zijn omgeving niet bepaald verstandig was. Zijn winst bleef toenemen en hij vond het maar niets dat hij de Professor en zijn zus Mariella hun deel moest geven. Maar ook het aanbod van de groep waar de Generaal over had gesproken, was aanlokkelijk. Vooral omdat hij dan in een geheel beschermde omgeving zou werken. De Geheime Dienst zou iedere fout die eventueel gemaakt werd in de uitvoering van het plan, ongedaan maken. Maar toetreden tot de dienst betekende ook dat hij te maken zou krijgen met de maffia en hier werd de zaak ingewikkeld, want tussen de maffia en de camorra van de Professor boterde het niet. Francis wist dat hij veel riskeerde als hij twee ijzers in het vuur had en wist ook dat de Professor de meest wraakzuchtige van de twee was. Misschien moest hij Mariella maar weer eens opzoeken. Het was al drie maanden geleden dat hij voor het laatst bij haar was geweest. Hij stapte in de auto en reed naar Poggioreale. Hij kocht een mooie bos rode rozen. Hij kleedde zich elegant aan en zocht haar op in haar bescheiden woning in Milaan.

Toen ze de deur opendeed zag Turatello weer dezelfde vrouw als de eerste keer. Ze was onopvallend gekleed met een pullover op een katoenen jurkje, haar mooie haar in de gebruikelijke vlecht en haar prachtige blauwe ogen verstopt achter de schildpadbril. Francis had zijn bezoek van tevoren aangekondigd en Mariella was niet verrast toen ze hem zag, zo leek het tenminste, want ze voelde vlinders in haar onderbuik. Ze veinsde echter onverschilligheid en afstandelijkheid. Ze was te trots om te laten zien dat ze afhankelijk was van deze man.

'Daar zul je de verloren zoon hebben,' zei ze toen ze hem zag met de bos bloemen achter zijn rug.

'Is dat jouw manier van groeten?' vroeg Turatello met geforceerde vriendelijkheid.

De vrouw liet haar gast bij de deur staan en liep naar de woonkamer. 'Kom binnen.'

Engelengezicht liet haar de rozen zien. 'En deze? Moet ik ze weer weg-leggen, net als de eerste keer?'

Mariella wees, zonder zich zelfs maar om te draaien naar de plank in de gang. 'Leg ze daar maar neer, dan zet ik ze zo meteen in het water.'

Weinig vrouwen hadden hem zo onverschillig behandeld. Hij legde de bloemen op de marmeren plank en liep achter haar aan. Hij pakte haar bij de schouders en drukte zijn lichaam tegen haar rug aan.

'Niet boos op me zijn, Maria...' fluisterde hij met zijn verleidelijke stem. En terwijl hij dit zei wreef hij zich wellustig tegen haar achterwerk aan om haar de mooie momenten die ze samen hadden doorgebracht te helpen herinneren.

Maar dat werkte niet meer zo goed als in het begin, ook al had dit contact emoties bij haar opgeroepen die ze nooit eerder in haar leven had ervaren. Ze liet hem even zijn gang gaan, maar vond daarna de kracht zich van hem los te maken.

'Dacht je dat ik een opblaaspop was? Of een van je hoertjes?' schreeuwde ze terwijl ze zich weer omdraaide en hem recht in zijn gezicht aankeek.

'Mariella, je vat het verkeerd op. Je weet hoe de zaken gaan. Ik heb geen moment rust. En helemaal hierheen komen is niet eenvoudig, omdat ik de stekker er dan voor drie of vier dagen uit moet trekken en dat kan ik niet doen. Zodra ik me omdraai schelden ze me de huid vol, vijanden, maar ook vrienden.'

'Wat kost een telefoontje nou?'

'Je weet dat ik het haat om te bellen. Ik houd er niet van om de liefde via de telefoon te bedrijven. Ik wil je zien, aanraken en zoenen als ik bepaalde dingen tegen je zeg.'

'Loop toch naar de hel, Turatello, wie gelooft jou nu nog?' Ze was echt kwaad, al bespeurde Francis al een andere toon in haar stem.

'Mariella, ik kan niet zonder je,' bleef hij aandringen, terwijl hij haar probeerde te omhelzen. Maar Mariella liet zich niet vastpakken.

'Turatello, hou op. Je hebt te veel punten verloren, je bent niet meer geloofwaardig.'

Francis besteedde geen aandacht aan die woorden en omdat hij niet het type was dat zich zomaar liet afschepen, vooral niet door een vrouw, deed hij haar een voorstel: 'Laten we het zo doen. Wat zou je ervan zeggen met mij mee naar Milaan te gaan?'

Het voorstel bracht Mariella even van haar stuk. Ze dacht hard na over het aanbod. 'Wat ben je van plan?'

'Je hebt het goed begrepen. Kom met me mee. Ik voel dat we samen belangrijke dingen zullen doen.' Het was hem gelukt haar aandacht te trekken. Vrouwen denken maar aan één ding: het huwelijk. Ook iemand als Mariella, die een benijdenswaardige positie bekleedde en met niemand rekening hoefde te houden, haar machtige broer daargelaten.

'Maar je weet toch dat wij als koningen en koninginnen zijn. Al onze beslissingen, ook die over ons privéleven, beïnvloeden veel mensen. We kunnen zoiets niet alleen beslissen.'

Francis probeerde het nog eens en deze keer lukte het hem om zijn armen om haar schouders te leggen. 'Je kunt blijven doen wat je hier doet. Maar ik heb je nodig. En jij mij.'

Mariella maakte zich opnieuw los uit zijn omhelzing. 'Zo werkt het niet. Ik ben hier omdat de Professor hier is en zijn mensen mij hier komen opzoeken. Ik kan niet verhuizen naar Milaan. Anders kom jij bij ons wonen,' stelde ze provocerend voor.

Turatello glimlachte. 'Zie je het voor je... ik hier?'

'Je zou zeker meer gerespecteerd worden.'

Zijn glimlach verdween. 'Wat bedoel je? Dat ze me in Milaan niet respecteren?'

'Ze weten je zo goed te manipuleren dat je het niet eens in de gaten hebt.'

'Niemand manipuleert mij.'

'Als een Siciliaanse pop, beste Turatello. Eerst de maffiabazen, daarna de geheime dienst door middel van de fascistische terrorist Dalmasso.'

'Ik weet goed wat ik doe.'

'Daar geloof ik niets van, anders zouden je vrienden nog geleefd hebben.' Mariella wist dat ze zich nu op gevaarlijk terrein begaf.

'Dat moet je uitleggen, want dit zijn echte beschuldigingen, of laster.'

'Wie denk je dat jouw rechterhand Angelo Infanti heeft vermoord?'

'Wie?'

'Zeg jij het maar, aangezien je alles zo goed weet,' zei ze uitdagend.

'Wie?' herhaalde Francis met gebroken stem.

'Pierluigi Dalmasso, op verzoek van je vrienden van de geheime dienst.'

'Dalmasso...' herhaalde Turatello alsof hij in trance was.

'Ze hebben hem gedood vanwege de ontvoering van Boldini,' ging ze verder, anticiperend op zijn volgende vraag. 'Een mol op het hoofdbureau van politie heeft doorgegeven dat de agenten hem op gingen pakken om hun de plaats aan te wijzen waar de gegijzelde werd vastgehouden. Maar toen de politie bij zijn huis aankwam, troffen ze hem aan met een gat in zijn keel.'

'Hoe weet je dat?'

'Wij weten alles. Wij hebben overal oren en ogen. We weten ook van jouw nieuwe akkoord met de Generaal. Je hebt ons verraden, Turatello. Je hebt de Professor verraden... en je weet dat hij geen genade kent.' Ze slingerde de woorden naar zijn hoofd als oorvijgen, die ze hem de talloze keren had willen geven als hij zei te komen en vervolgens smoesjes verzon om dat niet te doen. Ze had er erg onder geleden. Ze was ingestort en bijna gek geworden, want het is dramatisch eerst de emoties van de liefde te ervaren en daarna te moeten onderkennen dat de persoon die je liefhebt onverschillig tegenover jou staat. Ze had te laat begrepen dat Francis haar had gebruikt om bij haar broer te komen. Ze haatte hem vanwege al de pijn die hij haar had aangedaan, maar voelde tegelijkertijd dat ze nog van die klootzak hield. Ze moest ongelooflijk haar best doen hem dit niet te laten merken en hoopte dat ze hem met haar harde woorden definitief zou wegjagen. Maar Turatello, de meedogenloze crimineel die het Milaan van de zware criminaliteit deed trillen, leek zich plotseling te realiseren hoe kwetsbaar ze was. 'Maria, ik smeek je, verlaat me niet, niet jij ook nog. Ik smeek je nooit te stoppen met mij lief te hebben, zoals ik jou liefheb.' Zonder schaamte ging hij op zijn knieën en omarmde haar benen. Het zag er lomp en gênant uit, maar hij schaamde zich niet om zijn zwakte te tonen. Hij zette alles op alles. Hij wist dat hij het niet ook nog tegen de Professor op kon nemen. Hij moest absoluut het vertrouwen van Mariella terug zien te winnen.

Voor haar leek het een droom hem aan haar voeten te zien liggen, smekend om haar liefde. Eerst verstijfde ze door Francis' stevige omhelzing, maar toen liet ze zich gaan en kroelde ze met haar vingers door zijn haren, terwijl ze zijn hoofd tussen haar dijen drukte. Francis keek op en zag de ontroering in de ogen van de vrouw. Hij stond op en fluisterde: 'Vergeef me.' Daarna kuste hij haar zachtjes. En toen hij merkte dat ze zijn kus beantwoordde duwde hij zijn tong in haar mond. De passie die opvlamde mondde uit in een hevige, beestachtige, begerige drang om elkaar zo snel mogelijk te bevredigen en maakte de heftigste emoties in hen los. Zij trok haar pullover uit en maakte vervolgens de bandjes van haar katoenen jurkje los, waardoor haar zwarte onderjurk zichtbaar werd. Hij gleed zachtjes met zijn lippen langs haar nek, om vervolgens zijn tong in haar oor te steken. Het had meteen effect. Ze jankte als een kat en deed alsof hij het spel bepaalde. Mariella's lichaam begon te beven van genot. Ze deed haar dijen lichtjes uit elkaar alsof ze de handen van Francis uitnodigde, die haar rug masseerden en omlaag gleden langs haar zij en achterste. Zijn vingers bereikten haar schaamhaar. Mariella kreunde ongegeneerd. Hij bleef haar voorzichtig, maar wilskrachtig vingeren, waarbij hij de beweging aanpaste aan het ritme van genot waarop de vrouw zich bewoog. Ze stond op het punt klaar te komen en Mariella kromde haar rug en haar vocht maakte Francis' vingers nat. Toen hij dit voelde kreeg hij zin om zich te voeden met dit zoete aroma. Hij ging op zijn knieën zitten, deed haar benen uit elkaar en begon te likken.

Mariella sidderde van liefde. Ze zocht Francis' broekriem, maakte hem los en bevrijdde zijn lid, dat klaar was om bij haar naar binnen te dringen. Ze pakte hem snel vast en het contact met haar vingers zorgde ervoor dat hij nog meer naar haar verlangde. Ze liepen naar een stoel en Francis liet haar op zijn schoot zitten. Zij had in de tussentijd haar onderjurk en slip uitgetrokken. Francis leidde zijn lid met zijn hand naar haar kletsnatte schaamdeel. Zij liet hem eerst instinctief begaan, maar spande al snel de spieren van haar vagina aan om maximaal te kunnen genieten. Francis kneep in haar billen en duwde haar naar zich toe. Zij sloot haar ogen en volgde zijn bewegingen, terwijl ze haar borsten masseerde en met haar vingers in haar tepels kneep. Hij bewoog onregelmatig, zodat ze afwisselend momenten van intense verrukking en momenten van puur genot beleefden. Vervolgens begon hij sneller te bewegen. Mariella ging er volledig in op en ze beet op haar lippen om niet te gaan schreeuwen, maar kon er niet geheel weerstand tegen bieden, zeker niet toen ze een orgasme op voelde komen. Francis begreep uit haar samentrekkingen dat ze meerdere keren een orgasme kreeg. Toen was het ook zijn beurt. Ze kwamen op hetzelfde moment klaar en, na zijn zaad in haar onderbuik geschoten te hebben, trok hij haar tegen zich aan tot ze geen lucht meer kreeg en kuste hij haar met nog meer hartstocht, zoals het twee geliefden betaamt.

Turatello kende de geestelijke gesteldheid van de vrouw goed en dat was een van zijn troeven. Hij hoopte zich met die perfecte mise-en-scène ingedekt te hebben tegen de wraak van de Professor. Hij zou nooit hebben geloofd dat Mariella voor hem geheim had gehouden dat haar broer zijn vonnis al had uitgesproken.

* * *

Milaan bleef een slagveld. Het was onmogelijk om na negen uur 's avonds het huis te verlaten zonder het risico te lopen verwikkeld te raken in een van de talloze strooptochten van bendes. Vanaf dat tijdstip gold er een uitgaansverbod en degenen die het meest verantwoordelijk waren voor deze staat van alertheid waren Renatino en zijn bende. En alsof de invallen in restaurants, luxe-etablissements en goktenten niet genoeg waren, trok hij zelfs ten strijde tegen Turatello. Iedereen kende de wreedheid en hardvochtigheid van Engelengezicht en meende dat degene die hem opjaagde zijn hoofd goed koel kon houden of gewoon onbezonnen was.

Turatello bleef onvindbaar en reageerde niet op de provocatiesvan de leider van de Comasinabende, hetgeen Renatino als de ergste vorm van spot interpreteerde, alsof hij publiekelijk veracht werd. Daarom besloot hij hem op zijn eigen terrein uit te dagen: hij besloot een van zijn clandestiene goktenten te overvallen. Die avond in december was weinig opwindend. Het regende en mensen gingen niet graag naar buiten. In het appartement van Porta Monforte, dat was veranderd in een casino, waren een tiental klanten die van de chemintafel naar de roulettetafel gingen en zonder overtuiging hun laatste fiches inzetten. De meisjes maakten de klanten het hof waardoor ze bleven spelen. De pianist bracht de hits van dat jaar ten gehore op een elektronisch keyboard, kortom alles verliep rustig. Het was een van die vele grijze winterse avonden. Tot plotseling een mitrailleursalvo de aanwezigen deed verstijven. Sommigen zochten dekking onder een tafel, anderen vluchtten Joost mag weten waarheen en de meisjes krijsten als apen, toen Renatino met zijn 38, voor iedereen duidelijk in het zicht, de hoofdzaal in liep. 'Iedereen handen omhoog!' schreeuwde hij. Zijn drie kameraden verspreidden zich over de verschillende kamers van het appartement. Mazzinga met zijn gebruikelijke mitrailleur, Napo met zijn Remington en Molotov met een Uzi. Hij intimideerde de drie gorilla's die het casino beschermden: 'Gooi jullie wapens neer, als jullie het er heelhuids van af willen brengen.' Geen van de aanwezigen verroerde zich. Ze wilden de criminelen niet op de zenuwen werken. Napo liep met een katoenen tas langs de klanten en maakte ze hun portemonnees en juwelen afhandig, wat maar weinig opleverde. Terwijl ze haar massieve, gouden armband afdeed merkte een van de vrouwen op: 'Gelukkig heeft Turatello ons verzekerd dat zijn speelhuizen veilig zijn!'

Daarna was het de beurt aan de kluis, waar alle kostbaarheden uit werden gehaald. Vervolgens dreef Renatino de mensen bijeen in een hoek van de zaal, ver uit de buurt van de speeltafels, en om Turatello nog meer belachelijk te maken nam hij Mazzinga's mitrailleur en schoot hij eigenhandig op de roulettetafel en de fruitautomaten. Een stortvloed aan glas en scherven verspreidde zich over de vloer. De mensen beschermden zich zo goed en kwaad als het ging tegen de kogelregen, en toen hij klaar was zei Renatino tegen de beveiliging en de verantwoordelijken voor de goktent: 'Zeg tegen Francis dat ik nog op hem wacht. Ik wil met hem praten. Maar als hij zich blijft verstoppen, werkt hij me alleen maar op de zenuwen.' Ze verdwenen voor de komst van de politiewagens, die gewaarschuwd waren door de bewoners, die het vuur van de oorlogswapens verontrustend vonden.

De voortdurende aanvallen van de bende op de kroegen in de stad noodzaakten de ordehandhavers steeds alert te zijn. Overal reden auto's van de politie, van de carabinieri en de FIOD. Renatino en zijn kameraden, die allemaal voortvluchtig waren, waren genoodzaakt zich niet meer buiten hun schuilplaatsen te vertonen. Dit was een van de redenen waarom ze besloten zich met ontvoeringen bezig te gaan houden. Renatino was het meest weerspannig van de groep: 'Ik heb het jullie al een keer gezegd, het idee in een cipier te veranderen staat me niet aan.'

Napo dacht er hetzelfde over, maar de anderen bleven aanhouden dat ze met deze nieuwe misdaadvorm wilden beginnen. 'Een ontvoering werkt op dit moment als een medicijn voor ons, omdat we niet te veel naar buiten kunnen. We moeten ons verstoppen, dus kunnen we ons net zo goed schuilhouden en een paar centen verdienen. Bovendien hebben we nog een flink aantal ongebruikte nesten die we nu kunnen benutte en in de dorpjes in de buurt van Milaan kunnen we onze slachtoffers verborgen houden. Ik zeg dat het moment gekomen is om ermee te beginnen.'

De Stomme, Molotov en Franca waren het met hem eens. Renatino liet zich overtuigen, maar stelde een aantal regels op, om zijn geweten wat te sussen. 'Oké, dat is goed. Maar ik wil er niet van beschuldigd worden een slager te zijn, zoals die schoften van Calabresen, de ergste van allemaal. We doen het op mijn manier.'

'En dat is?' vroeg Napo.

'Eerst moeten de gijzelaars weten dat ik degene ben die hen ontvoert.'

'Je gebruikelijke superego?' vroeg Napo, die de enige was die deze aanmerking op hem mocht maken zonder te hoeven lijden onder de gevolgen.

'Niet uit ijdelheid. Ik wil dat mettertijd de "Ontvoeringen Renatino Spa" beschouwd wordt als een soort kwaliteitsmerk. Verder wil ik dat het onze gijzelaars aan niets ontbreekt, zij zijn tenslotte degenen die betalen. Ze moeten een wc in hun kamer hebben, geweldig eten krijgen en als ze dat willen ook een beetje poeder om zich beter te voelen. Jullie zullen zien dat ze na een tijdje erom zullen vechten om door ons ontvoerd te worden en niet meer naar huis, naar hun vrouw, terug willen!'

De anderen barstten in lachen uit en keurden zo de nieuwe ontvoeringsstrategie goed. Dit was het begin van de 'vijfsterrenontvoeringen' van de bende van Comasina.

40

De ontvoering van de eeuw

Renatino verschilde van andere criminelen door de wetenschappelijke methode die hij gebruikte voor het organiseren van zijn ondernemingen. Terwijl de andere bendes zich verlieten op het lot, op bij toeval verkregen informatie, koos hij zijn slachtoffers op een methodische manier. Veel van zijn collega's hoefden maar toevallig een artikel in de krant te lezen of een interview op televisie te horen om te beslissen wie ze gingen ontvoeren. Hij had daarentegen een systeem uitgedacht dat vanwege zijn stoutmoedigheid en kracht de autoriteiten verbijsterde toen ze het ontdekten.

Op een mooie ochtend verkleedde hij zich als ambtenaar van financiën en liet een van zijn kameraden zich verkleden als chauffeur. Daarna meldde hij zich, inclusief blauwe belastingdienstauto en vervalst naamkaartje, bij het belastingkantoor van Milaan, op zoek naar informatie. Hij liep rustig het kantoor binnen, vroeg een beveiliger waar het archief was en stelde zich voor aan een werknemer op leeftijd die al zijn hele leven de rekeningen van rijke stinkerds uit Milaan had doorgebladerd en gecontroleerd. De oude archivaris beklaagde zich omdat het hem, ondanks zijn nauwkeurige controles en meldingen bij zijn superieuren in geval van tegenstrijdigheden, nooit was gelukt de hoge piefen van de FIOD in diskrediet te brengen. Hij wist niet hoe, maar het gros van hun verdiensten kwam toch terecht bij Zwitserse banken.

Toen Renatino hem vroeg: 'De centrale afdeling antibelastingontduiking wil ons geld weer terug naar het vaderland halen. Kunt u mij, aangezien u van de hoed en de rand weet, vertellen welke personen u zou willen laten vervolgen?' scheelde het weinig of hij was hem om zijn nek gevlogen van geluk.

'Vraagt u aan mij wie mogelijk belastingontduikers zijn? Is dat wat u aan me vraagt?' vroeg de oude pennenlikker ongelovig.

'Precies. Wie zouden we volgens u, met al uw ervaring, eens na moeten pluizen?'

'Jullie van het hoofdkantoor handelen doortastend en pakken de dingen serieus aan. Ik vroeg me af wat jullie verwachtten. Om eerlijk te zijn, luitenant, heb ik altijd gedacht dat men in de hogere kringen deze selfmade oplichters oogluikend hun gang lieten gaan. Als u eens wist hoeveel smeergeld door hen is gebruikt om de resultaten van bepaald vooronderzoeken in de doofpot te stoppen. Maar goed, laat maar zitten. Ik ben blij om te horen dat de wind gedraaid is.'

'Houd uw commentaar alstublieft voor u, anders ben ik genoodzaakt hier rapport van uit te brengen,' zei Renatino, die zich kostelijk amuseerde, op strenge toon. 'Dus, als u moest beginnen met controleren, welke namen zou u dan natrekken?'

'Dat is eenvoudig,' zei de oude functionaris. 'De volgende personen: Del Valle, Monzino, Ligresti, Terracina, Dal Negro, Berlusconi... moet ik verdergaan?'

'Gaat u verder, alstublieft,' moedigde Renatino hem aan, terwijl hij aantekeningen maakte.

'Colombo, Catelli en verder nog wat adellijke families zoals de Orsi Mangelli, Del Duco... dat was het. Als u zich hierop richt heeft u geheid beet.'

De oude functionaris legde uit waarom hij deze mensen ervan verdacht immense sommen geld op buitenlandse banken te hebben en hoe ze dit fortuin op hun zwarte rekeningen hadden vergaard.

Voordat ze afscheid namen, liepen ze nog even naar een bar om koffie te drinken, als oude vrienden. Daarna gaven ze elkaar een stevige hand en vroeg Renatino hem niets te zeggen over hun gesprek. De man die in zijn hele loopbaan nog nooit de kans had gekregen om zijn eigen mening te geven, eenvoudigweg omdat hem dit nog nooit gevraagd was, was buiten zichzelf van voldoening. Voor het eerst had iemand waardering voor zijn werk en ervaring getoond. Voor het eerst had hij zich van nut voor de gemeenschap gevoeld.

Het hoofddoel van het onderzoek was in werkelijkheid natuurlijk om erachter te komen welke families geld op buitenlandse banken hadden met het doel het nieuwe besluit te omzeilen dat de rechter in staat stelde familievermogens te blokkeren.

Zijn volgende stap was om een vriend bij het stadhuis in te schakelen voor uittreksels van het bevolkingsregister om te achterhalen uit welke leden de families bestonden en vervolgens te besluiten wie van hen hij ging ontvoeren. Sommigen, zoals Catelli, hadden een chaotisch leven, zonder vaste tijden waarop ze iets deden. Een ander, Monzino, woonde het grootste deel van het jaar in Polinesia; Berlusconi, een aannemer die steeds meer ging verdienen en die de tv-zender Milaan 2 had opgericht en zich opmaakte om Milaan 3 eraan toe te voegen sloot hij uit. Ook hij was voortdurend in beweging en werd goed beschermd door zijn lijfwachten. Zijn aandacht ging vooral uit naar Nino Terracina, de voorzitter van de Kamer van Koophandel, die in een interview had gezegd dat hij van plan was Inter te kopen. Hij woonde in een prachtige villa met zwembad in de buurt van de renbaan. Hij kon de juiste man zijn. Zijn vrouw heette Helga, en hun twee dochters Alessia en Daniela werden elke ochtend door de chauffeur naar school gebracht. Nino was een onvermoeibare harde werker die iedere ochtend inklokte bij de verschillende familiebedrijven. Het hoofd van de familie ontvoeren was uitgesloten, om duidelijke, praktische redenen: als er een paar miljard opgehoest moest worden, was hij de enige die wist hoe hij dat in korte tijd bij elkaar kon krijgen. Zijn vrouw was ziek. Daniela, de jongste dochter, zou een trauma aan de ontvoering overhouden. Uiteindelijk besloot hij het oudste meisje Alessia te ontvoeren, zestien jaar oud en een kind van haar tijd.

Renatino besloot de ontvoering op touw te zetten met hulp van Mazzinga, Napo en Molotov. Later zouden de Stomme en Antonio Ferri erbij komen als bewakers. Ze richtten het nest in via Alessi, een eenrichtingsstraat in de wijk Porta Genova, in als gevangenis. Dit was een dichtbevolkte wijk, waar iedereen zich met zijn eigen zaken bemoeide. Het team van ontvoerders voerde vrijdagochtend nog een onderzoek uit, om voor de laatste keer het tijdstip te verifiëren waarop de Morris Minor wegreed, met de chauffeur van de familie Terracina achter het stuur. De auto reed om even over acht langs het hek, dat op een fotocel reageerde. De weg naast de renbaan was rustig. Alleen het bedienend personeel, de tuinmannen en de bewoners liepen er, geen voorbijgangers. Ook op de straat was zo goed als geen verkeer. Het was de ideale omgeving, omdat ze zonder ooggetuigen contact op konden nemen met de familieleden, voordat de politie hun telefoons af kon luisteren.

Die maandagochtend hing er een grijze en vettige mist over de stad, waardoor de huizen en straten niet duidelijk zichtbaar waren. Zoals iedere dag in huize Terracina, was ook nu het personeel al een uur bezig toen de bewoners opstonden om aan een nieuwe werkdag te beginnen. Daniela en Alessia voelden de kerstvakantie naderen. Een paar dagen eerder hadden ze de grote spar in de woonkamer versierd met gekleurde lichtjes en een glazen piek. Ze groetten hun vader en moeder, die de hulp vertelde welke boodschappen ze die dag nodig had.

Op datzelfde moment parkeerde een witte Alfetta 1750 voor de villa, met Renatino en Napo erin. Een andere auto, een lichtblauwe BMW, met Molotov achter het stuur en Mazzinga ernaast, ging in via dei Loredan staan, op tweehonderd meter van het kruispunt met via Aldrovandi, de straat waar de Mini uit moest komen.

Dario Cirilli, de chauffeur van de familie, liep het huis binnen en groette de twee meisjes. Zoals iedere ochtend moest hij ook nu eerst Alessia naar het Oxford Institute brengen, een Engelstalig privélyceum, en daarna de kleine Daniela naar de International School, ook een privéschool. Alessia ging voorin zitten, haalde een wiskundeboek uit haar oranje rugzakje en nam opnieuw de les door. Daniela stapte achter in. Cirilli startte de motor en reed de oprijlaan af. De bundel van de foto-elektrische cel werd onderbroken en het automatische hek klikte open. Toen hij bij het huis wegreed merkte Cirilli de witte Alfetta met twee personen op. Hij sloeg links af en reed zachtjes omdat de mist dicht was en hij beperkt zicht had. Op de renbaan, die parallel langs de weg liep, zag hij een aantal paardenknechten de paarden roskammen. Hij sloeg opnieuw links af, de via dei Loredan op.

Zodra Mazzinga de Morris Minor uit de mist zag komen riep hij tegen Molotov: 'Daar zijn ze!' Molotov startte de auto en ging vlak achter de Mini rijden, alsof hij hem wilde rammen. Dario Cirilli had dit in de gaten en probeerde uit te wijken om vervolgens om te kunnen draaien, maar achter hem was de witte Alfetta verschenen. De Alfetta ging dwars op de weg staan en dwong hem te stoppen. Cirilli had dit moment altijd gevreesd. Ontvoeringen waren inmiddels aan de orde van de dag voor de Milanezen. Hij schrok nog meer toen hij zag dat de vier mannen, die uit hun auto waren gestapt met hun pistolen en geweren en de auto omsingelden, hun gezicht niet bedekt hadden. Dat was een slecht teken. Hij had gelezen dat iemand die op zo'n manier te werk ging meestal geen ooggetuigen achterliet en dat de gegijzelde het zeker niet zou overleven. Hij zag dat hij te maken had met goed geklede jongeren en niet met de gebruikelijke criminelen.

Renatino beval: 'Uitstappen en op de grond gaan liggen!'

Cirilli droeg geen wapen. Terracina had zijn personeel verboden wapens te dragen omdat hij geen vuurgevechten wilde. 'Als je een pistool bij je hebt en je moet het gebruiken terwijl je niet gewend bent mensen te doden, kun je het beter thuis laten,' had hij gezegd. En dat was inderdaad waar, dacht hij terwijl hij het portier opende, zo was het beter. Wat had hij kunnen uitrichten tegen vier gewapende mannen die niets te verliezen hadden? Hij stapte uit en ging op de grond liggen. Napo schopte hem in zijn nieren. 'Geen beweging of we schieten je dood.'

Mazzinga greep Alessia bij haar pols en trok haar uit de Mini. 'Laat me los, rotzak! Je doet me pijn!' schreeuwde het meisje, maar Mazzinga dekte haar mond af met zijn enorme hand en sleepte haar de BMW in. Hij gooide een half flesje chloroform leeg op een lap en liet haar dit goed inademen. Even later bewoog Alessia niet meer. Haar zusje gehoorzaamde echter beter, ze deed precies wat haar juf op school haar had geleerd tijdens een les die speciaal aan het gedrag tijdens een ontvoering gewijd was. Ze ging uit zichzelf op de grond liggen, naast de chauffeur, alsof ze een beetje bescherming bij hem zocht. De andere drie bandieten stapten in de BMW. Napo ging achter het stuur zitten en één seconde later zag Cirilli hoe de auto verdween in de grijze mistwolk. De hele actie had niet langer geduurd dan zestig seconden.

De chauffeur stond op en nam de kleine Daniela bij de arm die begon te jammeren: 'Ze hebben Ale ontvoerd.' Zo noemde de familie Alessia. Dario Cirilli liet haar in de Mini stappen en haastte zich met een brok in zijn keel naar Terracina om hem te vertellen wat er gebeurd was.

Het personeel op de renbaan had Alessia horen gillen en had onmiddellijk de politie gewaarschuwd dat er een ontvoering plaatsvond. Er was meteen een helikopter opgestegen, maar het was nog steeds erg mistig en ze zagen bijna niets.

Een halfuur later wemelde het in huize Terracina van de politieagenten. Dezelfde hoofdcommissaris, Alfonso Caruso, was naar het huis van de aannemer gesneld om de chauffeur direct te ondervragen. Vicecommissaris Moncada en inspecteur Vittorio Perrone doorzochten de kamer van de jonge gijzelaar grondig, in de hoop een aanwijzing te vinden.

Terracina was van streek en probeerde zijn vrouw te troosten die een aanval van hysterie had gekregen. De familiedokter kwam en diende haar een kalmeermiddel toe. De commissaris had de chauffeur ondervraagd, die hem van informatie had voorzien die hij interessant achtte en op de een of andere manier geruststellend.

'Ik geloof niet dat ze in handen is gevallen van de Sicilianen, of erger, in die van de Calabresen,' merkte Terracina op. 'Uw chauffeur heeft gezegd dat ze een Milanees accent hadden en allemaal jong en goed gekleed waren.'

'Hij heeft me gezegd dat ze blootshoofds waren,' zei Terracina. 'Is dat geen slecht teken?' vroeg hij zachtjes, zodat zijn vrouw het niet hoorde.

'Je zou inderdaad denken dat het naïevelingen zijn, maar zoals Cirilli het me verteld heeft, leken ze juist erg efficiënt. Ik heb de indruk dat het bekenden van justitie zijn die het niets kan schelen als ze herkend worden,' oordeelde de hoofdcommissaris.

'Hoe het ook zij, commissaris, ik wil dat u iets goed begrijpt. Ik ben bereid om welk bedrag dan ook neer te leggen om mijn dochter terug te krijgen en op iedere voorwaarde. Verwacht dus niet dat ik meewerk. Ik doe wat de ontvoerders willen, begrijpen we elkaar?'

Zo ging het iedere keer. De politie was, vanaf het moment waarop de rechter het vermogen van de familieleden van de gegijzelde mocht blokkeren, de eerste vijand die ze op afstand wilden houden en indien mogelijk ook buiten de onderhandelingen.

'Kijk, meneer Terracina, wij staan aan uw kant. Wij willen net zo graag als u dat uw dochter niets overkomt. Wij zullen zo goed als we kunnen met u meewerken.'

'Ja, ja... ik had al een ontvoering verwacht, ik had dan ook mijn medewerkers verboden wapens bij zich te dragen. Maar wat ik niet verwacht had, was dat ze mijn dochter zouden meenemen in plaats van mij.'

'We hebben te maken met criminelen met verstand van zaken. Ze hebben uw dochter gekozen omdat u zich vrijer kunt bewegen en makkelijker aan het losgeld kunt komen. Het is altijd beter om te maken te hebben met professionals dan met een groep losgeslagen, wanhopige bandieten. We hebben bijvoorbeeld een maand geleden onze handen op een bende weten te leggen die een industrieel uit Brianza had ontvoerd, die bovendien niet eens zo goed boerde. Hij was ontvoerd door de loodgieter van de familie, een groenteman, een juwelier en een playboy uit een buitenwijk. Om hem zo lang mogelijk in slaap te houden hebben ze hem gedwongen zoveel slaapmiddel te drinken, dat dit uiteindelijk zijn dood werd.'

Terracina keek hem woedend aan. Hij zou hem eigenhandig willen wurgen omdat hij hem dat stichtelijke verhaaltje had verteld. De commissaris begreep dat hij een gevoelige snaar had geraakt en liep weg met het excuus dat hij zijn mannen orders moest geven.

Alessia ontwaakte stukje bij beetje uit de narcose, maar was nog verschrikkelijk draaierig in haar hoofd. Ze had een vieze smaak in haar mond en haar keel brandde. Ze opende haar ogen. Het schemerde in de kamer en de omgeving kwam haar niet bekend voor. Ze raakte haar voorhoofd aan om te voelen of ze misschien koorts had, maar dat was koud. Haar hele lichaam was koud geworden. Ze merkte dat ze op een matrasje lag en dat naast haar een jongen lag die een sigaret rookte. Ze dacht dat ze een nachtmerrie had en probeerde alles op een rijtje te zetten en ineens herinnerde ze zich dat ze was meegenomen door een groep jongens.

'Goedemorgen. Hoe voel je je?' vroeg Renatino, terwijl hij zich naar haar omdraaide. Beiden lagen in een Fiat 128 gezinsauto. Hij had de achterbank naar voren geklapt en er een tweepersoons luchtbed op gelegd. De auto stond in een garagebox. Het rolluik was naar beneden gelaten. Mazzinga en Napo stonden naast de auto en doodden de tijd door te roken en heen en weer te lopen tussen de neus van de auto en het rolluik van de box.

Alessia keek naar de jongen met de snor en de lange haren die naast haar lag en was bang, omdat ze hem herkende als een van de jongens die haar ontvoerd hadden. Ze keek naar haar pols om te zien hoe laat het was, maar ze hadden haar horloge afgedaan. 'Hoe laat is het?' vroeg ze aan de jongen.

'We wachten tot de winkels dichtgaan voordat we je naar huis brengen.'

'Brengen jullie me naar huis terug?' vroeg ze hoopvol.

'Naar ons huis. Maar maak je geen zorgen, je zult zien dat als je ouders zich gedragen het over een paar dagen voorbij is en jij je mama en papa weer in je armen kunt sluiten.'

'En Daniela? Jullie hebben haar toch geen pijn gedaan?'

'Je zult ook Daniela weer in je armen sluiten. Niemand heeft haar een haar gekrenkt,' antwoordde Renatino geduldig. Hij zag dat ze leed. Hij hield haar een aspirientje en een glas water voor. 'Neem dit in, je zult zien dat je hoofdpijn erdoor verdwijnt.' Ze aarzelde. 'Het is maar een aspirientje. Neem het maar in, wees niet bang.'

Het meisje slikte het door en dronk daarna het glas water in één keer leeg. Ze gaf hem het glas terug en pas toen merkte ze de andere twee jongens buiten de auto op. Renatino beantwoordde haar angstige blik. 'Dat zijn vrienden van me. Je moet ze alleen niet in de ogen kijken. Je mag alleen mij aankijken, begrepen?'

Ze knikte. Ze was in de war. Op school had haar lerares verteld dat ontvoeringen afpersing als doel hadden. Ze had uitgelegd dat de ontvoerders meestal wanhopige, domme, lompe mensen waren die zich niet wasten en naar schaap stonken. Dit had ze ook van hen verwacht, maar de jongens die haar ontvoerd hadden leken wel studenten. Het type met de snor en de blauwe ogen drukte zich zorgvuldig uit ondanks zijn Lombardijnse tongval en droeg een maatpak. Wat nou als dit een studentenactie was om geld bij elkaar te scharrelen voor een vakantie in de sneeuw?

Als dat zo was, zou ze het hun betaald zetten. Ze besloot hen op het verkeerde been te zetten.

'Nu jullie me ontvoerd hebben moeten jullie me ook verdragen,' zei ze tegen Renatino. 'Mijn vader zal een monument voor jullie oprichten omdat jullie me hebben meegenomen. Hij kan me niet meer uitstaan en zegt dat ik een lastpak ben. Jij, aardige, mooie ontvoerder van me, zult me moeten vermaken, anders zet ik een keel op. Om te beginnen wil ik een stuk chocola.'

Renatino moest lachen om Alessia's eisen. 'Je krijgt alles wat je hartje begeert zodra we bij het huis zijn. Maar waag het eens te gillen en ik ruk die kippentong van je eruit!'

Het dreigement was genoeg om haar tot bedaren te brengen. De uren die volgden gleden in stilte voorbij en toen het lawaai van het verkeer afnam, besloten ze de box te verlaten. Renatino liet het meisje een donkere bril opzetten waar hij aan de binnenkant een stukje zwart karton aan had vastgemaakt, zodat ze er niet doorheen kon kijken. Ze lieten haar uit de auto stappen en Renatino leidde haar aan haar arm de garagebox uit.

Er liepen mensen langs, daarom zei Renatino tegen het meisje: 'Ik heb je toch gezegd dat je niet moet drinken? Zie je nou dat je niet meer op je benen kunt staan?'

Zij probeerde door de kiertjes van het brillenmontuur te gluren, maar kon alleen de straat en haar voeten zien. Ze liepen een grote deur door, naar een lift. Alle vier stapten ze de lift in en na drie verdiepingen, zoveel dacht Alessia er te tellen, kwamen ze bij het appartement aan.

Toen ze naar binnen gingen rook het meisje een sterke sigarettengeur. 'Daar zijn we dan, thuis. Zet hem maar af.' Renatino zette haar bril af.

Het appartement was bescheiden. Op de grond lagen tegels, die bijna allemaal los zaten. Het moest een sociale huurwoning zijn. In de gang stonden alleen een smeedijzeren lamp en een kistbank. Rechts bevonden zich twee slaapkamers, de eerste met Venetiaanse meubels en de tweede was volgepropt met drie stretchers en een nachtkastje.

De wc scheidde de twee kamers van elkaar. Links van de gang bevond zich een dubbele glazen deur die uitkwam op een brede woonkamer met een balkon dat uitzag op het havenbekken van Naviglio. Aan het eind van de gang was de keuken.

'Wat een luxe!' riep ze sarcastisch. 'Het lijkt het Hilton-hotel in Genève wel.'

Zonder acht te slaan op haar provocatie nam Renatino haar bij de arm en leidde haar naar de kamer met de drie stretchers en het nachtkastje.

Hij deed het licht aan omdat hij de band van het rolluik had laten doorknippen en er geen sprankje licht door het raam naar binnen viel.

'En dan is dit zeker de koningssuite?' vroeg Alessia opnieuw sarcastisch. 'Wat een prachtig bloemetjesbehang. Het straalt erg uit: "ik zou wel willen, maar ik kan niet". En er is ook een tv. Wat een buitensporige luxe!'

Renatino begon er genoeg van te krijgen, hoewel hij de humor van het meisje wel kon waarderen. Niettemin maakte hij, opdat ze hun bedoelingen niet verkeerd en te makkelijk opvatte, een lade open van het nachtkastje en haalde er een krant uit. Het was de *Corriere d'Informazione* die de dag ervoor een artikel over hem had gepubliceerd met een exclusief interview dat hij aan een journalist had gegeven die een vriend was van een vriend. Hij hield het haar voor en het scheelde weinig of Alessia viel flauw. Ze keek naar de foto van Renatino die bijna een halve pagina in beslag nam. Ze keek naar hem op en geloofde niet dat hij in levenden lijve voor haar stond. Op de foto had Renatino geen snor. Hij was vast een paar maanden eerder genomen. Een van de koppen luidde: 'Ik draag altijd een granaat bij me, voor wie me te slim af probeert te zijn.' Renatino, die raadde wat ze las, haalde een handgranaat uit zijn jaszak en liet hem aan haar zien. 'Dat gaat over deze.'

Alessia deinsde geschrokken terug, haar hart ging als een gek tekeer, de hoeveelheid zuurstof in haar longen leek onvoldoende en ze begon kortademig te worden.

'Heb je nu begrepen dat dit geen spelletje is?' vroeg Renatino. 'Als je ouders slim zijn ben je binnen een paar dagen weer thuis. Je moet nu even meewerken, geen gekke dingen gaan doen en niet proberen te ontsnappen. Je hebt hier alles wat je maar wilt, zelfs je privacy. Maar als je me een loer draait hang ik je met je hoofd naar beneden aan de lamp. Is dat duidelijk?'

Toen het meisje begreep dat het geen spel was, maar dat ze in handen was gevallen van Renatino, de meest meedogenloze bandiet van Milaan, barstte ze bijna in huilen uit. Hij begreep dat ze op instorten stond. Hij gaf de anderen een teken dat ze de kamer moesten verlaten en ging naast haar zitten. Zo vriendelijk als hij kon, zei hij: 'Huil maar als je wilt huilen. Dat lucht op.' Hij gaf haar een zakdoek om haar ogen te drogen. 'Denk niet dat we je pijn zullen doen. Ik heb het je beloofd, niemand zal je met één vinger aanraken. Je zult hier meer vertroeteld worden dan thuis. Het is alleen belangrijk dat je geen gekke dingen doet.'

Alessia bleef zachtjes dreinen en beven. Ze plofte op het bed neer en barstte uiteindelijk in een onbedaarlijk, droef gehuil uit. Ze dacht aan haar moeder en haar zusje, aan hun wanhoop, aan dat ze niet wisten wat er met haar gebeurd was. Ze dacht ook aan haar vader. Op dat moment herinnerde ze zich waar hij haar op gewezen had.

Op een dag hadden ze het aan tafel over de kleine Daniele Alemagna van zeven jaar gehad. Hij woonde in een van de huizen in hun wijk en twee jaar geleden was hij ontvoerd en daarna gelukkig weer aan de familie teruggeven na slechts één week gevangenschap. Haar vader vroeg toen of ze allemaal een telefoonnummer uit het hoofd wilden leren. Hij zei dat het ging om een aparte telefoonlijn, die hij speciaal voor een ontvoering in zijn kantoor had laten aansluiten. Hij zou van pas komen bij de onderhandelingen met de ontvoerders en zo konden ze de politie erbuiten houden. Alessia draaide zich om naar Renatino. 'Mijn vader heeft een aparte telefoonlijn.' En ze noemde het nummer, terwijl ze haar gesnik probeerde te onderdrukken.

'Maak je geen zorgen, daar hebben we het morgen over, als we allemaal een beetje helderder zijn. Nu kun je als je wilt een beetje likeur of een drupje valium nemen om wat te rusten. Wat heb je liever?'

'De valium.'

Hij gaf haar een flesje en een glas water. 'Doe jij het maar.'

Renatino moest ingrijpen bij de twintigste druppel, anders zou ze het hele flesje soldaat maken. Het meisje ging liggen en na een tijdje bracht het weldadige kalmeringsmiddel haar naar een wereld zonder dromen.

41

De kerstboom

Nino Terracina was een Napolitaan die rap van tong en denkvermogen was. Hij hoefde zich niet op te werken, want zijn grootvader was de uitvinder van de nationale Bingo en zijn vader had dit idee verder uitgewerkt en leidde namens de fascistische staat de Loterij van Libië. Hij kwam dus uit een familie van geniale ondernemers, die het gelukt was veel geld opzij te zetten. Maar hij deed niet onder voor zijn voorouders, sterker nog, hij had het geld dat zijn vader en grootvader verdiend hadden verhonderdvoudigd door verschillende nationale loterijen te organiseren. Kortom, hij had geld als water verdiend dat hij goed geïnvesteerd had door Michelle Duchamp, Eurobeauty en diverse andere fabrieken van schoonheidsproducten op te kopen. Hij was nog niet tevreden met deze cosmeticagiganten en had bedacht zijn winst te investeren in een fabriek die metalen vaten produceerde en het directeurschap van een suikerfabriek op zich te nemen. Terracina was dus een echte ondernemer volgens de Lombardijnse school, hoewel zijn wortels in het zuiden lagen.

Terwijl hij in zijn kantoor wachtte op het telefoontje van de ontvoerders van Ale op de aparte lijn, waarover hij met niemand gesproken had, zeker niet met de politie, dacht hij terug aan de jaren waarin hij opgeklommen was in de Milanese ondernemerswereld. Hij had het ver geschopt en vooral veel offers moeten brengen. Maar nu was hij bereid alles te doen om zijn dochter gezond en wel terug te krijgen. Hij moest er niet aan denken dat die bandieten haar in handen hadden. Ze was pas zestien jaar.

Hij staarde naar het toestel van de aparte lijn. Hij had een vooruitziende blik gehad toen hij dat nummer liet activeren. De huistelefoon ging voortdurend, maar de enigen die belden waren ziekelijke leugenaars, helderzienden, handlijnkundigen en aasgieren op zoek naar een beetje geld en bekendheid. Dan had je ook nog de jaloerse bellers, die scholden en beweerden dat er in de wereld geen gerechtigheid was, dat er geld verdiend werd over de rug van de arbeiders. Allemaal onzin, want hij had zijn werknemers altijd goed behandeld, hoewel de vakbonden in die tijd altijd wat te muggenziften hadden om onderhandelingen te starten. Deze vonden vaak plaats binnen de muren van zijn kantoor en werden dan besloten met smeergeld voor de vertegenwoordigers van de arbeiders.

De telefoon ging. Hij pakte de hoorn zelfverzekerd op.

'Ik ben Renatino. Ik heb je dochter...'

'Hoe gaat het met haar?' vroeg hij zonder hem zijn zin te laten afmaken.

'Goed. En als je haar terug wilt, zorg dan dat je dertig miljard klaar hebt liggen.'

Terracina hield zijn adem in. Renatino was het ergste wat hem kon overkomen. Hij had in de krant gelezen hoe wreed hij was en dat al zijn bendeleden drugsverslaafden waren. Hij durfde zich niet voor te stellen wat er kon gebeuren onder invloed van cocaïne of heroïne. Misschien zouden ze haar er ook mee injecteren. Zijn gedachten raasden voort. Hij moest nu al zijn autoriteit en ervaring die hij had opgedaan tijdens de strijd met criminelen, politici en allerlei soorten afpersers gebruiken. Hij trok zijn Napolitaanse tongval uit de kast zodat hij zich op hetzelfde niveau bevond als zijn gesprekspartner. 'Kerel, ik weet niet wie je bent en of je werkelijk Renatino bent, maar als we zo beginnen, beginnen we echt verkeerd. Als je wilt mag je al mijn bezittingen hebben, inclusief Michelle Duchamp, maar met alles erop en eraan, ook de schoften en de vakbonden. Ik denk niet dat je daar veel succes mee gaat hebben. Kom maar met een serieus voorstel. Bovendien wil ik mijn dochter spreken, horen dat het echt goed met haar gaat. Als ik er namelijk achter kom dat jullie haar ook maar met één vinger hebben aangeraakt, huur ik een heel leger detectives in en weet ik jullie te vinden, al zitten jullie verstopt in een iglo op de Noordpool, is dat duidelijk?' Hij wist dat hij een beetje te ver was gegaan. Misschien was de jongen wel boos.

'Rustig maar, vadertje,' zei de ander, die hem van zijn stuk bracht met zijn ironie. 'Je hebt de zaak niet goed begrepen. Ik ben hier degene die de regels bepaalt. Maar heb je geen vijf miljard liggen die je weg zou gooien door Inter te kopen?'

'Geloof jij nog steeds de onzin die de journalisten schrijven? Denk je dat ik vijf miljard zou verspillen door een voetbalclub te kopen? Bovendien ben ik voor Napels, kun je nagaan.'

'Kijk, vadertje, we hebben het hier over je dochter en niet over Inter,' zei Renatino op honende toon.

Terracina stond op het punt in te storten, maar kon niet opgeven, niet nu. Hij had in zijn leven al heel wat slechte tijden gekend, maar als het om je halve leven of de veiligheid van je dochter gaat is het heel anders. Op rustiger toon ging hij verder. 'Luister, ik heb begrepen dat je een slimme jongen bent en iemand die je kunt vertrouwen. Maar je moet me niet onderschatten. Ik weet heel goed dat jij koopwaar in handen hebt die voor mij meer dan goud waard is, maar prent je goed in dat die koopwaar maar één koper heeft en dat ben ik. Laten we het daarom zo doen, jij bewijst dat Ale nog leeft en het heel goed maakt. Dan doe je me een redelijk voorstel en zweer ik dat we binnen vierentwintig uur de zaak afgehandeld hebben.'

'Oké, wacht tot je wat van me hoort.' Renatino hing op.

Terracina liet zijn hoofd op tafel vallen. Hij was doodmoe van de confrontatie, maar vertrouwde op de goede uitkomst van de onderhandeling. Die bandiet leek helemaal geen 'wrede Aladdin' zoals de journalisten hem in hun verhaaltjes beschreven. Integendeel, hij leek juist heel vastberaden, maar redelijk, hoewel hij een geschift verzoek op hem had afgevuurd. Maar hiermee wilde hij hem duidelijk maken dat hij heel goed wist hoeveel hij bezat.

Een paar dagen later arriveerde per post een polaroidfoto van Alessia met de *Corriere della Sera* van drie dagen eerder in haar handen. Het meisje leek rustig, ze leek zich geen zorgen te maken, sterker nog, ze leek zelfs te glimlachen. Die foto stelde hem en zijn vrouw de rest van de dag gerust.

* * *

Alessia was echt rustig. De schok die ze aan het begin van de ontvoering had ervaren was voorbij en ze had zich perfect aangepast aan het ritme van alledag. Ze keek veel televisie, las de krant en deed kaartspelletjes met Renatino. Ze bleek een slim meisje, dat al erg volwassen was voor haar leeftijd. Ook hielp ze in het huishouden. Ze ruimde haar kamer op, maakte de bedden op en kletste aan één stuk door. Ze vertelde Renatino over haar vriendjes, haar Engelstatig lyceum en haar vriendinnen. Ze spuide een vulkaan aan ideeën waarmee ze elke jongen van haar leeftijd blij zou maken. Renatino werd enthousiast van haar verhalen en bracht dan ook een groot deel van de dagen bij haar in haar kamer door. Dan liet hij zijn kameraden naar huis gaan, waar ze de spanning van het wachten minder voelden.

Hij had Terracina opnieuw gebeld op de aparte lijn en hem opgedragen vijf miljard klaar te leggen. Zodra hij het bedrag bij elkaar had moest hij een advertentie in de *Corriere* plaatsen, wat het teken zou zijn dat ze elkaar konden ontmoeten. De ontmoeting zouden ze op een later tijdstip arrangeren.

Er zat nu niets anders op dan te wachten.

Op een avond zag hij dat Alessia in gedachten verzonken was en vroeg haar waar ze zich druk over maakte. Ze antwoordde dat ze haar vriendinnen miste, één in het bijzonder, Roby, haar hartsvriendin, met wie ze lief en leed deelde.

Roby was een afkorting van Roberta Ganassini, dochter van een machtige farmaceuticaondernemer, een andere mogelijke gijzelaar. Hij gaf haar toestemming om haar te bellen en de kleine Ale vloog hem spontaan om zijn nek en gaf hem een dikke kus op zijn wang om hem te bedanken. Ze gaf hem het nummer en Renatino draaide het. Zodra een jonge vrouw aan de andere kant van de lijn opnam, gaf hij haar de hoorn. Hij deed alsof hij wegging, maar bleef achter de deur staan om het gesprek af te luisteren. Hij wilde niet dat ze achter zijn rug om kwaad over hem sprak, als over een groentje. Maar de twee vriendinnen bespraken alleen hoe het met Ale ging, of ze haar pijn hadden gedaan, hoe de ontvoerders waren... Ze antwoordde dat ze haar goed behandelden. Ze had het over Renatino en zei dat het een knappe en charmante jongen was. Ze eindigde door te zeggen dat ze bang was verliefd op hem te worden. Ze grinnikten samen. Toen hij die woorden hoorde voelde Renatino zich meer gewaardeerd dan ooit. Ze beëindigden het gesprek door te zeggen dat ze vriendinnen voor het leven waren en niet konden wachten elkaar weer te omhelzen. Alessia vroeg haar hun andere vriendinnen te groeten en voor haar te bidden. Ze stuurden elkaar veel kusjes en uiteindelijk hing ze op. Ze stond op en liep naar de deur. Renatino verscheen in de deuropening. 'En? Ben je tevreden?'

Als antwoord schonk ze hem een liefdevolle glimlach. 'Dank je,' fluisterde ze en ze gaf hem een kus met haar mond half open. Daarna plofte ze op haar bed en stopte haar hoofd in het kussen, zich ervan bewust dat de band tussen haar en haar gevangenbewaarder verder ging dan vertrouwen.

* * *

Toen de Stomme die avond terugkwam om Renatino af te lossen, had hij nieuws. Ze sloten zich, samen met Mazzinga en Antonio Ferri, die het meisje de Dunne noemde, op in de keuken zodat Alessia hun gesprek niet kon horen.

'Een Sardijnse vriend van me wil weten of we samen met zijn groep iemand willen ontvoeren,' begon de Stomme. 'Het gaat om een architect, een industrieel uit Vergiate. Ze zijn onder de indruk van hoe we het meisje ontvoerd hebben en willen ons bij de groep hebben.'

'Geen denken aan,' zei Renatino bondig.

'Waarom niet? Het levert ons een flinke bom duiten op, die ons praktisch in de schoot geworpen wordt,' ging de Stomme verder. 'Wij hoeven hem alleen te ontvoeren en zij doen de rest van het werk.'

'Daarom juist. Ik heb gezien hoe de Sardijnen zich gedragen tegenover hun slachtoffers en ik wil niets te maken hebben met die herders.'

'Goed dan. Maar kunnen we ze dan ten minste een schuilplaats aanbieden?'

'Dat wel natuurlijk, maar dat gaat hun wel wat kosten,' zei Renatino.

'Goed, ze zijn toch zo wanhopig dat ze het voor iedere prijs doen,' antwoordde de Stomme. 'Renatino, wat Alessia betreft,' het kostte hem moeite, maar hij moest hem een vraag stellen die al een paar dagen in zijn hoofd bleef opdoemen. 'Is het waar dat het meisje iemand gebeld heeft?'

'Ja, dat is waar. Ik heb haar een vriendin laten bellen.' Dit had hij zeker van de Dunne gehoord. Hij wierp een blik op hem en Ferri wendde inderdaad zijn ogen af om zijn blik niet te hoeven ontmoeten. 'Ze was terneergeslagen en het is beter als ze rustig blijft.'

'Ze weten nu toch niet waar we ons schuilhouden?' vroeg de Stomme.

'Dan zouden ze hier al geweest zijn. Ik laat haar natuurlijk niet nog een keer bellen, ik ben niet achterlijk.' En daarmee was de discussie gesloten.

Ondertussen kwam Kerstmis steeds dichterbij en werd het meisje met de dag zwaarmoediger. De sluier van droefheid die het gezicht van het meisje sinds een paar dagen bedekte ontging Renatino niet. Daarom vroeg hij: 'Voel je je weer niet goed?'

Ze vertrouwde hem compleet en stortte haar hart uit bij haar ontvoerder. Ze vertelde hem dat ze het deze dagen van het jaar het leukst vond om thuis te zijn, omdat Daniela en zij hun ouders dan helemaal voor zichzelf hadden. Ze tuigden de grote kerstboom op, gingen voor iedereen cadeaus kopen, niet alleen voor de familie, maar ook voor het kindermeisje, de kokkin, de huismeid en hun kinderen. Met kerst gaven ze dan een groot diner voor de hele familie: alle ooms, tantes, neefjes en nichtjes waren van de partij. Verder bereidden ze zich voor om met oudjaar naar de sneeuw te gaan. Vaak nam ze dan een vriendin mee. Vorig jaar was Roby mee geweest en hadden ze het erg naar hun zin gehad in Cortina...

'Ik begrijp nu dat dat er dit jaar niet in zit. Maar het belangrijkste is dat mijn ouders weten dat het goed met me gaat. Dat heb je hun toch gezegd?' vroeg ze ten slotte, terwijl ze gevaarlijk dicht naar Renatino toe kwam.

Hij zette een stap naar achter en antwoordde dat ze nog een beetje geduld moest hebben, dan zou alles voorbij zijn en zou ze ook nog op tijd zijn om naar Cortina te gaan.

Het sneeuwde die dagen in Milaan. Na het eten besloot Renatino haar te verrassen om haar op te beuren. Hij vroeg de anderen zich terug te trekken in hun kamer, zodat hij hen niet zag en de ruimte had in de woonkamer.

'Vanavond wil ik je weer verrassen,' zei hij terwijl hij de tv uitzette.

'Ik ben gek op verrassingen,' antwoordde ze op vrouwelijke toon.

'Kom dan maar mee. Ik moet je alleen wel eerst blinddoeken, omdat het een echte verrassing moet zijn.' Hij pakte een van zijn sjaals van het bed en blinddoekte haar. Daarna pakte hij haar bij de hand. Ze kneep er hard in.

Ze verlieten de slaapkamer, staken de gang over en daar liet hij haar de woonkamer binnengaan, waar ze nog nooit eerder was geweest. Hij zette haar voor de glazen deur die uitkwam op het balkon. 'Ben je er klaar voor?'

'Klaar. Kom op, ik houd het niet meer. Wat is het?'

Hij deed de sjaal af. Buiten kwamen dikke vlokken sneeuw naar beneden, verlicht door het zwakke schijnsel van de lantaarns. Het havenbekken, de straten en de daken van de stad waren inmiddels bedekt met een laag sneeuw die zo zacht was als dons.

Alessia slaakte een kreet van verwondering, alsof het de eerste keer was dat ze sneeuw zag. 'Het is prachtig... Kunnen we naar buiten? Ach, Renatino, laten we naar buiten gaan, maak me blij...'

Het was de eerste keer dat ze zich zo tot hem richtte en toen hij haar zijn naam hoorde noemen gaf hem dat een vreemd gevoel. Hij kon niet weigeren en opende de glazen deur. Ze stapten naar buiten en verstijfden van de kou. Ze keken naar het surrealistische landschap en luisterden hoe de sneeuw in stilte naar beneden kwam. Alessia zuchtte en omarmde Renato, haar hoofd tegen zijn borst. Hij drukte haar op zijn beurt tegen zich aan, alsof hij haar wilde beschermen tegen de snijdende kou, maar het was niet de kou die ze voelden, want hun bloed stroomde harder dan ooit. Renatino voelde hoe haar lichaam aansloot bij zijn benen en borst. Het meisje bewoog nauwelijks merkbaar haar bekken, alsof ze het door die beweging warmer hoopte te krijgen. Zijn verlangen om haar te bezitten werd steeds heviger. Maar hij moest zich inhouden, anders zou hij alles verpesten. Toen gebeurde wat hij nooit had verwacht. Ze tilde haar hoofd op, keek hem doordringend aan in het duister en zei in een zucht: 'Kus me.' Hij boog voorover, op zoek naar haar lippen.

Het was een eindeloos lange kus. Hun tongen strengelden ineen, op zoek naar het perfecte genot. Uiteindelijk had Renatino toch de kracht om zich los te maken. Hij duwde haar het appartement in en sloot de deur. 'Ga naar je kamer. Nu!' beval hij. Alessia was als verdoofd en gehoorzaamde zonder hem tegen te spreken. Ze was nog verdwaasd door wat er was gebeurd.

* * *

Pierluigi Dalmasso moest sterven als een hond. Deze gedachte kwelde Turatello vanaf de dag waarop hij Mariella had gezien. Het probleem was alleen dat Dalmasso een rode pimpernel was. Het was moeilijk om erachter te komen waar hij zich schuilhield, omdat hij ook door de politie en de carabinieri werd gezocht. Als iemand wist waar hij uithing moest het de ongrijpbare geheime afdeling van de Generaal zijn. Zeer waarschijnlijk was de Generaal ook degene geweest die opdracht had gegeven om zijn vriend Angelo Infanti te vermoorden.

Turatello was genoodzaakt zich voortdurend van het ene naar het andere nest te verplaatsen. Hij sliep nooit twee nachten achter elkaar in hetzelfde bed, voelde dat hij in gevaar was, maar zijn manoeuvres om weer in een goed daglicht te komen bij de Professor en de gunst die hij de generaal moest verlenen zouden hem voorlopig veilig moeten stellen. Hij wachtte nog op groen licht voor de ontvoering van de zoon van De Martino. Hij dacht erover om in ruil voor de gunst aan de generaal het hoofd van Dalmasso te vragen.

Francis moest zijn gezag versterken, omdat Renatino die in zekere zin had bezoedeld met zijn dikdoenerij. De zaken bleven goed gaan en het geld bleef binnenstromen. Hij had de goktenten, de prostitutie en de drugs overgelaten aan zijn meest betrouwbare mannen. Hij voelde zich inmiddels een succesvolle manager. Hij hoefde alleen te denken aan de 'politieke' banden en aan hoe hij zijn reputatie in stand kon houden.

Ondertussen liet hij aan zijn netwerk van informanten, drugsdealers en pooiers weten dat hij op zoek was naar Pierluigi Dalmasso. Dit bericht bereikte natuurlijk ook binnen korte tijd de oren van de generaal, die er met zijn directe baas, majoor Guetta, over sprak.

'Wie heeft hem verteld dat Dalmasso degene was die zijn plaatsvervanger heeft vermoord?' vroeg majoor Guetta.

‘Dat heeft de zus van de Professor hem verteld, tijdens hun laatste ontmoeting,’ zei de generaal tegen zijn meerdere.

‘Had hij niet besloten het contact met haar te verbreken?’

‘Hij moet hebben begrepen dat de Professor hem ter dood veroordeeld had. Hij heeft geprobeerd hun band te herstellen door zijn zus nog een keer zijn worst te laten proeven,’ zei de generaal met zijn baritonstem en een obscene grijns op zijn gezicht.

‘Als Engelengezicht achter iemand aan zit, is het moeilijk hem daarvan af te brengen,’ reflecteerde majoor Guetta.

‘Moeten we hem een handje helpen?’

‘Nee, we laten het lot beslissen. Als het hem lukt is dat mooi, omdat Dalmasso niets meer waard is. Nu moeten we de Rode Brigades steunen,’ zei Guetta meedogenloos. ‘Dalmasso is een blok aan ons been geworden. Als Turatello het vuile werk voor ons opknapt, zonder hem dat gevraagd te hebben, is dat mooi meegenomen. Over een paar weken moet hij De Martino ontvoeren, laten we hem maar in zijn eigen sop gaar laten koken,’ eindigde de majoor.

‘En als Dalmasso contact met me zoekt?’

‘Zorg dat je onvindbaar bent.’

In de dagen die volgden probeerde Dalmasso inderdaad contact met de generaal op te nemen, omdat hij van een aantal vrienden had gehoord dat Turatello naar hem op zoek was. En als Engelengezicht iemand zocht was het niet om hem een chocolaatje aan te bieden. De generaal verzon duizend smoesjes om hem niet te hoeven ontmoeten, maar Dalmasso was geen beginneling en wachtte hem op een avond op bij de ingang van het appartementencomplex waar hij woonde.

Die avond liet de generaal lang op zich wachten, omdat hij erg laat naar huis ging. Hij was een beetje tipsy, zoals wel vaker gebeurde als hij met vrienden in een bar om de hoek wat had gedronken. Hij woonde alleen. De generaal was altijd alleen geweest, omdat het leven dat hij leidde hem niet toestond een gezin te hebben, hoewel hij wel een vrouw en een dochter had gehad. Elena had hem echter verlaten, had het kleine meisje meegenomen en was bij haar moeder in Bologna gaan wonen. Dat was een eeuwigheid geleden en hij herinnerde zich zelfs de gezichten van zijn vrouw en dochter niet meer. Hij ging een aantal kroegen langs zodat hij zich verdoofd voelde als hij weer naar huis ging en papte aan met mensen die net als hij niets anders te vertellen hadden dan het verhaal over hun mislukte leven.

Zodra hij het complex binnenging stapte Dalmasso uit de schaduw van het souterrain.

'Wie ben jij nu weer?' vroeg de generaal, terwijl hij de figuur die hem tegemoetkwam beter bekeek.
'Generaal, herken je me niet?'
'Jij bent Dalmasso! Hoe weet jij in hemelsnaam waar ik woon?'
'Generaal, voor mij is het een kwestie van leven of dood te weten met wie ik te maken heb. Nodig je me niet uit om mee te gaan naar je huis?' Hij kneep in zijn arm om hem te ondersteunen.
'Zeker niet! Laat me met rust!' Hij schudde de hand van Dalmasso van zich af en liep de trap op.
Dalmasso volgde hem. 'Ik moet je iets belangrijks vragen.'
'Schiet op, vraag het me.' Hij stond voor de deur van de eerste verdieping en probeerde de sleutel in het gat te krijgen.
'Deze keer gaat het om Turatello.'
'Om Turatello? We hebben niets meer met hem te maken.' Hij maakte de deur open en liep naar binnen, gevolgd door Dalmasso.
'Ik heb gehoord dat hij me zoekt. Ik weet niet waarom... of misschien weet ik het en weten jullie het ook.' Hij liep naar hem toe en blies de woorden in zijn gezicht.
'Praat je nu in raadsels?'
'Generaal, kijk me aan. Hebben jullie hem verteld wat er met Angelo Infanti gebeurd is?'
'Ik heb geen idee waar je het over hebt.'
Hij greep hem bij zijn arm en hield hem in de houdgreep, terwijl de generaal een kop groter was dan hij. 'Begrijp me goed. Ik wil niemands zondebok zijn. Zeg dat tegen je baas. Als ik mijn mond opentrek vliegt het halve parlement eruit. Denk aan de DC-8 van de Montagna Longa.'
'Dalmasso, laat me met rust, ik wil alleen maar slapen. Morgen wordt een rotdag.'
'Dit wordt een rotdag voor jou als je niet belooft me tegen die crimineel te beschermen.'
'Wat wil je dat ik zeg? Oké, dat is goed. Je weet dat je bij ons hoort en dat wij nooit iemand laten stikken.'
Pierluigi Dalmasso voelde zich in de maling genomen. Hij wist heel goed dat er iets was gebeurd waardoor ze van strategie waren veranderd. Nu ze hem niet meer nodig hadden wilden ze hem in de wc gooien en doortrekken. Maar zo werkte dat bij hem niet. Hij was vastbesloten naar de hoofdofficier van justitie van Milaan te gaan, als het nodig was.
Als hij ten onder ging zou hij die schoften met zich meeslepen de afgrond in.

42

Het stockholmsyndroom

'Het heet het "stockholmsyndroom",' legde hij aan Mazzinga uit, die achter het stuur zat van het bestelbusje. 'Drie jaar geleden hebben overvallers tijdens een overval op de Kreditbanken in Stockholm een aantal medewerkers van de bank ruim zes dagen gegijzeld. Toen ze vrij werden gelaten waren het diezelfde gijzelaars die om clementie voor hen vroegen. Een criminoloog bestudeerde de feiten en muntte de term. Het is een soort psychologische afhankelijkheid tussen de beul en zijn slachtoffer, dat hem dankbaar is omdat hij hem uiteindelijk toch in leven houdt. Als je het slachtoffer ook nog goed behandelt en kleine cadeau's geeft, win je hem of haar voor altijd voor je,' concludeerde Renatino.

'Pak je de ontvoering daarom zo aan?' vroeg Mazzinga.

'Je hebt zelf gemerkt dat ze ons nooit last bezorgt.'

'Noem je het zo? Lastig zijn?' lachte Mazzinga.

Ze hadden een kerstboom gezien met feestelijke verlichting in een luxe appartementencomplex, niet ver van Porta Genova. Renatino had besloten die mee te nemen omdat hij mooi en al klaar was. Hij liet zich helpen door Mazzinga, die nooit nee tegen hem kon zeggen, maar voortdurend grapjes maakte.

'Weet je wat lachen zou zijn? Als de politie ons nu aanhoudt en in de bak gooit vanwege het stelen van een kerstboom.'

'Ze zouden ons op de voorpagina van de kranten over de hele wereld zetten,' antwoordde Renatino ironisch.

Een paar uur eerder was Mazzinga met lege handen naar de schuilplaats teruggekeerd. 'Vandaag is het kerstavond. Er zijn zelfs geen bomen meer te krijgen waar je de hoofdprijs voor moet betalen. Ik ben langs alle bloemisten en stalletjes geweest. We hadden er eerder aan moeten denken.'

'Maar wat is Kerstmis zonder een boompje?'

'Wij hadden er thuis nooit één, dat was te duur,' antwoordde Mazzinga.

'Maar bij haar thuis wel,' zei Renatino, terwijl hij naar de kamer van Alessia wees.

'Je hebt het flink te pakken, hè? Eerlijk zeggen,' zei Mazzinga lachend.

'Ik zou echt verliefd kunnen worden op iemand als zij,' zei Renato serieus.

'Vraag dan haar hand aan haar vader en moeder,' zei Mazzinga grijnzend.

Renatino zei hem normaal te doen, trok zijn jas aan en gebaarde Mazzinga hem te volgen. Hij waarschuwde Tonino dat ze weggingen en snel terug zouden komen.

Antonio Ferri liep de woonkamer uit en zette een bivakmuts op. Hij was de enige die hem opzette als het meisje rondliep.

Ze waren weer terug bij het nest, met de boom die zo groot was dat hij zelfs niet door de deur paste. Ze zetten hem in een hoek van de woonkamer. Ze deden de lichtjes aan en haalden de versiering weg die tijdens het vervoer was gesneuveld. Uiteindelijk hingen ze vanaf de piek de zilveren slingers op en lieten de lichtjes knipperen. Het was een wonderbaarlijk mooi schouwspel. De boom reikte tot aan het plafond en straalde met al die lichtjes een fijne, warme sfeer uit en maakte het huis gezellig. Het voelde als een vrolijk kerstfeest.

'Nu moeten jullie even een blokje om, jongens,' zei Renatino tegen zijn vrienden. 'Laat ons vannacht even alleen, zodat ik haar kan verrassen.'

Tonino en Mazzinga gniffelden samen, omdat ze zich voorstelden wat deze verrassing kon zijn. Renatino gaf hun een uitbrander: 'Jullie zijn beesten. Wat denken jullie nou? Het is nog maar een meisje, ik wil niet de bak in draaien omdat ik met een minderjarige heb geslapen.'

Nadat zijn vrienden vertrokken waren, liep Renatino de kamer van het meisje binnen. Ze lag op bed naar de film *The Robe* te kijken.

'Je bent weer terug,' zei ze zonder op te kijken van het scherm.

'Ik ben weggegaan om iets voor jou te halen. Ik heb een verrassing voor je.'

Ze ging meteen rechtop in bed zitten. 'Is het een cadeau?'

'Natuurlijk, wat zou het anders voor een verrassing zijn? Je moet wel even de bril opzetten.'

Alessia stond op en pakte de geblindeerde bril van het nachtkastje. Ze zette hem op en liep met uitgestrekte armen, als een blinde, op de tast naar Renatino, die haar handen pakte en haar vaardig de kamer uit leidde. Ze staken de gang over en gingen de woonkamer binnen. Hij stond stil op de drempel van de glazen deur en zei: 'Wacht hier. Niet de bril af zetten, goed?'

Ze knikte dat ze het begrepen had. Renatino liep naar de kerstboom, greep de stekker van de verlichting en stopte hem in het stopcontact. De lichtjes gingen aan en de boom en de kerstballen zorgden voor een lichtspektakel op de muren. Hij deed het gewone licht uit.

'Nu mag je hem af zetten.'

Het meisje zette langzaam de bril af en stootte, toen ze de glinsterende spar vol gekleurde lampjes zag, een zacht 'Ooooh' uit.

'Heb je ooit zo'n mooie gezien?'

Ze gaf geen antwoord, maar rende op hem af, vloog hem om zijn nek en klemde haar benen om zijn flanken. 'Renatino, dat is het mooiste cadeau dat ik ooit met Kerstmis heb gekregen, omdat hij alleen voor mij is. Je hebt het alleen voor mij gedaan, toch?'

'Precies. Deze kerstboom is speciaal voor jou.'

Maar ze liet hem niet uitpraten en gaf hem een hartstochtelijke, intense kus. Ze kuste hem met al de kracht en dankbaarheid die een meisje aan haar held kan tonen. Ze dwong hem op de grond te gaan liggen, op het kleed, voor de boom. Renatino liet haar even begaan, maar voelde daarna dat hij steeds meer opgewonden raakte en zijn zintuigen geprikkeld werden door een wellust die hij tot op dat moment nooit gekend had. Ze hielpen elkaar hun trui en blouse uit te trekken, waardoor ze beiden in hun ontblote bovenlijf lagen. Haar borsten waren nauwelijks volgroeid en haar jonge lichaam vertederde Renatino. Alessia overlaadde hem met kussen, likte zijn nek en ging steeds verder naar beneden, tot ze uiteindelijk bij zijn riem aankwam, die nog vastzat. Ze zag dat datgene waarnaar ze zo verlangde brutaal naar buiten stak. Ze glimlachte en likte hem met het puntje van haar tong, daarna bevrijdde ze hem haastig van zijn kleren en maakte ze zich met al het verlangen en de onstuimige passie van een tiener van hem meester...

* * *

Turatello was vastbesloten de moord op zijn vriend, gepleegd door Pierluigi Dalmasso, te wreken, maar hij wist niet hoe hij hem uit zijn schuilplaats kon lokken. Om zijn doel te bereiken besloot hij een groep huurmoordenaars in te huren, bestaande uit jonge fascistische politieke vluchtelingen van de Italiaanse Sociale Beweging. Ze vormden de extremistische en militaire vleugel die het niet eens was met de 'Atlantische' richting die de partij was op gegaan. Deze extremistische groep betwistte de gematigdheid van de partijleiders en beschuldigde hen ervan uitsluitend geïnteresseerd te zijn in hun eigen politieke carrière. Ze vroegen hun de kameraden die vermoord waren door communistische extremisten en de politie te wreken. Al met al zagen ze de ISB en gerelateerde bewegingen als de Nieuwe Orde en de Nationale Avantgarde, als indringers in hun ideologie, ook omdat ze zwaar geïnfiltreerd werden door politieagenten en in dienst waren van de Geheime Dienst. Francis hoopte een beroep te doen op de idealen van deze jongens en hen op te hitsen tegen schoften van het kaliber van Pierluigi Dalmasso, een kameraad, zoals Angelo Infanti, die zich had laten omkopen door de Geheime Dienst om een andere kameraad te vermoorden. Hij voorzag deze nieuwe groep fascistische vechtersbazen van wapens, betaalde hen zo goed dat ze voorlopig geen geldzorgen hadden en stuurde ze naar Milaan, op jacht naar vijanden.

De schade die deze groep huurmoordenaars in de maanden die volgden aanrichtte, was aanzienlijk. De vrije linkse radio, jongeren die alleen schuldig waren aan het hebben van lang haar en het dragen van een parka, vrouwelijke collectieven, de kantoren van de Sociale Beweging en rechtse parlementariërs betaalden het gelag. Kortom, gedurende een aantal maanden groeide de terreur tussen de linkse en rechtse machten, die zich op hun beurt organiseerden om te reageren op de fascistische extremistische provocateurs. Milaan was een bloedbad, net als Rome. De ordehandhavers kwamen inmiddels handen te kort om alle extraparlementaire communistische, fascistische of extreemfascistische bendes in bedwang te houden.

Pierluigi Dalmasso leek in het niets te zijn opgelost, alsof hij nooit bestaan had. De vrienden bij wie hij regelmatig langsging, verklaarden hem al een aantal weken niet gezien te hebben. Misschien was hij in het buitenland, in Spanje, antwoordden degenen die het best geïnformeerd waren.

* * *

Even voor oudjaar vertelde Renatino aan zijn maten dat hij de gijzelaar wilde verplaatsen. Het appartement in via Alessi leek inmiddels wel een doorgangshuis. Er werd door alle kranten over Alessia's ontvoering geschreven en de politie stond onder druk om de verantwoordelijken te vinden. Iedereen wist dat Renatino achter de ontvoering zat. Hij wilde daar weg, hij hield er niet van omringd te zijn door veel mensen. In werkelijkheid was het meisje degene die hem had gevraagd om een beetje intimiteit. Ze beloofde dat zij het huis zou opruimen en schoonhouden.

Een paar dagen voor oud en nieuw liet hij haar de gebruikelijke blinde bril opzetten en nam hij haar mee naar een penthouse in de omgeving van de beurs. Het uitzicht over Milaan van daarboven was betoverend. Bovendien bevonden ze zich hemelsbreed op minder dan twee kilometer van Alessia's huis, wat er mede voor zorgde dat ze rustiger werd. Ze leefden daar een tijdje als waren ze een stel. Als hij wegging om snel een belangrijke klus af te handelen, kwam de Dunne, oftewel Tonino Ferri, hem aflossen. Verder waren ze altijd samen in het huis. 's Morgens kwam een van de vrouwen van de vrienden wat boodschappen brengen en hun vragen of ze iets bijzonders nodig hadden. In die periode verliet Renatino het huis slechts een paar keer. Een van die keren moest hij een tweede ontvoering afronden.

Het ging om een Milanese ondernemer van zesendertig jaar, die getrouwd was en twee kinderen had. Hij heette Ennio Barbera en werkte in de dienstensector. Om een eventueel vuurgevecht te voorkomen besloten ze hem direct bij zijn huis te gaan ophalen. Op een zondagavond gingen Renatino, Napo, Mazzinga en de Stomme naar zijn huis. Ze hadden Antonio Ferri bij Alessia achtergelaten, maar ook hem een deel van het losgeld beloofd, omdat hij had meegewerkt.

Barbera stribbelde niet tegen. Er viel ook weinig tegen te stribbelen met een Remington op zijn vrouw en kinderen gericht. Ze onderhandelden als fatsoenlijke heren, zodat toen het dochtertje begon te huilen, Mazzinga, groot en breed als hij was, haar in zijn armen nam en haar met zijn sleutelhanger liet spelen, die hij haar uiteindelijk met een glimlach cadeau deed.

Terwijl Napo en de Stomme de ontvoerde man naar de auto brachten, bleef Renatino in de woonkamer om de onderhandelingen te starten met Barbera's vrouw Olga, een vastberaden Poolse met een sterk karakter. Renatino en de vrouw stelden samen het losgeldbedrag vast op tweeënhalf miljard. Als het geld was overgedragen zou de man binnen vierentwintig uur weer vrij zijn.

De man bleek vanaf de eerste dag erg volgzaam en hulpvaardig. Hij werd opgesloten in een van hun nesten in Baggio. Hij leek meteen letterlijk te nemen dat zijn ontvoerders bereid waren al zijn wensen te vervullen. Hij wilde een platenspeler met klassieke platen en kreeg die ook; hij droeg zijden ondergoed, dus stuurde Renatino iemand om dit te kopen; hij dronk alleen Veuve Clicquot, dus kochten ze vijf flessen voor hem; hij wilde schaken, maar alleen Renatino was van zijn niveau, waardoor hij hem iedere twee dagen opzocht om een potje met hem te schaken, dat hij regelmatig verloor. Barbera was er een ster in. Op een dag deed hij een verzoek dat Renatino, die hem was komen opzoeken voor het gebruikelijke potje schaak, en zijn andere ontvoerders verbijsterde.

'Ehm, sorry, Renatino,' hij schaamde zich een beetje voor wat hij ging zeggen, maar durfde het toen toch, 'ik heb gelezen dat jullie een bende drugsverslaafden zijn en dat jullie tijdens overvallen altijd zo stoned zijn als een garnaal, zodat jullie moedig worden... maar ik heb hier nog nooit drugs gezien. Zou ik misschien een snuifje cocaïne mogen of in ieder geval wat marihuana?'

'Alle journalisten zijn volslagen idioten. Sommigen van ons gebruiken het, af en toe, en daarom zijn wij meteen allemaal verslaafden,' antwoordde Renatino rancuneus. 'Ik heb het zelf ook geprobeerd, ik zal niet liegen, maar toen ik merkte hoe het je brein vernietigt, heb ik al mijn kameraden verboden het te gebruiken, in ieder geval in mijn aanwezigheid. Dus om terug te komen op je verzoek, geen denken aan.'

'Niet eens een beetje wiet?' bleef de ander aandringen. 'Je moet me begrijpen, ik heb een leuk gezin, ik houd van mijn vrouw en kinderen, maar aan bepaalde grillen mag ik alleen toegeven als ik op reis ben... deze ontvoering zou een goede gelegenheid zijn...'

'Nee! Ik zei nee!' schreeuwde hij. 'Ik weet het goed gemaakt, als ik je vrijlaat geef ik je een beetje van die pure rotzooi cadeau, die je hier in de buurt niet vindt, zo goed?'

Verder werd er niet meer over gesproken. Maar er deden zich tijdens deze ontvoering nog meer vreemde dingen voor. Een paar dagen later, toen het losgeld inmiddels betaald was, belde Molotov, die de gevangene moest bewaken, naar Renatino of hij meteen naar de plek kon komen waar ze Barbera gevangen hielden.

'Waarom? Hebben jullie hem nog niet vrijgelaten?'

'Hij wil niet weg,' antwoordde Molotov.

'Wat bedoel je in hemelsnaam, hij wil niet weg?!'

Renatino haastte zich naar het nest waar ze hem twee weken hadden vastgehouden. 'Zeg me dat je een grapje maakte aan de telefoon,' zei hij tegen Molotov. De deur van zijn kamer zat dicht en de Stomme hield, zoals altijd, stil de wacht, maar met een blik als die van een geslagen hond. 'Die domoor zit onder de plak bij zijn vrouw, daarom wil hij zich nu even amuseren,' zei Molotov, terwijl hij op de Stomme af liep. 'Zeg jij het hem maar. Ik durf het niet.'

Aan de andere kant van de deur waren vreemde stemmen te horen. Renatino vroeg: 'Wie zit daarbinnen?'

'Renatino, hij bleef zo doordrammen, dat ik hem uiteindelijk zijn zin heb moeten geven,' jammerde de Stomme. 'Jij hebt ons gezegd dat we hem in alles zijn zin moeten geven...'

'Willen jullie me nu eindelijk vertellen wat er is?'

Aangezien hij geen antwoord kreeg, gooide hij de deur open. Hij ontplofte bijna van woede toen hij zag wat er gaande was. Ennio Barbera vermaakte zich met twee meisjes, die waarschijnlijk nog niet eens meerderjarig waren. Het drietal, dat spiernaakt en half dronken was, nodigde hem uit zich bij hen te voegen. Renatino slaakte een woeste kreet waarvan de twee meisjes zo schrokken, dat ze van het bed vielen. Renatino zei op een toon die geen tegenspraak duldde, dat ze moesten vergeten wat er in die kamer gebeurd was, omdat hij hen anders zou laten verdwijnen. De architect gebood hij zich aan te kleden en naar huis te gaan, naar zijn vrouw en kinderen.

* * *

Een andere keer verliet Renatino het penthouse waar Alessia gevangenzat om twee vrienden van hem uit de gevangenis van Pescarenico, Lecco, te bevrijden. Bij zo'n onverschrokken actie had hij mensen nodig die hij kon vertrouwen. Napo, Mazzinga en Molotov begrepen elkaar inmiddels zelfs zonder woorden, door alleen maar naar elkaar te knikken. De gevangenis bestond uit twee gebouwen. Het aantal gevangenen dat er zat was niet zo hoog, waardoor iedereen, zowel het personeel als de gevangenen, rustiger en bereidwilliger was. Ik zeg niet dat ze zich voelden alsof ze op vakantie waren, maar het uitzicht op de bergen is prettig, ook als je omgeven bent door betonnen muren met tralies.

De vier gingen naar binnen tijdens het bezoekuur. Ze bedreigden de cipiers met hun wapens en lieten hen de sleutels van de cel van hun vrienden overhandigen. Ze bevrijdden de twee, Tonino Rossi en Micio Merlo. Ze schoten tijdens hun vlucht op alles wat bewoog, maar vergoten geen bloed, op dat van een cipier na die gewond raakte door een afgeketste kogel. Ze stapten in de Mercedes en in de BMW die buiten het hek stonden en stoven op volle snelheid weg. Deze bliksemactie maakte Renatino's faam nog groter. De crimineel was inmiddels een soort Italiaanse Dillinger geworden vanwege zijn charme en fair play tijdens zijn gruwelijke misdaden.

Uitgeput keerde hij terug naar Milaan. Hij had al drie nachten niet geslapen en zag zijn bed als een fata morgana. Maar zodra hij het appartement binnenging, viel Alessia naar hem uit: 'Je hebt me al die dagen alleen gelaten. Ik wil niet bij de Dunne zijn. Hij zegt nooit wat. Ik werd er depressief van. Je kunt me niet zo achterlaten, alsof ik een voorwerp ben!'

'Ale, heb medelijden. Ik heb al drie nachten niet geslapen. Ik begrijp niet eens wat je tegen me zegt.'

'Ik mis Danielina. Ik wil mijn ouders knuffelen,' jammerde Alessia.

'Nog een beetje geduld. Vind je het niet fijn bij mij?'

'Dat heb ik niet gezegd. Ik heb alleen gezegd dat ik mijn kleine zusje mis. Ze is heel gevoelig en zal zich vast zorgen om me maken.'

'Je zult haar snel weer zien,' antwoordde Renatino geduldig. 'Maar laat me nu alsjeblieft even slapen. Als ik wakker ben kunnen we zoveel praten als je wilt.' Zodra zijn hoofd het kussen raakte viel hij in een diepe slaap.

Alessia probeerde hem wakker te schudden, maar het was alsof hij dood was, gehuld in een diepe, verkwikkende slaap.

Ze wist niet wat ze moest doen. Ze had de hele dag zitten doezelen en het was te vroeg om nu al te gaan slapen. Ze wilde geen tv meer kijken. De afgelopen dagen toonde het journaal namelijk steeds beelden van het proces tegen de moordenaars van de arme Cristina Mazzotti, een meisje dat op een stortplaats was teruggevonden na meer dan twee maanden in handen te zijn geweest van een wrede, immorele bende. Ze was gedwongen de laatste dagen van haar leven door te brengen in een kuil in een tuin. Cristina was pas achttien, twee jaar ouder dan zij. Alessia raakte in paniek, zoals wanneer je een nachtmerrie hebt gehad en je nog lijkt te dromen, en ze begon Renatino in zijn juiste dimensie te zien. Niet meer als een held die buiten de wet leefde, maar als een crimineel die er niet voor terugdeinsde om op politieagenten en weerloze mensen te schieten.

Doodsbang keek ze om zich heen. De Dunne was weggegaan zodra Renatino terug was. Ze werd zo bang dat ze geen lucht meer kreeg. Zonder eraan te denken zich warm aan te kleden, of een paar schoenen aan te trekken verliet ze het penthouse. Ze rende de trappen af en liep de straat op. Het was de eerste keer dat ze alleen was sinds ze haar hadden ontvoerd. Ze voelde de koude sneeuw op haar slippers, trok haar ochtendjas dicht en rende naar het dichtstbijzijnde kruispunt. Ze herkende de straat niet waar ze was, hoewel ze zich niet heel ver van haar huis bevond. Het penthouse was namelijk ook in de Fiera-buurt. Op de gok sloeg ze via Buonarroti in. Hier kon ze zich oriënteren. Ze rende naar het plein, waar ze een taxi hoopte te vinden. Als ze haar schoenen aan had gehad, zou het haar zelfs gelukt zijn om haar huis te bereiken zonder een taxi, maar haar voeten waren verkleumd en ze rilde over haar hele lijf van de kou. Ze liep naar een taxi en stapte in. 'Breng me naar huis. Ik woon in via degli Aldobrandini. Weet u waar dat is?'

'Natuurlijk weet ik dat. Dat is hier dichtbij. Maar waarom loop je op dit tijdstip in die kleren buiten rond?' vroeg de chauffeur die haar aanzag voor een verslaafde.

'Breng me naar huis. Ik heb geen geld bij me, maar mijn vader zal je betalen en zelfs een flinke fooi geven.'

De man schudde zijn hoofd en vertrok in de richting van de renbaan.

Renatino opende plotseling zijn ogen, alsof er een alarm in zijn hoofd had geklonken. Hij zag Alessia niet naast zich en riep haar, maar niemand gaf antwoord. Hij rende naar de badkamer en naar alle kamers van het appartement, maar ze was verdwenen. Hij pakte snel de telefoon en belde Napo. 'Kom meteen hierheen. Ale is verdwenen. Ik ga haar thuis ophalen, al moet ik haar uit de armen van haar vader rukken.'

Hij kleedde zich op zijn best aan, trok zijn jas aan, pakte zijn vertrouwde 38mm en verliet het penthouse.

De taxi reed via degli Aldobrandini in. Het meisje vroeg hem voor de villa te stoppen. 'Wacht hier op me.'

De taxichauffeur had heel wat meegemaakt in zijn leven, maar in een situatie als deze was hij nog nooit beland. Die villa moest van een of andere rijke industrieel zijn.

Alessia rende naar de bel en drukte er lang op. Even later hoorde ze achter zich een stem die haar deed opschrikken. 'Verdomme, Ale, waar denk je dat je heen gaat?' Renatino was buiten zichzelf van woede. Hij greep haar bij haar pols en sleepte haar naar de Alfa.

Iemand riep: 'Wie is daar?' door de intercom.

'Je kunt me niet iedere keer als we het niet met elkaar eens zijn chanteren en teruggaan naar je vader,' zei hij, terwijl hij naar de taxi liep.

'Wie is daar?' riep de stem nogmaals door de intercom. 'Ale, ben jij dat?'

'Het is altijd hetzelfde liedje. Vrouwen zouden naar school moeten gaan om te leren hoe ze echtgenotes moeten zijn in plaats van kinderen,' zei hij tegen de taxichauffeur, die bekend was met zulke scènes tussen man en vrouw, omdat het hem zelf ook was overkomen.

'U hebt helemaal gelijk,' zei de chauffeur.

Renatino gaf hem tienduizend lire door het raampje. 'Sorry voor het ongemak. Houd de rest maar.'

'Thuis reken ik met je af,' fluisterde hij tegen Alessia. 'Stap in de auto, straks krijg je nog een longontsteking.'

Ondertussen gingen in een aantal kamers van de villa het licht aan. Renatino liet het meisje in de auto stappen en ging zelf achter het stuur zitten.

'Ale? Ale, ben jij dat?' schreeuwde Terracina die de villa uit kwam en naar het hek rende.

De Alfa trok met slippende voorbanden op en verdween vervolgens door via dei Loredan.

Nino Terracina liep, in pyjama en op slippers, naar de taxichauffeur en vroeg hem: 'Heeft u hen gezien?'

'Natuurlijk. Het was een getrouwd stelletje. Ze hebben ruziegemaakt en zij is naar mama en papa teruggegaan. Weet u hoe vaak mijn vrouw daar ook mee gedreigd heeft? Wees gerust, ze maken het wel weer goed. Het is zoals men zegt: "Liefde is pas fijn als het een beetje pijn doet."' Ook hij reed weg, waardoor de arme man alleen achterbleef met zijn onderdrukte woede, omdat het hem niet was gelukt zijn dochter te redden.

43

Het einde van een avontuur

Renatino was laaiend, eerst op zichzelf en daarna op het meisje.

'Hoe haal je het in je hoofd? Ik vertrouwde je. Er had wel iets ergs kunnen gebeuren, begrijp je dat?' schreeuwde hij in de auto op weg naar huis.

'Ik wilde mijn zusje omhelzen, ik heb je toch gezegd dat ik haar miste?'

'Maar dit is niet het juiste moment daarvoor. Begrijp je dat als je naar de politie was gegaan en die zou komen, de hel was losgebarsten? Hoeveel mensen er waren gestorven?' Het lukte hem haar een schuldgevoel aan te praten over iets waar zij het slachtoffer van was en niet de verantwoordelijke. 'Weet je dat als je vader eerder dan ik was geweest, ik genoodzaakt was je huis binnen te gaan en je met geweld weer mee had moeten nemen? Ik had wel iemand kunnen vermoorden, misschien je vader of je zusje, als die in de weg ging staan.' Het was wreed, maar hij had besloten haar dit verzet betaald te zetten.

'Genoeg, genoeg Renato. Ik zal het niet meer doen, maar nu moet je ophouden.' Ze bedekte haar oren om de wrede, onzinnige beschuldigingen niet te hoeven horen.

'Beantwoord alleen deze vraag: heb je iets tegen de taxichauffeur gezegd?'

'Nee, ik zweer dat ik hem niets heb gezegd. Alleen dat ik terugging naar mijn vader, ik zweer het, je moet me geloven.'

Ze kwamen aan bij de grote deur van de schuilplaats. Napo wachtte hen op. Onder zijn regenjas stak de loop van een geweer uit. Zodra hij hen zag slaakte hij een zucht van verlichting, maar zei niets; dit was niet het moment om te zeggen 'ik zei het toch'.

'Alles is goed,' zei Renatino. 'Maar morgen verhuizen we opnieuw naar via Alessi.' Napo sloeg hem op zijn schouder, alsof hij hem sterkte wilde wensen en keerde terug naar huis.

Eenmaal in het penthouse deed Renatino de deur op slot en stopte de sleutel in zijn zak, daarna stond hij Alessia toe naar de badkamer te gaan om een hete douche te nemen en kon hij zich eindelijk uitgeput in een fauteuil laten vallen.

* * *

Een dag later belde de taxichauffeur het hoofdbureau van politie en vertelde wat hem die avond ervoor was overkomen. Hij had er ook met zijn vrouw over gesproken en zij, die geen enkele aflevering van de soap over de charmante Renatino en zijn mooie vriendin miste, liet hem foto's op de voorpagina van een aantal kranten zien waar ze op stonden. De chauffeur herkende zowel de jongen als het meisje.

Vicecommissaris Moncada liet de taxichauffeur en Nino Terracina naar het hoofdbureau komen. De chauffeur vertelde wat er gebeurd was en zwoer dat de twee die hij voor huize Terracina had gezien echt Alessia en Renatino waren. Terracina dacht echter dat het om een misverstand ging en dat de taxichauffeur Alessia niet had kunnen herkennen omdat het te donker was bij zijn villa. 'Misschien wilde die bandiet me wel voor de lol op stang jagen en had hij een stand-in meegenomen. Tegenwoordig lijken alle meisjes op elkaar. In ieder geval was dat Alessia niet, dat kan ik jullie verzekeren.'

Om te verifiëren hoe geloofwaardig de getuigenis van de taxichauffeur was, schakelde Moncada een aantal herdershonden in.

'We zullen nu meteen achterhalen wat er precies is gebeurd, meneer Terracina,' zei Moncada kalm.

De vicecommissaris had op het parkeerterrein van een supermarkt een aantal taxi's en talloze auto's van agenten van het hoofdbureau laten zetten. Vervolgens kwamen de trainers met drie herdershonden. Ze lieten ze uit de auto springen en hielden ze vervolgens enkele kledingstukken van Alessia voor. De dieren roken gretig aan de kleren van het ontvoerde meisje. Toen maakten de trainers hun riem los en verspreidden de drie herders zich over het parkeerterrein, rennend van de ene naar de andere auto. Na een paar minuten stonden alle drie om de taxi heen, de taxi waarmee de chauffeur de avond ervoor Alessia naar de villa had gebracht.

'Uw passagier was Alessia Terracina,' zei Moncada, toen het bewijs geleverd was, tegen de taxichauffeur.

'Wat moet ik zeggen?' De chauffeur was in de war. 'Het meisje heeft zich niet verzet, heeft niet geschreeuwd en was niet bang. Ze deed precies wat haar man... ik bedoel de man die haar was komen halen, zei. Ik zweer het jullie, ze leken een getrouwd stel midden in een ruzie.'

Deze woorden kwamen aan als dolksteken in het hart van Alessia's vader.

***

De volgende ochtend vond Renatino in de badkamer twee woorden op de spiegel, geschreven met lippenstift: vergeef me. De manier waarop hij haar op weg naar huis had behandeld stemde hem triest, maar hij had een grove fout gemaakt die hem duur kon komen te staan. Hij, de meest gezochte bandiet van Europa, gepakt omdat hij voor de gek was gehouden door een meisje van zestien. Hij zou de rest van zijn leven onder dit gezichtsverlies hebben geleden.

Even na halfzeven kwamen Napo en Mazzinga binnen, die de verhuizing van de gijzelaar naar het appartement in via Alessi op zich namen. Ze zetten het meisje opnieuw de bril op en binnen een halfuur bevonden ze zich weer in het oude nest.

De gebeurtenis van de vorige nacht zorgde ervoor dat Terracina de vier miljard nog sneller bij elkaar probeerde te krijgen. De dag nadat hem dit gelukt was plaatste hij de afgesproken advertentie in de *Corriere della Sera*. Renatino las deze en rende naar Alessia. 'Ik heb goed nieuws, Ale. Je mag naar huis.'

Het meisje keek hem ongelovig aan. Daarna barstte ze los in een schokkerige en bevrijdende huilbui. Ze was dolblij dat ze weer naar huis mocht, maar tegelijkertijd was er iets wat haar treurig stemde.

Renatino had hetzelfde gevoel. Aan de ene kant was hij blij dat hij de operatie tot een goed einde had gebracht, maar aan de andere kant vond hij het diep in zijn hart jammer om een meisje dat zo speciaal was, voor altijd te laten gaan.

Hij maakte een afspraak met Corrado, de halfbroer van Alessia.

Diezelfde avond kwam Corrado, met het geld verdeeld over twee koffers, zoals Renatino hem gevraagd had, met zijn auto aan bij piazza Tripoli. Daar zag hij een geparkeerde zwarte Mercedes staan. Het portier was open. Hij vond de sleutels in het contact, zoals hem was gezegd. Hij opende het dashboardkastje. Op een papiertje stond beschreven welke weg hij moest afleggen. Hij deed precies wat hem geïnstrueerd was. Hij nam de snelweg in de richting van Venetië en hield een snelheid van negentig kilometer per uur aan, zoals op het blaadje stond. Aan het eind van de uitleg stond: 'Als je bij het tolhuisje van Agrate nog niets van me vernomen hebt, ga dan terug. Dan nemen wij contact met je op.'

Toen hij echter aankwam bij een rustplaats zag hij twee figuren die hem geboden te stoppen. Hij remde af en reed de rustplaats op via de uitrit, met een gevaarlijke en korte bocht. Hij reed een stukje tegen het verkeer in tot hij bij een verlaten pleintje kwam waar hij de twee mensen opnieuw zag. Ze kwamen op hem af lopen. De één was lang en fors, de ander lang en slank, met een snor; dat moest Renatino zijn.

Hij stapte in de Mercedes. 'Weet je wie ik ben?' vroeg hij terwijl hij het lampje boven zijn hoofd aandeed, zodat Corrado hem beter kon zien.

'Ja, jij bent Renatino.'

'Heb je het geld bij je?'

'Het zit in die twee koffers, zoals je had gezegd. Je mag het natellen.'

'Dat is niet nodig. Ik vertrouw je. Zeg tegen je ouders dat ik hen om middernacht met Alessia laat praten en haar over twee dagen thuisbreng.'

'Maar waarom niet vanavond?'

'Laten we zeggen dat ik die tijd technisch nodig heb.'

'Goed. Maar zeg wel tegen Alessia dat ze niet naar haar eigen huis gaat, maar naar dat van mijn zus, zodat ze niet wordt opgewacht door de politie of door journalisten.'

Renatino stapte uit de auto en pakte de twee koffers, terwijl Mazzinga hem in de schaduw dekking gaf met zijn mitrailleur, klaar om in actie te komen.

Ze keerden terug naar Milaan, maar op een ander parkeerterrein stopte Renato de auto, hevelde de bankbiljetten over in vier tassen en liet de twee koffers op de snelweg achter, voor het geval ze een zender bevatten.

Toen ze terug waren in via Alessi belde hij de familie Terracina. Hij sprak eerst met de vader van Ale. 'Over vierentwintig uur kunnen jullie haar in je armen sluiten,' zei hij tevreden.

'Luister jongen, laat haar niet ergens ver van de bewoonde wereld achter, maar geef haar twee muntjes en drop haar in de buurt van een telefooncel. Wil je dit voor me doen? Ik wil niet dat de politie haar eerder vindt dan wij en haar naar het hoofdbureau brengt voor een kruisverhoor,' zei Terracina bijna aangedaan.

'Wees gerust. Jullie zullen de eersten zijn die haar omhelzen. Hier komt ze.'

Hij gaf de hoorn aan Alessia, die in huilen uitbarstte toen ze de stem van haar vader en moeder hoorde. Ze groetten elkaar, zij zei dat het goed met haar ging, maar dat ze met geen pen kon beschrijven hoe blij ze was hen te horen.

Twee dagen later begeleidde Renatino Alessia, zoals beloofd, persoonlijk naar de vrijheid. Maar in plaats van haar naast een telefooncel achter te laten, besloot hij nog een regel aan zijn laars te lappen en haar direct bij het huis van haar halfzus af te zetten.

Haar moeder wachtte haar daar bij de deur op en zodra ze de auto zag, rende ze hem tegemoet. Alessia stapte uit de auto terwijl hij nog reed en vloog in haar moeders armen. Zo bleven ze een tijd omstrengeld staan huilen en lachen en elkaars haar en wangen kussen.

Renatino was ook uitgestapt. Hij bleef echter op een eerbiedige afstand staan om het moment waar ze zo lang van hadden gedroomd niet te verstoren. 'Ik ga,' zei hij simpelweg en maakte aanstalten om weer in de auto te stappen, toen hij Alessia's stem hoorde. 'Renato!'

Hij draaide zich om en zag het meisje zich losmaken uit de omhelzing van haar moeder en op hem af komen lopen met een droevige glimlach. Ze omarmde hem, tilde haar hoofd op en kuste hem. Ze fluisterde: 'Vergeet me niet, ik zal jou nooit vergeten.'

Renatino voelde zijn wangen rood worden. Hij antwoordde: 'Beloofd.' Daarna richtte hij zich tot haar moeder en zei tegen haar met gebogen hoofd: 'Mevrouw Helga, ik hoop dat u me kunt vergeven.'

De vrouw liep naar hem toe en pakte zijn handen. 'Ik geloof niet dat je mijn dochter pijn hebt gedaan. Maar ga nu weg en vlug. Ga weg, verdwijn als je kunt, want er zijn te veel mensen die je dood willen hebben.'

Ze draaide zich om, liep terug naar haar dochter en nam haar in haar armen, alsof ze haar wilde beschermen tegen de wereld. Samen liepen ze naar het huis.

Renatino bleef nog een paar seconden kijken hoe ze uit het zicht en uit zijn leven verdwenen. Hij wist zeker dat hij de herinnering aan Alessia, aan de lieve Ale, de rest van zijn leven met zich mee zou dragen.

* * *

Inspecteur Vittorio Perrone maakte een eind aan het gesprek dat hij in een apart kamertje van San Vittore met een van zijn informanten voerde, de schoonmaker van de vijfde vleugel, en haastte zich meteen naar de telefoon om aan vicecommissaris Moncada te vertellen wat hem ter ore was gekomen. Ze spraken niet af op het politiebureau, maar voor het kasteel.

'Commissaris, ik heb een tip gekregen die zou kunnen leiden tot de arrestatie van Renatino's bende. De schoonmaker wist dat Matteo Pirotta, beter bekend als Teo, een van de laatste leden van de bende, aan zijn celgenoot een moord heeft opgebiecht die hij jaren geleden samen met

Napo en een ander heeft gepleegd. Ze hebben een zigeuner gedood die de leider van de Comasinabende had afgezet. En weet je wie de ander is?'

'Perrone, ik haat raadsels. Wie is het, ken ik hem?'

'Het is Angelo Cifoni, een wapenhandelaar. Hij voorziet de hele onderwereld van Milaan en omstreken van wapens. Hij is een groot liefhebber en kenner. Hij is zelfs in staat ze op maat te maken.'

'Waarom heeft hij dat op het spel gezet door een moord te plegen?'

'Dat is wat ik niet begrijp, commissaris. Dat is niets voor hem. Misschien hebben ze hem gedwongen, ik weet het niet. Maar als we nu eens met hem gaan praten en hem dwingen te zeggen waar de Comasinabende zich bevindt, zouden we hem kunnen beloven dat we de moord op de zigeuner vergeten.'

'Perrone, wij zijn de goeden, wij staan aan de kant van de wet.'

'Maar commissaris, wanneer pakken we die criminelen als we het volgens de wet doen?'

'Daar heb je ook weer gelijk in. Weet je waar die Cifoni is?'

'Ik heb ongeveer drie maanden geleden mijn Smith&Wesson laten controleren. Ik vertrouw die van ons niet.'

'Perrone, ik moet binnenkort eens een hartig woordje met jou spreken. Ik moet weten aan welke kant je staat.' Moncada glimlachte.

Het klopte inderdaad dat een paar jaar eerder een zigeuner uit het kamp in via Stephenson zo naïef was geweest om Napo, die na een detentie van drie jaar net weer uit de gevangenis was, een kilo nepheroïne aan te smeren. De naïeveling wist niet dat hij te maken had met een van de leiders van de Comasinabende.

Napo en Teo besloten onmiddellijk hem in het kamp te gaan opzoeken om hem het lesje te leren dat hij verdiende. Voor wapens gingen ze zoals gewoonlijk naar Angelo Cifoni en, omdat ze iemand nodig hadden die hun rugdekking gaf, 'overtuigde' Napo hem ervan met hen mee te gaan. Het klusje stelde niets voor. Hij zou alles regelen: hij zou eerst het geld terugvragen, dan de zigeuner verminken. Meer niet. Helaas veranderde wat een simpele waarschuwing had moeten zijn in een meedogenloze executie en raakte Cifoni voor de eerste en laatste keer in zijn leven betrokken bij een moord.

Zijn winkel was in het hart van Bovisa, in de buurt van het industrieterrein. Hij verwachtte Perrones bezoek niet en toen hij naast hem nog een andere smeris ontwaarde, begon hij zich zorgen te maken.

'Inspecteur, waarmee kan ik u van dienst zijn?' vroeg hij, terwijl hij verderging met het afwerken van de loop van een pistool.

'We moeten je even spreken, Cifoni. Het is beter als je de winkel sluit,' zei Perrone, die de haakvormige stok pakte om het rolluik neer te laten. Met een harde ruk trok hij hem naar beneden. Het zwakke licht van een metalen lamp verlichtte de zaak. Nu begon Cifoni zich serieus zorgen te maken. Hij stond op van achter de toonbank. Met zijn kromme schouders en onzekere tred leek hij wel een oude man die op het punt staat met pensioen te gaan.

'Bent u niet tevreden over mijn werk?' Hij wilde aan de andere juut laten weten dat hij meewerkte.

'Dit is vicecommissaris Moncada,' zei Perrone. 'We moeten je wat vragen stellen. We hebben de auto twee blokken verderop geparkeerd. We willen je niet in de problemen brengen.'

'Maar inspecteur, ik heb niets te verbergen, u kent me.'

'Laten we het eens over een zigeuner hebben, een zekere Ricky.'

'Nooit van gehoord,' antwoordde hij meteen, maar hij kreeg een duister waas voor zijn ogen.

'En heb je ook nooit van Napo en Teo gehoord, met wie je hem samen in het kamp bent gaan opzoeken?' donderde Perrone.

'Napo is een lid van de Comasinabende, als ik me niet vergis.'

'Heel goed, ik zie dat je geheugen toch nog een beetje werkt. Vertel me over die nacht.'

'Welke nacht? Wat moet ik vertellen? Wat wilt u dat ik zeg? Inspecteur, betrek me hier niet bij, ik sta van 's morgens tot 's avonds in deze gevangenis, gebogen over die draaibank, zo lang dat ik zelfs zijn vorm heb aangenomen.'

'Cifoni, hou op onze tijd te verspillen. Je vrienden proberen je een loer te draaien en geven je de schuld van de moord.'

'Moord? Weet u wel dat ik nog geen vlieg kwaad zou doen? Ik houd van wapens, maar zou nooit iemand kunnen vermoorden,' zei de wapenhandelaar wanhopig.

'Dat weet ik. Maar één keer is genoeg om dertig jaar cel te krijgen, zo niet levenslang.'

'Levenslang?' stotterde Cifoni.

'Precies. Een straf zonder eind,' antwoordde Perrone. 'Lijkt het je nu nog steeds een goed idee om een matennaaier te dekken?'

Moncada hield zijn mond. Hij genoot ervan hoe Perrone Cifoni bij de hand had genomen en langzaam zijn kant op bracht.

'Dit is een val. Napo is nog vrij, voor zover ik weet,' was het laatste wat hij ertegen inbracht.

'Napo wel, maar Teo zit in de gevangenis en je weet dat, hoe goed je ook bent, je in de cel zelfs bereid bent te vertellen dat je moeder een hoer is!' Perrone raasde maar door. 'Teo heeft alles doorverteld. Hij heeft gezegd dat jij degene bent die de zigeuner heeft vermoord!'

'Nee!' schreeuwde Cifoni. Daarna plofte hij neer op zijn krukje. 'Wat willen jullie weten?'

'We willen een akkoord met je sluiten, Cifoni. Jij vertelt ons waar de bende van Comasina is en wij vergeten wat er gebeurd is met de zigeuner.'

Cifoni zweeg een paar tellen, alsof hij zich afvroeg wat hij moest doen. Daarna fluisterde hij: 'Goed...'

* * *

Renatino was zeer aangedaan door de ontvoering van Alessia. Hij begreep voor het eerst wat het kon betekenen om een normaal leven te leiden, met een gewone vriendin, als een normaal stel. Maar zijn lot lag vast. Hij vervulde zijn rol en de anderen verwachtten dit van hem. Voor zijn vrienden ging Renatino door het vuur en de Stomme was een van zijn beste vrienden.

'Herinner je je de Sardijnen en de ontvoering van die architect nog?' vroeg de Stomme in de kroeg van de Basso-broers.

'We hebben een van onze schuilplaatsen aan hen verhuurd. Laten we hopen dat ze ons akkoord honoreren,' antwoordde Renatino die vond dat de reputatie van de Sardijnen minder dan niets waard was.

'Ze hebben de architect ontvoerd en vervolgens naar onze schuilplaats gebracht. Alles leek geweldig te gaan...'

'Maar?' vroeg Renatino, terwijl hij zijn sigaret in de asbak drukte.

'Maar ze krijgen de onderhandelingen met de familieleden niet afgerond,' verklaarde de Stomme. 'Een vriend zei me dat als ze jouw naam mochten gebruiken, ze zeker binnen één dag klaar zouden zijn. Hij is bereid ons de helft te geven. Wat vind je ervan?'

'Dat geld kan me niets schelen. Ik vertrouw die beesten niet. Je hebt zelf gezien hoe ze hun gijzelaars gevangen houden. Ze zijn niet zoals wij en ik wil mijn naam niet bezoedelen met hun rotstreken.'

'Dat ben ik met je eens. Ik heb dan ook tegen mijn vriend gezegd dat als ze jouw naam wilden gebruiken, ze door jou persoonlijk moesten laten controleren hoe de gijzelaar eraan toe was.'

'En wat zei hij toen?'

'Hij wacht op je.'

'Je hebt alles alleen geregeld, goed zo. Je leest zelfs mijn gedachten.'

'Ik ken je inmiddels zo goed als een broer, Renatino.'

Ze gingen naar de schuilplaats, een woning op de bovenste verdieping van een groot flatgebouw in Quarto Oggiaro. Toen de Stomme en Renatino binnenkwamen waren de Sardijnen spaghetti aan het koken en werden ze uitgenodigd om mee te eten, maar Renatino maakte hun duidelijk dat hij geen tijd te verliezen had en de gevangene wilde zien. De Sardijn die de leider leek, was beledigd dat de twee niet met hun mee wilden eten en stond op van tafel.

'Wil je dan tenminste een beetje hasj?' vroeg hij aan Renatino, terwijl hij hem wat hasj voorhield.

Deze keer was Renatino directer: 'Ik heb je gezegd dat ik niets van jullie wil. Ik ben hier alleen om hem een gunst te verlenen.' Hij wees naar de Stomme.

'Ik wil de architect zien.'

'Goed, goed, het was aardig bedoeld,' zei de Sardijn met zijn typerende tongval. 'Volg mij, we houden hem gevangen in de woonkamer.'

Ze liepen de lange gang door en kwamen uit bij de deur van de woonkamer. De Sardijn deed open en stapte opzij. In het midden van de kamer hing vitrage over een aantal houten planken heen die in een rechthoek stonden.

'Wat is dit in hemelsnaam?' riep Renatino uit, die nog nooit zoiets gezien had.

'Dat heb ik gedaan zodat hij je appartement niet zou herkennen.'

Renatino boog voorover en schoof de groene stof opzij. Hij werd bijna gek van woede door wat hij zag. De architect lag opgerold op een rubberen matje, met een dikke ketting om zijn polsen en enkels zodat hij niet kon bewegen. Zijn ogen en mond waren afgeplakt met grote stukken tape en op zijn hoofd had hij een koptelefoon met muziek die zo hard stond dat Renatino en de Stomme het konden horen. Hij lag in een slaapzak en leek net een mummie.

'Wat hebben jullie verdomme met hem gedaan?' vroeg Renatino woedend.

'Zo ontsnapt hij niet.'

Renatino zette de koptelefoon af. De muziek was oorverdovend. Gelukkig hadden ze oordopjes in zijn oren gestopt, anders waren zijn trommelvliezen ook nog gescheurd. Hij haalde zijn oordopjes weg en zag dat hij trilde. Daarna was het de beurt aan de tape op zijn mond. Hij trok het er in één keer af. Er liep iets wits uit zijn mond.

'Jullie hebben ook nog een tennisbal in zijn mond gestopt! Wat zijn jullie klootzakken, zeg,' riep Renatino.

Het lukte hem de bal eruit te krijgen. De architect bleef met open mond zitten. Pas een paar minuten later kon hij zijn kaken op elkaar zetten en fluisterde hij: 'Mijn voeten… alsjeblieft.'

Renatino haalde de slaapzak weg en kwam erachter dat zijn enkels niet vastzaten met de ketting die hij om zijn polsen had, maar met een nylon visdraad. Het draad zat zo strak om zijn enkels gewikkeld dat het in zijn huid was gedrongen. Zijn enkels waren buitensporig dik en hadden een blauwige kleur. Hij vroeg om een mes en sneed gedecideerd de draad door. Pas toen leek de man wat rustiger te worden.

Renatino stond op en liep op de Sardijn af. 'Ik heb altijd al gedacht dat jullie beesten waren, en dit schouwspel bevestigt dat. Ik heb jullie net zien eten. Hebben jullie ook aan hem gedacht?'

'Natuurlijk.'

'En wat hebben jullie hem te eten gegeven?'

De Sardijn wees naar een mand met appels. 'Drie appels per dag, één 's morgens, één 's middags en één 's avonds.'

Renatino kreeg een woedeaanval. Onder andere omstandigheden had hij hem vermoord. 'Jullie zijn hufters! Zo ga je niet met mensen om. Ga wat te eten voor hem halen en een trainingspak. Schiet op!'

Hij trok het tape van zijn ogen en maakte ze schoon met wat water. Daarna liet hij hem een bril opzetten die hij met watten geblindeerd had en hielp hem opstaan om zijn benen een beetje te strekken. De architect was in de dertig, sterk, lang en fors, maar hij leek net een oud mannetje. Hij liep met kleine passen, gebogen knieën en een kromme rug.

'Nu moet ik gaan, vriend, maar ik kom terug om te kijken of ze je goed behandelen. Neem deze aan. Als je pijn hebt kunnen ze van pas komen.' Hij legde een buisje aspirines op zijn handpalm.

Hij liep naar de deur, gevolgd door de Sardijn en de andere twee mannen.

'Als hij jullie iets vraagt, geef het hem dan. En als er problemen zijn, bel je hem.' Hij wees naar de Stomme. 'En als dit allemaal afgelopen is, bid dan maar dat je mij nooit tegenkomt, want ik leg jullie zo om.'

44

Ook dromen gaan in rook op

Drie dagen na het gesprek met Cifoni werd inspecteur Perrone gebeld. Aan de andere kant van de lijn gaf de wapenhandelaar een straatnaam met huisnummer door en eindigde met de woorden: 'Nu verwacht ik dat jullie je afspraak nakomen.'

Perrone waarschuwde onmiddellijk Moncada en een uur later kwam een bataljon agenten met sirenes uit Comasina aan en omsingelde het gebouw in via Salemi, recht tegenover het voetbalveld. Moncada en Perrone liepen, gevolgd door een tiental agenten met mitrailleur en kogelvrij vest, trapportaal A binnen. Op iedere verdieping waar ze aankwamen, bleven twee agenten op de galerij achter. Ze kwamen aan op de vierde en laatste verdieping. Moncada voerde de groep aan, Perrone liep achter hem met daarachter zes jonge agenten die zo gespannen waren als een veer. Moncada klopte op de deur.

'Ik ben het, Moncada. Politie! Doe open, anders forceren we de deur,' schreeuwde hij, terwijl hij zich tegen de muur drukte om niet zichtbaar te zijn door de deur.

Het antwoord kwam een paar tellen later: 'Smeer 'm of we richten een slachtpartij aan. We hebben twee vrouwen bij ons. Ga weg of jullie hebben hun dood op jullie geweten!'

Moncada herkende Napo's stem.

'Napo, ben jij dat? Ik ben Moncada, herken je me?'

'Commissaris, haal iedereen weg of we richten een bloedbad aan, ik maak geen grapje.' Zijn stem klonk hard als een spijker.

Ze hoorden opgewonden stemmen binnen, maar begrepen niet wat er werd gezegd.

'Commissaris Moncada, ik vertrouw u, maar de mensen om u heen niet. Te veel van uw collega's willen ons dood.'

'Ik geef je mijn woord dat als jullie naar buiten komen, niemand jullie aan zal raken.'

'Commissaris, laat onze advocaat halen. Als hij niet komt, blijven we zitten waar we zitten.'

'Goed, ik laat hem halen. Dat is Camillo Rosica, toch?'

Het antwoord dat hij vanuit het appartement kreeg was bevestigend. Moncada gaf instructie om de advocaat op zijn kantoor te gaan halen en hem zo snel mogelijk naar hem toe te brengen.

Terwijl ze op de advocaat wachtten, verspreidde zich een brandlucht door de galerij. Moncada maakte zich zorgen: 'Napo, doe geen stomme dingen. Wil je het hele gebouw in brand steken en vluchten in de chaos?'

'Nee, commissaris, ik ben niet gek.'

'En wat is die vieze brandlucht dan?' Hij wachtte op antwoord, maar dat kwam niet. 'Napo, als je me in de zeik neemt, stel je me flink teleur en dwing je me de deur te forceren.'

'Maakt u zich geen zorgen, commissaris, we hebben het braadstuk aan laten branden,' antwoordde Napo sarcastisch.

'Je kunt me niet voor de gek houden. Jammer voor jou en wie daar bij je is.'

Gelukkig arriveerde op dat moment Camillo Rosica, een jonge Napolitaanse advocaat die Renatino had verdedigd in verband met de overval in via Monte Rosa. Hij was al snel een rots in de branding geworden voor de jongens van de bende, een oprecht betrouwbare man die ze iedere keer als ze in de problemen zaten opzochten.

De advocaat groette eerst Moncada en Perrone en liep vervolgens naar de deur. 'Napo, ik ben het, advocaat Rosica. Geef je maar over, er staat hier een leger buiten, jullie maken geen kans.'

'Advocaat, we staan klaar om naar buiten te komen, maar ik wil er zeker van zijn dat ze niet op ons gaan schieten zodra we onze neus buiten de deur steken.'

'Ze kunnen niet op jullie schieten. Ik sta hier. Leg nu jullie wapens weg en kom naar buiten.'

Eindelijk ging de deur open en verscheen Napo's besnorde gezicht. Hij glimlachte, blij dat hij aan een vuurgevecht ontsnapt was. Na hem kwam een zekere Osvaldo naar buiten, die een paar weken eerder uit San Vittore ontsnapt was, en hun respectieve vrouwen, Pina en Vincenza.

Moncada en Perrone gingen het appartement binnen. Het was een van de nesten van de Comasinabende. De sterke brandlucht was onmiskenbaar. Ze doorzochten de kamers. In de slaapkamer vonden ze een Winchester, drie mitrailleurs, een lupara, twee pistolen met geluiddempers en twee bivakmutsen. Daarna liepen ze verder naar de badkamer, waar de brandlucht vandaan kwam. Het raam stond open, maar de geur bleef hangen. Ze schoven het douchegordijn opzij en vonden een stapel rokende blaadjes in de badkuip.

Perrone pakte er een op… 'Commissaris, het zijn bankbiljetten. Of beter gezegd, het waren bankbiljetten…'

'Dat is Napo's deel van het losgeld van Terracina,' zei Moncada.

'Vijfhonderd miljoen in rook op? Ik geloof er niets van.'

'Deze jongeren zijn gek. Ik begrijp hen niet meer,' zei de vicecommissaris treurig. 'Ze brengen het leven van een zestienjarig meisje in gevaar, jagen een complete familie angst aan, lopen het risico om jarenlang de bak in te draaien, ordehandhavers zetten hun leven op het spel om ze te vinden en dat allemaal vanwege een berg geld die bij de eerste de beste gelegenheid in brand wordt gestoken. Sorry, maar ik begrijp er echt niets van.'

* * *

De arrestatie van Napo en Osvaldo was een enorme klap voor de batterij. Napo was de kameraad die Renatino het meest vertrouwde. Hij was een waaghals achter het stuur van een auto, een geweldige strateeg en zeer dapper tijdens acties waar de kogels ze om de oren vlogen. Toch wilde Renatino de golf van ontvoeringen niet onderbreken en besloot dat aannemer Giulio Tonelli het volgende slachtoffer moest zijn.

Deze keer was een vriend, Michele Giglio, de tipgever. Hij had van een paar dorpsgenoten gehoord dat de aannemer vaak romantische weekenden doorbracht in zijn villa aan de oever van het Iseomeer, zonder bewakers. Hij vermaakte zich daar met een actrice die dertig jaar jonger was. De ontvoering zou weinig risico's met zich meebrengen. Hij was te oud om zich te kunnen verzetten en bovendien zou de verrassingsfactor beslissend zijn. Ze moesten alleen nog zien welk nest ze zouden gebruiken, aangezien ze er de afgelopen tijd minstens drie hadden verspeeld.

Ze besloten op locatie op onderzoek uit te gaan en te praten met de vrienden van Michele Giglio voor de belangrijkste details. Ze prikten zondag 6 februari als vertrekdatum en namen ook wapens mee voor het geval het lot ze gunstig gezind was en de gelegenheid zich voordeed dat ze de aannemer konden meenemen.

Om niet op te vallen kozen ze uit hun wagenpark een blauwe Fiat 132, zodat ze onschuldige ambtenaren leken.

Tijdens dit eerste onderzoek lieten ze zich begeleiden door Antonio

Ferri en Michele Giglio. Michele had met zijn vrienden afgesproken bij het tolhuisje van Dalmine. Van daaraf zouden ze dan in karavaan in de richting van Sarnico rijden waar het liefdesnestje van de industrieel zich bevond.

Ze reden hard, maar zonder de snelheidslimiet te overschrijden. Renatino wilde absoluut niet dezelfde fout maken als Sisto in Montecatini.

Er was op dat moment al veel verkeer. De Milanezen met een villa aan een van de meren konden niet wachten om de stad te ontvluchten, al was het maar voor een paar uur. Het drietal legde vele kilometers in stilte af. Renatino miste Napo's bijdrage als chauffeur. Iedereen was in zijn eigen gedachten verzonken toen Antonio Ferri, die achter de bestuurdersstoel zat, opeens vroeg: 'Mochten we hem vinden en "in kunnen pakken", heb je dan enig idee waar we hem naartoe kunnen brengen?'

'In Novate is een van mijn veiligste schuilplaatsen. Die heb ik weinig gebruikt, alleen voor grote gelegenheden,' grapte Renatino. 'We pakken het net zo aan als met Ale. Ik blijf steeds thuis, bij de gijzelaar, en jij en Michele wisselen mij af. Mazzinga betrekken we er niet bij omdat hij met een andere klus bezig is.'

'We missen Cambogia, hè?' gooide Tonino eruit, zich ervan bewust hoeveel Renatino om hem had gegeven.

'Dat was een goede vent. Zo'n dappere kerel heb ik nooit meer ontmoet,' antwoordde Renatino. 'Maar je weet hoe ons leven is. Degene die blijft leven, wint. Als je sterft, verlies je. Het geld telt én wie er als eerste schiet. De rest, de waarheid, de rede en de logica hebben er niets mee te maken. Het gaat erom wie overeind blijft, waarbij hij misschien de doden vertrapt.'

Dit cynisme hadden ze niet verwacht van Renatino, die meestal gematigd en moraliserend reageerde. Dat dacht Tonino tenminste.

'Werkt Mazzinga aan telefonische ontvoeringen?' vroeg hij, om van onderwerp te veranderen.

'Ja. Ik kreeg het idee toen ik had gezien hoe architect Rino Balconi was toegetakeld door die beesten van een Sardijnen,' begon hij uit te leggen. 'Ik dacht dat er een manier moest zijn om al die spanning, met het risico de gijzelaars en onszelf iets aan te doen, te vermijden. En toen kwam ik op het idee om een paar weken lang de familie van de miljardair te volgen, kinderen, vrouw en moeder. Wat ze doen, waar ze heen gaan, wie ze bezoeken: kroegen, bioscopen, sportscholen, bijles, kortom alles. Daarna bellen we de rijkaard op en maken hem duidelijk dat we alles weten van zijn familieleden, met naam en toenaam, en doen hem uiteindelijk het voorstel: betaal een miljard of wacht af tot een van je geliefden verdwijnt.'

'Krijg nou wat, zo vermijd je dat het uit de hand loopt en hou je de politie erbuiten,' riep Tonino Ferri vol bewondering uit. 'Dat is het idee van de toekomst.'

Terwijl ze verder discussieerden, begon Renatino de langzamere auto's van rechts en links in te halen. De gevaarlijke bewegingen van de 132 werden opgemerkt door een verkeersagent die de andere kant op reed. De agent wees zijn collega's, die zich op de andere baan in de richting van Brescia bevonden, op de auto. 'Attentie, er rijdt een blauwe Fiat 132 met een kenteken uit Milaan hard in de richting van Brescia. Hij haalt rechts in.'

Tonino Ferri was de eerste die de afslag naar Dalmine opmerkte. Vijfhonderd meter verderop was de afrit. Tonino waarschuwde Renatino voor de auto van de verkeerspolitie die iets voorbij de afslag op de vluchtstrook geparkeerd stond. 'Kijk, daar staat verkeerspolitie.'

Renatino ging de baan op waar langzamer werd gereden en nam de afslag om de snelweg te verlaten. 'We hebben geluk gehad,' zei Renato. 'Honderd meter eerder waren we de pineut geweest en hadden ze ons zeker aangehouden.'

Maar hij had zijn zin nog niet afgemaakt of ze zagen aan het eind van de afrit, voor de open plek van het tolhuisje, schuin op de weg een Giulia van de verkeerspolitie staan.

Hij remde meteen af. 'We zijn erbij, ze staan ons op te wachten,' zei Renatino kalm. 'Bereid jezelf voor, maar laat mij het woord doen.'

Toen hij de Giulia naderde zag hij dat de brigadier een teken gaf dat hij naar hem toe moest komen. Hij had een mitrailleur in zijn handen en leek vastberaden deze te gebruiken. Renatino gehoorzaamde en stopte op een paar meter afstand van de Giulia. De patrouilleleider, Luigi D'Adrea, liep op de 132 af. Er kwamen condenswolkjes uit zijn mond. Door de kou waren zijn vingers die hij om het wapen had geklemd verstijfd. Hij tikte met de loop van zijn mitrailleur op het raampje en beval: 'Rijbewijs en autopapieren.' De agent zag dat ze elegant gekleed waren, wat gezien hun leeftijd nogal opvallend was.

Renatino maakte aanstalten het dashboardkastje open te maken, maar de stem van de agent deed hem verstijven: 'Stop! Stop!' Hij was nerveus. 'Leg je linkerhand op het stuur en maak met je rechter het kastje open. Heel langzaam.'

De andere agent, Renato Barborini, stapte uit de Giulia en liep langzaam op de auto af.

Renatino gaf hem de autopapieren. De 132 had het kenteken van een taxi, maar de autopapieren waren perfect vervalst. De brigadier constateerde dan ook dat het kenteken overeenkwam met dat van de autopapieren. Dat het een vervalsing was zou hij alleen hebben kunnen ontdekken door de nummers op het onderstel te controleren, maar daar was het nu niet het moment voor. Hij liep weer naar het raampje, gaf hem de autopapieren terug en zei: 'En nu je rijbewijs.'

'Dat zit in de achterzak van mijn pantalon, dus moet ik naar buiten komen om het te pakken,' zei Renatino.

De brigadier knikte dat hij uit mocht stappen. 'Blijf langzame bewegingen maken,' benadrukte hij.

Renatino stapte uit, net als Ferri die nonchalant tegen het dak van de auto leunde. Renatino overhandigde zijn rijbewijs aan de brigadier en zag dat de andere agent die dichterbij kwam, zijn pistool had getrokken. In de tussentijd waren er nog twee auto's van de verkeerspolitie naast de Giulia, die ze hadden gezien voordat ze de afslag hadden genomen, op de vluchtstrook gaan staan. Vervolgens reden ze achteruit om de afslag te kunnen nemen. Binnen een minuut zou de open plek in een politiekazerne veranderd zijn. Renatino besloot iets radicaals te doen. Hij knikte naar Ferri en trok toen met een onverwachte beweging zijn P38 achter uit zijn broekriem. De brigadier liet zich echter niet verrassen en loste instinctief een schot, dat de 132 raakte. Renatino schoot de brigadier vol in zijn borst. De agent viel op de grond. Hoewel hij dodelijk getroffen was probeerde hij toch nog zijn mitrailleur te richten op de man die hem had neergeschoten. Toen Renatino zag dat hij nogmaals wilde schieten, wierp hij zich op hem om hem uit te schakelen. Ondertussen had Ferri met zijn Smith&Wesson het vuur geopend op de andere agent, Barborini, die aan de zijkant was gaan staan en op zijn beurt op Furiato schoot. De agenten die langs de snelweg stonden, sprongen onmiddellijk uit hun auto's toen ze de eerste schoten hoorden. Ze klommen over de vangrail en renden het talud af, naar de open plek.

Renatino, die nog steeds boven op de brigadier lag, hoorde opnieuw revolverschoten en kreeg asfaltsplinters in zijn gezicht. Hij draaide zich om om te zien waar de schoten vandaan kwamen. Op een paar meter afstand zag hij agent Barborini zijn arm strekken en in zijn richting schieten. Deze keer was het raak. Hij voelde een pijnscheut tussen zijn been en bilspier. De pijn straalde uit naar zijn ruggengraat en even dacht hij verlamd te zijn.

Agent Barborini kwam nog dichterbij, maar durfde niet te schieten, uit angst zijn collega te raken die onder hem lag. Renatino was op de brigadier gaan zitten en hield een arm voor zijn hoofd. Hij zag Barborini steeds dichterbij komen. Hij was inmiddels ter hoogte van de auto.

'Schiet dan! Schiet dan!' schreeuwde Renatino naar Giglio. Een seconde later vloog het zijraampje van de Fiat 132 aan diggelen en werd de agent vol in het hoofd geraakt. Michele Giglio had vanaf de achterbank van de auto met een dubbelloops Lupara-geweer geschoten. Het was een verwoestend schot dat de moedige agent een paar meter wegslingerde.

Een stortregen van lood, afkomstig van de pistolen van de agenten die naar beneden kwamen gerend, sloeg tegen de auto, die gereduceerd werd tot een verwrongen staalplaat vol gaten. Het lukte Renatino om weer op te staan. Hij sleepte zijn been over de grond, maar bereikte de bestuurdersstoel. 'Laten we gaan! Zij zullen pas stoppen als ze ons koud hebben gemaakt.' Hij probeerde de auto te starten, maar merkte dat zijn been niet deed wat hij wilde. 'Michele, rijd jij maar, mij lukt het niet.' Hij ging op de bijrijdersstoel zitten en Michele klom achter het stuur. Hij startte de auto en wilde wegrijden.

'Wacht, Tonino moet nog mee. Doe de deur open.' Hij zag Ferri op de grond liggen. Hij boog voorover en probeerde zijn arm te grijpen, maar hij lag te ver bij de auto vandaan. 'Kom op, Tonino, we moeten hier weg!' schreeuwde hij. Maar Antonio Ferri bewoog niet. 'Tonino!' bleef Renatino schreeuwen.

'Doe dicht! We moeten hier weg, anders schieten ze ons allemaal dood! Laat hem liggen. Hij is dood. Zie je dat niet?' schreeuwde Michele, terwijl hij de auto startte en optrok. 'Zo rij je over hem heen!' riep Renatino.

Michele gooide bruusk het stuur om in de hoop hem te ontwijken en toch voelden ze de wielen van de auto over Ferri's benen heen rijden. De 132 scheurde op volle snelheid de afrit van het plein op, terwijl de agenten de laatste kogels uit hun magazijn op de auto afvuurden.

Ze reden opnieuw op de snelweg naar Brescia, maar de auto functioneerde niet goed. De platte banden konden de snelheid niet aan. Nog geen kilometer verder zagen ze bij een parkeerplaats een 128 staan. Een moeder stond bij haar dochtertje dat moest overgeven. De vader zat nogal ongeduldig achter het stuur te wachten. Renatino kreeg meteen zin om hen te gijzelen, maar bedacht zich, omdat ze hen alleen maar tot last zouden zijn. Hij besloot wel de auto te nemen. Ze stopten achter de 128 en stapten uit met hun wapens in de aanslag. Michele rende naar de kant van de man, deed het portier open en dwong hem, door zijn tweeloops geweer tegen zijn kin te zetten, uit te stappen. Renatino liep mank en drukte met één hand op de wond aan zijn dijbeen. Hij stapte in de auto. Toen hij het portier dichtdeed merkte de vrouw dat er iets vreemds aan de hand was en gilde: 'Pasqua', wat is er aan de hand? O, mijn god, ze ontvoeren ons!'

Michele smeet de man op het asfalt, nam zijn plaats in achter het stuur en trok op met gierende banden.

'Zachtjes! Zachtjes rijden!' schreeuwde de man hun nog toe, terwijl hij opstond, bezorgd om de veiligheid van zijn Fiat 128 die net uit de fabriek kwam.

Een paar minuten later wees Renatino Michele op een opening in de vangrail. 'Draai om!' beval hij zijn maat. 'Ga terug!'

Michele Giglio keerde, zonder zich druk te maken over de auto's die in tegengestelde richting reden, waardoor de auto's die op hem af kwamen hard moesten remmen. Michele gaf plankgas om de afstand naar Milaan zo snel mogelijk te overbruggen. Zijn rijvaardigheid deed niet onder voor die van Napo.

De agenten die van de heuvel af waren gerend kwamen aan bij de plaats delict en konden niets anders dan constateren dat hun collega's dood waren. Ze bedekten hun arme, door kogels doorzeefde lichamen met lakens. Daarna liepen ze naar de bandiet die op zijn rug op de grond lag. Hij had de Smith&Wesson nog in zijn hand en onder zijn dure jas van kamelenhaar droeg hij een brede kogelriem, als van een cowboy. Zijn onbeweeglijke ogen konden de loodgrijze lucht boven hem niet meer zien. Toen hij zijn collega's op de grond zag liggen schopte een van de agenten, met tranen in zijn ogen van onmacht, tegen zijn benen aan, maar werd meteen weggehaald door een andere collega. Met hun portofoon belden ze eerst de lijkschouwer en schakelden vervolgens helikopters in om de moordenaars in de Fiat 132 te stoppen.

45

De hel barst los

Alfonso Caruso, de hoofdcommissaris, had op het hoofdbureau opnieuw alle leiders van de verschillende eenheden bijeengebracht. Hij had weer een van zijn woede-uitbarstingen die hem rood deden aanlopen.

'Hij heeft vier van onze collega's gedood in minder dan drie maanden tijd! Ik kan niet geloven dat hij iedere keer weet te ontkomen! Wie is die flikker? Jullie moeten uitvinden waar hij kakt, de klootzak! Waar hij neukt, wie hij naait! Ik wil hem dood of levend! Dood is beter! Ik wil pissen over zijn as! Jullie mogen niet naar huis om te slapen, voordat jullie hem te pakken hebben. Is dat duidelijk, verdomde hoerenzonen?' Hij ging nog minstens twintig minuten verder met zijn tirade. De bureaucommissarissen hielden hun adem in, om hem maar niet te laten merken dat ze er waren. Moncada staarde naar de vloertegels en dacht na hoe hij verder moest met zijn onderzoek, waar hij zo zijn eigen ideeën over had.

Renatino en zijn maten werden door pers en televisie inmiddels beschreven als de meest beestachtige naoorlogse bende. De politie wilde hen koste wat kost te pakken krijgen en had al zijn mankracht ingezet. Milaan werd belegerd. Alle pleinen en straten werden in de gaten gehouden door patrouillewagens. Door zo'n beetje overal blokkades te plaatsen had de politie een groot deel van de criminele activiteiten platgelegd. Renatino werd niet alleen door de politie gezocht, maar ook door de onderwereld, door de zware criminelen die de leiding hadden over de illegale drugs- en wapenhandel. Op het hoofdbureau sloten ze niet uit dat iemand uit dat milieu hem aan zou geven, misschien zelfs Turatello wel.

Renatino had dezelfde conclusie getrokken. Daarom had hij besloten ergens anders heen te gaan. Hij had meerdere fascistische vrienden in

Rome en zij zouden hem zeker helpen een veilige schuilplaats te vinden als hij ze goed betaalde.

***

Renatino en zijn maten hadden twee dagen nodig om Rome te bereiken. Ze waren genoodzaakt binnenwegen te nemen om de blokkades te vermijden, en om de stad in te komen gebruikten ze een ambulance van Brunetto, een van Mazzinga's vrienden die goed thuis was in de fascistische kringen van de hoofdstad. Mazzinga had een witte jas aangetrokken en moest doorgaan voor ambulancebroeder, in geval de politie hen zou aanhouden. Renatino had ter camouflage een zuurstofmasker op zijn gezicht, voor als ze de auto grondiger zouden onderzoeken. Maar dat was niet nodig, omdat het bij geen enkele politieagent opkwam een ambulance met loeiende sirenes aan te houden. Ze werden gevolgd door een Fiat 130, met de Stomme achter het stuur. Hij had de twee ontsnapte gevangenen bij zich die Renatino een paar weken eerder uit de gevangenis in Lecco had bevrijd: Tonino Rossi en Enrico Merlo, bijgenaamd Micio. Ze hadden bijna hun complete wapenarsenaal, waar ze een half leger mee van wapens konden voorzien, in de ambulance en de 130 geladen.

***

Diezelfde ochtend had de Meester Eerwaarde de gebruikelijke top bij elkaar geroepen, deze keer echter in zijn villa in de omgeving van Arezzo. Majoor Guetta, het hoofd van de CIA Mason Marvel, generaal Martinelli en de mysterieuze figuur die we alleen kennen met de eenvoudige bijnaam Generaal, waren stipt op tijd.

'Vandaag is de toestemming voor de ontvoering van de zoon van De Martino aan de orde.'

'Dit is het meest geschikte moment,' zei de vertegenwoordiger van de CIA. 'De nieuwe stroom socialisten is sterk genoeg om de klap te weerstaan en de nieuwe koers het hoofd te bieden.'

'We hebben ook groen licht gekregen van het Vaticaan,' zei Martinelli.

'Goed dan,' concludeerde de Eerwaarde. 'Denkt u eraan contact op te nemen met onze bondgenoten?' vroeg hij aan de Generaal.

'Zal ik doen. Turatello is altijd beschikbaar.'

'Perfect.' De Eerwaarde slaakte een zucht van verlichting. 'Er is nog iets wat we moeten bespreken, namelijk onze vriend Dalmasso.'

De Generaal had hem verteld over de confrontatie met hem in het trapportaal van zijn huis. Hij begon een onaangename pion te worden en wendde zich bij ieder probleem tot hen, had de generaal gezegd. Hij had hem duidelijk gemaakt dat het moment was gekomen hem uit de weg te ruimen.

'Het spel wordt te ingewikkeld voor hem,' legde de Generaal met zijn baritonstem uit. 'Bovendien zit Turatello achter hem aan omdat Dalmasso in opdracht van ons een van zijn mannen heeft geëlimineerd.'

'Waarom laten we het hen niet onderling uitvechten?' stelde Martinelli voor.

'Het werkelijke probleem is dat Dalmasso te veel weet,' zei de Eerwaarde. 'Als die twee zouden samenwerken, zouden ze al onze dekmantels kunnen onthullen.'

'Daarom. Het is makkelijker als we hem door Francis' killers laten uitschakelen.' De officier van de CIA redeneerde in economische termen.

'We zouden hem ook naar Spanje terug kunnen sturen,' suggereerde de Generaal iets inschikkelijker. 'Naar onze gewapende eenheid.'

'Dat lijkt me een goed idee,' zei de Eerwaarde. 'Iemand als hij kan altijd nuttig zijn.'

'Het belangrijkste is dat hij niet gearresteerd wordt,' zei de Amerikaan, 'anders kunnen we problemen krijgen.'

'Als ze hem arresteren zorgen wij er wel voor dat hij zijn mond houdt,' zei generaal Martinelli bondig.

'Goed. Dan is dat ook opgelost.' De Eerwaarde liep een voor een de problemen na die al te lang onopgelost waren. 'Laten we het nu over Renatino hebben. Ik vind die jongen sympathiek, omdat hij gevoel voor humor heeft en niet verwaand is, hoewel hij enorm veel zelfvertrouwen moet hebben en graag in het middelpunt van de belangstelling staat, maar dat is in onze tijd geen onvolkomenheid, integendeel. De vraag is: wat willen we met hem?'

'Het is moeilijk in gesprek te gaan met iemand die zo oncontroleerbaar is,' zei de Generaal. 'Hij loopt altijd met een handgranaat op zak, misschien neemt hij hem ook wel mee naar bed. Het zal me niet verbazen als hij de dag waarop hij gepakt wordt een bloedbad aanricht. We weten in ieder geval dat hij naar Rome gaat verhuizen, als hij dat niet al gedaan heeft.'

'Naar Rome?' vroeg Marvel, alsof hij het niet begrepen had.

'Naar Rome, inderdaad,' benadrukte de Generaal. 'De politie in Milaan is woest op zijn bende. Ze hebben binnen een paar maanden weet ik hoeveel agenten gedood. Ze willen ze pakken, koste wat kost, dood of levend. De agenten hebben het bevel gekregen hen neer te schieten zodra ze hen zien.'

'Maar moeten we hem zich echt laten opofferen?' vroeg de Eerwaarde. 'Hoe vaak gebeurt het nou dat er in Italië zo'n dappere jongen opstaat die zo vaardig is in de strijd op het open veld? Het is een moedige jongen.'

'Ik herinner me Giuliano,' zei de Amerikaan. 'Die is even moedig en even gewetenloos.'

'Jullie Amerikanen hebben hem goed te pakken genomen in Portella della Ginestra,' zei generaal Martinelli treurig.

'Hij was een beetje te naïef. Iets wat onze Renatino niet is,' zei Mason. 'Dat in Portella was een perfecte generale repetitie. Iedereen geloofde meteen dat hij degene was die op de menigte had geschoten en dat is dan ook de geschiedenis in gegaan als de waarheid. Komt het jullie niet bekend voor wat we in de afgelopen maanden hebben klaargespeeld?'

'Jawel...'

'En het werkt nog steeds. Het volk laat zich makkelijk om de tuin leiden,' concludeerde de kapitein van de CIA.

'En dus? Om terug te komen op onze Renatino. Gaan we hem redden? Kan hij in de toekomst iets voor ons betekenen?' vroeg de Eerwaarde.

'Laten we het zo doen,' stelde Martinelli voor, 'we bieden hem opnieuw onze hulp aan. Als hij die deze keer accepteert, en ik zie niet in waarom hij die in zijn situatie zou weigeren, zullen we er alles aan doen om hem van de galg te redden.'

'Goed, ook dat is afgehandeld,' zei de Eerwaarde met een honingzoete glimlach.

'Wacht even, we hebben nog niet vastgesteld wie er met Renato gaat praten,' zei Martinelli. 'Generaal, als ik me niet vergis bent u toch de vorige keer, in de gevangenis, naar hem toe gegaan?'

'Zonder succes,' antwoordde deze, terwijl hij eraan terugdacht.

'Dan bent u deze keer aan de beurt, Martinelli,' concludeerde de Eerwaarde.

* * *

Mazzinga had alle leden van de batterij een schuilplaats aangewezen. Die van Renatino bevond zich in de buurt van Cassia, bij de A90. Het appartement was van ene Emma, de schoonzus van Enrico Merlo, een actrice die in haar vrije tijd schilderde, of een schilderes die in haar vrije tijd acteerde.

In een appartement in het centrum zat de rest van het gezelschap: Mazzinga, de Stomme, Molotov, Antonio Rossi en Enrico Merlo. Franca maakte al een paar maanden geen deel meer uit van de batterij. Ze had besloten in te treden als lekenzuster en de rest van haar leven te wijden aan de randfiguren van de samenleving.

Brunetto, de jongen die hun voorzien had van de ambulance, bemiddelde tussen hen en de Romeinse onderwereld. Het was ook Brunetto die Renatino vertelde dat een zeer invloedrijk persoon belangrijke dingen met hem wilde bespreken. Brunetto hield een pleidooi voor de zaak van deze mysterieuze figuur en haalde Renatino uiteindelijk over hem te ontmoeten.

Deze invloedrijke persoon was niemand minder dan generaal Martinelli. Brunetto blinddoekte hem en bracht hem samen met Mazzinga in een busje naar via Volusia, naar het appartement waar Renatino een beroerde tijd in Rome doorbracht.

'Neem me niet kwalijk, maar ik zie sterretjes door een kogel in mijn onderrug en kan niet langer dan een paar minuten op mijn benen staan,' excuseerde Renatino zich, omdat hij generaal Martinelli liggend op de bank ontving.

De generaal kwam, zoals gewoonlijk, meteen ter zake. 'Het is een eer u te mogen ontmoeten,' begon hij, terwijl hij zijn hoofd boog. 'Ik bewonder uw heldendaden. Alle leden van onze groep zijn ervan onder de indruk,' zei hij serieus. 'Het is niet makkelijk om jongeren met uw karakter te vinden. Jongeren die door ons vaderland niet op de juiste waarde geschat worden, maar die wij, als we aan de macht komen, met de grootste eer zullen behandelen. Ons vaderland raakt stuurloos. Een bepaalde politieke klasse is corrupt en denkt alleen aan zijn eigen belangen en niet aan de publieke zaak, aan de burgers. De jongeren volgen valse idealen, zijn oneerbiedig, gewelddadig en niet in staat zelf na te denken. Links krijgt de overhand en we hebben bij de vorige verkiezingen gezien wat daarvan komt. Willen we echt de kozakken hun paarden zien drenken op het Sint Pietersplein?'

'En wat is de oplossing?' vroeg Renatino die rusteloos begon te worden, niet alleen vanwege de pijn aan zijn been, maar ook omdat hij al een vermoeden kreeg waar het gesprek heen zou leiden.

'Onze Amerikaanse vrienden hebben een oplossing voorgesteld. Zij hebben ons bevrijd van de tirannie en sturen zelfs vandaag de dag nog hun kinderen de dood in om de wereld te bevrijden van het communisme.'

'En die is?' vroeg Renatino.

'Terreur. We moeten een probleem creëren en als de burgers vervolgens luidkeels roepen om een oplossing, moeten wij laten zien dat we die voorhanden hebben. Na alles te hebben vernietigd, stropen we onze mouwen op en scheppen we een perfecte orde, een nieuwe orde waarin de instellingen heilig zijn.' Martinelli leek wel een bevlogen profeet toen hij deze woorden sprak. 'We hebben u nodig voor het eerste deel van het plan, om het probleem te creëren. Wij kunnen u voorzien van alles wat u nodig heeft: geld, wapens en bescherming. U zult onze gewapende macht zijn. U kunt meer geld verdienen dan waar u ooit van gedroomd heeft en als u wilt ook een diplomatiek paspoort krijgen. Het zal niet moeilijk zijn het volk angst aan te jagen. We kunnen ons richten op treinen, banken en treinstations.'

'Neem me niet kwalijk, maar ik volg u niet meer.' Hij begon zich te ergeren aan die rede als van een perfecte strateeg. 'De pijn in mijn rug wordt erger en het lijkt alsof ik verlamd ben.' Hij loog om van hem af te komen. 'Ik heb begrepen wat u zei. Misschien kunnen we dit een andere keer afronden, als u dat goedvindt?' Hij riep Mazzinga, die zich samen met Brunetto in een andere kamer had teruggetrokken om hen vrijuit te laten praten, en droeg hem op de generaal terug te brengen. Ze namen afscheid van elkaar met de belofte elkaar zo snel mogelijk weer te spreken en Martinelli gaf hem een telefoonnummer dat hij kon bellen als hij hem wilde spreken.

Zodra generaal Martinelli het appartement had verlaten, na opnieuw geblinddoekt te zijn, pakte hij de mini-taperecorder die hij onder de tafel had geplakt.

De generaal belde hem een paar uur later. Toen hij de stem van Martinelli hoorde, zette hij de taperecorder op play. '... U zult onze gewapende macht zijn. U kunt meer geld verdienen dan waar u ooit van gedroomd heeft en als u wilt ook een diplomatiek paspoort krijgen. Het zal niet moeilijk zijn het volk angst aan te jagen. We kunnen ons richten op treinen, banken en treinstations.'

'Heb je jezelf herkend, klootzak? Zoals ik al eerder heb gezegd tegen uw waardige collega, ik ben een bandiet en heb altijd mijn ware gezicht getoond. Ik heb me nooit achter een of ander masker verscholen. Zoek maar iemand van je eigen soort om je vuile zaakjes op te knappen, rioolrat. En onthoud, dat als je me te schande maakt en de juten op me af stuurt, ik een kopie van deze opname klaar heb liggen om naar het Openbaar Ministerie te sturen.'

Hij hing op zonder een antwoord af te wachten.

Generaal Martinelli belde meteen majoor Guetta op de aparte lijn. Hij vertelde hem dat Renatino negatief stond tegenover over hun missie. Zijn antwoord was kort maar krachtig: 'Laten we hem te gronde richten.'

46

De grote breinbreker

Ciro Marra was een rasechte Napolitaan, geboren en getogen in een van de beruchtste wijken van Napels, Rione Sanità. Hij had de hele school van de kleine criminaliteit doorlopen. Eenmaal meerderjarig waren er talloze arrestatiebevelen voor hem uitgevaardigd, waardoor hij had besloten naar Milaan te verhuizen. Hier was het eenvoudig om toe te treden tot de belangrijkste bende van de stad, namelijk die van Turatello, vooral omdat hij handig, sympathiek en rap van tong was. Toen Francis de ontvoering van de zoon van de socialistische politicus op touw moest zetten, besloot hij Ciro naar Napels te sturen om een groep misdadigers uit zijn buurt te gaan werven. Ciro was buitengewoon intelligent en deze opdracht betekende een belangrijke sprong voorwaarts, die hem in de achting van zijn criminele vrienden zou doen stijgen. Hij wilde het goed doen en verrichtte zijn taak dan ook nauwgezet, zonder geld in zijn eigen zak te steken, wat de meeste mensen wel zouden doen: hij beloofde de leiders van de camorra honderd miljoen.

Ze hoefden geen vinger uit te steken, alleen maar te zwijgen over de ontvoering. De andere leden van de camorra, die de ontvoering voor hun rekening zouden nemen, zouden de andere honderd miljoen verdelen. Met de verkoop van gesmokkelde sigaretten zouden ze al dat geld pas in twee jaar hebben verdiend. Turatello en zijn mannen werd van het losgeld van de familieleden van de gijzelaar hetzelfde bedrag in het vooruitzicht gesteld. Maar niemand hoefde te weten dat Ciro voor de Milanese boss werkte.

De jongen werd voor zijn huis in Vomero ontvoerd. De vier criminelen van Rione Sanità wachtten in een Alfa tot hij naar huis terugkeerde en ze grepen hem voor hij de deur binnenging, waarna ze hem de auto in sleepten. Veel flatbewoners hoorden zijn geschreeuw. Zijn oude vader liep het balkon op. De Martino voelde meteen aan dat het om een ontvoering ging. Tevergeefs riep hij zijn naam. Hij zag hoe ze hem de auto in duwden en vervolgens met hoge snelheid wegreden, naar de Tangenziale.

Francesco De Martino begreep dat zijn politieke carrière op dat moment ten einde was. Hij had een goede kans om de nieuwe president van de republiek te worden, maar deze ontvoering zou hem voor altijd achtervolgen.

Turatello vroeg vijf miljard losgeld voor de jongen, maar moest zich tevredenstellen met één miljard. De Martino behoorde tot de oude garde: hij was niet rijk geworden van de politiek. Hij wendde zich tot de partij om het geld bij elkaar te krijgen. Een ondernemer bood hem een deel van het losgeld aan als lening en l'Ambrosiano Veneto bood hem een deel van het geld aan, dat van andere ontvoeringen afkomstig bleek te zijn. Het was een zootje. Toen de vier leden van de camorra begrepen wie ze hadden ontvoerd, vreesden ze voor hun leven. Deze kruimeldieven en smokkelaars, kortom kleine criminelen, pleegden een misdaad die veel te hoog gegrepen was voor hen. Ciro Marra moest zich flink in het zweet werken om hen bij elkaar te houden en hen uit de problemen te houden. Dat had echter geen enkele zin, want nadat het losgeld betaald was gaf de leider van de vier, een zekere Vincenzino, zichzelf aan bij de politie omdat hij vreesde voor zijn leven.

De banken in Milaan waren verplicht stortingen groter dan twee miljoen te melden bij de politie en de bankbiljetten te bewaren ter identificatie van de rekeninghouder. Op deze manier lukte het vicecommissaris Moncada zijn handen te leggen op Stalin, Federico Esposito en Ciro Marra, die een deel van het losgeld van de ontvoering van De Martino probeerden wit te wassen via stortingen op een bankrekening.

Die ontvoering vormde een echte breinbreker voor de vicecommissaris. De drie maakten inderdaad deel uit van Turatello's bende. Maar wat had Engelengezicht te maken met een ontvoering in Napels? De ontvoering was uitgevoerd door leden van de camorra die geen bijzondere waarde hadden voor Rione Sanità. Het was overduidelijk dat iemand opdracht had gegeven voor deze ontvoering. Maar wie was die opdrachtgever? Niet de maffia waar Engelengezicht zaken mee deed, want gedurende de hele periode van de ontvoering hadden alle gebruikelijke activiteiten in Napels, en dus ook van de camorra, stilgelegen. De opdrachtgever moest wel heel belangrijk zijn om om zo'n gunst te kunnen vragen. Was de politiek er misschien bij betrokken? Hij dacht hier hardop over na en inspecteur Perrone volgde aandachtig zijn gedachtegang.

'Het is wel toevallig dat ze hem vlak voor het congres van de Socialistische Partij in Turijn hebben ontvoerd,' zei Vittorio Perrone.

'Hoewel Craxi hem van de secretarisstoel gestoten heeft, krijgt De Martino nog steeds veel steun binnen de partij. Bij de eerste de beste fout van Craxi zou hij makkelijk weer partijsecretaris kunnen worden.'

'Ik heb met een van de vertrouwelingen van de nieuwe secretaris gesproken,' vertelde Perrone. 'Meerderen zien De Martino's opening naar de communisten als een bedreiging. Dat is ook de reden dat ze hem uit de weg wilden ruimen. Deze zelfde Eerwaarde heeft in een recent interview gezegd dat hij hoopte dat het voorzitterschap van de Raad naar een socialist ging en dat van de republiek naar een christen-democraat.'

'Achter deze ontvoering zit dus een marionettenspeler die geen lid is van de camorra en ook niet van de maffia. De Martino heeft verklaard dat hij als tegenprestatie voor de vrijlating van zijn zoon voor altijd moest afzien van het leiderschap van de SPI. Zo heeft hij de weg vrijgemaakt voor Craxi.'

'Commissaris, vertelt u me nu dat Turatello, dat wil zeggen de onderwereld, de maffia en de politiek elkaar gunsten verlenen?' vroeg Perrone ongelovig.

'Denk eens aan alles wat er hier de afgelopen tien jaar gebeurd is,' begon Moncada. 'Volgens mij, en dit heb ik ook tegen rechter D'Amico gezegd, begint alles met dat uitgebreide rapport van een Griekse spion dat gericht was aan dictator Papadopoulos. Hierin wordt gesproken over een internationale organisatie om het communisme in Italië te bestrijden, precies zoals in 1966 in Griekenland is gebeurd. Vanaf dat moment heeft men er alles aan gedaan Italië te terroriseren. Denk aan de bom in de Landbouwbank, de opstand in Reggio en de ontsporing van de trein in Gioia Tauro, bloedbaden die de bevolking flink aangegrepen hebben. Een van deze slachtpartijen is de boeken in gegaan als "ongeluk". Ik heb het over de grootste vliegtuigramp van Italië, de DC-8 van Alitalia die op 5 mei 1972 vlak bij het vliegveld van Palermo, in Montagna Longa is neergestort. De opdrachtgevers voor deze acties zijn nooit gevonden. Ze worden zo goed beschermd dat alleen degenen met toegang tot bepaalde afdelingen, rapporten en bewijsmateriaal hebben kunnen vernietigen. Toen ontstond in '74 de crisis van rechts. Nixon en zijn rechterhand Kissinger gingen ten onder door het Watergateschandaal. Amerika's greep op andere landen werd losser, waardoor in Portugal de Anjerrevolutie ontstond, die een eind maakte aan de dictatuur van Salazar. Een paar maanden later is het de beurt aan Griekenland om zich te ontdoen van de dictatuur van de kolonels en later aan Spanje om zich te bevrijden van Franco. Dit is het jaar waarin de Eerwaarde zijn geheime loggia sticht. En vanaf dan neemt het aantal moorden en aanslagen toe en worden ze steeds gruwelijker. In deze periode wordt ook het verdorven pact tussen de maffia, kleine criminelen, staatslieden, fascistische en communistische terroristen en de vrijmetselarij van de Eerwaarde gesloten. Hier ben ik zeker van, hoewel het moeilijk is aan te tonen,' eindigde Moncada machteloos.

'De bewijzen zijn slechts indirect, commissaris,' zei Perrone.

'Maar we hebben een mitrailleur, een Ingram, die moet zijn bewaakt door de geheime dienst, die we echter op verschillende plaatsen delict aantreffen. Verder zijn er de bankbiljetten van de ontvoeringen die we in onverwachte handen aantreffen en de verklaringen van een aantal criminelen, waar ik mijn handen echter niet voor in het vuur zou steken. Maar hoe sleep je samenzweerders voor de rechter?'

* * *

Als het lot toeslaat, kan dat zowel wreed als grappig zijn: het stuurt boodschappen in de vorm van raadsels en gebeurtenissen die slechts door echte puzzelkampioenen ontrafeld kunnen worden.

Een jaar eerder had een hevige aardbeving duizenden mensen gedood. De schok had vijftig lange seconden geduurd, wat genoeg was om de huizen van honderden gemeenten met de grond gelijk te maken. Het epicentrum van de aardbeving, met de hoogste waarde op de schaal van Richter, bevond zich vlak bij Tolmezzo. En precies hier deed don Vincenzo een geweldige ontdekking tijdens de wederopbouw van de kapel van het kleine dorpskerkhof. In de buurt van het altaar was de vloer ingestort en werd een ondergrondse nis zichtbaar. Toen de pastoor de holte onderzocht ontdekte hij twee groene, hermetisch afgesloten metalen kisten. Hoewel ze waren verweerd door de tijd, was de tekst erop nog te lezen: 'US stay behind'. Een neef van Don Vincenzo was alpenjager. Hij belde hem op omdat de twee kisten er qua vorm en kleur uitzagen als legerattributen. De neef van Don Vincenzo, sergeant bij de alpenjagers in Udine, maakte door een speling van het lot deel uit van een uiterst geheime groep van het leger, 'Stay behind' genoemd.

Om te begrijpen wat dit opschrift betekent, moeten we terug naar 1951, vijf jaar na het einde van de oorlog. De Italiaanse Geheime Dienst, die toen Sifar heette, en de Amerikaanse CIA, sloten een samenwerkingsverband om een strikt geheime groep geheim agenten op te richten. Deze werden over het hele land verspreid in een verzetsnetwerk en ze waren getraind om in te grijpen in geval van bezetting, in het bijzonder door de communisten, op het gebied van informatie, sabotage, guerrilla en infiltraties. Ze kregen de beschikking over kisten met wapens, explosieven en munitie, begraven op honderddertig schuilplaatsen verspreid over de belangrijkste regio's van Italië, maar vooral in het noorden.

Toevalligerwijs maakte de neef van de pastoor deel uit van die geheime eenheid. Zodra hij begreep dat een van hun opslagplaatsen ontdekt was belde de jonge alpenjager onmiddellijk de leider van zijn eenheid, Pierluigi Dalmasso.

Precies in die periode had de Generaal contact gezocht met Dalmasso, om hem te verzekeren van de steun van de geheime dienst en hem te adviseren Milaan een paar maanden te verlaten en naar Spanje te gaan om de training van zijn revolutionaire eenheden af te ronden. Hij had hem zelfs een enkeltje voor de slaaptrein naar Madrid gestuurd.

Het telefoontje van de jonge alpenjager bereikte hem toen hij net op weg was naar het station. Omdat hij eerst het probleem van de twee legerkisten in Tolmezzo op moest lossen, was hij gedwongen zijn treinreis uit te stellen. Het lot, of wat het ook was, had ervoor gezorgd dat hij niet uit Italië weg kon.

Pierluigi Dalmasso huurde een busje en reed in één dag naar Tolmezzo. Hij ging naar de doodskapel van het dorpskerkhof en laadde met hulp van de neef van de pastoor de twee omvangrijke kisten in het busje. De twee kenden elkaar en Dalmasso verzocht hem dringend tegen niemand iets te zeggen over de ontdekking en keerde terug naar Milaan.

* * *

In de schuilplaats in Cassia gleden de uren traag voorbij, hoewel het appartement werd bezocht door een groot aantal mensen, ook vreemdelingen, die hun respect aan Renatino kwamen betuigen door hem de meest bizarre voorstellen te doen. Bijna alle bezoekers brachten een gedetailleerd ontvoeringsplan voor hem mee en gaven hem een lijst met namen van rijke Romeinse ondernemers, als Caltagirone, Genghini en Marchini. Er kwam zelfs iemand met een boodschap van Albert Bergamelli, van de bende van Marseillanen. Deze vroeg zijn hulp om uit gevangenis Regina Coeli te ontsnappen en beloofde hem Rome daarna met hem te zullen delen. Samen zouden ze grootse daden kunnen verrichten. Renatino was moe en de wond aan zijn dijbeen wilde maar niet helen. Hij had last van hevige pijnscheuten. Op dat moment had hij er alles voor over om naar Zuid-Amerika te gaan, misschien wel met Emma, zijn gastvrouw, die zo hulpvaardig en discreet leek. Ze stelde nooit te persoonlijke vragen.

Op het nachtkastje naast het bed lagen zijn handgranaat, die hij altijd bij zich droeg, en zijn trouwe P38. Zou hij de moed hebben de granaat op het juiste moment te gebruiken, zoals hij al meerdere keren beweerd had? Daar was hij nu niet meer zo zeker van. Hij wilde nu alleen maar rusten en ontsnappen aan de chaos. Zijn bende was inmiddels uiteengevallen. De Beverrat was in de gevangenis aan levercirrose gestorven. Bradipo was in de gevangenis van Pisa met een priem doodgestoken. Cambogia was door een schot in zijn hart en twee in zijn nek op piazza Vetra vermoord. Tonino Ferri zag hij nog voor zich bij het tolhuisje van Dalmine, met zijn mooie jas van kamelenhaar aan... Wat zou er nu van hem terechtkomen?

Een paar dagen later arriveerde Brunetto met een bereidwillige arts om het probleem van de kogel tussen zijn dijbeen en rechterbil definitief op te lossen. De arts zei dat hij de kogelsplinters er in een oogwenk uit zou hebben en dat hij er niets van zou voelen. Renatino liet zich overtuigen door de rappe tong van de sympathieke Romeinse arts... en maakte de ergste dertig minuten van zijn leven mee. Hij had nog nooit zo'n hevige pijn gevoeld, zo'n onmenselijke en onbeschrijflijke pijn. De dokter wroette in het levende weefsel van de patiënt, en maakte de wond alleen maar erger. Uiteindelijk gaf hij het op en zei simpelweg dat het beter was hem naar een kliniek te brengen waar ze hem onder algehele narcose konden opereren.

Brunetto vond een kliniek, waar ze de gezochte bandiet tegen betaling van een grote som smeergeld wel wilden opereren. Maar na de gebruikelijke vragenlijst vooraf, begreep de arts dat hij pas onder narcose was geweest en hij wilde niet de verantwoordelijkheid nemen hem na zo'n korte tijd opnieuw onder narcose te brengen. Hij moest het een paar weken later nog maar eens proberen.

Renatino keerde nog meer gehavend dan daarvoor terug naar de schuilplaats in via Volusia en liet zich in de watten leggen door de liefdevolle Emma.

* * *

Dalmasso moest de Generaal, zijn directe verantwoordelijke, inlichten over de ontdekking van de kisten, maar besloot ze achter te houden als een soort gratificatie. Hij reed terug naar Milaan en verstopte ze, met hulp van twee fascistische vrienden, in de kelder van zijn nest in Lambrate. De ene vriend leek op Edward G. Robinson en de ander kleedde zich als Diabolik. Toen hij binnenkwam hield Diabolik hem de avondeditie van *La Notte* voor. 'Heb je gelezen wat er vanmorgen gebeurd is?'

'Ik was op reis. Ik heb geen krant gekocht.'

'Was dat niet jouw trein, die om kwart voor drie vanuit Milaan naar Madrid vertrok?'

'Jawel. Wat is er gebeurd?'

Diabolik sloeg de eerste pagina van de krant open en toonde het hem. De hele pagina werd in beslag genomen door een foto van een ontspoorde trein. Het onderschrift meldde dat dit een laffe terroristische actie was van een subversieve groepering, hoewel op dat moment nog niemand de verantwoordelijkheid voor het bloedbad had opgeëist. Het explosief was precies onder een van de slaapwagons gelegd die naar Madrid gingen. De politie dacht dat de aanslag het werk was van de ETA.

Dalmasso sloeg de krant dicht. 'ETA, mijn laars! Dat zijn zij nooit geweest! Hier zit de generaal achter. Die bom was voor mij bedoeld!' riep hij geschokt. Hij wist dat hij in dit keiharde spel een pion van weinig waarde was en dat zijn directe meerderen niet zouden aarzelen hem op te offeren voor de eindoverwinning, als dat nodig mocht zijn.

Met deze gedachten daalde hij samen met Piccolo Cesare en Diabolik af naar de kelder. Hier kon hij eindelijk de kisten openmaken, veilig voor indiscrete blikken. Ze bevatten wat hij al dacht: een grote hoeveelheid munitie, verscheidene Beretta's van 38mm en Colts van 45mm, een aantal Kalaschnikovs, vier Skorpions, een paar Uzi's van 9mm, slaghoedjes en explosieven, kortom een klein wapenarsenaal. Eén voorwerp in het bijzonder trok zijn aandacht. Het was klein, en ooit oranje, maar nu zwartgeblakerd. Met een doek veegde hij het roet van het opschrift in het midden van het blok ijzer: 'Flight recorder do not open'. Aan de zijkant stond een afkorting en een nummer. Het was de zwarte doos van de verongelukte DC-8 die in '72 was neergestort in Montagna Longa. Hij had enorm veel geluk met deze vondst, want deze kisten vormden zijn ticket naar de eeuwigheid. Met dit bewijs in handen kon hij zijn vrienden van de geheime dienst in het nauw brengen. Vrienden die zich de laatste tijd niet als zodanig hadden gedragen.

'En wat doen we nu met al dit moois?' vroeg Diabolik, die gek was op geld. 'We kunnen ze hergebruiken. Ze zien er netjes uit,' zei hij terwijl hij het registratienummer van een automatisch pistool controleerde.

'Ze zijn niet legaal,' legde Dalmasso uit. 'De politie weet niet waar deze wapens vandaan komen, maar de Amerikanen wel, omdat ze van de CIA en de NAVO zijn. Als bekend wordt dat we ze aan de onderwereld hebben verkocht, ontstaat er een diplomatieke ondergrondse oorlog die zijn weerga niet kent. Dit is echter meer waard dan alle wapens in deze kisten samen.' Hij liet het oranje voorwerp zien. 'Dit is onze levensverzekering.'

'Wat is het?' vroeg Piccolo Cesare.

'Het is de zwarte doos van een vliegtuig dat een paar jaar geleden op Sicilië is neergestort. Maar dat is een verhaal dat beter geheim kan blijven, omdat er anders ontelbaar veel koppen gaan rollen, waar wij dan mee kunnen spelen,' antwoordde de man dubbelzinnig.

47

Naar het einde van het rijk

Toen de Generaal Dalmasso's stem aan de telefoon hoorde, reageerde hij onverschillig, maar zijn hart ging als een gek tekeer. Dalmasso wilde met hem afspreken in een bar in via Broletto.

'Generaal, ben je verbaasd me te zien?' vroeg hij toen ze elkaar ontmoetten.

'Dalmasso, verspil mijn tijd niet. Je weet dat ze ons niet samen moeten zien, dat is te gevaarlijk voor mij.'

'En het is niet gevaarlijk voor mij als er een bom onder mijn kont ontploft?' vroeg hij terwijl hij zijn gezicht dreigend naar hem toe boog.

'Waar heb je het over?'

'Over de bom onder de slaapwagon van de directe spoorverbinding naar Madrid, van een paar dagen geleden.'

'Was dat jouw trein?' De generaal deed alsof hij met stomheid geslagen was.

'Dat weet je best. Kijk hier eens naar.' Midden op tafel legde hij een omgekeerde foto neer.

De Generaal draaide het papier om en zag de polaroidopname van de zwarte doos die hij in de kist van Tolmezzo gevonden had. Ook deze keer verraadden zijn gelaatstrekken niet de minste emotie. 'Dat is een zwarte doos,' merkte de generaal op. 'Waarom laat je me die zien?'

'Omdat ik deze zwarte doos in mijn bezit heb. En wij weten allebei maar al te goed waar die van is, nietwaar generaal?'

'Dalmasso, je werk als spion heeft je gek gemaakt. Ik weet niet waar je het over hebt en ik raad je aan om in ieder geval wat rust te nemen. Straks eindig je nog in een kliniek.'

'Niet in een kliniek, maar op een begraafplaats. Door een wonder ben ik nog in leven. Weet dat als iemand het vanaf nu in zijn hoofd haalt mij ook maar met een vinger aan te raken, een notaris die dit ding in bewaring heeft, deze doos naar de officier van justitie van Milaan brengt. Is dat duidelijk?'

De Generaal kon zijn nieuwsgierigheid niet langer bedwingen en vroeg hem: 'Waar heb je hem gevonden?'

'Dat is deel van het wonder,' antwoordde hij raadselachtig. 'Generaal, ik heb jullie nu bij de ballen. Dwing me niet ze eraf te rukken!'

Hij liet hem alleen achter. De Generaal vroeg zich af of er een mogelijkheid was om uit deze doodlopende steeg te ontsnappen.

* * *

Piccolo Cesare kon de verleiding niet weerstaan een paar wapens uit de kisten van Tolmezzo te verhandelen en verspreidde een bericht onder de overvallers dat er 'legale wapens' te krijgen waren. Het is algemeen bekend dat de discretie van de onderwereld met een flinke korrel zout genomen moet worden, en dat zo'n bericht onbetrouwbaar is. Cesare dacht dat Dalmasso er niets op tegen zou hebben als hij enkele geweren zou verkopen. Zo redeneerden de goede jongens van de gangs. Iedereen besliste voor zichzelf, zonder een leider te raadplegen, zonder twee keer na te denken of hij diens orders wel of niet moest opvolgen. In feite bestonden er geen echte bazen. De goede jongens waren geen maffiosi die deel uitmaakten van een familie, maar van 'open' batterijen waar de grootste beslissingsvrijheid gold. Dit gebrek aan hiërarchie liep deze keer echter uit op een ware ramp.

Het nieuws zorgde ervoor dat de huurmoordenaars die Turatello had aangesteld om Dalmasso uit te schakelen, uit hun hol tevoorschijn kwamen. Aan het hoofd van de bende stond Nino Colasberna, een goede kameraad van Francis, met aan zijn zijde vier snuiters voor wie iedereen al op de vlucht sloeg zodra ze zich vertoonden. Ze hadden het uiterlijk van echte criminelen, waardoor filmmakers erom vochten hen te casten als acteurs in misdaadfilms die in die tijd zeer populair waren. Ze gingen akkoord met een deal van een sukkel van een assistent-regisseur die niets anders deed dan duwen en schreeuwen, niet zozeer voor de centen, maar omdat ze op deze manier meisjes konden versieren die ervan droomden actrice te worden.

Buiten de set veranderden ze weer in meedogenloze killers. Ze wisten dat Piccolo Cesare, bijgenaamd de Dwerg, een van de kakkerlakken was die met Dalmasso werkte en, zonder hem de tijd te geven na te gaan hoe erg hij zich in de nesten had gewerkt, gooiden ze hem in een zwarte BMW en brachten hem naar het platteland van Trenno, naar een oud, verlaten huis dat ze als afwerkplek gebruikten voor filmsterretjes of als martelruimte voor hun vijanden. Eromheen lagen enkel omgeploegde graanvelden, dus niemand zou hun geschreeuw of gekrijs kunnen horen.

De Dwerg werd vastgeketend in een houten huis en een paar dagen gemarteld. Ze besprenkelden zijn ogen met benzine en gooiden brandende lucifers naar hem die hij wanhopig probeerde te doven. Daarna was het de beurt aan zijn teennagels, die ze tergend langzaam van zijn tenen trokken met een tang. De pijn was onhoudbaar en hij schreeuwde zo hard dat ze gedwongen waren zijn mond met watten op te vullen. Desondanks werden zijn kreten gehoord door een veeboer, die zijn drie paarden hiernaartoe had gebracht om ze te laten grazen. Hij waarschuwde de carabinieri en zo bereikte het nieuws dat de Dwerg werd vastgehouden door een van Turatello's bendes ook majoor Guetta. De majoor waarschuwde vervolgens de Generaal en beval hem zo snel mogelijk de politie erbij te halen: hij moest de carabinieri beletten deze zaak naar zich toe te trekken.

'Heb je het goed begrepen, Generaal?' vroeg majoor Guetta die niet het risico wilde lopen verkeerd begrepen te worden. 'De Dwerg moet dood. Ik wil niet dat hij verraadt waar Dalmasso zich schuilhoudt. Onze mol op het hoofdbureau van politie mag hem doden.'

Een paar tellen later werd de Generaal gebeld door Pierluigi Dalmasso. De man was buiten zichzelf van woede: 'Generaal! Wie heeft er verdomme voor gezorgd dat de Dwerg is verdwenen? Je neemt me niet serieus! Als je mijn maat niet meteen vrijlaat, laat ik de zwarte doos naar het Openbaar Ministerie sturen!'

'Dalmasso, ik zweer je dat ik nergens vanaf weet. Het is niet onze verantwoordelijkheid, maar ik probeer degenen die hem hebben ontvoerd tegen te houden. Wij hebben dit bericht ook gehad, maar ik zeg nogmaals dat wij er niets mee te maken hebben. Geef me nu de tijd om hem weer vrij te krijgen. Ik zal zorgen dat je hem gezond en wel weer terugkrijgt.'

'Generaal, jullie lopen het risico dat jullie hele klote-organisatie verdwijnt, weten jullie dat wel?'

'Ik heb je gezegd geduld te hebben!' Hij hing op en belde met de aparte lijn de mol op het hoofdbureau.

Even voor zonsopgang de volgende ochtend, installeerden een stuk of veertig agenten een observatiepost, in de hoop de hele bende op te pakken, inclusief Turatello. Even later omsingelden ze op bevel van commissaris Moncada het huis. Ook de mannen van de ontvoeringseenheid en van de drugseenheid onder leiding van inspecteur Gino Martelli en zijn rechterhand, agent Lucio Brizzi, waren gekomen om hen een handje te helpen. Iedereen droeg een kogelvrij vest met de duidelijk zichtbare tekst POLITIE. Het was muisstil in het huis. Het was duidelijk dat zowel de bewakers als de gijzelaar sliepen. Moncada vond dit het juiste moment om binnen te vallen. Zijn mannen gingen eerst naar binnen. Een paar agenten forceerden de voordeur, terwijl andere naar binnen drongen via de achterkant of de ramen. Ze verlichtten het huis met elektrische fakkels en zagen dat het leeg was. Vittorio Perrone liep naar een kast in een hoek van de kamer, verborgen onder een groot laken dat onder de uitwerpselen zat. Hij trok het weg en ontdekte de plek waar de Dwerg gevangen was gehouden. De gegijzelde lag op zijn rug in de kast en was van dichtbij met een pistool in zijn nek geschoten.

* * *

De Dwerg was geen held en Colasberna hoefde nog maar één keer te dreigen om zijn ogen te verbranden om hem aan het praten te krijgen. Toen hij verraadde waar Pierluigi Dalmasso zich schuilhield, ging het vijftal naar Turatello voor verdere instructies.

Om er zeker van te zijn dat de schurk Dalmasso hem niet zou ontglippen riep Francis een van zijn beste mannen bij zich: Angelino Epaminonda. Samen met Colasberna en zijn andere vier kameraden reed hij naar het nest van Pierluigi Dalmasso, een stijlvol gebouw van vier verdiepingen dat overschaduwd werd door grote gebouwen van negen verdiepingen in de buurt van viale delle Rimembranze di Lambrate.

Sinds hij met de Generaal had gesproken was Pierluigi Dalmasso er erg slecht aan toe. Hij vertrouwde hem niet en was bang dat hij, ondanks zijn dreigement wraak te nemen, niet in staat was Turatello en zijn trawanten tegen te houden. En daar kreeg hij gelijk in. Francis Turatello stond op het punt de dood van zijn vriend Angelo Infanti te wreken. Dalmasso voelde dat hij in gevaar was. Wie jarenlang uit vrije wil of uit noodzaak gedwongen is aan de rand van de maatschappij te leven, altijd in afwachting van iets ergs dat hem kan overkomen, scherpt zijn zintuigen tot het uiterste aan.

Op dat moment voelde hij dat zijn laatste uur geslagen had. Hij opende de la van zijn ladekast en haalde er alle wapens uit die hij bezat: een mitrailleur, een lupara, twee revolvers en een shotgun. Hij stopte de kogels in het magazijn van de pistolen, daarna was het de beurt aan de mitrailleur en de shotgun en ten slotte stopte hij de grote jachtkogels in de lupara.

De twee auto's, een Mercedes en een BMW, parkeerden naast elkaar ter hoogte van de grote deur van Dalmasso's schuilplaats. Hij hoorde ze aankomen en gluurde door het raam om te zien wie hem zocht. Hij herkende het unieke postuur van Turatello achter het stuur van de Mercedes. Naast hem zat Angelino Epaminonda, een van zijn wreedste kompanen. In de BMW zaten vier oerlelijke figuren die hij niet kende. Dalmasso rende naar de telefoon en belde de Generaal.

'Hij is hier! Hij is hier!' schreeuwde hij zodra hij de baritonstem van de Generaal herkende aan de andere kant van de lijn. 'Ik wist dat ik je niet moest vertrouwen! Ik maak je kapot! Jou en dat hele zootje dat bij je hoort!'

'Rustig, Dalmasso! Over wie heb je het?'

'Over Turatello! Hij is hier, met zijn hele bende! Hou hem tegen! Jij kunt hem tegenhouden. Ik wil niet vermoord worden als een hond!' smeekte Dalmasso. Daarna vervolgde hij: 'Ik heb de zwarte doos hier bij me, in de wandkluis. Het is niet waar dat ik hem aan een notaris heb gegeven. Hij is van jou als je hem weet te stoppen!'

'Nu gebruik je je hoofd, Dalmasso. Goed zo! Zo mag ik het horen. Hang nu op. Dan pleeg ik een telefoontje en help ik je uit de problemen.' De generaal hing op en belde daarna meteen het hoofdbureau van politie. Hij sprak met de mol en even later vertrok er vanaf de centrale een politiewagen met daarin vicecommissaris Moncada en Vittorio Perrone, terwijl twee andere dienstauto's met loeiende sirenes naar het oostelijke deel van de stad, in de richting van Lambrate reden.

Turatello legde aan Colasberna uit wat zijn plan was. Nino Colasberna en zijn vier jongens zouden naar het appartement van Dalmasso gaan. Hun streven was hem levend te pakken, mits Dalmasso hen volgde zonder streken uit te halen, anders mochten ze hun wapens gebruiken. Als hij hen na vijftien minuten nog niet naar beneden zag komen, zouden hij en Epaminonda hen te hulp snellen.

Colasberna liep met twee treden tegelijk en met een automatisch pistool in zijn hand naar boven, gevolgd door zijn vier kameraden. Het appartement van Pierluigi Dalmasso bevond zich op de bovenste verdieping. Toen hij bij de deur aankwam riep de terrorist: 'Dalmasso, doe open, ik ben Colasberna, ik wil je alleen even spreken.' Hij wachtte tot hij antwoord kreeg.

Na een tijdje schreeuwde Dalmasso: 'Ik ken je niet. Ga weg!'

'Luister, Turatello wil je ontmoeten.'

Dalmasso was op de vliering gaan staan en kon vanaf die positie de hele gang en de deur van de ingang zien. Naast hem lagen zijn Uzi, twee pistolen, de Lupara en de shotgun. Hij was doodsbang. Hij wilde niet sterven, maar als het echt niet anders kon, zou hij een paar vijanden met zich meenemen.

'Waarom heeft hij jou gestuurd om met me te praten? Kon hij me zelf geen voorstel komen doen? Heeft hij bodes nodig? Is hij bang zichzelf te laten zien?' vroeg Dalmasso.

'Hij heeft mij gestuurd, omdat hij mij vertrouwt. Vertrouw jij me?'

'Wat kraam jij nou voor een onzin uit, vriend? Of ik jou vertrouw? Het is de eerste keer dat ik je zie!'

Colasberna merkte dat de deur niet op slot zat en stuurde een van zijn mannen om hem te forceren. Deze liep met een loper naar de deur en had binnen no time het slot open.

'Laten we het proberen eens te worden. We zitten immers in hetzelfde vak, vind je ook niet?' zei Colasberna.

'Ik vind alleen dat je me een hoop onzin aan het vertellen bent en begrijp werkelijk niet waarom ik mijn tijd zo door jou laat verspillen. Wat moet Turatello van me?' vroeg Dalmasso.

Maar hij had zijn zin nog niet afgemaakt of Colasberna schopte de deur open en begon blind te schieten en te schreeuwen om chaos te creëren en zijn maten de tijd te geven het appartement binnen te gaan. De verrassingsaanval zette Dalmasso een paar seconden op het verkeerde been, maar daarna begon hij met zijn mitrailleur terug te schieten in de richting van de gang.

Colasberna was weer terug in de gang en dook naar de grond. Hij zag aan zijn rechterkant een deur en rolde daarnaartoe om de schoten die van boven kwamen te ontwijken. Het was de anderen ook gelukt de gang te bereiken en dekking te zoeken, aan het andere eind in een kamertje van het personeel, dat afgeladen was met vuil wasgoed.

Dalmasso greep de shotgun, ging op zijn knieën zitten en schoot een paar keer in de richting van de kozijnen van de deuren waar ze zich achter verscholen en verbrijzelde de helft van de pleisterkalk. De andere twee overvallers stonden nog in het trapportaal, wachtend op een pauze om naar binnen te kunnen. Colasberna loste nog een mitrailleursalvo zonder te kijken. Alleen de hand waarmee hij schoot en zijn geweer stak hij buiten de deur. Dalmasso bukte om de kogels te ontwijken, legde de shotgun weg en pakte de lupara, waarmee hij een lading kogels loste. Hij had geluk, want hij raakte vol de hand van Colasberna. De hand raakte los van zijn pols, waardoor zowel de hand als de mitrailleur midden in de gang vielen. Colasberna slaakte een verschrikte kreet en drukte met zijn andere hand op het stompje. Het bloed bleef er echter uit spuiten. De crimineel viel na een paar seconden flauw, op zijn rug. De andere twee hadden de scène aanschouwd en stonden als aan de grond genageld. Ze werden gegrepen door een onbedwingbare woede, maar wisten niet zeker wat ze moesten doen. Hun leider lag op de grond. Moesten ze de operatie afmaken? Ze losten nog meer salvo's naar boven, in de richting van het zolderraam, maar Dalmasso schoot even hard terug.

In de verte klonken de sirenes van de politiewagens. De twee in het appartement keken elkaar verbijsterd aan. Nu wisten ze echt niet meer wat ze moesten doen. Ze konden er niet tussenuit knijpen en Colasberna daar achterlaten. Eén minuut later waren de sirenes al in de buurt van het huis. Ze hoorden de Mercedes op volle snelheid wegrijden. Turatello had hen achtergelaten. Buiten waren opgewonden stemmen hoorbaar die naar hun makkers in het trapportaal schreeuwen dat ze hun wapens moesten laten vallen en zich over moesten geven.

Moncada verscheen in de gang. 'Doe jullie wapens weg. Het huis is omsingeld. Handen omhoog en kom naar voren, waar ik jullie kan zien!' schreeuwde hij en zag in het midden van de gang een mitrailleur liggen met een door een Lupara-kogel vermorzelde hand aan de trekker.

De twee kameraden van Colasberna schreeuwden dat ze niet moesten schieten omdat ze zich overgaven.

'Wie is daar boven?' vroeg de commissaris intimiderend.

'Commissaris, ik ben het, Dalmasso. Jullie hebben er lang over gedaan om hier te komen,' zei de terrorist, terwijl hij opstond met zijn handen in de lucht. 'Nog een paar minuten en mijn munitie was op geweest. Dan hadden ze me echt koud gemaakt.' Vervolgens wees hij naar de keuken, rechts van de gang. 'Daarbinnen zit iemand van wie ik zijn hand heb afgeschoten. Misschien leeft hij nog.'

Colasberna werd naar het ziekenhuis gebracht en overleefde het. Toen Moncada Dalmasso in de boeien sloeg, bedankte deze hem: 'Commissaris, u heeft geen idee hoe blij ik ben om u te zien. U heeft mijn leven gered. Ik weet niet waarom Turatello boos op me is en gezworen heeft me om zeep te helpen, maar nu jullie er zijn voel ik me veilig. Nogmaals bedankt, commissaris.'

Toen Dalmasso en de andere arrestanten het appartement verlaten hadden, werd het ondersteboven gekeerd in de hoop een aanwijzing te vinden. En aanwijzingen waren er genoeg om iedere willekeurige officier van justitie blij te maken. Het belangrijkste waren de tien miljoen aan bankbiljetten waarvan werd achterhaald dat ze afkomstig waren van het losgeld voor Alessia Terracina. Dit was het bewijs dat Renatino banden had met het fascistische soldatenvolk. Ook de kluis werd geopend en agent Lucio Brizzi, de assistent van inspecteur Martelli van narcotica, vond daarin een paar zakjes cocaïne en een vreemd, oranje gekleurd stalen voorwerp. Hij stopte zowel het voorwerp als de drugs in een tas, na het appartement volgens de regels te hebben onderzocht en te laten fotograferen.

* * *

Terwijl Pierluigi Dalmasso in Milaan werd overgeleverd aan justitie, kwam op het hoofdkwartier van de carabinieri een tip binnen, gericht aan de militairen in het appartement in via Volusia, in de buurt van Cassia. De anonieme tipgever maakte duidelijk dat het om een vooraanstaand persoon moest gaan. Als aanvoerder van een stuk of zestig carabinieri omsingelde kolonel Antonio Cornacchia het gebouw. Alle militairen droegen een kogelvrij vest en een helm ter bescherming. De politie had een beroemde terrorist gepakt, misschien konden zij ook hun handen leggen op een belangrijk figuur uit de onderwereld. Begeleid door twintig carabinieri liep de kolonel de trap van het fraaie gebouw op. Een enkele bewoner, die het lawaai en het gestommel van de zware schoenen hoorde, stak zijn hoofd uit de deuropening van zijn huis. De militairen gaven hun echter het teken stil te zijn en hun appartement weer in te gaan.

Renatino, die altijd alert was, hoorde de carabinieri aankomen. Op dat moment ging de telefoon. Emma nam op. De stem aan de andere kant klonk opgewonden en zei, zonder zich voor te stellen: 'Emma, verlaat je appartement. Haast je. Ga naar je vriendin die boven woont, snel! De carabinieri komen eraan!'

'Met wie spreek ik?' Degene aan de andere kant van de lijn had al opgehangen.

'Hij zei dat ik weg moest gaan,' zei ze tegen Renatino, die zich in de kamer voortbewoog met behulp van een kruk.

'Hij heeft gelijk. Ga. Ze moeten je hier niet vinden. Er kan van alles gebeuren. Ga, verdwijn... en sorry voor de last die ik je heb bezorgd,' zei hij met een droevige glimlach. Renatino verloor zelfs op extreme momenten zijn charme niet.

Ze glimlachte terug en streelde zijn wang. 'Doe geen gekke dingen.'

Ze verliet het appartement, liep één trap omhoog en klopte op de deur van het appartement van haar vriendin, die haar binnenliet zonder iets te vragen.

Eén minuut later kwam kolonel Cornacchia aan bij het trapportaal van de vierde verdieping, voor de deur met nummer 9 erop. Hij wachtte tot zijn mannen hun positie hadden ingenomen, liep naar de deur toe, sloeg er met zijn vuist op en schreeuwde: 'Doe open! Jullie zijn omsingeld! Geef jullie over!' Hij wist niet wie er in het appartement was en met hoeveel ze waren.

Het geschreeuw van de kolonel klonk irreëel in de stilte van de zonsopgang. Renatino begreep dat alles verloren was, maar wilde zich een houding geven. Omdat mensen een bepaald gedrag van hem verwachtten, schreeuwde hij van achter de deur: 'Ik ben gewapend met drie handgranaten en drie kilo T4. Als jullie proberen de deur te forceren blaas ik het hele gebouw op!'

De kolonel nam zijn dreigement serieus en beval zijn mannen meteen het pand te ontruimen. Terwijl zijn luitenants iedereen uit hun appartement haalden, zette de kolonel de onderhandelingen met Renatino voort. Maar hij wist nog steeds niet met wie hij te maken had.

'Mijn naam is Antonio Cornacchia en ik ben kolonel van de carabinieri. Ik hoor je niet goed. Ik kom nu iets dichterbij, als jij me belooft niet door de deur heen te schieten.'

'Als jullie niets uithalen, zal ik me gedragen.'

'Geef je over, dan zal niemand je kwaad doen, je hebt mijn woord, als mens en als carabiniere.'

'Wie zegt me dat jullie niet van de politie zijn?'

'Kijk maar onder de deur.' De officier haalde zijn pasje uit zijn portemonnee en duwde het onder de deur door. 'Ben je nu overtuigd?'

Renatino verheugde zich, ondanks de benarde situatie, over het feit dat er geen politieagenten aan de andere kant van de deur stonden. De laatste paar maanden had zijn bende er vier koud gemaakt en als hun collega's hem te pakken zouden krijgen, zou het hem duur komen te staan.

De kolonel hoorde het slot opengaan.

'Oké, niet schieten, ik ben ongewapend. Ik ben gewond en loop met een kruk...'

De deur ging langzaam open en voor de kolonel en zijn mannen verscheen de meest gezochte crimineel van Italië. Hij was er zeer slecht aan toe. Ze herkenden Renatino meteen, hoewel hij er in levenden lijve heel anders uitzag dan op de signalementfoto's. Hij had lang, rossig haar en een woeste snor en kon met moeite overeind blijven met behulp van een kruk. Het leek onmogelijk dat deze man, nog geen dertig jaar oud, al die maanden de politie en de carabinieri had bedreigd.

'En jij bent dus die Renatino die ons al die tijd bloed heeft laten spugen,' zei de kolonel lichtelijk teleurgesteld, terwijl een andere carabiniere hem in de boeien sloeg.

'Wie had u dan verwacht, kolonel? Nembo Kid? Heb ik u teleurgesteld?'

'Totaal niet. Jou oppakken is als een royal flush krijgen met poker.'

48

Het begin van de haat

Het nieuws van Renatino's arrestatie verspreidde zich razendsnel onder de redacties van alle kranten en het televisiejournaal. Het bereikte ook de rest van de bende, die in het appartement in het centrum verborgen zat. Mazzinga bracht de anderen ervan op de hoogte. De radiojournaals deden niets anders dan de politie en carabinieri prijzen, die eerst met de arrestatie van Dalmasso en daarna met die van Renatino de orde in de straten en op de pleinen van Rome en Milaan hersteld hadden.

Mazzinga zei tegen zijn vrienden dat het verstandiger was om allemaal naar Milaan terug te gaan. Het kon geen toeval zijn dat die twee arrestaties zo kort achter elkaar hadden plaatsgevonden. Op dit moment was het beter om te vertrekken, later zouden ze wel uitzoeken wie de matennaaier was die hen aan de politie verraden had. In de late ochtend spraken ze af met Mario, een vriend van Brunetto, die aanbood hen voor een miljoen lire naar Milaan te brengen met zijn grote Land Rover. In de kofferbak van de stationwagen zetten ze de tas met de mitrailleurs, de Colt 45mm, de Special 38mm, een pistool met een demper en een grote hoeveelheid kogels. Ze vertrokken 's middags om drie uur. Mario voorspelde dat ze voor de avond op de plaats van bestemming zouden zijn. Hij ging de Autostrada del Sole aan de noordkant op. Er was niet veel verkeer op de weg, sterker nog, hoe meer kilometers ze draaiden, hoe minder auto's ze zagen. Toen ze bijna ter hoogte van Orvieto waren, zagen ze uiteindelijk zowel aan hun kant van de weg als aan de andere kant geen auto's meer. De snelweg was praktisch leeg. Even later hoorden ze de motor van een helikopter. Ze keken omhoog en herkenden de kleuren van de politie op de zijkant.

'Laten we de mitrailleurs pakken,' zei de Stomme. Maar Mazzinga, die zich verantwoordelijk voelde voor de groep, zei: 'Laat zitten, Stomme.

Het is het niet waard om onze levens op het spel te zetten. In wezen betrappen ze ons alleen op wapenbezit en kunnen ze ons van geen enkele andere misdaad beschuldigen.'

Even later werd de Land Rover door een zee van politiewagens omsingeld. Mazzinga, de Stomme, Molotov, Tonino Rossi, Enrico Merlo en Mario, de eigenaar van de auto, stapten met hun handen omhoog uit en gaven zich ontgoocheld over, als een stelletje scholieren die betrapt werden op het stelen van appels uit de tuin van de rector.

* * *

Renatino werd onder maximale beveiliging in het diepste geheim naar gevangenis San Vittore gebracht en de ochtend daarop kon vicecommissaris Moncada hem ondervragen. Hij had een heleboel uit te leggen. Een stuk of zeventig overvallen, vier ontvoeringen en de moord op vier politieagenten werden aan hem toegeschreven. Maar het was duidelijk dat veel van deze misdaden op zijn conto geschreven waren omdat dit goed uitkwam. De enige twee delicten waar hij zeker bij betrokken was geweest, waren de ontvoering van Alessia Terracina en de schietpartij bij het tolhuisje van Dalmine, omdat hij nog een van de kogels in zijn dijbeen had die waren afgevuurd door een politieagent.

Moncada wilde hem niet meteen aan een echt verhoor onderwerpen, maar koos voor een informeel gesprek om hem duidelijk te maken met wie hij te maken had en om zijn vertrouwen te winnen. Hij liet zich een van de kamertjes in de gevangenis toewijzen die gebruikt werden voor vertrouwelijke gesprekken. In het midden van de kamer stond een rechthoekige tafel met twee stoelen en in een van de hoeken stond een leunstoel. Verder niets. Hij liet Renatino op de leunstoel zitten, zodat hij zijn rechterbeen kon strekken. Die was zo stijf dat hij wel verlamd leek.

'Eindelijk ontmoeten we elkaar, Renatino. Ik ben vicecommissaris Moncada,' begon hij, terwijl hij op de stoel tegenover hem ging zitten.

'Valt mijn dossier onder uw bevoegdheid, commissaris?' Hij wilde meteen duidelijk hebben of hij met een of andere boerenkinkel te maken had of niet.

'Ja, en ik maak me zorgen. Weet u waarom?'

'Vertelt u het me maar.'

'In de statistieken staat dat 79 procent van de misdaden onbestraft blijft en dat in slechts zestien procent van de gevallen waarin een burger een andere burger vermoordt, de moordenaar mogelijk veroordeeld wordt. Ik maak me zorgen omdat ik niet wil dat juist u onder die ontmoedigende cijfers valt.'

'Te weten dat we niet gestraft worden is een van de factoren waardoor wij goede jongens niet zo zwaar tillen aan de criminaliteit. Geen van ons houdt er rekening mee dat hij wordt gepakt, anders zouden er geen misdaden worden gepleegd, denkt u ook niet?'

'Jullie criminelen roemen deze straffeloosheid, maar het verlamt de publieke opinie, de ordehandhavers en de rechterlijke macht. Om maar niet te spreken over de straffeloosheid die van bovenaf wordt ingesteld,' preciseerde Moncada. 'Denk aan de Sindona-zaak, aan het petroleumschandaal, aan zwartgeldtransacties, aan het afluisteren van telefoons en talloze andere schandalen van de heren die ons besturen en die in alle kranten staan. Wie wordt daarvoor gestraft? Wie zit in de gevangenis voor deze feiten? Niemand! Nie-mand,' scandeerde de commissaris. 'Iedere keer hopen we op gerechtigheid, met de hoofdletter G. Maar iedere keer worden we teleurgesteld.'

'Het spijt me, commissaris. Maar gelooft u nog in gerechtigheid?' vroeg Renatino spottend. 'Heeft u nog niet in de gaten dat er een macht is die boven de wet staat?'

'Ik zal altijd strijden tegen deze hogere macht, zoals u deze noemt. Niemand heeft het recht zich zo machtig te voelen dat hij straffeloos kan handelen,' stelde Moncada met kracht.

'Maar zolang er zulke mensen bestaan, zullen de eerlijke burgers denken hun eerste slachtoffers te zijn. Hierdoor ontstaat onrust in onze maatschappij, beste commissaris,' zei Renatino.

'Dat is waar. Dat de machthebbers niet gestraft worden is het eerste stadium van de sociale onrust, omdat sommige mensen zich erbij neerleggen en hun kop in het zand steken, terwijl anderen zich ertegen besluiten te verzetten door middel van kleine dagelijkse wraakacties. En dit is het begin van de haat.' Moncada stond even stil bij deze laatste woorden. 'Maar wat is het verschil tussen iemand zoals u, die voor een losgeld van één miljard lire iemand ontvoert die arbeiders uitbuit en bijvoorbeeld een functionaris die zijn partijvrienden dezelfde som afhandig maakt door nepaanbestedingen?'

'Goed zo, commissaris. Dit zou het slotpleidooi van mijn advocaat kunnen zijn,' constateerde Renatino. 'Aan wiens kant staat u eigenlijk?'

'Ik sta aan de kant van de burger. Aan de kant van degene die zich 's morgens als hij wakker wordt afvraagt: Hoe is het mogelijk dat wij mensen in ons parlement hebben als Lima en Gioia die er al jarenlang van worden beschuldigd banden met de maffia te hebben? Diezelfde maffia die ontvoeringen en overvallen pleegt en onze bevolking afperst? Hoe is het mogelijk dat onze politici zulke nare en schaamteloze lui steunen? Waarom blijft iedereen zwijgen?'

'Het is niet eenvoudig om antwoord te geven op deze vragen, commissaris. Als u mijn bescheiden mening wilt weten, gebaseerd op persoonlijke ervaring, denk ik dat deze gang van zaken zo populair is omdat het de kortste weg is naar de tentakels van de macht.'

'Maar dat is waanzin. We hebben gezien wat er in Griekenland is gebeurd en in Portugal. De kolonels kunnen een kazerne commanderen, maar geen staat. Het moment is aangebroken dat ieder van ons zich bewust moet worden van de rechten en plichten die ons land ons heeft geboden en deze vervolgens met hand en tand te verdedigen en ze moedig na te streven. Want we moeten nooit vergeten dat wij de staat zijn. Alleen wij! En dit zou ook voor u moeten gelden, Renatino.' Moncada was even stil, maar keek daarna zijn gesprekspartner in de ogen en vroeg hem koud: 'Maar Renatino, waarom bent u geworden wat u bent geworden?'

* * *

Zodra ze in de verte de sirenes van de politie hadden gehoord besloten Turatello en Epaminonda om Nino Colasberna en zijn maten aan hun lot over te laten in plaats van het hoofd te bieden aan een hele mobiele eenheid. Turatello wilde wat contant geld halen en een tijdje verdwijnen. Hij kwam aan in via Cellini, bij een van zijn meest stijlvolle gokhuizen. Op dat tijdstip was het er al vol met beroepsgokkers en handelaren die om de chemin- en roulettetafel, de koningin van het kansspel, samendromden. Een oude vriend van hem, een Fransman die een dubbelganger was van Belmondo, was verantwoordelijk voor de zaal. De directeur groette hem en zei: 'Het gaat de bank vanmiddag voor de wind... dankzij die man.' Hij wees naar een man van in de zeventig, een regisseur met het spelvirus in zijn bloed.

Turatello herkende de man, die een van zijn trouwste klanten was. Hij wierp een blik op de zaal. Het was niet stampvol, maar voor dit tijdstip, vroeg in de avond, mocht hij niet klagen. Hij vertelde zijn vriend, de directeur, meteen waarvoor hij gekomen was. 'Ik heb contant geld nodig. Ik moet een tijdje verdwijnen.'

De man keek eerst naar hem en daarna naar Epaminonda en begreep uit hun strakke gezichten dat ze haast hadden.

'Goed. Volg mij maar,' zei hij, terwijl hij in de richting van een deur achter in de hoofdzaal liep.

Terwijl hij de zaal door liep werd hij herkend door een man. Hij liep weg bij de roulettetafel en kwam hem tegemoet. Hij was een jaar of vijftig, grijnsde, had een aristocratisch gezicht en werkte in de transportbranche, maar was verslaafd aan het spel. 'Francis! Wat een geluk dat ik je tref.' Hij groette hem hartelijk, als een oude vriend, maar Turatello probeerde hem duidelijk te maken dat hij haast had.

'Toni, ik moet iets dringend afhandelen, ik spreek je later.'

De ander gaf echter niet op. 'Luister, Francis, ik heb die tijdelijke baan nodig. Ik had er rekening mee gehouden. Je kunt me niet laten stikken, niet nu.'

'Het spijt me, Toni. We hebben het er later over. Maar niet hier. Hier zijn mensen.' Turatello probeerde hem af te wimpelen.

'Hier en nu.' Hij verhief zijn stem zo dat de halve zaal zich omdraaide.

Turatello wilde niet met hem in discussie gaan en besloot naar hem te luisteren. 'Goed. Vertel.'

'Mijn vrachtwagens staan al een maand stil. Ik ga ten onder. Toen jij me nodig had was ik er altijd voor je. Nu vraag ik jou om mij een handje te helpen. Dwing me niet om naar de politie te gaan.'

Deze uitspraak zorgde ervoor dat de zaal zijn adem inhield. Enkele spelers liepen weg, wisselden hun fiches in en verlieten het gokhuis.

'Vind je het normaal om zo tegen een fatsoenlijk mens te spreken?' kwam Epaminonda tussenbeide. Hij gaf hem twee keer een dreun op zijn neus. De man begon te bloeden en wankelde naar achteren. Maar hij viel niet omdat Belmondo hem opving en opnieuw naar Epaminonda duwde. De man haalde een knipmes uit zijn zak en zwaaide daarmee naar Epaminonda. 'Smerige klootzak, ik snijd je open als een varken.' Hij haalde twee keer naar hem uit, maar Epaminonda ontweek zijn houwen probleemloos. Hij was kleiner dan de man met het mes, maar wist hem evengoed een trap te geven waardoor het mes uit zijn hand vloog. Toen hij eenmaal ontwapend was, vloog hij op hem af, greep hem bij de revers van zijn jas en trok hem naar de grond. Epaminonda sloeg hem herhaaldelijk met zijn vuist op zijn hoofd, stond weer op en begon zijn borst, nieren en gezicht met een ongelooflijke kracht te bewerken. Een aantal vrouwen wendde zich van afschuw vervuld af. Turatello liep op hem af en probeerde hem te kalmeren, maar de ander bleef slaan en slaan, tot de man niet langer bewoog. Epaminonda zei hijgend: 'Zou hij nu manieren geleerd hebben?'

'Breng hem naar buiten,' beval Turatello de baas van de zaal.

Daarna ging hij naar het kantoor en haalde bankbiljetten uit de kluis die hij vervolgens in nette stapeltjes in een tas stopte tot hij vol was. Hij verliet de goktent via de achterdeur, gevolgd door zijn trouwe maat Epaminonda.

* * *

San Vittore bestond uit twee kampen. Op de eerste, derde en zesde afdeling zaten aanhangers van Renatino en op de tweede, vierde en vijfde zaten die van de bende van Turatello. De bindende verordening van het bestuur was dat de leden van de twee bendes elkaar nooit mochten tegenkomen, niet in de gespreksruimtes en ook niet in die van de advocaten.

Renatino had nog last van de wond die maar niet wilde helen. Meteen na zijn arrestatie was hij geopereerd in het San Spirito in Rome en was de kogel verwijderd. Ze hadden zo'n grote snee gemaakt dat er honderdtachtig hechtingen nodig waren om hem te dichten en de operatie afgerond zonder het verbandgaas in het dijbeen weg te halen, waardoor dit hem nog lang pijn bleef bezorgen.

Inmiddels bracht hij zijn tijd grotendeels door in een half onbewuste staat. De pijn was afschuwelijk. Zijn zwakte en pijn, die beiden niet weggingen, zorgden ervoor dat hij loom werd en het bewustzijn verloor. En tijdens een van die momenten kreeg hij opnieuw de nachtmerrie die hem altijd teisterde als hij instortte: de wolven die hem aanvielen en in zijn tenen beten.

Als hij van de ene vleugel naar de ander moest worden overgebracht werd hij in een rolstoel gezet. Tijdens een van deze ritjes herinnerde hij zich iets wat hij in het verste hoekje van zijn onderbewustzijn had begraven.

Ze waren onderweg naar de ziekenboeg toen hij door de halfopen deur van een cel een bejaarde gevangene zag, die gebogen stond over een veldbed en de voeten van een groentje bewonderde dat deze aandacht met enige tegenzin over zich heen liet komen. De oude viezerik stopte de grote teen van de jongen in zijn mond en zoog er gulzig op, terwijl hij genietend zijn hiel masseerde. Meteen daarna stopte hij alle tenen tegelijk in zijn tandeloze muil en duwde de punt van zijn tong in iedere plooi.

Een walgelijk schouwspel dat hem deed duizelen. Hij voelde het bloed uit zijn brein wegtrekken en verloor stukje bij beetje het bewustzijn, waardoor zijn hoofd zich vulde met beelden, figuren en afschuwelijke monsters als in een nachtmerrie.

Hij zag zichzelf terug als kind, doodsbang tegen de muur van een cel gedrukt. Er kwam een reus met een blauwe wapenrok op hem af. De reus bond zijn handen vast aan het hoofdeinde van het bed. Hij schopte om zich heen uit verzet tegen deze marteling. De man die broodmager was en vriendelijke gebaren maakte, had geen tanden. Zijn tandvlees stak af tegen het zwarte gat van zijn keel als hij afstotelijk naar hem glimlachte. Hij kwam steeds dichterbij en hij hoorde hem keelklanken uitstoten die hem deden verstijven. Hij maakte zijn lippen voortdurend nat met zijn lange, smerige tong, die zwart was als een slak. Toen verdween het hoofd van de man uit zijn blikveld. Hij ging omlaag, langs zijn benen en stopte bij zijn voeten waaraan hij begon te likken en te zuigen. Hij probeerde hem met al zijn kracht weg te schoppen, maar voelde zich alsof hij door duizend handen werd tegengehouden. Hij probeerde zich met alle kracht die hij in zich had te bewegen, te reageren, maar het was alsof hij was vastgenageld en niet weg kon van het bed. Hij voelde de gruwel over zich heen komen, eerst langzaam, toen steeds heftiger. Er scheurde iets. Zijn schreeuw werd door een grote hand teruggejaagd, zijn keel in, waardoor hij bijna stikte. Daarna werd de pijn zo ondraaglijk dat hij naar de dood verlangde. Maar voordat hij stierf zwoer hij zichzelf de wereld met gelijke munt terug te betalen.

* * *

Deze keer was kapitein Mason Marvel van de CIA degene die om een spoedvergadering vroeg van de groep van de Eerwaarde en wilde hij er ook de minister bij betrekken omdat hetgeen hij moest vertellen extreem ernstig was en de toekomst van het land betrof.

Ze kwamen zoals altijd in Rome bijeen, in via Condotti, in het Centrum voor hedendaagse Geschiedenis. Alle leden van de groep waren aanwezig: de Eerwaarde, de kapitein van de CIA, Mason Marvel, de secretaris-generaal van de P2 generaal Mario Martinelli, majoor Guetta van de geheime afdeling van de SISMI, de Generaal en als laatste de minister.

'Heren, ik heb over een uur een bijeenkomst van het Gabinetto,' begon de minister met zijn typerende kakelstem. 'Ik zou dus graag meteen ter zake willen komen.'

'De bijeenkomst is, zoals jullie allen weten, georganiseerd op verzoek van onze Amerikaanse vriend, die nieuws voor ons heeft van zijn directe superieuren. Ga uw gang, mister Marvel. Deelt u ons uw mening mee,' zei de Eerwaarde.

Marvel schonk wat mineraalwater in. 'Mijn superieuren zijn tevreden over de vordering van onze projecten in Italië.' Hij stopte even om wat te drinken. 'Neem me niet kwalijk. We bevinden ons in een kritieke fase, tussen het olieschandaal, het schandaal van de Italcasse, de nieuw golf studentenprotesten en de onzekerheid die veroorzaakt is door de rooftochten van criminele bendes. De ontvoering van de zoon van de secretaris was een ingenieuze actie...'

'Maar...' zei de minister om de uiteenzetting van de kapitein in te korten.

'Natuurlijk is er een "maar"...' bevestigde de kapitein van de CIA. 'Onze analisten zeggen dat het moment gekomen is om nog verder te gaan. Nog hoger te streven.'

'Hoger dan een partijsecretaris?' vroeg de minister verbijsterd.

'Ja.'

'Wie zou dat dan zijn? Een militair, een ondernemer?' vroeg de Generaal bemoeizuchtig.

'Een politicus,' antwoordde Marvel droog.

'Een aanval direct in het hart van de Staat?' vroeg de minister samenvattend.

'Precies. Een opmerkelijke actie die nog nooit eerder is uitgevoerd hier in Italië, maar ook niet in de rest van Europa. We gaan een van de belangrijkste politici van het parlement ontvoeren.'

'U heeft het toch niet over mij, kapitein?' vroeg de minister met zijn subtiele gevoel voor humor.

'Wie weet, meneer de minister,' antwoordde kapitein Marvel met een glimlach.

'Wanneer krijgen we de details van de operatie?' vroeg majoor Guetta.

'Niet later dan aankomende herfst. Het zal in het begin van volgend jaar gebeuren.'

'Goed. Dan is dat ook geregeld,' zei de Eerwaarde. 'In de tussentijd wil ik jullie aandacht vragen voor Francis Turatello. Er is niemand die de uitwisseling beter kan regelen dan hij.'

'Dan is dat probleem ook opgelost,' zei de Generaal.

'Meneer de minister, zoals u ziet heeft dit u slechts een paar minuten gekost,' merkte Marvel op, terwijl hij op zijn horloge keek. 'U hoeft uw bijeenkomst met uw politieke vrienden niet te missen.'

'Begrijp me goed, de mensen van de bijeenkomst zijn niet zulke goede vrienden, omdat politici net familieleden zijn. Die kies je niet zelf.'

'Er is nog één ding,' onderbrak majoor Guetta hen.

'Waar gaat het over?' vroeg de Eerwaarde.

'Ik heb een verrassing voor jullie allemaal,' kondigde de majoor raadselachtig aan, terwijl hij zijn tas optilde. Hij stond op, deed de tas open en haalde er een oranje voorwerp uit dat hij midden op de tafel zette.

'Wat is dat in hemelsnaam?' vroeg de Eerwaarde.

'Dat is een cadeau dat onze zorgen om een bepaald probleem wegneemt,' zei de Generaal met een zucht van verlichting.

'Is dat de zwarte doos van de DC-8?' vroeg Martinelli.

'Inderdaad,' knikte Guetta. 'We waren hem kwijt en nu is hij weer in onze handen.'

'Geweldig, majoor. Hiermee kunnen we de mond snoeren van degenen die zeiden ons in hun macht te hebben.' De minister applaudisseerde door de toppen van zijn vingers tegen elkaar te tikken.

'Goed. Dan is dat ook opgelost en hoeven we alleen nog te oogsten wat we gezaaid hebben.' De Eerwaarde, die altijd zeer vindingrijk was in zijn formuleringen, stond op om afscheid te nemen van zijn vrienden.

49

Ontmoeting aan de top

De onbezonnen afranseling in de gokzaal in via Cellini had een dubbel negatief effect. Aan de ene kant lieten de klanten zich enige tijd niet meer zien in de Milanese goktenten en aan de andere kant werd het gerucht van een meedogenloze en onnodig wrede Turatello enorm opgeblazen, hoewel het zijn plaatsvervanger was geweest die de onvoorzichtige speler had afgetuigd en niet hij.

Het besluit om een paar maanden te verdwijnen was genomen en Francis zou voor niets in de wereld terugkomen. 'Beter een vakantie in Miami dan in San Vittore,' vond hij en hij besloot de leiding over zijn goktenten en bordelen over te dragen aan Epaminonda. Hij regelde legale documenten, pakte zijn koffers en vloog naar een van de exclusieve miljardairsparadijzen.

Mensen lijken te zijn geboren voor verraad en bedrog. Epaminonda was de enige die net zoveel charisma bezat als Turatello, en die ook even genadeloos was, wat hij al meerdere malen had getoond. Hij was van plan van de gelegenheid gebruik te maken en zo voor eens en voor altijd van hem af te zijn. Hij sloot een pact met het hoofd van de politie: hij zou hem zonder slag of stoot aan hem overleveren, op voorwaarde dat hij de goktenten mocht blijven beheren. De politie zou dan een perfecte waarnemingspost hebben van waaruit ze, met zijn medewerking, de speelhuizen in de gaten konden houden: wie ze bezocht, of sommige spelers geld probeerden wit te wassen dat afkomstig was van ontvoeringen of overvallen, kortom de gebruikelijke informatie die voor de politie van vitaal belang is. Epaminonda trad op deze manier toe tot de wereld van de matennaaiers, maar hij was tenminste een levende matennaaier, omdat niemand hem ooit met een vinger zou durven aanraken.

De hostess kondigde de vlucht naar Miami aan en nodigde de passagiers uit om plaats te nemen in het vliegtuig. Turatello ging samen met alle andere passagiers in de rij staan. De hostess scheurde het strookje van zijn ticket, gaf hem het andere deel terug en vroeg hem door de rechtertunnel te lopen, die uitkwam bij de businessclass. Hij wandelde samen met een groepje passagiers door de tunnel die naar de romp leidde. De commandant en twee potige stewards ontvingen Turatello en de anderen in de eerste klas. Francis werd naar zijn plek geleid. Om hem heen zaten mensen die samen met hem door dezelfde tunnel waren gekomen. Turatello merkte dat er een vreemde sfeer in de cabine hing. Geen ontspannen en opgewekte reisstemming, maar een gespannen sfeer. Hij keek nu beter naar zijn reisgenoten en zag dat sommige grote politieschoenen droegen. De voor- en achterdeuren werden gesloten. Turatello stond op. Hij was niet gewapend en zou bijzonder weinig uit kunnen richten. Hij was in de val gelopen en wachtte tot iemand zich bekend zou maken, wat kort daarna gebeurde. Op een afgesproken teken stonden al zijn reisgenoten op, haalden hun pistool tevoorschijn en richtten dit op hem.

'Ben jij Francis Turatello?'

Zonder antwoord te geven, deed de man zijn handen omhoog.

'Turatello, politie, je staat onder arrest,' zei inspecteur Vittorio Perrone.

'Goed zo, het is jullie gelukt. Mijn complimenten. Maar vroeg of laat kom ik vrij, dus wil iemand mij nu vertellen wie de klootzak is die me heeft uitgeleverd?' Kort nadat hij deze woorden gesproken had dook het beeld van Epaminonda in zijn hoofd op. Die had hem verraden! Zijn rechterhand, degene die hij het meest vertrouwde, Angelino Epaminonda.

* * *

Renatino bleef zich slecht voelen en afschuwelijke pijn in zijn been houden sinds hij in San Vittore was aangekomen. De gevangenisarts onderzocht hem en hij ontdekte dat een fistel zijn bekken aantastte. Hij liep het risico voor de rest van zijn leven mank te blijven. Hij werd onmiddellijk geopereerd en de verantwoordelijke arts vond het verbandgaas dat tijdens de operatie in het Santo Spirito in Rome vergeten was. 'Ze hebben een smakeloze grap met je uitgehaald. Je been werd bijna door gangreen aangetast. Als het een week langer had geduurd had je een houten been gehad,' vertelde de arts. 'Het spijt me, maar ik moet melden wat ze je hebben aangedaan.'

Renatino haalde de arts over geen actie te ondernemen. Het belangrijkste voor hem was dat zijn been er nog aan zat.

Hij was herstellende van de operatie toen hij een paar dagen later, tijdens een gesprek met zijn advocaat Camillo Rosica in het zaaltje dat ze tot hun beschikking hadden, de onmiskenbare stem van Francis Turatello hoorde. Hij wist dat hij gearresteerd was, maar niet dat hij naar San Vittore was gebracht. De brigadier kwam in het zaaltje naar hem toe. 'Luister, Renatino, daar staat Turatello. Hij heeft me gevraagd of hij je kan ontmoeten. Als je me belooft rustig te blijven laat ik hem binnenkomen. Ik zeg je meteen dat als er iets gebeurt, mijn kop de eerste is die zal rollen. Wat heb je daarop te zeggen?'

'Laat hem maar binnen, brigadier. Ik beloof u dat ik hem niet neerschiet,' antwoordde Renatino met een glimlach.

Turatello ging naar binnen. 'Kijk eens wie we daar hebben... mijn favoriete vijand.'

'Jij ook hier?' vroeg Renatino.

'Nog maar net. Hoe is het met je bil?'

'Die is verdwenen. Geweldig dus.'

'Nou, hoe zal ik het zeggen...' Francis begon meteen bij de kern van het probleem. 'Ga je me nu vertellen waarom je zo'n hekel aan me hebt?'

'Ik heb je steeds geprobeerd te bereiken, maar jij hebt niet eens de moeite genomen om te reageren. Ik wilde dat misverstand van die ongelukkige grap van Bradipo ophelderen. Herinner je je nog die avond in de Roxy, toen alles begonnen is? Hij heeft me gezworen dat toen hij "klootzak" zei, hij Caccoletta bedoelde en niet jou. En wat had het voor zin om mijn familie erbij te betrekken? Ik aanbad je, je was een idool voor mij. Maar nadat je mijn huis kwam beschieten, waar mijn vrouw en kind waren, heb ik je niet meer gezien. Ik had je graag omgelegd.'

Turatello was sprakeloos. 'Ik heb geen idee waar je het over hebt. Wat is dit voor een verhaal?'

'Ik heb je rode Opel GT gezien. Jullie hebben ik weet niet hoeveel mitrailleursalvo's gelost en zijn toen verdwenen,' lichtte Renatino toe.

'Dus dat is de reden... Ik zweer je, Renatino, dat ik nooit zoiets schandaligs gedaan heb of er opdracht toe gegeven heb. Ik zweer het je, je moet me geloven, op mijn eer. Zulke laffe acties zijn niets voor mij. Een of andere rotzak heeft ons tegen elkaar op willen zetten en het lijkt erop dat hem dat gelukt is.'

'Wil jij zeggen dat jij niet degene was die met jouw GT die hinderlaag gelegd heeft?'

'Je moet me geloven.'

Renatino barstte in nerveus gelach uit. 'Verdomme, ik wist dat jij het niet kon zijn. Daarom wilde ik zo graag met je praten.'

'Ik zweer je dat als ik degene vind die deze grap heeft uitgehaald, ik hem afmaak!'

Het tweetal kreeg steeds meer waardering voor elkaar, zozeer zelfs dat ze vanaf die dag onafscheidelijk werden. Samen bedachten ze waar ze toe in staat zouden zijn als ze hun krachten en kennis zouden bundelen. Ze waren zich ervan bewust dat de wereld snel veranderde. Inmiddels was drugshandel de business van de eeuw geworden. Renatino bleef beweren dat het werk voor idioten was, omdat je geen hoogvlieger hoefde te zijn om drie miljoen aan drugs te kopen en vervolgens in delen weer te verkopen. Binnen een maand kon je dan dertig miljoen in je zak steken zonder enig risico te lopen. Om een overval tot een goed einde te brengen moest je echter vierkante ballen hebben en een flinke dosis geluk. In de criminele wereld zag je steeds minder criminelen die deze eigenschappen bezaten.

Allebei begrepen ze dat ze iets moesten ondernemen als ze niet wilden veranderen in fossielen die alleen maar terugdachten aan verloren tijden. Daarom begonnen ze na te denken over ontsnappen uit de best beveiligde gevangenis van Italië, San Vittore.

Ze konden de ontsnapping waar ze zo van droomden niet samen uitvoeren, omdat Turatello voor straf naar de zwaarbewaakte gevangenis in Badu 'e Carros, in Sardinië werd overgeplaatst. Het gerucht ging dat hij, een uitgesproken nazi, door de geheime dienst werd aangespoord om binnen de gevangenis fascistische groeperingen te vormen als tegenwicht tegen de Rode Brigades. Hun doel was de leiders van de Rode Brigades te elimineren, in het bijzonder Renato Curcio en Alberto Franceschini. De cipiers ontdekten het plan en zodoende werd Turatello naar de zwaarbewaakte Sardijnse gevangenis gestuurd.

Ondanks de armoedige omstandigheden bleef Turatello ook daar leven alsof hij zich in een luxehotel bevond, met grote hoeveelheden dure champagne en schildpaddenbouillon. Buiten de gevangenis was het evenwicht in zijn rijk veranderd. Epaminonda deed geen zaken meer met Francis' oude vrienden en had het roer omgegooid. Mariella, de zus van de Professor, was van de ene op de andere dag haar macht in Milaan kwijtgeraakt en zinde erop de hiërarchie te herstellen met een exemplarische wraakactie jegens Turatello.

Het zal nooit duidelijk worden wie de brief met de doodverklaring aan

Francis Engelengezicht heeft verstuurd, de Professor of Epaminonda zelf. Er stond op geschreven: 'De Top heeft besloten dat de oom van het noorden zo snel mogelijk trouwt met Maranca.'

Maranca was de bijnaam van een lid van de camorra, Antonino Cuomo, dat twee maanden eerder vermoord was in Poggioreale. De oom van het noorden was Engelengezicht. In de rijke fantasie van de maffia zou deze boodschap het huwelijk tussen het tweetal moeten bewerkstelligen en omdat er al een van hen dood was, moest de ander deze zo snel mogelijk volgen in de hel.

Maar om Turatello te doden moest je van goeden huize komen. De man was in de bloei van zijn leven, sterk als een beer en groot als een berg. Hij had mensen met zijn blote handen gedood. Alleen iemand van zijn eigen kaliber zou hem kunnen omleggen en in Badu 'e Carros zaten de gevaarlijkste gevangenen van Italië. Vier van hen gingen de uitdaging aan, het uitschot van de hel: Vincenzo Fares, beroemd vanwege zijn executie van de jonge Matteo Pirotta, die eindigde met een onthoofding; Pasquale Barra da Ottaviano, bijgenaamd 't Beest, een van de aanklagers van Enzo Tortora; Salvatore Maltese en Antonino Faro, twee van de bekendste moordenaars uit de gevangenis.

Op een broeierige zomermiddag, tijdens het luchtuur, liep Salvatore Maltese naar de binnenplaats voor zijn wandeling en ging daarna naar het toilet. Hij had twee messen bij zich. Eén hield hij zelf en de andere verstopte hij in de latrine. Hij gaf Faro een teken. Op dat moment kwam Turatello op de binnenplaats aan voor de gebruikelijke wandeling na het middageten. Maltese ging naast hem lopen en werd gevolgd door Antonino Faro. Fares kwam ook dichterbij en zei tegen Maltese: 'Je kunt beginnen.'

Salvatore Maltese haalde het mes dat hij in zijn sok had verstopt tevoorschijn en stak dit met al zijn kracht in Francis' buik. Met een harde ruk reet hij zijn buik open. Turatello probeerde hem met een krachtige zet weg te duwen, maar achter zijn rug verscheen Antonino Faro, die zijn lemmet meerdere keren in zijn zij stak. Ondanks de verrassingsaanval vocht Francis als een leeuw en probeerde zijn belagers te slaan en weg te jagen. Vincenzo Fares en Pasquale Barra grepen op tijd in: ze hielden zijn armen vast, smakten hem tegen de grond en zetten hem klem. Zo konden de eerste twee hem blijven steken tot hij buiten bewustzijn raakte. Turatello had echter een sterk gestel en zou het ondanks de zestig steken die volgden nog overleven. Totdat Pasquale Barra over hem heen boog. De bruut stopte zijn blote handen in de open wonden die waren veroorzaakt door de messen en scheurde met een kreet die iedereen deed verstijven Francis' buik open, waardoor zijn vitale organen bloot kwamen te liggen. Met zijn met bloed doordrenkte handen wroette hij door de ingewanden. Toen hij de lever gevonden had, rukte hij deze eruit en zette er met een beestachtig gegrom zijn tanden in.

Pasquale Barra, 't Beest, deed zijn bijnaam eer aan.

* * *

De volgende ochtend liet vicecommissaris Moncada inspecteur Vittorio Perrone naar zijn kantoor komen. Hij was onder de indruk van de dood van Turatello, meer nog dan van de gruwelijke wijze waarop de moord gepleegd was. Een paar dagen eerder had hij hem ondervraagd over zijn banden met de Milanese maffia en met bepaalde mensen van enkele geheime staatsinstanties.

Moncada moest hem spreken over zeer belangrijke onderzoekselementen en zei tegen Perrone dat hij een draagbare geluidsrecorder mee moest nemen.

Perrone nam zijn eigen kleine Sony-recorder mee. Hij vroeg hem deze afwijkende manier van werken te verklaren. Moncada straalde een bepaalde bezorgdheid uit die hij niet van hem kende. Normaal gesproken was hij evenwichtig en onverstoorbaar.

'Heb je gehoord dat Turatello dood is?'

'Ja, ik heb het vanmorgen in de krant gelezen. Had u hem niet een paar dagen geleden ondervraagd?' vroeg Perrone.

'Dat klopt. En daarom heb ik je laten komen. Turatello wilde een gesprek zonder getuigen, maar het is belangrijk dat ten minste één ander persoon naast mij weet wat hij verteld heeft. Ik wil het opnemen zodat ik het niet vergeet.'

'Ik zie dat u zich zorgen maakt, meneer.'

'Zet de recorder maar aan,' beval Moncada hem.

De inspecteur drukte tegelijk de rec- en playknop in, waardoor er een rood lampje ging branden en de band begon te draaien.

Perrone sprak in de microfoon: 'Opname van vicecommissaris Moncada, in aanwezigheid van inspecteur Vittorio Perrone. Gaat uw gang, meneer...' Hij richtte de microfoon op de vicecommissaris.

'Ik ben vicecommissaris Moncada. Vorige week maandag heeft Francis Turatello uitdrukkelijk gevraagd of hij een informeel privégesprek met ondergetekende mocht hebben...'

* * *

De ontmoeting tussen de twee had plaatsgevonden in San Vittore, in een van de zaaltjes die bestemd waren voor gesprekken tussen advocaten en gedetineerden. Turatello had er zoals gewoonlijk weer onberispelijk uitgezien, in een colbert en een pas gewassen overhemd.

Hij groette Moncada met een handdruk. Moncada was een van de weinige smerissen voor wie hij waardering had en op wie hij kon vertrouwen. Hij had in meerdere situaties bewezen betrouwbaar te zijn. Hij had een vrijgeleidebrief beloofd en zich ook aan die belofte gehouden hoewel hij daar een flinke uitbrander van zijn baas voor kreeg.

'Ik wilde met u praten, commissaris, omdat ik alleen u vertrouw.' Ze zaten tegenover elkaar aan tafel.

'Dank je voor je vertrouwen. Waar gaat het over?'

'Ziet u, commissaris, ik ben anders dan de andere jongens van de batterijen. Dat zijn harde kerels, die dit pad hebben gekozen omdat ze er per ongeluk op beland zijn, maar ze hebben dit leven niet vrijwillig gekozen. Dat van hen is een soort protest tegen de wereld, wat niet voor mij geldt. Ik ben een halve bandiet omdat ik op dit gebied wat ervaring heb, en een halve handelaar omdat ik vooral geïnteresseerd ben in zakendoen. Verder weet ik van aanpakken, omdat mijn problemen zich altijd vanzelf hebben opgelost. Maar bovenal houd ik ervan in luxe te leven en blijf ik graag zo ver mogelijk uit de buurt van moeilijkheden. Weet verder dat ik graag samenspan met mensen met macht, waar de jongens van de batterijen, zoals die Renatino, nooit om gegeven hebben. Dit even ter inleiding om u te vertellen dat ik voel dat ik hier ernstig gevaar loop, omdat hier iemand is die mij goed kent, die bang zou kunnen zijn voor wat ik weet.'

'Turatello, verklaar je nader. Heeft iemand je bedreigd?' vroeg Moncada.

'Begrijp me goed, commissaris. Ik zeg u dat ik voor sommige faciliteiten feiten zou kunnen onthullen die kunnen inslaan als een bom.'

'Vertel eens wat die feiten zijn.'

'Zullen we het eerst over de faciliteiten hebben?'

'Als je me vertrouwt, weet dan dat als je echt belangwekkende zaken opbiecht, ik beloof dat ik er alles aan zal doen om je te helpen.'

'Goed dan. Hier komen de feiten. Ik werk sinds een tijdje samen met een occulte afdeling van de Geheime Dienst. Eerst had Pierluigi Dalmasso me erover verteld en later heeft een persoon contact met me gezocht die zich de Generaal laat noemen. Hij is lang, heeft peper-en-zoutkleurig gemillimeterd haar en een baritonstem. Af en toe laat hij van zich horen als ik in opdracht van de geheime afdeling iemand moet ontvoeren of een overval moet plegen.'

Moncada ging rechtop in zijn stoel zitten. Eindelijk zou zijn stelling bewaarheid worden. 'Heb je steeds met hém gesproken of ook met iemand anders?'

'Altijd alleen met hem. Maar wat ik u wil vertellen is behoorlijk ernstig.' Turatello ademde diep in.

'Je kunt het. Vertel maar,' zei Moncada bemoedigend.

'Herinnert u zich nog die vliegtuigramp van 1972 bij Punta Raisi? De ramp in Montagna Longa?'

'Die herinner ik me nog. Er stierven meer dan honderd passagiers.'

'Honderdvijftien om precies te zijn. En weet u nog wat de oorzaak was van de crash?'

'Vaag. Als ik me niet vergis werd verklaard dat de piloten drugs hadden gebruikt of dronken waren.'

'Dat is allemaal niet waar. Een aantal weken voor de ramp riep de Generaal mijn hulp in. Later hoorde ik dat hij ook bij Renatino was geweest, maar die had hem verteld dat hij op kon hoepelen. De Generaal legde me uit dat ze een demonstratieve actie wilden uitvoeren. Ze waren al een paar jaar met een campagne bezig om de verspreiding van het communisme in Italië tegen te gaan. Er zijn slachtpartijen geweest. Ze wilden de bevolking terroriseren door de schuld van die bommen op anarchistische en linkse groeperingen af te schuiven. De explosie van de DC-8 van Alitalia zou na de landing van het vliegtuig moeten plaatsvinden. Het ging om een kleine aanval. Die zou slechts een demonstratieve invloed hebben op de publieke opinie, daar had hij me tenminste van verzekerd. Ik nam de opdracht dus aan en plaatste het pakje met de bom met hulp van een personeelslid bij vliegveld Fiumicino, in het vliegtuig, tijdens de gebruikelijke inspectie voordat het opsteeg. Mij was verzekerd dat de klok was ingesteld op de tijd die het vliegtuig nodig had om zijn bestemming te bereiken, plus een halfuur voor het geval er iets mis zou gaan. En helaas is er die avond wat misgegaan, meerdere dingen zelfs. Het vliegtuig vertrok vijfentwintig minuten te laat. Maar dat was er niet de oorzaak van dat de explosie tijdens de vlucht plaatsvond. Er was nog een ander probleem. Terwijl het al bij vliegveld Punta Raisi was aangekomen moest de commandant voorrang geven aan een ander vliegtuig, dat afkomstig was uit Catania, waardoor hij nog vijftien minuten later was voor de landing. En dit onverwachte oponthoud werd het vliegtuig fataal,' eindigde Turatello.

'Dus als ik het goed begrijp, spreken de autoriteiten liever van een incident en schuiven ze de schuld af op de piloten, dan dat ze toegeven dat het een aanslag was, om de bevolking niet van streek te maken?' vroeg Moncada.

'Precies. Als de laatste momenten van de vlucht van de DC-8 beluisterd zouden worden op de tapes uit de zwarte doos, zou de waarheid zeker aan het licht komen, en ik denk niet dat dat goed uit zou pakken voor de politici die ons land regeren. Hun geloofwaardigheid zou voor altijd aangetast zijn.'

* * *

Moncada boog voorover, naar de microfoon van de recorder en vervolgde zijn verhaal, waarbij hij zijn woorden duidelijker uitsprak, om niet te worden misverstaan. 'Na het gesprek met Turatello ben ik zelf een onderzoek begonnen over de feiten van Montagna Longa. De zus van een van de slachtoffers, die nooit heeft geloofd dat het een simpel ongeluk was, stuurde me een rapport van vicehoofdcommissaris Giuseppe Peri, die al zestien jaar het team van de juridische politie van Terracina aanvoert, waarin de hypothese van een aanslag gestaafd wordt met goede bewijzen. De vicehoofdcommissaris is de eerste die van banden tussen de maffia, de vrijmetselarij, de georganiseerde criminaliteit en de geheime dienst van de staat spreekt. Met dit rapport stelde Peri op 22 augustus 1977 een aanklacht op tegen tweeëndertig mensen, aangevoerd door bekende neofascisten die vier mensen hebben ontvoerd door onder een hoedje te spelen met de maffia en gebruik te maken van criminele bendes. Op 15 november 1976 meldde hij bij het parket van Terracina en Marsala dat de ontvoeringen van Luigi Corleo, Nicola Campisi, Luigi Mariani en Eugenio Egidio Perfetti hadden plaatsgehad "voor het subversieve doel autofinanciering van de neofascistische politieke criminaliteit met medewerking van microcriminelen". Voor deze ontvoeringen en voor andere criminele acties wees Peri de Romeinse fascisten, die banden hadden met Concutelli en de maffiosi van Salemi van de familie van Salvatore Zizzo, aan als de verantwoordelijken.

De vicehoofdcommissaris zinspeelde in zijn rapport duidelijk op het bestaan van een "derde niveau" dat dit samenwerkingsverband had bevestigd en de politieke vruchten hiervan zou plukken. "Een subversieve centrale waaraan individuen deelnamen die boven iedere verdenking op verschillende niveaus opgenomen waren in het staatsapparaat." Dit rapport is nooit meegenomen in het onderzoek naar de dood van de vijfhonderd mensen in Montagna Longa. Peri verstuurde negen aangetekende stukken. Eén rapport naar het parket van Marsala, Terracina, Palermo, Agrigento, Catania, Taranto, Milaan, Torino en één naar de algemene volmacht in het gerechtshof van Palermo. Maar er gebeurde niets, behalve met hem: hij werd als fantast bestempeld en meteen aan de kant geschoven.

Na zestien jaar aan het hoofd te hebben gestaan van de politie van Terracina en als vicehoofdcommissaris met verschillende parketten te hebben samengewerkt, werd hij op 29 juli verplaatst naar het hoofdbureau van Palermo, waar hij nu nog steeds zit, uitgesloten van welk soort onderzoek dan ook, hoewel hij een geweldige rechercheur is, zoals dit rapport laat zien. Na de ontvoering van een paar weken geleden door de P2 van de Meester Eerwaarde, ben ik de namen Varchi en Cassata op een lijst met vrijmetselaars tegengekomen: de eerste was de baas van het kabinet van hoofdcommissaris Aiello van Terracina en een van de grootste voorstanders van de 'straf'-overplaatsing van Peri naar Palermo; de ander was rechter-commissaris bij de rechtbank van Marsala die het rapport definitief opborg in het archief. Maar om terug te komen op Peri, de hoofdcommissaris voert zeer steekhoudende argumenten aan. Ik zal ze voor de zekerheid even voorlezen.' Hij haalde een dossier uit zijn leren tas, bladerde het door en toen hij de juiste pagina gevonden had begon hij voor te lezen: "Dit zijn de bewijzen die de hypothese over de explosie bevestigen: 1. De tas van journaliste Angela Fais is niet verbrand en haar persoonlijke documenten (rijbewijs, paspoort, pasje van de krant, pasje van de partij en pasjes van culturele en milieuorganisaties) ook niet. Hij was van leer en de ritssluiting was eruit geschoten als door een luchtverplaatsing bij een explosie. 2. Haar Optalidon-pillen waren tot meel vermalen. Haar Bic-balpennen zagen eruit als scherven van een aambeeld dat met een hamer is stukgeslagen. Met de impactproeven in het laboratorium werden zelfs niet met driehonderd kilometer per uur dezelfde resultaten geboekt, omdat het soortelijk gewicht van de Bic-pen evenals van de Optalidon-pil zeer laag is en dat poeder en die scherven alleen het resultaat kunnen zijn van een explosie. 3. Alle slachtoffers hadden hun schoenen uit. Bij veel vliegtuigongelukken wordt dit meestal uitgelegd als een tip van het vliegtuigpersoneel aan de passagiers, bij een mogelijke landing op het water, een noodlanding met als oorzaak een incident aan boord, een ramp of iets anders. 4. Hoewel de lichamen eruitzagen alsof ze getroffen waren door een explosie, vonden de officier van justitie en zijn plaatsvervangers het niet nodig ze te onderwerpen aan een ballistisch onderzoek en te controleren op eventuele sporen van explosieven. 5. Veel slachtoffers waren uiteengespat, als door een explosie (van regisseur Indovina waren slechts zijn identiteitskaart, rijbewijs en tandprothese teruggevonden). Andere lichamen, met name die in de staart, zaten in een rusthouding, alsof ze sliepen." Zo, dat was het. Nu kun je hem uitzetten,' zei hij tegen de inspecteur die zichtbaar geschokt was door deze verklaring.

'Commissaris, wat moet ik met de band doen?'

'Die moet je op een veilige plek opbergen, samen met deze.' Hij overhandigde hem de dossiermap. 'Dit is een kopie van het rapport van Peri. Ik zal het rapport en mijn bevindingen naar de officier van justitie brengen. Mocht mij in de tussentijd iets overkomen, moet jij de opname en het dossier naar hem brengen. Dat moet je me beloven, Perrone. Ik vertrouw alleen jou.'

'Natuurlijk, commissaris, dat beloof ik u.' Hij deed de map en de band in een grijze envelop en maakte deze dicht met lijm en plakband.

'Spreek hier alsjeblieft met niemand over. Er zit een mol op het hoofdbureau.'

'Dat wordt beweerd.'

Moncada stond op en schudde hem de hand. Toen kon hij zijn emoties echter niet meer bedwingen en omhelsde hij hem stevig, alsof hij afscheid nam van zijn beste vriend.

***

Toen Renatino hoorde van de dood van zijn vriend Turatello was hij oprecht verdrietig, wat hij in zijn ellendige leven maar weinig was geweest. Hij begreep dat met de dood van Engelengezicht een heel tijdperk werd afgesloten. Alleen hij was nog over om de vlag van de 'goede jongens van de batterijen' hoog te houden. Hij moest verdergaan waar hij gebleven was, anders zou ook zijn ondergang nabij zijn.

Hoewel hij amper dertig was had hij zijn schuld aan de wereld nog niet afbetaald. Daarom besloot hij de perfecte ontsnapping uit San Vittore, de best bewaakte gevangenis van Italië, voor te bereiden.

Helaas liepen de zaken in die lente van het jaar 1980 niet zoals hij had gehoopt. Zijn ontsnappingspoging mislukte en hij werd naar de dodencellen van Asinara verbannen.

Tijdens die zeer lange uren alleen in de dodencel dacht hij vaak terug aan zijn slachtoffers. Iedereen vroeg hem of hij spijt had van wat hij had gedaan, maar hij wilde niet gelijkgesteld worden met criminelen die uiteindelijk wilden boeten voor hun fouten, zich hadden bekeerd en afstand namen van hun verleden, ook al hadden ze hun vrijheid herwonnen. Hypocriet goed gedrag. Uit respect voor de familieleden van de slachtoffers en voor zichzelf had hij altijd geweigerd openlijk spijt te betuigen van zijn acties. Spijt is een intieme emotie die niet aan de grote klok gehangen kan worden. Maar de kwellingen die moeders, echtgenotes en kinderen van de slachtoffers hadden ondergaan, lieten hem nooit los. Na tot vier keer levenslang en tweehonderdzestig jaar gevangenisstraf veroordeeld te zijn was het zijn laatste hoop iemand te horen zeggen dat een heel leven binnen de vier muren van een cel genoeg was om zijn schuld af te lossen.

Op een middag, een van de vele die hij lusteloos in de dodencel doorbracht, dutte hij in en werden, zoals soms gebeurde, de monsters uit zijn diepste herinneringen wakker. Hij zag zichzelf weer als kind van acht jaar, blij omdat hij de arme dieren had bevrijd uit hun kleine en armzalige kooien. De koning van de jungle kan niet eeuwig in een te kleine kooi leven. Hij heeft ruimte nodig om te kunnen rennen, spelen en liefhebben. Hij was blij omdat hij de vrijheid aan die beesten had teruggegeven. 'Vrijheid is het mooiste geschenk dat ons op aarde gegeven is,' zei hij. Alleen als je baas bent over je eigen leven ben je vrij. Dat waren zeer diepe gedachten voor een kind van nog maar acht jaar oud, die bewezen dat zijn intelligentie zich snel ontwikkelde.

Maar toen gebeurde er iets wat zijn sterke morele gevoel voor altijd deed verschrompelen. Op een morgen kwamen twee politieagenten hem halen om hem naar Beccaria te brengen. In die jeugdgevangenis werd hij vastgepakt door honderd handen en gedwongen zijn kleren uit te doen en de gebruikelijke blauwe boevenoverall aan te trekken. Hij ervoer dit als een geweldddaad. Maar wat hij vervolgens moest doorstaan zorgde voor de omslag die alle deuren van zijn persoonlijke hel wijd openzette.

De hongerige wolven liepen over de ijzige steppe. Ze roken hun prooi. Hun voetsporen in de sneeuw waren doodsbeloften. Op blote voeten rende het kind door de plassen en verstijfde bij iedere sprong van angst. Hij was verward en verbaasd dat dit hem allemaal overkwam. Waarom? Waarom kwamen ze achter hem aan? Hij dacht dat hij goed had gehandeld. Misschien verwachtten ze van hem dat hij slecht was.

Het kwaad.

Hij voelde de wolven in zijn hielen bijten. De reus met de blauwe jas greep hem bij zijn polsen en bond hem vast aan het veldbed. Hij was mager en had kortgeschoren haar als een gevangene en kon niet ouder zijn dan zestien. Hij schreeuwde zo hard hij kon, maar het had geen zin, omdat een grote hand zijn mond bedekte. Ze trokken zijn broek uit en toen...

Renatino lag languit op de strozak en schrok plotseling op uit de loomheid die hem een groot deel van de dag teisterde. Dit was de eerste keer dat die oude herinnering opdook uit zijn geheugen. Hij had medelijden met die onschuldige jongen. Zijn ogen werden vochtig. Uiteindelijk rolden twee tranen over de droge huid van zijn wangen.

Als in een verre echo hoorde hij een stem schreeuwen: 'Heb medelijden met dat kind.' Daarna prevelden zijn lippen een weemoedig woord: 'Genade...'

Lees ook van Karakter Uitgevers B.V.

VITO BRUSCHINI

De vader – Il padrino dei padrini

1920, Salemi, een dorpje in het binnenland in de West-Siciliaanse provincie Trapani.

Onder de boeren en herders, die in diepe ellende leven, heerst onvrede omdat de rijken zich over hun rug blijven verrijken. De wanhoop is zo groot, dat een aantal van hen een toevlucht zoekt in de misdaad. Maar dan treedt prins Ferdinando Licata – bijgenaamd *U Patri* ('de Vader') – op de voorgrond en neemt het voor hen op. Voor de boeren is het een hart onder de riem dat deze gerespecteerde en genereuze grootgrondbezitter hen wil beschermen. In de jaren die volgen, steekt het fascisme zijn kop op; Salemi gaat, net als de rest van Sicilië, gebukt onder terreur en geweld.

Net als veel andere Sicilianen ziet de prins uiteindelijk geen andere uitweg dan Amerika, het laatste toevluchtsoord voor de tallozen die hopen op een betere toekomst. En terwijl de swingende jazzmuziek de op handen zijnde oorlog tegen nazi-Duitsland tevergeefs probeert te overstemmen, ontdekt prins Licata de macht van een organisatie die bestemd is om te heersen over alle handel in en buiten de Verenigde Staten.

De naam van deze organisatie is de Cosa Nostra: een geheim genootschap dat zo machtig is dat het politici wetten kan opleggen en zelfs in staat is de landing van de geallieerden op Sicilië te beïnvloeden op het hoogtepunt van de Tweede Wereldoorlog…

ISBN 978 90 6112 568 6